LE MEILLEUR DU LIVRE
LES MEILLEURS DES LIVRES

SÉLECTION DU LIVRE

Sélection
READER'S DIGEST

PARIS - MONTRÉAL - ZURICH

PREMIÈRE ÉDITION

LES CONDENSÉS FIGURANT DANS CE VOLUME
ONT ÉTÉ RÉALISÉS PAR THE READER'S DIGEST
ET PUBLIÉS EN LANGUE FRANÇAISE AVEC L'ACCORD
DES AUTEURS ET DES ÉDITEURS DES LIVRES RESPECTIFS.

© Sélection du Reader's Digest, SA, 2012.
31-33, avenue Aristide-Briand, 94110 Arcueil.

© Sélection du Reader's Digest, SA, 2012.
Räffelstrasse 11, « Gallushof », 8021 Zurich.

© Sélection du Reader's Digest (Canada) Ltée, 2012.
1100, boul. René-Lévesque Ouest, Montréal (Québec) H3B 5H5.

Imprimé en Allemagne *(Printed in Germany)*
ISBN 978-2-7098-2526-9

ÉDITÉ EN MARS 2013
DÉPÔT LÉGAL EN FRANCE : AVRIL 2013
DÉPÔT LÉGAL EN BELGIQUE : D-2013-0621-55

302 (3-13)
81.302.0

DANS LES PAS D'ARIANE

L'INDICE DE LA PEUR

L'ÉTÉ DE L'OURS

L'HERMINE ÉTAIT POURPRE

Françoise Bourdin
Dans les pas d'Ariane

Unique héritière de sa tante Ariane, Anne Nogaro s'est installée envers et contre tous dans la maison qu'elle lui a léguée. Elle va mettre tout en œuvre pour redonner vie à cette propriété landaise nichée entre forêt et océan, le berceau des Nogaro. Avec l'aide de son frère Jérôme, elle entreprend de transformer la demeure en maison d'hôtes. Mais Paul, son mari, refuse de venir vivre dans cet endroit reculé. La rupture entre les époux semble inévitable car rien ni personne ne pourra convaincre Anne, à l'aube d'une nouvelle existence, de renoncer à son projet.

Page 9

Robert Harris
L'Indice de la peur

Alexander Hoffmann, physicien de formation, dirige à Genève un fonds d'investissement très prospère: il a inventé une forme d'intelligence artificielle, le VIXAL, capable de prévoir les fluctuations des marchés financiers en fonction de la peur des investisseurs. Mais un matin, il est agressé chez lui par un inconnu, puis il découvre qu'il est espionné… La paranoïa le guette, et pendant ce temps, le VIXAL devient incontrôlable, risquant de déclencher une panique boursière. Hoffmann parviendra-t-il à détruire le monstre numérique qu'il a créé?

Page 149

Bella Pollen
L'Été de l'ours

En 1979, Nicky Fleming, diplomate britannique en poste à Bonn, est retrouvé mort après être tombé du toit de l'ambassade. Soupçonné de trahison, il se serait suicidé. Mais Letty, sa veuve, est convaincue qu'il n'est pas un traître. Elle quitte l'Allemagne et s'installe avec ses trois enfants, Georgie, Alba et Jamie, sur une île des Hébrides, en Écosse, sa terre natale. Si Georgie et Alba puisent en elles la force de surmonter le deuil, Jamie, petit garçon hypersensible, se met à imaginer que l'ours qui erre dans l'île lui ramènera son père.

Page 321

Pierre Borromée
L'hermine était pourpre

Un meurtre d'une férocité inouïe secoue la torpeur d'une ville de province. Une femme a été étranglée dans son lit, éventrée et défigurée. Qui a commis cet acte barbare ? Un malade mental ? Un tueur en série ? Le juge d'instruction, dépassé par les événements, soupçonne d'emblée le mari de la victime. Mais au milieu de l'excitation générale, certains gardent la tête froide, à commencer par un vieux commissaire blanchi sous le harnais et un bâtonnier qui n'aime que deux choses, la justice et le vélo… Ensemble, ils vont explorer toutes les pistes, même les plus improbables.

Page 485

Dans les pas d'Ariane

FRANÇOISE BOURDIN

*L*e testament d'Ariane Nogaro a totalement bouleversé
la vie d'Anne, sa nièce préférée, à qui elle a légué
tous ses biens. La famille se déchire, chacun révélant son vrai
visage. Mais la jeune femme veut se battre pour préserver
le patrimoine et perpétuer la mémoire des Nogaro, de grands
résiniers landais dont elle a découvert l'histoire dans le journal
intime de sa tante. Un journal qui recèle bien des secrets, dont
certains vont s'avérer terriblement perturbants pour Anne…

1

L'AUTOMNE conservait encore un peu des couleurs et des senteurs de l'été, cependant les jours raccourcissaient vite et, dès le coucher du soleil, le vent venu de l'océan faisait frissonner. Anne voyait approcher la saison froide avec une sourde angoisse qui ne la lâchait pas mais qu'elle avait appris à ignorer. Âprement, elle poursuivait sa route, décidée à ne pas dévier de son objectif. La bastide que lui avait léguée sa tante représentait désormais son avenir, son foyer, même si cet héritage inattendu avait précipité son divorce.

Précipité ou provoqué ? Dès l'ouverture du testament, toute la famille s'était liguée contre elle, criant à l'injustice. Pourtant, le choix de la tante Ariane n'était pas arbitraire, seule sa nièce Anne lui avait semblé digne de confiance et apte à reprendre le flambeau. Car la bastide Nogaro n'était pas qu'une maison, c'était le combat de toute une vie. Malheureusement, Paul n'avait pas voulu ou su le comprendre. Indifférent au charme envoûtant de la vieille bâtisse, il était tombé des nues lorsque sa femme avait émis l'idée de venir y habiter. De jour en jour, leur conflit s'était envenimé, jusqu'à cette improbable rupture qui aujourd'hui les dressait l'un contre l'autre.

Une pile de courrier à la main, Anne parcourut la fin du sentier à grandes enjambées pour se réchauffer. Derrière elle trottinait Goliath, un énorme chien noir hérité avec la maison. Dépassant les derniers arbres, la jeune femme marqua un temps d'arrêt pour contempler la façade très blanche qui se dressait au beau milieu de la clairière. L'ancêtre qui avait fait construire la bastide ne s'était pas trompé en l'édifiant là, au centre d'une forêt de pins dont les Nogaro avaient tiré profit durant des générations, avant de sombrer dans la ruine. L'arrêt brutal de l'exploitation de la résine les ayant conduits à la faillite, ils avaient d'abord vendu des centaines d'hectares, puis la maison, et s'étaient réfugiés dans une modeste villa à Biarritz. Ariane avait mal accepté la chute sociale, mais surtout elle n'avait pas supporté la perte de cette superbe bastide où elle était née et venait de fêter ses dix-huit ans. Par la suite, elle avait consacré son existence à récupérer l'endroit afin de retrouver le paradis perdu. Après presque trente ans de lutte et trois mariages décevants, elle était enfin redevenue propriétaire de ce qu'elle n'avait cessé de considérer comme son domaine. Mais la maison commençait à se délabrer. Ariane s'y était enfermée et y avait vécu chichement jusqu'à sa mort, heureuse envers et contre tout d'être rentrée chez elle.

Anne traversa la clairière, le chien sur ses talons, et alla se réfugier dans la cuisine. Comme presque chaque jour, le courrier apportait de nouvelles factures, des devis. L'aménagement du deuxième étage en chambres d'hôtes était un projet pharaonique. Beaucoup d'investissements, et sans doute peu de rapport à en attendre. Il faudrait de nombreuses années avant d'amortir les travaux, mais au moins la maison vivrait pendant ce temps-là.

D'un geste résigné, Anne éparpilla le courrier sur la table. Elle repéra parmi d'autres une lettre de son avocate. Elle déplia la feuille, sauta directement à la conclusion : un rendez-vous devant le juge, au tribunal, dans quatre semaines. Paul et son avocat, Anne et la sienne, avec un magistrat pour prononcer le divorce, et tout serait consommé en quelques minutes.

Elle dut s'asseoir pour reprendre son souffle. Ainsi, elle allait vraiment divorcer ? Paul et elle s'aimaient toujours, ce prétendu *consentement mutuel* pour se séparer était absurde. Comment Paul, qui était son mari, son ami, son amant, le père de son fils, avait-il pu se transformer en ennemi ?

— Tu viens d'apprendre un décès ? lui lança son frère en entrant dans la cuisine. Si c'est ça, j'espère que tu vas faire un autre héritage !

— Très drôle, soupira-t-elle.

Jérôme l'agaçait souvent mais, contrairement à ses craintes, il se révélait utile pour la maison, il n'était pas qu'un pique-assiette, comme il en avait la réputation. Et dès le début, il avait été le seul de la famille à ne pas lui donner tort dans cette histoire d'héritage.

Baissant les yeux sur le courrier, il marmonna :

— Allez, tu vas reprendre ta liberté, tu n'as rien à regretter.

— Qu'en sais-tu ?

— Paul est un emmerdeur. Tu le prenais pour un type idéal, mais ce n'est qu'un égoïste et un macho.

Anne haussa les épaules sans répondre. Paul avait refusé de suivre sa femme dans l'aventure de la bastide, il s'était persuadé qu'il s'agissait d'un caprice et qu'il n'avait pas à céder. Il vivait désormais en célibataire dans sa petite maison de Castets et il avait été le premier à contacter un avocat.

— Ah, mon catalogue de carrelages ! s'extasia Jérôme.

Parce qu'il avait mené jusqu'ici une existence de nomade, multipliant les petits boulots sans intérêt, toute la famille Nogaro tenait Jérôme pour un incapable, un raté. Pourtant, l'idée des chambres d'hôtes venait de lui, et depuis le début du chantier il mettait la main à la pâte, dévoilant de surprenantes qualités de bricoleur. Bien sûr, chez sa sœur il avait trouvé un refuge qui offrait un gîte confortable ainsi qu'un couvert copieux. Anne s'était même débrouillée pour le libérer des dettes qu'il avait laissées derrière lui à Londres et qui lui créaient des ennuis. Elle ne s'offusquait pas qu'il aime autant les filles que les garçons, ne lui posait jamais de questions indiscrètes. En conséquence, il se sentait bien dans la bastide et son envie d'y rester l'avait surpris lui-même.

— Ouvre cette paperasserie et étudie-la, suggéra-t-il en désignant le courrier, c'est toi la comptable.

Un métier qu'elle n'exerçait qu'à mi-temps mais qui lui plaisait. On lui aurait volontiers prêté un travail moins austère – elle avait un caractère gai et fantaisiste –, pourtant manier des chiffres la passionnait.

— Je monte dans mon bureau, annonça-t-elle en ramassant le courrier épars.

Avec un petit sourire de connivence, Jérôme la regarda sortir, toujours flanquée du gros chien. Il savait qu'elle allait détailler attentivement les devis avant de les accepter. Et pour tout ce qui concernait la bastide, elle se montrait pointilleuse, comme si elle avait peur de commettre une erreur. Mais aussi, la famille entière avait essayé de la culpabiliser. Qu'elle veuille garder cette propriété les avait tous rendus enragés, Paul compris, et malgré tout elle avait trouvé assez de force de caractère pour leur résister. À sa manière, Jérôme l'avait aidée en jetant de l'huile sur le feu. La séparation du couple l'arrangeait. Il pouvait ainsi s'amuser avec sa sœur dans ce grand terrain de jeu que représentait pour lui la bastide. Ce n'était pas lui qui en avait hérité, mais au moins il en profitait pleinement.

« Profiter » avait été l'essentiel de son existence jusqu'ici. Il manipulait avec habileté sa famille comme ses amis. Mais à trente-cinq ans, il commençait à se lasser de la vacuité de sa vie. De tous les Nogaro, Anne étant celle qu'il préférait, partager un projet avec elle n'était pas un pensum, il envisageait même, pour une fois, de mener les choses à bien. D'ailleurs, se retrouver dans le camp de la « rebelle » était assez distrayant. Lorsqu'il était enfant, il adorait déjà les frasques d'Anne et jugeait les deux aînés, Lily et Valère, mortellement ennuyeux. Tout comme leurs parents, figés dans leurs rôles austères d'instituteurs, même à la maison. Dès sa majorité, Jérôme avait fui pour aller s'amuser ailleurs. Il séjournait en Afrique quand Anne et Paul s'étaient mariés, mais en apprenant la nouvelle il s'était étonné du choix de sa sœur. Il connaissait Paul, qui à l'époque avait fait partie de la bande de copains de son frère Valère, et il le trouvait déjà trop sérieux, trop branché sur ses études de vétérinaire. À la réception du faire-part, Jérôme aurait pu prédire tout ce qui allait suivre : l'installation professionnelle de Paul passant en priorité, puis assez vite un bébé, enfin une petite maison moderne et pratique qui ferait d'Anne une femme au foyer. Tout ça était arrivé, bien entendu. Si Anne avait conservé son travail de comptable, c'était chez elle et à mi-temps pour mieux s'occuper de leur fils unique, Léo, jusqu'à ce qu'il parte en pension et qu'elle commence à s'ennuyer. L'héritage d'Ariane était vraiment tombé à point, Anne avait pu saisir l'occasion pour ruer enfin dans les brancards.

Bon, ce qui intéressait Anne était plutôt le passé de la famille. En gardant la maison, elle s'appropriait l'histoire des Nogaro et s'y inscrivait. De son côté, Jérôme s'en moquait, il voyait surtout l'intérêt d'avoir déniché un toit et un but. Mais leurs deux états d'esprit n'avaient rien d'incompatible puisque chacun y trouvait son compte.

INSTALLÉE derrière le vieux bureau massif qui avait été celui d'Ariane, Anne venait de valider le devis de l'électricien. Pas question que Jérôme s'occupe de ça, sinon la maison flamberait. Elle vérifia une dernière fois les comptes, ferma le dossier, puis se leva pour aller jeter un coup d'œil par la fenêtre. Les quatre hectares de pins de la propriété se fondaient dans l'immense forêt alentour sans qu'on discerne le grillage qui les clôturait. Certains soirs, à l'heure où les oiseaux cessaient de chanter, elle pouvait entendre l'océan proche.

Un fracas, au-dessus de sa tête, la fit sursauter et lui rappela que des ouvriers travaillaient au second. Ils montaient une cloison, et ils n'allaient pas tarder à brancher leur radio à fond. Avec un soupir agacé, Anne décida de redescendre. En passant près du bureau, elle effleura le gros cahier de moleskine rouge qu'elle avait tant cherché quelques semaines plus tôt. C'était au fond du panier de Goliath, mâchouillé et aplati sous le coussin, qu'elle avait fini par le dénicher. Toutes les pages étaient remplies de l'écriture nerveuse d'Ariane, et Anne se réjouissait de découvrir la suite de l'histoire. La lecture d'un premier cahier, rédigé comme un journal, lui avait appris un certain nombre de choses sur sa famille. Des découvertes parfois décevantes, mais très instructives. Sur le même ton caustique, Ariane décrivait ses trois mariages soldés par deux divorces et un veuvage, son entêtement obsessionnel pour racheter sa bastide, mais aussi ses souvenirs de jeunesse à l'époque des gemmeurs et de la splendeur des Nogaro. Hélas ! ce premier récit s'interrompait abruptement au beau milieu d'une phrase, faute de place disponible, car Ariane n'avait pas voulu perdre une seule ligne sur la dernière page. Frustrée, Anne avait fouillé partout pour trouver la suite, certaine qu'un second cahier existait. Finalement, c'était par hasard qu'elle avait mis la main dessus, un jour de grand ménage. En le feuilletant, elle avait constaté qu'il n'était pas entièrement rempli. Le dernier mot se prolongeait d'un long trait de stylo qui avait déchiré le papier et qui devait correspondre à la mort de la vieille dame, emportée par un infarctus massif. Le cahier était sans doute tombé à ce moment-là. Comme il portait l'odeur de sa maîtresse, le chien l'avait traîné jusqu'à son panier.

Anne faillit l'ouvrir mais y renonça et ôta sa main. Elle le gardait comme une gourmandise qu'on met de côté pour plus tard. Mais n'y avait-il pas, en plus, une sorte de crainte quant à ce qu'elle allait découvrir sous la plume acide d'Ariane ? Ses révélations éclairaient les gens de la famille d'une lumière peu flatteuse. Ce qu'Anne avait lu jusqu'ici sur son père et sa mère était glaçant.

Alors qu'elle dévalait l'imposant escalier, elle sentit vibrer son téléphone dans la poche de son jean. En voyant s'afficher le nom de Paul, elle hésita puis s'assit sur une marche pour répondre.

— Désolé de te déranger, commença-t-il sans préambule, mais j'ai un problème pour samedi. Julien est malade, je serai seul à la clinique et je ne pourrai pas m'occuper de Léo. Si tu n'y vois pas d'inconvénient, on intervertit nos week-ends ?

— Aucun problème, j'irai le chercher vendredi soir à la pension. Julien n'a rien de grave ? voulut-elle savoir.

— Non, une gastro. Je te laisse, la salle d'attente est pleine.

La clinique vétérinaire connaissait un gros succès, et ils n'étaient pas trop de deux avec Julien, son associé, pour soigner tous les animaux domestiques de la région. Pourtant, au début de son installation, Paul avait pris un pari en choisissant le village de Castets, à l'écart de Dax.

— J'ai reçu un courrier de mon avocate, murmura-t-elle.

— Oui, moi aussi.

Il y eut un court silence puis Paul lança, d'un ton de défi :

— Allez, je t'embrasse, à bientôt !

Pour surmonter son émotion, il préférait se draper dans sa dignité, une attitude qu'Anne exécrait.

— Je t'aime, dit-elle au téléphone éteint.

Sentant un souffle dans sa nuque, elle se retourna et découvrit Goliath, qui tendait sa truffe vers elle. Comme tous les chiens, il offrait son affection d'un bloc et ne connaissait pas la rancune.

— Est-ce qu'on mange bientôt ? cria Jérôme depuis le hall. Si tu veux que je travaille, il faut me nourrir !

— J'arrive, soupira-t-elle.

Au moins, son frère était gai, et d'une certaine manière il l'obligeait à aller de l'avant. Avec lui, impossible de s'isoler longtemps pour ruminer ses problèmes, il semblait occuper tout l'espace en arpentant la maison de la cave aux combles. Anne le rejoignit et lui annonça que Léo serait là pour le week-end, ce qui parut le réjouir car il aimait bien son neveu. Puis elle le précéda vers la cuisine, vaguement préoccupée de savoir Julien malade. Devait-elle l'appeler pour prendre de ses nouvelles ? Elle ne s'en sentait pas le courage, il existait trop d'ambiguïté entre eux.

BRIGITTE, la secrétaire de la clinique vétérinaire, prit le temps de faire un détour chez Julien avant d'aller déjeuner. Elle lui apportait des médicaments, de la part de Paul, et un paquet de riz complet.

— Vous avez une mine affreuse ! s'exclama-t-elle quand il lui ouvrit la porte. Votre confrère vous envoie ça, vous pouvez en prendre jusqu'à six par jour, et je vous conseille de manger du riz à l'eau plutôt que de rester le ventre vide.

— Vous entrez ? proposa-t-il sans enthousiasme.

— Non, vous êtes un grand garçon, vous allez vous soigner tout seul. Mais si vous avez besoin de quoi que ce soit, appelez-moi sur mon portable. De toute façon, je repasserai ce soir.

— Merci, Brigitte, vous êtes une mère pour moi.

Ce n'était qu'une plaisanterie, mais il la vit se crisper.

— Je suis plus jeune que vous, rappela-t-elle d'un ton crispé.

— Bien sûr. Jeune et très jolie. Je plaisantais.

Elle hocha la tête et lui tourna le dos pour regagner sa voiture. Paul et lui avaient fini par ne voir en elle que l'assistante, la secrétaire, mais en effet elle était plutôt mignonne. Ces derniers temps, elle avait abandonné ses jeans et ses pulls informes, accomplissant un effort vestimentaire dont on ne s'apercevait que lorsqu'elle ôtait sa blouse. Julien devinait que ce changement était destiné à Paul. Depuis qu'il était séparé d'Anne, Brigitte le regardait autrement, même s'il ne s'en rendait pas compte. Donc, Paul lui plaisait, mais elle s'était bien gardée de le lui montrer tant qu'il avait été un homme marié.

Julien retourna se coucher, remonta la couette sous son menton. Il se sentait un peu moins mal que la veille et espérait pouvoir travailler dès le lendemain. Son arrangement avec Paul était simple : chaque fois que l'un d'eux prenait un jour de congé, l'autre assumait la totalité des rendez-vous. Ils s'entendaient bien et s'estimaient. Pour les opérations, ils s'assistaient mutuellement, et en cas de doute sur un diagnostic ils n'hésitaient pas à se concerter, en toute humilité.

Il tendit la main vers la boîte de médicaments apportée par Brigitte et prit deux comprimés. Après le départ de sa femme, tombée amoureuse d'un négociant en vins qui habitait Bordeaux, Julien avait traversé une période sombre dont il avait eu du mal à se remettre. Aujourd'hui elle ne lui manquait plus, seule l'absence de leurs fils, des jumeaux de six ans, lui pesait. Durant les premiers mois après le départ de sa femme, Paul et Anne l'avaient souvent accueilli chez eux, et les liens d'amitié s'étaient resserrés. Pour Julien, ces deux-là formaient un couple modèle qui défiait les années. Amoureux, complices, sereins, leur bonheur semblait solide et durable, pourtant voilà qu'ils étaient en train de divorcer à leur tour. En vain, Julien avait exhorté Paul à se montrer plus conciliant. Un jour de confidence, Anne avait admis que cette histoire d'héritage n'était peut-être que le révélateur de problèmes plus graves, occultés jusque-là. Elle avait pleuré sur l'épaule de Julien, venu en ami conciliateur, et…

Rien que d'y penser, Julien se sentait mal à l'aise. Parce qu'il l'avait trop serrée contre lui, trop câlinée, il s'était laissé aller à l'embrasser. Rien d'amical dans ce baiser, au contraire : un instant de réel désir entre un homme et une femme. Il déplorait son geste, pourtant il ne regrettait rien. Trahir Paul était abominable, mais tenir Anne dans ses bras avait été magique. Bien entendu, il ne se risquerait pas à recommencer, même en sachant qu'il n'avait nullement forcé la main à Anne.

Il essaya de chasser Anne de sa tête. Elle aimait Paul et ne serait pas guérie de lui avant longtemps. Et le jour où Anne commencerait à regarder ailleurs, ce ne serait pas dans sa direction. Il était trop proche de Paul pour qu'elle ne veuille pas tirer un trait sur lui aussi.

Le sommeil le gagnait et il ferma les yeux. Cette gastro-entérite l'avait épuisé. Pourtant il n'avait rien d'une mauviette, sportif et en bonne santé il voyait arriver la quarantaine sereinement. Sauf qu'il était seul depuis son divorce. Si son travail à la clinique le comblait, il ne pouvait pas constituer le seul moteur de son existence. Il n'avait pas envie de finir comme un vieux garçon égoïste et solitaire. Pour ça, peut-être devrait-il quitter Castets, un village trop tranquille, pour se rapprocher des stations balnéaires. Faire un peu de route chaque jour pour gagner la clinique ne le dérangerait pas. Changer de maison non plus, au contraire de Paul qui s'accrochait à la sienne par principe.

« L'exemple de mon divorce ne lui a pas servi, il se retrouve seul lui aussi. En ne tenant pas compte des désirs de l'autre, on bousille tout. »

Le sommeil vint enfin le délivrer de ses idées noires et de toutes les questions qui l'assaillaient.

Le samedi matin, un soleil radieux permit à Léo, Anne et Jérôme l'une des dernières baignades de la saison. Pour une fois, le meilleur copain de Léo, Charles, n'était pas là. Avant la séparation de ses parents, Léo passait volontiers un week-end chez Charles, et l'invitait chez lui pour le suivant. Mais à présent qu'il devait se partager entre son père et sa mère, son programme était bouleversé.

Anne se leva, balaya d'un revers de main le sable qui s'accrochait à ses jambes. Jérôme en profita pour la détailler avant de laisser échapper un petit sifflement admiratif.

— Tu es vraiment bien foutue, tu vas te recaser sans problème.

Sidérée, elle le toisa quelques instants en silence avant de lui tourner le dos. Une main en visière, elle essaya de repérer Léo dans l'eau, et quand elle l'aperçut entre deux vagues elle décida de le rejoindre. Bien foutue? L'expression familière aurait dû la faire sourire mais elle lui rappelait trop Paul. Quatorze années de mariage n'avaient pas épuisé leur désir, ni leur amour, ce qui rendait leur divorce abscons, paradoxal, inutile. Néanmoins, la procédure était en route.

L'eau lui parut froide et elle se mit à nager vigoureusement. La proximité de l'océan faisait partie des nombreux attraits de la bastide car on pouvait atteindre les plages du Cap-de-l'Homy ou de Contis d'un coup de vélo.

— Tu veux tenter la course, jolie maman?

Léo riait, à quelques mètres d'elle, sa tête apparaissant et disparaissant dans la houle. Anne se demanda pourquoi elle avait droit à tant de compliments ce matin. Elle ne se jugeait pas belle, juste mignonne avec ses petites mèches de cheveux blond cendré et ses grands yeux verts pailletés d'or. Elle ne passait pas des heures devant son miroir, se maquillait peu et s'habillait sans recherche particulière, contrairement à Lily, sa sœur aînée.

— Laisse-moi un peu d'avance, demanda-t-elle.

Elle fonça vers le rivage dans un crawl impeccable. Mais en prenant pied sur le sable elle constata que Léo l'avait devancée.

— Tu ne pensais pas sérieusement gagner? s'amusa-t-il, la main tendue pour l'aider à sortir de l'eau. Même Charles, je le bats!

— Tu grandis trop vite, mon chéri. Je n'accepterai plus aucun de tes défis.

Malgré le soleil, le vent était frais et Anne frissonna. Jusqu'ici, l'automne avait été clément, mais bientôt il faudrait affronter les problèmes de chauffage et de courants d'air dans la bastide. Ce premier hiver l'effrayait. Depuis sa formation de comptable, effectuée à Pau juste après son bac, elle n'avait jamais vécu seule et ne savait pas si elle le supporterait. Pour l'instant, Jérôme était avec elle, mais il était capable de s'en aller un beau matin si une autre opportunité lui semblait plus séduisante.

— On lève le camp? s'enquit Léo.

Forcément, il avait faim, il avait toujours faim parce qu'il se dépensait énormément durant le week-end. À quatorze ans, il en paraissait seize, Anne ne pouvait plus le considérer comme son petit garçon. Est-ce qu'il commençait à regarder les filles? Et à quel moment viendrait la crise d'adolescence, la révolte contre ses parents ou contre la société, l'affrontement avec son père? Anne espéra que Paul remplirait son rôle sans faillir malgré le divorce, mais par la force des choses Léo le verrait moins souvent. Sur le point de se sentir coupable, elle rejeta ce sentiment avec horreur. Pas question de se fustiger, sa famille avait suffisamment cherché à l'accabler, elle continuerait à défendre ses choix la tête haute.

Entourée de son frère et de son fils, elle remonta la plage vers la route. Elle avait trente-six ans, un projet de vie, et elle était résolue à ne pas se laisser abattre.

— DITES-LUI que je suis occupé, chuchota Paul.

— Elle ne va pas se laisser décourager, elle est prête à patienter le temps qu'il faudra, rétorqua Brigitte.

— Il est tard, remarqua-t-il, pourquoi n'êtes-vous pas partie?

— Je mettais l'agenda à jour. Mais maintenant, je m'en vais, je vous laisse vous expliquer en famille.

Elle le raillait gentiment et il lui rendit son sourire. L'après-midi avait été longue, en plus des siens Paul avait dû recevoir tous les rendez-vous de Julien, et sans l'aide efficace de Brigitte il aurait été débordé. Il se félicitait de l'avoir embauchée quelques années plus tôt car elle était devenue une auxiliaire précieuse pour la clinique, il s'en rendait compte chaque fois qu'elle prenait des vacances. Les intérimaires, mal formées, n'étaient presque jamais à la hauteur.

— Vous êtes bien jolie, ce soir. Vous sortez avec un petit copain?

Il voulait dire quelque chose d'aimable et avoir l'air de s'intéresser à elle, mais il la vit se raidir.

— D'accord, je me mêle de ce qui ne me regarde pas, marmonna-t-il en hâte. Allez, sauvez-vous et envoyez-moi Estelle !

Résigné à subir une conversation qui lui déplaisait d'avance, il se leva, ôta sa blouse et passa dans la pièce mitoyenne pour la jeter dans le panier à linge.

— Vous êtes là, Paul ?

Il revint dans son cabinet de consultation où sa belle-mère l'attendait, une expression affable plaquée sur son visage ingrat.

— Bonsoir, mon petit Paul. Je suis venue m'assurer que vous alliez bien, et discuter un peu avec vous. D'après ce que j'ai compris, les choses seront irréversibles d'ici un mois, chez le juge, alors je crois qu'une dernière tentative…

— De quoi ? De réconciliation ? Nous n'en sommes vraiment plus là ! Anne a choisi, les dés sont jetés.

— Votre divorce est une sottise, une absurdité, déclara-t-elle avec assurance. Mais je vous comprends, Paul ! Vous êtes dans votre bon droit, pour moi ça ne fait aucun doute. Le testament d'Ariane n'a créé que des ennuis, dont vous êtes le premier à pâtir. Cette vieille toquée aurait voulu semer la zizanie dans la famille, elle ne s'y serait pas prise autrement.

Certes, Ariane avait été une originale, néanmoins elle avait toute sa tête lorsqu'elle s'était décidée à faire d'Anne son unique légataire. Après tout, seule Anne se souciait d'elle et lui rendait visite.

— Elle avait noué un lien affectif avec Anne…, commença-t-il.

— Pensez-vous ! Elle ne se souciait que d'elle-même, de son horrible chien, et du dernier tour qu'elle pourrait nous jouer. Gauthier est trop pudique pour se plaindre, reprit-elle, mais que sa sœur l'ait ignoré au point de ne rien lui laisser du tout, pas même un petit souvenir de famille…

Décidément, Estelle n'avait pas apprécié de voir cet héritage lui passer sous le nez.

— Bon, ne parlons plus de cette méchante femme. Je viens de loin et j'ai de la route à faire pour rentrer chez moi, alors je vais aller droit au but, mon petit Paul. Je crois qu'Anne s'est fourvoyée et qu'à présent elle se trouve dans une impasse. Elle a joué un moment à la propriétaire terrienne, à l'héritière des Nogaro, mais je suis persuadée que ce rôle a cessé de l'amuser. Elle doit se rendre compte de son erreur et se demander comment sortir de là sans honte. Elle a son orgueil, c'est normal… Il faudrait que vous lui tendiez la main. D'ailleurs, on peut tous lui tendre la main !

— Elle veut conserver la bastide, articula Paul comme s'il s'adressait à une malentendante.

— Justement. Au fond, pourquoi ne pas garder cette propriété ? Se la partager, voir ce qu'on arrive à en faire tous ensemble. Peut-être un hôtel ? Anne pourrait gérer l'affaire depuis chez vous, une fois qu'elle sera rentrée dans son foyer.

— On parle bien de la même personne ? lança-t-il sèchement. Vous pensez qu'Anne ne sait pas ce qu'elle fait ? Vous croyez qu'elle va mettre la bastide Nogaro en copropriété avec vous tous ? Vous n'avez vraiment rien compris !

— Écoutez, Paul, je suis consternée de voir Anne briser son mariage pour un caprice. Je suis également désespérée de constater qu'elle a enrôlé Jérôme dans cette pitoyable aventure. Alors, je cherche des solutions ! Si vous en avez une meilleure…

— Je n'ai malheureusement pas de solution, Estelle, et je refuse d'en parler avec vous. Rentrez chez vous, et faites mes amitiés à Gauthier.

Contournant son bureau, il vint la prendre par le bras pour l'obliger à se lever.

— Paul, gémit-elle, vous êtes un bon gendre…

Il ne le serait bientôt plus, et de toute façon elle avait toujours préféré l'autre, Éric, le mari de sa fille Lily. Pour elle, qui n'aimait pas les animaux, un dentiste était plus respectable qu'un vétérinaire, et habiter une villa à Hossegor valait mieux qu'un pavillon à Castets.

Elle quitta la clinique sans rien ajouter tandis qu'il la suivait des yeux. Il attendit qu'elle soit montée en voiture pour refermer la porte et s'y adosser. Comment sa vie avait-elle pu basculer de manière aussi effroyable ? Était-il vraiment, ainsi que le prétendait Julien, responsable de ce désastre ? D'accord, il était têtu, aussi têtu qu'Anne, et il en avait fait une affaire de principe. Mais il ne pouvait pas s'imaginer un seul instant habitant la bastide Nogaro. Trop grande baraque, ruineuse à entretenir et loin de tout. Durant des années, il avait travaillé dur pour construire une existence à son goût, qui était censée faire également le bonheur de sa femme et de son fils. Il s'était montré sérieux… À outrance ? Sachant qu'Anne aimait la fantaisie, en avait-il tenu compte ?

Il acceptait de se remettre en question, néanmoins il jugeait le comportement d'Anne inacceptable. Elle avait imposé sa volonté, prenant la décision de conserver la maison et de s'y installer. Pour leur fils, c'était un grand territoire à explorer avec les plages à proximité : il penchait du côté de sa mère. À eux deux, ils avaient braqué Paul, sans compter les interventions de Jérôme ! La situation inextricable dans laquelle il s'était embourbé le désespérait, mais que faire ? Au point où en était leur couple, entre les avocats et la convocation chez le juge, plus rien ne le sauverait.

Toujours dos à la porte, il se laissa glisser et s'assit sur le carrelage. La lumière diffusée par les néons rendait la salle d'attente sinistre. Allait-il avoir le courage de continuer ? De venir ici tous les matins pour soigner son lot de chats et de chiens, puis d'affronter la solitude soir après soir en rentrant chez lui ?

Les coudes sur les genoux, la tête dans les mains, il essaya sans succès de refouler ses larmes. Pourquoi s'écroulait-il ainsi, lui qui s'était révélé fort dans tous les moments difficiles de son existence ?

Oui, mais quels moments ? Les années à l'école vétérinaire, les concours ? Doué pour les études, il avait réussi sans avoir vraiment à se battre. Fils unique, il avait eu une enfance privilégiée, une jeunesse agréable. Plutôt beau garçon, les filles avaient vite craqué pour lui, et quand il s'était mis en tête de conquérir Anne, il y était parvenu. Où étaient les épreuves dans tout ça ? Même l'emprunt pour monter la clinique lui avait été facilement consenti par les banques, et la clientèle ne s'était pas fait attendre. Avait-il essuyé un seul revers de toute sa vie ? Anne lui donnait sa première leçon, qu'à l'évidence il ne supportait pas. Mais il ne se transformerait pas en loque pour autant. Chez le juge, il serrerait les dents, il ne ferait rien pour éviter le désastre qu'Anne seule avait provoqué.

— Tu avais promis qu'on n'y toucherait pas ! s'emporta Léo.

— Pas pour le moment, bien sûr, temporisa Jérôme, mais si un jour on a besoin de créer d'autres chambres…

Prenant le parti de son fils, Anne s'interposa.

— On n'investit pas la salle de billard.

— Sans billard, ça s'appelle une immense pièce vide.

— Je fais des économies pour en acheter un d'occasion, rappela Léo d'un ton boudeur.

Anne vit Jérôme hausser les épaules, agacé. Pourquoi voulait-il toujours aller trop loin et trop vite ? Et Léo avait le droit de réaliser son rêve, sinon à quoi servait tout cet espace ?

— Charles a dit qu'il participerait à l'achat car il en profitera lui aussi, précisa Léo.

— Tu ne pourrais pas avoir une simple console de jeux ? suggéra Jérôme. Tiens, un billard virtuel !

Anne fusilla son frère du regard, exaspérée par la dispute.

— À propos de Charles, enchaîna Léo sans s'émouvoir, je l'ai invité le week-end prochain.

— Mais ce sera le week-end de ton père, non ? Nous avons interverti nos tours parce qu'il avait trop de travail pour s'occuper de toi.

— Je n'ai pas besoin qu'on s'occupe de moi, j'y arrive très bien tout seul. Et j'apprécierais que vous ne chambouliez pas le programme constamment, sinon je ne m'y retrouve pas. D'ailleurs, avec cette histoire de week-ends alternés entre papa et toi, je ne peux plus jamais aller chez Charles ! Je monte, j'ai un devoir de maths à finir.

Dès qu'ils furent seuls, Anne demanda à son frère :

— Pourquoi l'asticotes-tu ?

— Parce que tu lui fais la vie trop facile.

— Il est toute la semaine en pension !

— Ce n'est pas une raison pour tout lui passer. Avoue que son idée d'avoir un billard est démente !

— Je ne trouve pas. Même nos futurs hôtes pourraient en profiter. Tu prétends qu'il faut acheter une table de ping-pong, un salon de jardin, ceci, cela, alors pourquoi pas un billard ?

— Parce que les gens qui viendront en vacances chez nous voudront rester dehors.

— Il y a aussi les jours de pluie.

Jérôme eut une moue dubitative, contrarié de ne pas pouvoir lancer de nouveaux projets.

— À propos de Léo, ajouta-t-il d'une voix mesurée, tu devrais t'inquiéter de cette amitié… dévorante avec Charles.

— Pourquoi ?

— Devine.

Elle le dévisagea longuement pour s'assurer qu'elle avait compris son sous-entendu.

— Tu es en train de me dire, et forcément tu le saurais mieux que moi, que Léo et Charles ont une relation ambiguë ?

L'aveu de son frère, quelques mois plus tôt, d'une homosexualité occasionnelle, ne l'avait pas scandalisée. Mais concernant son fils, l'idée la perturbait bien davantage.

— Je ne pense pas qu'ils aient franchi le pas, ricana Jérôme. Trop jeunes et trop innocents. En attendant, garde un œil sur eux !

— Qu'est-ce que ça changera ? Léo est fils unique. Charles est comme un frère pour lui, depuis l'école primaire ils sont inséparables.

— Aujourd'hui, ils sont à l'âge des expériences.

— Et alors ? Je n'irai pas écouter aux portes la nuit, si c'est ce que tu suggères. Aurais-tu apprécié qu'on te surveille quand tu étais ado ? Tu sais bien qu'on n'empêche rien de ce qui doit arriver !

— Je ne t'imaginais pas si fataliste. Mais au fond... tu as raison.

Jérôme avait-il deviné des choses qu'elle ne voyait pas, ou bien la mettait-il à l'épreuve ? Néanmoins, elle savait déjà que son regard sur son fils et sur Charles allait changer.

— Quels que soient les penchants de Léo dans un domaine aussi intime que la sexualité ou les sentiments, je ne serai pas son juge. S'il vient se confier, je pourrai en discuter avec lui, le conseiller... Et encore ! Mais il ne le fera pas, en tout cas pas avec moi.

— Avec son père non plus, répliqua Jérôme.

— Tant pis. Il a droit à son jardin secret.

Comme Jérôme se levait, apparemment décidé à fuir, Anne lui demanda :

— Jérôme ? En admettant que tu aies vu juste, est-ce que ce serait...

Mais elle ne parvint pas à finir et secoua la tête, impuissante.

— Ma grande sœur s'inquiète ? chuchota-t-il. Non, ce ne serait pas la fin du monde. Être gay n'est pas un drame. Et en toute honnêteté, concernant Léo, je n'en sais rien.

Pourtant, il avait fallu qu'il en parle. Elle le regarda sortir, perplexe. Depuis toujours il aimait semer le doute dans les esprits, manipuler ses interlocuteurs, puis observer avec ironie le chaos qu'il déclenchait. Paul ne trouvait pas grâce à ses yeux, il jetait le doute sur Léo, ainsi obligeait-il Anne à tout remettre en question.

Dans un coin de la cuisine, le poêle Godin ronflait, consumant les deux bûches que Léo y avait jetées en début de soirée.

— Paul, mon amour..., souffla-t-elle.

Restait-il quelque chose à sauver ? Elle, dans cette bastide qu'elle avait faite sienne contre l'avis de tout le monde, et lui dans sa petite maison de Castets, avec seulement vingt kilomètres entre eux mais le refus de les franchir. Ils avaient beau se désirer encore et s'aimer toujours, ils ne partageaient plus la même vision de l'existence et leurs chemins s'étaient séparés, sans doute définitivement.

Finalement, elle ne se sentait pas aussi triste qu'elle l'aurait dû, pas aussi perdue qu'elle aurait pu l'être.

À PEU près au même moment, Suki finissait de ranger les fleurs au frais, dans l'arrière-boutique. Une fois toutes ses tâches terminées, elle s'enduisit les mains de crème et les massa l'une contre l'autre. Souvent, ses doigts étaient piqués, coupés, gercés, or elle prenait soin d'elle. Son métier lui plaisait toujours autant qu'à l'époque où elle avait suivi sa formation à l'école des fleuristes, dans le 20ᵉ arrondissement de Paris. Elle habitait alors une chambre sous les toits et n'avait pas un sou en poche. Ses parents venaient de repartir au Japon mais elle avait voulu rester. Elle était en France depuis l'âge de dix ans, elle aimait ce pays, et elle craignait de ne rien reconnaître à Kyoto, de ne pas s'y sentir à sa place. Elle avait tenu bon, obtenu son CAP et guetté les emplois des petites annonces. Le nom de Dax ne lui disait rien. Puis elle avait acheté un guide, vu qu'il existait dans cette ville des parcs et des jardins et que les plages de l'Atlantique se trouvaient à une quarantaine de kilomètres. Conquise, elle était descendue et n'était plus jamais remontée à Paris. Employée dans une jardinerie, elle rêvait d'ouvrir un commerce à son compte lorsqu'elle avait rencontré Valère, le frère d'Anne. Entre eux, il avait suffi d'un regard pour que tout soit dit.

Ah, Valère... Elle cessa de frotter ses mains et se mit à sourire. Ils s'aimaient passionnément, tout allait bien dans leur couple. Que demander de plus?

De plus? Un enfant. Suki l'avait espéré, désiré comme une folle durant des années, puis l'espoir était enfin venu, immédiatement suivi d'une fausse couche. Elle en était tombée malade, avait failli ne pas s'en remettre. Mais c'était terminé. Elle s'empêchait d'y penser, ne tentait rien, n'en parlait plus. En Japonaise disciplinée, elle devait accepter son sort, même si tout son être se révoltait. En apparence, elle souriait, adorait son mari, faisait de beaux bouquets. Et son commerce prospérait, les clients appréciaient ses compositions savantes et délicates, elle remboursait ses emprunts tous les mois.

Elle éteignit les lumières. Le rideau de fer étant baissé, elle sortirait dans la cour, là où se trouvait leur petit appartement. Valère, photographe, devait rentrer tard ce soir, pris par un mariage. Elle allait en profiter pour faire sa comptabilité, qu'elle soumettrait à Anne comme chaque mois. Anne était une belle-sœur formidable, bien plus intéressante que Lily. Ce qu'elle se garderait bien de dire car elle était pour l'harmonie en famille. Et sa famille, aujourd'hui, s'appelait Nogaro.

2

BIEN calée sur ses oreillers, Anne était sur le point d'ouvrir le gros cahier de moleskine rouge. Elle se remémora tout ce qu'elle avait appris dans le premier. Les trois mariages de sa tante Ariane, successivement avec un négociant en vins bordelais, puis un homme d'affaires parisien, enfin le propriétaire de deux palaces sur la côte basque. Le premier lui avait acheté une chartreuse dans le Médoc avant de la quitter, le deuxième avait dû lui verser de confortables indemnités après avoir été surpris en flagrant délit d'adultère, mais le troisième, le seul qu'elle avait aimé et qui était mort d'un cancer foudroyant, n'avait pas eu le temps de lui laisser grand-chose. Obsédée par le rachat de la bastide, Ariane avait très tôt placé son argent entre les mains d'un notaire de Dax, Pierre Laborde. Au fil du temps, ce conseiller était devenu son plus fidèle ami, et après un grand nombre d'occasions manquées, ils étaient arrivés à leurs fins : Ariane avait récupéré *sa* maison. Malheureusement dans un triste état, or elle n'avait pas eu les moyens de la rénover. Elle s'y était néanmoins installée avec béatitude et entre ses murs décrépits, elle avait commencé à écrire l'histoire de sa vie.

Anne en était restée au moment où, par téléphone, Ariane venait d'annoncer à son frère la merveilleuse nouvelle du rachat tant espéré et tant attendu. Gauthier, atterré, lui avait demandé si elle n'était pas devenue folle. Sourde à ses sarcasmes, elle lui avait proposé…

… de venir fêter l'événement avec moi. Il pouvait amener toute sa petite famille, il y aurait du champagne à gogo ! Gauthier accepta de mauvaise grâce. Ils arrivèrent le dimanche en début d'après-midi. Frère, belle-sœur et les quatre marmots entassés dans une voiture brinquebalante. Au premier regard, Gauthier fit la grimace, non pas devant l'état de la maison à l'abandon, mais comme si la revoir lui était pénible. La nichée s'égailla dans la clairière, tandis qu'Estelle restait les bras ballants et les lèvres pincées.

Les quelques meubles rescapés de mes divers déménagements ne suffisaient pas à décorer toutes les pièces, mais le salon était à peu près présentable et nous goûtâmes là, nous observant en chiens de faïence. La bonne surprise vint de la petite Anne qui, délaissant mignardises et jus de fruits, s'extasiait à qui mieux mieux. Elle furetait partout, poussait des exclamations ravies à chaque découverte, charmée par les volets intérieurs, les grands chandeliers d'argent, le vieux parquet en point de Hongrie. Les trois autres enfants, maussades, restaient sagement assis. Je n'éprouvais envers eux ni affection ni curiosité. Anne était vraiment le vilain canard de la fable, la seule qui avait une chance de se transformer un jour en cygne. Et je me reposais la question : pourquoi cette gamine ne ressemblait-elle à personne de sa famille ? J'aurais volontiers prêté une aventure extraconjugale à Estelle, mais c'était si peu son genre que je craignais de prendre mes désirs pour des réalités.

Avec une désarmante spontanéité, la petite Anne grimpa sur mes genoux lorsqu'elle fut fatiguée de courir partout. Dieu qu'elle était à mon goût, cette gamine-là !

Anne interrompit sa lecture, embarrassée. L'intérêt manifesté par sa tante Ariane à son égard la surprenait car elle n'en gardait pas vraiment le souvenir. Pourtant, la scène avait bel et bien eu lieu, chacun y tenant son rôle, d'ailleurs ces personnages surgis du passé étaient criants de vérité. Plus insidieuse était la persistance de son doute, déjà mentionné dans le premier cahier, sur le peu de ressemblance entre Anne et sa famille. Mais quelles questions se poser ? Infidélité ou adoption étant tout à fait exclues, il fallait s'en remettre au hasard des gènes.

Mal à l'aise, elle quitta son lit et sortit de sa chambre. Elle gagna le bureau où elle alluma une lampe bouillotte. Les vieux albums de photos d'Ariane étaient rangés sur une étagère. Anne en prit un au hasard. Page après page, elle étudia les traits de ses ancêtres et passa les femmes de la famille au crible sans se reconnaître dans aucune.

— Tout ça ne signifie rien, murmura-t-elle en fermant l'album.

Il faisait froid dans le bureau et Anne resserra la ceinture de sa robe de chambre avant de s'approcher d'une fenêtre. Comme la nuit était étoilée, on distinguait la masse sombre des pins à la limite de la clairière. L'hiver se profilait, et malgré la douceur du climat des Landes, il y aurait des moments difficiles. Bien chauffer la bastide relevait de la gageure et il allait falloir une énergie considérable pour venir à bout de toutes les réparations nécessaires.

Anne soupira, essayant de ne pas se sentir écrasée par le poids de cette grande maison autour d'elle. Son choix de la garder, et maintenant de la restaurer, lui donnait parfois le vertige. La location de chambres d'hôtes, qui ne pourrait commencer qu'au printemps, ne rapporterait sans doute pas grand-chose, néanmoins ce serait un premier pas. Que pouvait-elle faire d'autre ? Rester les bras croisés la conduirait droit à l'échec, à la mise en vente.

Songer aux chambres lui rappela l'altercation entre son frère et son fils à propos de la salle de billard. Ne serait-il pas plus simple de consacrer à ce jeu une pièce du rez-de-chaussée ? Ainsi, tout le second serait réservé aux clients. Il fallait creuser l'idée. Mais aussi, pourquoi cet engouement rageur de Léo pour un billard ? À cause de Charles ? Dans la vie de son fils, Charles tenait une place considérable, ce qui n'était pas forcément suspect ainsi que Jérôme l'avait insinué. Néanmoins, ne devrait-elle pas avoir une discussion à ce sujet avec Paul ? Non, elle n'avait aucune envie de l'appeler en ce moment. La convocation chez le juge la révulsait, elle ne comprenait pas que Paul ait pu vouloir aller jusqu'au divorce. Un grand remède pour un bien petit mal, et tout ça à cause d'un tas de pierres, comme aurait dit sa mère qui affichait un mépris rageur dès qu'on parlait de la bastide ou d'Ariane et de son « foutu » testament. Quelle agressivité, concernant cet héritage ! Pourtant, à en croire le cahier, ses parents ne s'attendaient sûrement pas à être les légataires d'une femme qu'ils avaient détestée. Mais peut-être auraient-ils souhaité que n'importe quel *autre* de leurs enfants soit choisi, Anne n'étant vraiment pas la préférée. Une découverte tardive et amère pour elle qui, jusque-là, n'avait pas eu conscience d'être traitée différemment. Jamais elle n'avait éprouvé de jalousie envers Lily ou ses frères, et elle n'avait pas cherché à rivaliser dans l'affection de leurs parents.

Lasse de scruter l'obscurité, elle s'éloigna de la fenêtre. Secouée d'un frisson, elle décida de regagner sa chambre pour se réfugier sous la couette. En sortant, elle faillit trébucher sur Goliath qui l'avait suivie et s'était couché de tout son long devant la porte. Elle se pencha pour le caresser, rassurée de constater une fois de plus qu'il la suivait comme son ombre et qu'il veillait sur elle.

JULIEN coupa le contact, descendit de sa moto et ôta son casque.

— Bonjour, Brigitte! lança-t-il à la jeune femme qui remontait les volets roulants.

— Vous allez mieux, on dirait? Ça tombe bien, votre confrère a l'air complètement… lessivé.

Paul n'avait dû lui adresser qu'un vague salut avant de s'enfermer dans son cabinet. Julien l'y rejoignit.

— Content de te voir, vieux, marmonna Paul. Il y a une liste de rendez-vous longue comme le bras aujourd'hui.

— Je suis navré de t'avoir laissé tomber, s'excusa Julien, mais je ne tenais pas debout. Au fait, merci pour les médicaments, je n'aurais pas eu la force d'aller les acheter.

Il vint se planter à côté de Paul qui finit par lever la tête vers lui.

— En ce moment, j'en ai un peu marre, avoua brusquement Paul d'une voix sourde.

Julien posa une main sur l'épaule de son ami.

— Tu veux un peu de vacances? Tu devrais partir d'ici.

— Où que j'aille, j'emmènerai Anne avec moi dans ma tête.

— Arrête ce divorce à la con, c'est toi que tu punis.

Sans attendre la réaction de Paul, il gagna son propre cabinet. Comment pouvait-on être marié à une femme aussi fantastique qu'Anne et vouloir la quitter? Mais bien sûr, tout le monde devient stupide et aveugle dès qu'il s'agit d'amour. Lui-même ne fantasmait-il pas honteusement sur la femme de son meilleur ami?

Il alluma l'ordinateur, jeta un coup d'œil au programme de la journée. L'Interphone bourdonna et Brigitte lui annonça qu'il avait un représentant de croquettes en ligne. Elle filtrait les appels pour leur éviter d'être dérangés mais ne prenait jamais seule la décision de commander un produit, même courant.

— Passez-le à Paul, suggéra-t-il, il a besoin de distraction!

Il entendit le rire clair de la jeune femme et se demanda s'il devait attirer l'attention de Paul sur elle. Non, ce serait une erreur, le malheureux était incapable de s'intéresser à une femme pour l'instant. Il se leva, s'étira et alla enfiler une blouse, plutôt content d'attaquer sa matinée. Seul chez lui, il s'ennuyait, et ses tentatives de soirées à Hossegor ou Capbreton, durant l'été, ne lui avaient pas offert de rencontres intéressantes. De toute façon, il rêvait d'une vraie relation, d'une histoire sentimentale, pas d'un tableau de chasse. Lorsque sa femme l'avait quitté, pour le consoler Anne avait prédit que les filles allaient lui tomber dessus comme des mouches sur un pot de miel. Ce rôle-là ne l'amusait pas du tout et ne le flattait pas. S'apercevant que ses pensées, quoi qu'il fasse, le ramenaient à Anne, il se précipita vers la salle d'attente pour aller chercher son premier client.

— AH, c'est bien, très bien ! s'exclama Anne.

Le deuxième étage prenait vraiment belle allure. Des anciennes pièces étroites, sans doute réservées aux employés à l'époque du faste de la bastide, Jérôme avait réussi à faire des chambres spacieuses. Le maçon avait abattu des cloisons pour en remonter ailleurs, et le plombier avait installé la tuyauterie de deux salles de bains que Jérôme terminait en posant le carrelage.

Très content de lui, Jérôme guettait l'approbation de sa sœur.

— En toute honnêteté, avoua-t-elle, je ne t'aurais pas cru capable de tout ça…

— On ne m'a jamais apprécié à ma juste valeur dans la famille.

Anne elle-même, pourtant plus indulgente que les autres, avait douté qu'il aille au bout de leur projet. Cependant il s'échinait pour de bon sur le chantier. Mais dans quel but ? Le gîte et le couvert ne justifiaient pas à eux seuls tout le mal qu'il se donnait. Quant à imaginer qu'il avait radicalement changé de caractère, c'était inenvisageable.

— J'ai des tarifs très avantageux sur la frisette, annonça-t-il. Un coût dérisoire pour des lambris garantis en pin des Landes.

— Et par quel miracle as-tu obtenu des prix intéressants ?

— Grâce à un copain.

— Lequel ?

— Secret. Il s'agit de ma vie privée.

— Si tu veux inviter des amis ici…, commença-t-elle.

— Anne ! Je ne t'ai pas parlé d'amis. Et je ne te ferai pas de confidences. D'accord ?

Elle hocha la tête avant de s'éloigner de quelques pas.

— Ne te vexe pas, ma belle, mais tu n'es qu'une fille! lança-t-il dans son dos.

Une vieille blague dont ils usaient volontiers, Valère et lui, lorsqu'ils refusaient d'emmener Anne dans leurs soirées de garçons.

— Une fille qui a su te tirer des ennuis il n'y a pas si longtemps.

Elle faisait référence aux soucis qu'il avait eus avec ses anciens colocataires anglais, venus le poursuivre jusqu'ici pour récupérer l'argent qu'il leur devait. Comme elle ne disposait pas de la somme et ne pouvait pas faire appel à Paul, elle s'était adressée à Julien.

— Je sais que je dois toujours de l'argent au séduisant véto, dit-il en la rejoignant dans le couloir. Mais je sais aussi qu'il ne sera pas pressé de te le réclamer. Il te regarde avec des yeux de merlan frit.

— Et alors? s'insurgea-t-elle. Ce serait une raison pour ne pas le rembourser? De toute façon, tu dis n'importe quoi.

— Ne fais pas ta mijaurée avec moi. Quand il vient chercher Léo pour une leçon de surf, c'est toi qu'il veut voir. Et je crois même vous avoir aperçus en train de vous bécoter sur le perron.

— Jérôme! Tu m'espionnes?

— Je prenais l'air à la fenêtre.

Ulcérée, elle le planta là et fila vers l'escalier. Pourquoi fallait-il toujours qu'il se montre odieux? Chaque fois qu'elle était sur le point de réviser son jugement sur lui, il s'arrangeait pour dire ou faire une vacherie. Il l'avait vue flirter avec Julien et il gardait ça pour lui depuis des semaines? Quelle hypocrisie! Et comme il détestait Paul, il avait dû se réjouir du spectacle.

Elle dévala les marches jusqu'au rez-de-chaussée puis sortit de la maison. À certains moments, et ce matin en était un, elle ne savait plus où elle en était ni à quoi se raccrocher. Peut-être, ainsi que le prétendait Paul, cette bastide ne représentait-elle qu'un caprice, une tocade. Peut-être n'aurait-elle pas dû accepter l'héritage d'Ariane.

Au bout de la clairière, elle s'engagea dans le chemin qui serpentait entre les pins. Arrivée au portail, elle prit le courrier dans la boîte aux lettres puis décida de longer toute la clôture pour faire le tour de ses quatre hectares. Elle n'avait pas vraiment eu le temps de les arpenter jusqu'ici, or elle devait apprendre à les connaître avant de faire appel à un forestier ou à un bûcheron pour les indispensables coupes.

Encore une source de tracas et de dépenses! À moins de tout abandonner en l'état et de laisser faire la nature? Mais au milieu de centaines d'hectares bien ordonnés, avec des pins rangés comme des soldats, l'enclave des anciennes terres Nogaro faisait désordre.

Elle s'assit prudemment sur l'épaisse couche d'aiguilles qui couvrait le sol et se mit à réfléchir. Elle pouvait tirer parti du bois comme elle essayait de le faire avec la maison. Ne pas se décourager, prendre les difficultés une par une.

Elle se demanda si en cherchant sur les plus vieux des arbres elle trouverait des traces d'entailles. Combien de dizaines d'années s'étaient écoulées depuis la fin des récoltes de résine?

« Et combien de temps ça vit, un pin? Et de quelle hauteur ça pousse en un demi-siècle? »

Décidément, elle ne savait rien. La tête levée vers les cimes, elle eut un nouveau sourire. Le moment de découragement était passé, elle allait se remettre au travail.

— ELLE est moche, on dirait une meringue, et pourtant j'ai tout fait pour la flatter!

Valère regardait la planche-contact avec consternation.

Suki prit une loupe pour étudier attentivement les clichés.

— Ne t'inquiète pas, chéri, je crois qu'elle sera ravie. On voit très bien sa robe, son chignon, et sa bague, tout ce qu'elle voulait montrer!

Valère éclata de rire et embrassa sa femme. Elle faisait toujours son possible pour l'encourager. En conséquence, il ne voulait pas lui avouer à quel point il détestait ce genre de travail. Il avait la sensation d'être pris pour un larbin et de gâcher son talent de photographe.

— La seule chose qui ait trouvé grâce aux yeux de cette pimbêche, c'est son bouquet. Mais tes fleurs font toujours l'unanimité.

Il le disait sincèrement car Suki possédait l'art des compositions florales qui faisaient le succès de son magasin. Et c'était presque toujours elle qui le recommandait comme photographe pour les cérémonies dont elle assurait la décoration.

— Je vais commencer la tournée des livraisons, décida-t-il.

Suki lui tendit la liste des adresses.

Pour tout ce qui touchait à son commerce, elle montrait un sens aigu de l'organisation. En revanche, elle s'intéressait moins à leur intérieur, mais que faire dans ce deux-pièces vétuste et sans charme dont les fenêtres donnaient sur une cour sinistre? Elle ne s'en plaignait pas mais ne devait pas s'y plaire. Évidemment, s'ils avaient eu un enfant ils auraient cherché un appartement plus accueillant, mais pour le moment ils n'en avaient pas besoin. Valère avait été agréablement surpris qu'elle puisse parler d'enfant de manière raisonnable. Depuis sa fausse couche et sa dépression suivie d'une hospitalisation, elle ne faisait jamais aucune allusion à ce bébé qu'ils n'avaient pas eu. Elle semblait désormais guérie de son obsession, et Valère s'en réjouissait. Il était heureux avec Suki, ensemble ils avaient encore mille choses à réaliser, et fonder une famille n'était pas essentiel. En tout cas, pas pour lui. Et, à en croire le sourire radieux de sa femme, pour elle non plus.

— J'allais oublier ! s'exclama-t-elle avant qu'il quitte le magasin. Anne nous invite à dîner, dimanche. Tu es d'accord ?

— Bien sûr…

Il l'avait dit d'un ton hésitant. Sans doute Anne voulait-elle officialiser sa séparation d'avec Paul en recevant chez elle, dans cette maison qui était la cause de toutes les discordes. Or, si Valère aimait bien Anne, en revanche il détestait les querelles familiales, et il imaginait déjà les réflexions aigres-douces de leur mère. De plus, l'absence de Paul, qui restait son meilleur ami, allait lui peser.

— Dis-lui qu'on ira, accepta-t-il, résigné.

— Ça ne te fait pas plaisir ?

— Je suis ennuyé vis-à-vis de Paul. Et puis, je n'approuve pas Anne. Tout foutre en l'air pour un héritage…

— Tu es injuste, chéri. D'ailleurs, vous l'êtes tous dans la famille. Qui ne serait pas heureux de recevoir en cadeau une maison ou une somme d'argent ?

— Quitte à briser son couple ? Pas moi, en tout cas !

— Mais ce n'est qu'un prétexte, Valère. Depuis un moment, Anne avait envie d'exister par elle-même et pas uniquement à travers Paul. Peut-être que le testament d'Ariane a accéléré le processus.

Dubitatif, il prit les clefs de la camionnette et empoigna deux des bouquets prêts à être livrés.

Tout en s'engageant prudemment dans les rues étroites du centre-ville, il eut une pensée pour Paul. Désormais, les réunions de famille auraient lieu sans lui, c'était difficile à concevoir. Comment Anne vivait-elle l'absence de ce mari qu'elle aimait mais que, pourtant, elle contraignait au divorce ? Qu'est-ce qui n'allait pas chez elle pour s'être mise dans une situation pareille ? Néanmoins, Valère ne voulait pas s'en mêler. Sauf si Paul sollicitait son aide, il ne prendrait pas parti.

Mais il continuait à croire que sa sœur avait tort, car au lieu de profiter de son héritage, elle en avait fait une arme de destruction. Et quand elle allait enfin s'en apercevoir, il serait trop tard.

— COMMENT ça, *non*? Tu lui as dit non?

Gauthier considérait sa femme avec effarement, essayant de comprendre pourquoi elle avait refusé l'invitation.

— Que lui as-tu donné comme prétexte?

— Aucun, répliqua Estelle. Je me suis contentée de la vérité: nous ne souhaitons pas aller là-bas.

— Mais moi, j'ai envie de voir ma fille!

— Et moi, je préfère attendre que la situation soit claire. Une fois le divorce prononcé, je saurai à quoi m'en tenir. D'ici là, tout peut changer. Imagine qu'elle se réconcilie avec Paul, nous aurions bonne mine de l'avoir écarté et ignoré! Il n'a pas cessé d'exister parce que Anne l'a quitté.

— Oh, ne récris pas l'histoire, veux-tu?

— Pourtant, c'est bien elle qui a abandonné le domicile conjugal. Tu n'as pas l'air de te rendre compte de ce que ton gendre subit en ce moment. Il est horriblement malheureux.

Incrédule, Gauthier dévisagea sa femme. Jusqu'ici, elle n'avait pas manifesté une affection particulière pour Paul, lui préférant Éric, le mari de Lily. En toute logique, elle aurait dû prendre le parti de sa fille. Sauf que cette histoire d'héritage lui restait vraiment sur le cœur et qu'Anne semblait être devenue sa bête noire. Pour sa part, Gauthier n'avait pas été choqué outre mesure par le testament de sa sœur. Comme il n'aimait pas la bastide, peu lui importait qu'elle soit tombée entre les mains de quelqu'un d'autre. Et que l'une de ses filles ait été choisie par Ariane ne lui paraissait ni injuste ni frustrant.

— Rappelle Anne, exigea-t-il.

— Tu veux vraiment aller à ce dîner? Eh bien, tu iras tout seul!

Elle sortit en claquant la porte, le laissant médusé. Quelle mouche la piquait donc? Estelle ne se mettait jamais en colère contre lui et ne disait pas un mot plus haut que l'autre à la maison. D'ailleurs, elle parlait peu. Depuis qu'ils habitaient Biarritz, chaque matin ils allaient marcher sur la plage en silence, occupés à observer les baigneurs ou les promeneurs. Ils profitaient pleinement de leur appartement bien situé sur le port des pêcheurs. Ils étaient toujours d'accord et n'avaient pas connu une seule scène de ménage en plus de quarante ans de mariage. Même au sujet d'Ariane, ils ne s'étaient pas disputés, Estelle adoptant sans réserve le jugement de son mari sur « la vieille toquée ». Ils lui avaient rarement rendu visite. En conséquence, Gauthier ne s'attendait pas à recevoir quoi que ce soit d'elle après sa mort. Estelle s'était-elle imaginé autre chose ?

Il partit à sa recherche pour en avoir le cœur net. Il la trouva dans leur chambre. Elle était assise au pied du lit, la tête dans les mains. Lorsqu'elle se redressa pour le regarder, il constata qu'elle avait pleuré.

— Mais voyons, pourquoi te mets-tu dans un état pareil ?

— Anne est une idiote, je la déteste ! cria-t-elle d'une voix aiguë.

Saisi, il resta d'abord sans réaction. Ce cri du cœur le glaçait, il n'en comprenait pas la cause et le rejetait.

— Tu dérailles, finit-il par lâcher.

Durant quelques instants, ils continuèrent à se regarder, puis Estelle reprit le contrôle d'elle-même.

— Tout ça me perturbe, désolée. Le testament de ta sœur a provoqué un tel chaos…

— N'y pense plus et prends les choses comme elles viennent.

— Nous irons à ce dîner chez Ariane, murmura-t-elle.

— Chez *Anne*.

— Oui, bien sûr. Tu vois, je mélange tout !

Elle se leva, s'efforçant de sourire, et quand elle passa devant lui elle avait retrouvé son expression habituelle.

Lily descendit de la balance.

— Mais c'est quoi, ce cauchemar ? ronchonna-t-elle en regardant les chiffres affichés. J'ai pris deux kilos ? Bon, à partir de maintenant, ce sera jambon haricots verts pour tout le monde !

À quarante-deux ans, Lily refusait toujours de vieillir, et les inévitables marques du temps la traumatisaient de plus en plus.

La porte s'ouvrit à la volée sur Éric qui revenait de son match de tennis dominical, encore essoufflé et en sueur.

— On les a laminés !

— Qui ça ?

— Des visiteurs médicaux contre lesquels on jouait en double ce matin. Six-trois, six-zéro, six-un !

— Tu n'oublies pas qu'on dîne chez Anne, ce soir ?

— Tant mieux! J'ai justement quelque chose à demander à Paul qui... Ah, zut, il ne sera pas là, je n'y pensais plus.

Sourcils froncés, il parut sur le point d'ajouter quelque chose mais il s'en abstint.

Lily ôta son peignoir, puis elle hésita devant son tiroir de sous-vêtements.

— Tu ne trouves pas que j'ai grossi?

Au lieu de répondre, Éric sortit de la douche, ruisselant, s'approcha d'elle par surprise et la plaqua contre lui.

— Je te trouve très appétissante.

— Tu es trempé, arrête!

Pourquoi avait-elle eu l'idée stupide de se mettre nue devant lui? Chaque fois qu'il gagnait un match de tennis, il connaissait un regain de virilité, comme si son désir marchait de pair avec sa fierté. Mais Lily avait perdu depuis longtemps toute envie de faire l'amour avec lui. En revanche, elle aimait séduire des inconnus, attirer les regards sur elle, s'offrir des aventures qui l'excitaient tout en la rassurant.

— Lâche-moi, voyons! Ce n'est ni l'heure ni...

Pour la seconde fois, la porte s'ouvrit brusquement sur leur fille aînée qui s'arrêta net, les yeux exorbités devant le spectacle qu'offraient ses parents.

— Bon sang! ragea Éric en attrapant une serviette de bain au vol. Tu ne pourrais pas frapper, non?

— Désolée, je n'aurais jamais cru que vous fassiez des cochonneries dans la salle de bains. Je voulais juste montrer ma robe à maman, j'ai un accroc...

Son air faussement innocent acheva d'exaspérer Éric qui hurla:

— Dehors!

Mais Lily en avait profité pour remettre son peignoir et elle rejoignit sa fille qui s'éloignait en riant carrément. Éric poussa alors un long soupir de frustration. Lily se montrait de plus en plus distante avec lui. Deux minutes plus tôt, quand il l'avait prise dans ses bras, elle s'était raidie comme si elle trouvait ce contact désagréable. D'ailleurs, elle se dérobait souvent aux câlins, sous n'importe quel prétexte. Existait-il un problème d'usure dans leur couple? Pour sa part, il n'éprouvait pas de lassitude, heureux de rentrer chez lui le soir malgré les incessantes disputes des filles qui arrivaient au mauvais âge. Elles étaient capricieuses, Lily les houspillait puis se prétendait épuisée. Pourtant, elle ne travaillait pas, et tenir la maison ne l'occupait pas du matin au soir! Il savait qu'elle avait été très contrariée par l'histoire de l'héritage. Elle se défendait d'éprouver une quelconque jalousie vis-à-vis de sa sœur, néanmoins elle avait parlé durant des soirées entières de tout ce qu'elle aurait fait, à la place d'Anne, si elle avait été choisie comme légataire. Et sa mère était pire qu'elle, à radoter sans fin à propos de « tout cet argent ». Quel argent? Une vieille baraque, voilà ce qui restait après avoir réglé les droits de succession. Quant à Anne, Seigneur, dans quoi s'était-elle embarquée? À la place de Paul, Éric n'aurait pas réagi de la même manière, bien trop brutale, mais enfin il le comprenait de ne pas vouloir vivre là-bas. Bien sûr, il garderait son jugement pour lui, pas question de jeter de l'huile sur le feu. En ce moment les Nogaro devenaient très susceptibles. Ce qui rendait la perspective du dîner peu réjouissante.

ANNE posa le dernier verre sur la table et contempla son œuvre. Le couvert était certes un peu disparate, mais très élégant. Ce qui restait de la vaisselle d'Ariane avait dû faire partie de services somptueux.

— Et voilà! claironna Jérôme.

Il avait relevé le bas de son tablier pour apporter l'argenterie.

— Une heure d'astiquage avec un peu de blanc d'Espagne et beaucoup d'huile de coude. On va leur en mettre plein la vue.

Anne esquissa un sourire, toutefois son but n'était pas d'épater sa famille. Elle disposa les couteaux et les fourchettes, puis alla chercher les grands chandeliers d'argent.

Un aboiement bref de Goliath les avertit qu'une voiture arrivait.

— Les parents, à l'heure comme toujours, constata Jérôme en jetant un coup d'œil par la fenêtre.

Anne les rejoignit sur le perron. Sa mère semblait maussade, son père mal à l'aise, tous deux frissonnaient dans l'air frais du soir.

— C'est le bout du monde, ici, maugréa Estelle en entrant. Quelle cathédrale! ajouta-t-elle dans le hall, les yeux levés vers l'imposant escalier.

Gauthier suivit son regard et hocha la tête.

— Quand je pense que les soirs de grands dîners, on s'asseyait sur une marche du haut, Ariane et moi, pour voir arriver les invités…

— Tes parents recevaient beaucoup? s'enquit Estelle.

— À l'époque, oui. Enfin, je crois. Je n'avais qu'une dizaine d'années. Mes souvenirs sont flous. Ce dont je me souviens en tout cas, c'est qu'Ariane avait le droit de se mettre à table avec eux, mais moi j'étais trop petit !

D'après ce qu'Anne avait lu dans le cahier d'Ariane, il avait détesté la maison lorsqu'il était enfant, et manifestement son aversion perdurait.

— Je garde mon manteau, annonça Estelle, il ne fait pas chaud chez toi.

— Viens te réchauffer à la cuisine, proposa Anne. On peut boire un verre en attendant les autres.

L'arrivée de Lily et d'Éric, escortés de leurs deux filles, apporta une diversion bienvenue. Au milieu des effusions, Valère et Suki entrèrent à leur tour. Tendant un superbe bouquet à Anne, Suki la gratifia d'un sourire chaleureux. Elle était la seule à avoir apporté quelque chose, mais ça ne parut gêner personne.

— On prend l'apéritif dans la cuisine, maman a froid, annonça Anne.

Ils se retrouvèrent tous près du poêle Godin, accueillis par Jérôme qui s'activait devant les fourneaux.

Anne alla prendre deux bouteilles de vin blanc dans le réfrigérateur et les tendit à Valère pour qu'il les débouche.

— Il fait déjà nuit, c'est dommage, j'aurais bien pris des photos de ta maison, dit-il gentiment à sa sœur.

— Reviens le faire un de ces jours, on en aura besoin sur notre site Internet.

— Des vues d'extérieur et d'intérieur, précisa Jérôme.

— Alors attendons un peu, les chambres ne sont pas finies.

En le disant, Anne s'était tournée vers son père et elle ajouta :

— Te souviens-tu des petites pièces du deuxième étage ?

— Non, cette partie-là était réservée au personnel, on n'y mettait pas les pieds. Quand on montait, c'était pour le billard, mais là encore j'étais trop petit, on ne me laissait pas jouer.

— On a tout cassé, poursuivit tranquillement Anne. Quand les travaux seront terminés, je te montrerai ça.

Gauthier eut une mimique dubitative, comme s'il ne comptait pas revenir de sitôt. Découragée par son indifférence, elle alla chercher un vase pour Suki qui tenait à arranger elle-même le bouquet. Puis une cavalcade précéda l'irruption de Léo, flanqué de Charles. Les deux garçons se mirent aussitôt à bavarder avec les filles de Lily, créant ainsi une bande d'adolescents bruyants qui fut chassée de la cuisine.

— Tiens, c'est du tursan, le vin préféré de Paul, remarqua Estelle en regardant la bouteille que tenait Valère.

— Ce serait mieux de ne pas parler de Paul, soupira Anne. Évitons ça à Léo ce soir.

— Le pauvre petit n'a pas perdu son père, que je sache. Doit-on vraiment faire comme si Paul n'existait pas ?

— Si pour une fois tu pouvais te taire ! explosa Anne.

— Je t'en prie, ma petite fille, garde ton calme, intervint Gauthier d'un ton sentencieux.

Mais c'était sa femme qu'il avait regardée en le disant.

— On passe à table, annonça Anne, les dents serrées de rage.

Suki la suivit, portant le vase, et à peine arrivée dans la salle à manger elle s'extasia sur la mise de table.

— C'est magnifique, Anne ! Est-ce une vaisselle de famille ?

— Je l'ai trouvée dans les placards de la maison. Je suppose que ce sont les restes des cadeaux de mariage d'Ariane.

— Quel mariage ? s'amusa Gauthier. Mystère. Ma sœur a convolé trois fois de suite, difficile de dater les assiettes !

— C'était une femme très instable, ajouta Estelle avec une grimace. Elle aimait l'argent et n'avait guère de moralité. En ce qui me concerne, quand on se marie, c'est pour la vie.

— Une pierre dans mon jardin, maman ?

Elles se toisèrent durant quelques instants et, contre toute attente, ce fut Léo qui prit la parole.

— Moi, je la trouvais marrante et sympa, la grand-tante Ariane…

Estelle leva les yeux au ciel.

— Elle a mené une existence agitée, c'est vrai, temporisa Gauthier. Elle vivait dans le passé et elle était obsédée par cette maison. Quand nous nous rencontrions, elle ne parlait que de sa jeunesse, de l'époque des gemmeurs qu'elle regrettait tellement. Mais en réalité, nous avions vécu sans comprendre la fin des récoltes de résine et la ruine de la famille. Qui n'était que justice, au fond ! Les propriétaires forestiers affamaient leurs employés tandis qu'eux roulaient sur l'or. Et ils n'ont pas vu venir la concurrence, ils n'ont pas tenu compte des conflits sociaux, se sont accrochés à leurs privilèges et ont dégringolé. Bien fait pour eux !

— « Eux », tu veux dire ton père et tous les autres ? ironisa Anne.

— Oui, c'est navrant, je sais, mais c'étaient des gens sans cœur. Comme Ariane.

— Dans ses albums, j'ai vu des photos de tes parents et tes grands-parents, de tas de gens de la famille.

— Tu me les montreras, à l'occasion ? demanda Valère.

— Avec plaisir, et tu verras, il y a un arrière-grand-oncle à qui tu ressembles trait pour trait.

— Et moi, est-ce que je ressemble à quelqu'un ? voulut savoir Léo.

— On cherchera ensemble, répondit Anne. J'ai conservé tous les albums, et aussi de passionnants cahiers écrits par Ariane.

— Manquait plus que ça ! Les confidences de la cinglée ! Sûrement un ramassis d'affabulations et d'inepties.

Estelle semblait soudain hors d'elle. Gauthier voulut calmer le jeu.

— Ariane n'était pas réellement méchante, mais il faut avouer qu'à la longue son cynisme était pesant.

— Anne s'en est bien accommodée, dit Lily en s'adressant à son père comme si sa sœur n'était pas là. Et ça lui a rapporté le jackpot…

— Si ça pose un problème à quelqu'un, répliqua Anne, j'aimerais autant le savoir.

— C'est vrai que vous êtes chiants, à la fin, avec cette histoire d'héritage que vous ne digérez pas, lâcha Jérôme.

— Évidemment, toi, ça t'arrange, rétorqua Lily, te voilà casé bien au chaud. Enfin, si l'on peut dire, parce qu'on claque de froid ici !

— On peut se servir ? intervint Éric d'un ton apaisant.

Anne passa le plat à sa mère en évitant de la regarder.

— Ne crois pas que je sois jalouse, reprit Lily. Au contraire, je trouve que tu as eu raison d'en profiter. J'en aurais bien fait autant, mais venir passer mes après-midi avec la vieille tante était au-dessus de mes forces, j'admire ta patience.

— Et que fais-tu de tes après-midi, au juste ? articula Anne dont la voix tremblait de colère. Du shopping ?

— Arrêtez de vous disputer, trancha Gauthier. On n'a qu'à parler d'autre chose.

— Ce ne sera pas facile, glissa Jérôme, vous ne pensez qu'à ça.

Un silence plana sur la table jusqu'à ce que les jeunes se remettent à bavarder entre eux. Peut-être Anne avait-elle eu tort de vouloir réunir tout le monde, peut-être devrait-elle s'abstenir de voir ses parents et sa sœur pendant un moment. En attendant, elle pourrait digérer la mauvaise surprise de découvrir qu'on ne se réjouissait pas de ses projets et qu'on ne la plaignait pas de sa séparation avec Paul.

Le dîner traînait en longueur malgré les efforts d'Éric et de Valère pour maintenir un semblant de conversation.

— Alors, s'enquit Gauthier, quand serez-vous prêts à accueillir vos… hôtes?

— Au printemps. Début mars, si tout va bien. On fait pas mal de choses nous-mêmes, on travaille moins vite que des professionnels.

Indifférent à la mauvaise humeur ambiante, Jérôme semblait épanoui. Anne l'envia de n'avoir besoin de l'approbation de personne.

— Mais tu ne vas pas passer toute ta vie chez ta sœur?

Estelle avait posé la question avec condescendance, ce qui fit sourire Jérôme.

— Je ne vois pas si loin!

— Écoute, je ne sais pas à quoi vous jouez, Anne et toi, mais vous n'êtes pas dans la vraie vie. D'ailleurs, ce n'est pas très charitable, de la part de ta sœur, d'entretenir tes illusions. Si c'est parce qu'elle a besoin de compagnie pour occuper cette caserne en ruine, c'est vraiment égoïste et inconséquent.

— Quand tu parles de moi, adresse-toi à moi! s'écria Anne en tapant du poing sur la table. À la fin, qu'est-ce que je t'ai fait?

— Mais voyons, rien…, marmonna sa mère.

Valère et Suki se levèrent, imités par Éric, et se mirent à débarrasser pour faire diversion.

Les quatre jeunes gens en profitèrent pour quitter leurs chaises, proclamant qu'ils allaient aider eux aussi. Jérôme, Anne, Lily et leurs parents se retrouvèrent seuls à table, dans un silence contraint.

— Je suis désolée de t'avoir mise en colère, finit par dire Estelle. Tu es bien susceptible, ma petite fille.

— Je suis en train de divorcer et de refaire ma vie, maman. Il y a de quoi être perturbée.

— C'est toi qui as choisi de quitter Paul. Toi qui as voulu élire domicile ici. Après ça, ne t'étonne pas d'être mal dans ta peau.

Anne secoua la tête, accablée par autant d'incompréhension.

— Je vais voir où en est le dessert, annonça-t-elle.

À la cuisine, Suki était en train de déposer délicatement la tarte aux fruits sur un plat, tandis que tous les autres bavardaient avec entrain, soulagés de ne plus subir l'ambiance lourde de la salle à manger. Léo vint aussitôt vers sa mère et lui glissa à l'oreille :

— Qu'est-ce qu'elle a, grand-mère ? Je ne l'ai jamais vue aussi remontée. Pourquoi tu ne l'envoies pas sur les roses ?

— Parce que c'est ma mère. Je lui dois un minimum de respect, et c'est valable pour toi, mon grand.

— Ne t'inquiète pas, je ne lui dirai pas ce que je pense. Mais je ne la connaissais pas sous ce jour-là. Tu ne devrais pas la réinviter. En tout cas, je ne mettrai plus les pieds à Biarritz tant qu'elle sera de cette humeur-là.

Anne essaya de sourire, attendrie par la solidarité de son fils, mais de nouveau elle se sentait coupable. Elle lui infligeait ce divorce, le privait en partie de son père, et voilà qu'à cause d'elle il allait refuser de voir ses grands-parents.

— Est-ce que vous avez fini tous vos devoirs pour demain, Charles et toi ? se borna-t-elle à demander.

— Pourquoi ? Tu voudrais nous expédier en haut ? N'y compte pas, Charles est sous le charme des cousines !

Il éclata de rire. Anne empoigna une pile d'assiettes à dessert, ravie par cette nouvelle. Si Charles s'intéressait aux filles, les insinuations de Jérôme devenaient sans fondement.

— Tu sais, lui dit Éric en la rejoignant, il ne faut pas en vouloir à Lily. Elle te fait enrager mais je crois qu'elle regrette de ne pas avoir pensé à chouchouter elle-même votre tante Ariane.

Comme d'habitude, il était gentil mais très maladroit. Bien sûr que Lily regrettait ! En être réduite à envier sa sœur cadette devait la rendre folle de rage. Depuis toujours Lily était la préférée de leur mère et elle s'octroyait une certaine supériorité.

— Tu la connais bien ! répliqua Anne.

— Ce que je sais, ajouta Éric, c'est qu'elle n'a jamais assez d'argent. Elle est tellement dépensière, tellement futile…

Interloquée, Anne lui jeta un coup d'œil. Il critiquait rarement Lily et fermait les yeux sur tous ses caprices.

— Je crois qu'elle s'ennuie, conclut-il à voix basse.

— Laissez passer ! cria Suki derrière eux. (En arrivant à la hauteur d'Anne, elle lui glissa :) Ton dîner est réussi, tant pis pour les convives mal embouchés…

Quand ils regagnèrent la salle à manger, Estelle et Gauthier se taisaient, l'air maussade, Lily boudait ostensiblement, et Jérôme avait allumé une cigarette.

— Souriez, vous êtes filmés, annonça Valère qui venait de sortir son appareil photo.

— Tu as raison d'immortaliser l'instant ! commenta Jérôme d'un ton railleur.

Anne reprit sa place et se mit à découper la tarte, pressée que la soirée s'achève et que tout le monde s'en aille. Son essai de réunion familiale se soldait par un échec, mais peu importait.

En tendant son assiette à sa mère, elle s'obligea néanmoins à lui adresser un sourire qu'elle espérait affectueux. En retour, elle n'obtint qu'un regard froid, énigmatique. À quel moment étaient-elles devenues des ennemies ? À l'ouverture du testament, où ni Gauthier ni Estelle n'avaient été conviés puisqu'ils n'y figuraient pas ? Non, la raison se trouvait ailleurs, et peut-être Anne la découvrirait-elle dans le cahier d'Ariane.

L'appétit coupé, elle chercha des yeux Goliath et le découvrit couché contre les pieds de sa chaise.

— Il est fantastique, ton chien, décréta Léo qui l'observait.

— Bon, nous allons rentrer, annonça Estelle, la route est longue. Vous nous suivez, Éric ? Je n'aime pas rouler la nuit à travers ces forêts interminables…

Docilement, son gendre se leva. Valère et Suki prirent congé en même temps, contraints de se lever tôt le lendemain pour aller s'approvisionner en fleurs. Cinq minutes après leur départ, Jérôme demanda à Anne les clefs de sa voiture.

— Je vais finir la soirée à Dax, j'ai besoin de rigoler un peu. Bon sang, que les parents sont devenus pénibles !

Anne se retrouva seule avec son fils et Charles devant la table dévastée.

— Montez vous coucher, les garçons, je me débrouillerai.

— Pas question, protesta Léo. On ira bien plus vite à nous trois.

Anne se pencha et souffla les bougies des grands chandeliers. Sous l'éclairage un peu chiche des appliques, au-dessus de la desserte, la salle à manger perdit toute sa chaleur. Elle regarda autour d'elle et décida de revoir les lumières un peu partout dans la maison pour la rendre plus gaie. Mais telle qu'elle était, Anne l'aimait et s'y trouvait à l'aise, en sécurité. Elle était *chez elle*, oui, bien décidée à rester.

3

PAUL faisait les cent pas devant le tribunal, incapable de rester en place. Tout était allé beaucoup trop vite, il se retrouvait au pied du mur et n'arrivait pas à se résigner. Parvenu à ce stade de la procédure, le divorce était réduit à une simple formalité et serait prononcé dans moins d'une heure.

Une heure ! Ensuite, tout serait définitif. Il s'arrêta une seconde, jeta un coup d'œil vers Anne qui s'attardait avec son avocate. Le cœur serré au point d'avoir du mal à respirer, il grimaça une ombre de sourire tandis qu'elle le rejoignait.

— Qu'est-ce qu'on se dit dans ces cas-là ? demanda-t-il d'une voix blanche.

Arrivés séparément, mais bien trop tôt l'un et l'autre, ils n'allaient tout de même pas rester là sur le trottoir à attendre leur tour en bavardant comme de vieux copains !

— Viens, ajouta-t-il, nous sommes très en avance, je t'offre un verre. Il doit bien y avoir un bistrot quelque part… On a encore trois quarts d'heure devant nous. Ton avocate a d'autres affaires à traiter, j'imagine. Le mien est toujours en retard !

Des mots creux, jetés mécaniquement parce que le silence d'Anne lui semblait insupportable. Puis il prit une profonde inspiration et lâcha :

— Quand nous sommes sortis de l'église, il y a bientôt quinze ans, j'étais sûr d'avoir fait la meilleure chose de ma vie. Et là, j'ai peur d'être en train de faire la pire des conneries. Je suis paniqué. Je ne veux pas voir ce juge, je crois que je vais m'enfuir en courant.

Comme elle continuait à se taire, il s'arrêta net et se tourna vers elle.

— Pardon, souffla-t-il.

— Tu l'as voulu…, articula-t-elle, le menton tremblant.

— Mais je ne peux pas te perdre, je vais en crever ! Pourquoi cette maison entre nous, Anne ?

— Pas *entre* nous. Une maison *pour* nous. Un cadeau.

— Empoisonné ! Tu as voulu bouleverser ma vie contre mon gré.

— Tu n'acceptes pas ce que tu ne décides pas, toi. Rien ne doit changer, jamais, dans ton ordre établi. Tu n'as aucune considération pour l'autre. Tu m'as dit non et tu as cru que ça suffirait à éteindre mes rêves.

— Anne, je t'aime toujours. Et toi?

Mais sitôt demandé, il comprit qu'il ne voulait pas entendre la réponse, le risque était trop grand.

— Je m'en vais, dit-il très vite. Je ne me présenterai pas devant le juge, je ne veux pas, je ne peux pas!

Stupéfait lui-même de ce qu'il était en train de faire, il partit en courant.

— Il ne s'est pas présenté? répéta Brigitte, sidérée.

Julien jeta un coup d'œil par la fenêtre pour s'assurer que Paul n'était pas en train de se garer devant la clinique.

— Non, il s'est défilé.

— Je n'en reviens pas… Et Anne, comment a-t-elle réagi?

— Je n'en sais rien.

— Vous ne l'avez pas appelée?

— Pas encore.

Il s'était promis de le faire mais n'en avait pas trouvé le courage. Le coup de téléphone de Paul, depuis sa voiture où il venait de monter, tout essoufflé d'avoir tant couru, avait pris Julien au dépourvu. Jamais il n'aurait imaginé qu'un homme aussi calme en toutes circonstances puisse piquer une crise de ce genre. Il lui avait fallu un long moment pour le raisonner, le calmer. Dans la soirée, ils s'étaient retrouvés au Relais landais où Paul avait beaucoup bu, mais sans faire de scandale. Julien l'avait raccompagné chez lui pour un dernier verre et, compatissant, avait fini par le coucher. À ce moment-là, il était trop tard pour appeler Anne, et ce matin, il était trop tôt. Du moins se donnait-il ce prétexte pour retarder l'échéance.

— Est-ce qu'elle a un moyen de le contraindre? voulut savoir Brigitte.

— Le divorce sera prononcé de toute façon, mais pas tout de suite s'il n'est plus d'accord. Et n'oublions pas que c'est lui qui l'avait demandé, pas elle.

— Vous croyez qu'il va venir ce matin?

— Bien sûr. Il ne va pas s'offrir une crise de folie par jour, ce qu'il a fait hier n'est pas du tout dans son caractère.

— Son avocat doit être furieux…

— Pourquoi ? Il sera payé un peu plus longtemps !

Julien fit un clin d'œil à Brigitte puis gagna son cabinet. Il avait estimé préférable de l'avertir plutôt que de la voir se fourvoyer en tentatives de consolation ou, pire, de séduction.

Il entendit Brigitte saluer le premier client qui entrait dans la salle d'attente avec son bouledogue râleur. Paul n'était toujours pas arrivé, donc il avait le temps de passer ce fichu coup de téléphone. Il prit son portable et sélectionna le numéro d'Anne.

— Bonjour, ma belle ! claironna-t-il d'un ton artificiel. Je voulais avoir de tes nouvelles, sachant que ça s'est mal passé hier.

— Eh bien, disons que ça ne s'est pas passé du tout.

— Et qu'en penses-tu ?

— Je ne sais pas. Divorcer me faisait une peine folle, pourtant j'avais fini par accepter l'idée puisque Paul n'en démordait pas. Je ne comprends pas qu'il ait pu caler à la dernière seconde. J'ai essayé de le joindre dix fois, mais il ne me répond pas. Tu l'as vu ?

— Oui, oui. Il s'est saoulé pour oublier et il doit avoir la gueule de bois ce matin. Je l'attends.

— Alors, dis-lui d'arrêter de se comporter comme un gamin. Il faudra bien qu'il accepte de me parler. Ce serait sympa que tu passes nous voir un de ces jours, Julien. Aux dernières nouvelles, nous ne sommes pas fâchés, toi et moi ?

— Non !

— Dans ce cas, n'hésite pas.

Il raccrocha au moment où Paul ouvrait la porte de communication entre leurs deux cabinets.

— Besoin d'aspirine ? s'enquit Julien avec un sourire.

— C'est fait. Merci de ton aide, hier…

— Pas de quoi ! Tu vas mieux ?

— Si on veut. En avalant un litre de café, au réveil, je me suis posé des tas de questions. Si ça ne s'arrange pas entre Anne et moi, je crois que je choisirai de partir. À Paris.

— Pour de bon, Paul ? Et la clinique ?

— On en parlera tous les deux.

— Ne fais rien sur un coup de tête. Cette affaire, c'est toute ta vie.

— Et la tienne, non ? Nous l'avons montée ensemble. Est-ce que tu me rachèterais mes parts, au cas où ?

— Je n'en sais rien ! Tout ça est idiot… Tu aimes cette région, tu

t'ennuieras à Paris, tu seras déraciné, loin de ton fils, et une installation là-bas sera hors de prix.

— Mes parents y habitent.

— Paul! Tu ne comptes pas vivre chez papa-maman? Recolle donc
les morceaux avec Anne. À propos, elle aimerait que tu l'appelles.

— Tu l'as eue?

— Il y a cinq minutes.

« Vos rendez-vous sont arrivés », rappela la voix de Brigitte dans
l'Interphone.

La tête ailleurs, Julien alla chercher son premier client. Paul n'était
pas sérieux en parlant de vendre et de partir. Néanmoins, Anne devait
être mise au courant de ces divagations. Pris entre le marteau et
l'enclume, Julien ne savait pas ce qu'il espérait comme dénouement,
mais travailler avec Paul était un plaisir depuis des années et il n'avait
aucune envie que leur collaboration s'arrête.

J'AVAIS bien prévu que tout ne serait pas rose, et je ne m'étais
pas trompée. En parcourant ma maison enfin reconquise, je
retrouvais tous mes souvenirs, mais je découvrais aussi les
innombrables blessures infligées par les propriétaires successifs.
Qu'aurais-je pu y changer? Personne ne m'avait appris l'art du
bricolage, et durant la majeure partie de mon existence j'avais
eu des gens pour me servir. J'acceptai donc que mon vieux jouet
soit tout abîmé, ça ne m'empêchait pas de l'aimer.

Ayant l'habitude de vivre seule depuis le décès de mon cher
Paul-Henri, je ne me sentais nullement mal à l'aise quand la
nuit tombait. Pierre Laborde m'appelait plusieurs fois par
semaine, inquiet de mon isolement, et pour le rassurer je
l'invitais souvent à boire le thé. Il me parlait de mes affaires, de
ce qui restait de mon capital, c'est-à-dire presque rien. Je dus
donc me résigner à vendre quelques babioles. Mon premier
mari, Albert, m'avait offert un gros diamant très pur que je
négociai un bon prix à un joaillier de Biarritz. Je liquidai aussi
une authentique coiffeuse Louis XV, des tableaux, de la vaisselle
et de l'argenterie dont je n'avais nul besoin.

Pierre fut chargé, en notaire avisé qu'il était, de faire prospérer ce pécule. Même en étant frugale, il fallait bien que je vive
de quelque chose! Des regrets? Je n'en avais aucun. J'étais ren-

trée chez moi. J'avais repris ma chambre de jeune fille, m'étais approprié l'ancien bureau de mon père d'où il avait si mal géré ses « arbres d'or ».

Une année entière s'écoula avant que je ne refasse une tentative en direction de Gauthier. Certes, il ne me manquait pas, mais j'étais curieuse de voir comment la petite Anne grandissait. Je pensais souvent à cette gamine, étonnée à chaque fois de ressentir pour elle une sorte d'affection.

Devinant que mon frère rechignerait à venir, je m'inventai une obligation à Biarritz pour passer les voir. Sonnant chez eux en fin de journée, je découvris sans surprise que tout ce petit monde avait la tête penchée sur un cahier. Les enfants peinaient sur les leurs, les parents en corrigeaient des piles. Estelle m'offrit une orangeade insipide tandis que les trois premiers rejetons défilaient en traînant les pieds pour m'embrasser. Anne fut la dernière, gaie comme un pinson, et quand son regard pétillant de malice se leva vers moi, je me sentis ragaillardie.

Anne restait près de moi, assise sur le carrelage, et il me vint une idée. Je proposai d'inviter chez moi la petite pour un weekend. La réaction d'Estelle fut immédiate, elle se mit à piailler : « Pourquoi elle et pas les autres ? Et puis, c'est ridicule, vous n'y connaissez rien du tout en matière de jeunes, vous ne sauriez pas vous occuper d'une adolescente, surtout celle-là qui est ingérable ! » Gauthier lui-même sembla étonné par la véhémence de son épouse, mais il ne protesta pas. Pour moi, bien que le propos d'Estelle m'ait blessée, il confortait mes doutes sur l'étrangeté de cette relation mère-fille. J'avais piqué Estelle au vif, appuyé là où elle avait mal. En revanche, Anne cachait mal sa déception de ne pouvoir accepter mon invitation, et je fus navrée que le petit jeu auquel je venais de me livrer ait pu lui causer quelque peine.

Anne reposa le cahier. Elle devinait une révélation proche, une mauvaise surprise. À chaque lecture, son malaise grandissait. Sa mère n'avait pas été un modèle de tendresse avec elle, soit, mais elle n'avait jamais manifesté de franche animosité non plus.

Quoique… En cherchant bien, Anne savait qu'elle trouverait dans ses souvenirs des contrariétés ou des déceptions dont son heureux caractère s'était accommodé. Sa mère donnait raison à Lily, l'aînée, parce que celle-ci était plus… raisonnable. Du moins, en apparence. Mais avec le temps, l'éloignement dû aux études, puis les mariages, tout cela s'était estompé. L'aigreur d'Estelle n'avait ressurgi qu'au moment du testament d'Ariane, et à présent elle ne cachait plus sa hargne. Mais à qui en voulait-elle tant ? À Ariane ou à sa propre fille ? Et pourquoi ?

La voix de Jérôme qui l'appelait, en bas, l'arracha à ces questions. Elle quitta son bureau, dévala l'escalier et rejoignit son frère qui l'attendait dans le hall en compagnie d'un jeune homme blond.

— Je te présente Ludovic, qui va m'aider à finir les chambres. Voici ma sœur, heureuse propriétaire de ce bel endroit !

La poignée de main de Ludovic était ferme, et son sourire très charmeur. Un simple copain ? Une conquête de Jérôme ? Anne attendit des précisions qui ne vinrent pas, son frère se bornant à ajouter :

— Il y a des trucs que je n'arrive pas à faire tout seul, j'ai besoin d'aide. On descendra pour le déjeuner !

S'il s'agissait d'une aide bénévole, Anne ne pouvait pas faire moins que nourrir ce garçon, mais cette manière d'être mise au pied du mur était un peu agaçante.

Néanmoins, elle gagna la cuisine et ouvrit le réfrigérateur pour voir ce qu'elle allait préparer. Au moment où elle tendait la main vers une boîte d'œufs, Goliath se mit à aboyer et la porte de la cuisine s'ouvrit sur Paul.

— Je peux entrer ? Bon sang, il est vraiment énorme, ce chien, je n'ai vu que des petits modèles toute la matinée, ça change !

— Je me demandais quand j'aurais de tes nouvelles. Entre…

— Je te dois des excuses, j'ai eu un comportement infantile. Bon, je ne tiens plus à divorcer, tu l'auras compris. Mais on fera ce que tu veux, tu n'es pas obligée de te plier à tous mes revirements.

— Paul…, soupira-t-elle.

Pour lui, c'était déjà beaucoup d'admettre qu'il avait eu tort.

— Tu restes pour déjeuner ? proposa-t-elle. Jérôme est là, avec un de ses amis.

— Je mangerais volontiers un petit truc avec vous avant de retourner à la clinique, mais d'abord, dis-moi ce que tu comptes faire.

— Au sujet du divorce ? Je ne sais pas, Paul.

— Si on mettait tout en stand-by ?

— En attendant quoi ? On donne un curieux spectacle à Léo, il ne doit pas s'y retrouver.

— Je suis prêt à faire un essai. À condition que tu en aies toujours envie, je peux peut-être vivre ici un moment, voir ce que ça donne.

Quelques semaines auparavant, cette offre l'aurait comblée, mais sans doute était-il trop tard pour qu'elle puisse s'en réjouir. Sur le point de répondre, elle entendit les voix de Jérôme et de son ami dans le couloir. Aussitôt Paul en profita pour lâcher, d'un trait :

— Laisse-moi une chance ! Sinon je crois que je vais finir par vendre la clinique et la maison, tout plaquer pour m'en aller très loin.

— Mais voilà le plus beau ! s'exclama Jérôme. Tu te fais trop rare, beau-frère. Euh… Tu es encore mon beau-frère, n'est-ce pas ?

L'antagonisme entre eux deux était palpable. Paul toisa Jérôme et grommela quelque chose d'incompréhensible.

— Je fais des œufs brouillés pour tout le monde, annonça Anne.

Anne aurait aimé poursuivre l'explication avec son mari en tête à tête, mais il ne disposait que d'un court moment à l'heure du déjeuner. De toute façon, elle était trop troublée par sa proposition, elle avait besoin d'y réfléchir. Paul *ici*, dans une tentative de réconciliation ? Et elle, quel était son désir ? Où en était-elle aujourd'hui ?

— Nous allons nous attaquer à la peinture du couloir, là-haut, décréta Jérôme en posant négligemment quatre assiettes sur la table.

Il allait et venait avec aisance tandis que Paul restait près de la porte, apparemment mal à l'aise dans le rôle de l'intrus. Quant au jeune homme blond, après s'être lavé les mains dans l'évier, il pencha sa tête sous le robinet pour boire à longs traits.

— Ludovic vient de monter sa micro-entreprise multiservice, précisa Jérôme. Il sait tout faire ! On va l'héberger pendant quelques jours en échange de son aide.

Anne surprit la grimace de Paul qui avait dû espérer un peu de tranquillité. La cohabitation n'allait pas simplifier les choses, mais elle n'y pouvait rien. Avec un soupir résigné, elle saisit une poêle.

SUKI ouvrit les yeux alors qu'il faisait encore nuit, et aussitôt elle fut prise d'une violente quinte de toux. Ses yeux la piquaient. Tâtonnant dans l'obscurité, elle chercha l'interrupteur de la lampe de chevet mais suspendit son geste à la dernière seconde. Elle se tourna vers Valère, lui attrapa un bras au jugé et le secoua brutalement.

— Réveille-toi vite ! Il y a de la fumée, ça brûle quelque part ! Et n'allume pas, tu risques de provoquer un court-circuit !

Ils se levèrent ensemble mais il fut le premier à la porte de la chambre. Lorsqu'il l'ouvrit, il distingua un épais brouillard dans le séjour et se mit à tousser. À travers la fenêtre qui donnait sur la cour, il aperçut la lueur des flammes et se sentit pris de panique.

Il regagna la chambre en trois bonds, trouva son portable sur la table de nuit et composa fébrilement le 18 tout en enfilant un jean. On lui répondit que les pompiers étaient déjà en route et qu'il ne devait tenter de sortir que si l'escalier était praticable. Sinon, qu'il s'enferme et mette des linges humides au bas des portes.

Il revint dans le séjour, s'approcha de la fenêtre, vit qu'il y avait le feu partout dans la cour. Déjà, la chaleur augmentait, la fumée âcre s'épaississait.

— Le magasin ! cria Suki.

Elle fila dans le vestibule, ouvrit à la volée.

— Arrête ! hurla-t-il au moment où les vitres éclataient à l'étage du dessous.

Se jetant à la poursuite de sa femme, il la rejoignit sur le palier où elle hésitait. Ses poumons le brûlaient, il était terrorisé, mais la voie lui parut libre dans la cage d'escalier remplie de fumée.

— Tiens-moi et ne me lâche pas, on descend !

Ils dévalèrent un étage, puis deux. Le dernier palier était une fournaise, et Valère dut lâcher la rampe.

— On y est presque, on fonce !

Derrière lui, Suki trébucha et le heurta. Sous le torchon, elle toussait à perdre haleine, au bord de l'asphyxie.

— Sauve-toi, dit-elle en s'effondrant sur les dernières marches.

Il la saisit à bras-le-corps, la souleva à moitié puis la traîna à travers le hall. Les deux portes mitoyennes donnant sur la cour et sur l'escalier des caves étaient déjà la proie des flammes, mais celle qui débouchait sur la rue semblait intacte. Il lâcha Suki pour l'ouvrir, sans y parvenir. Comme l'électricité ne fonctionnait plus, la serrure automatique était bloquée. Fou de terreur, il se mit à donner de grands coups de pied sur le battant tout en appelant au secours. Recroquevillée sur le carrelage, Suki ne toussait plus, les yeux exorbités, les deux mains autour de la gorge. Dans quelques secondes, le hall allait se transformer en brasier.

Il perçut un véritable coup de bélier, de l'autre côté, et n'eut que le temps de faire un bond en arrière. Le battant se fendit en deux, révélant un pompier armé d'une masse. Au moment où on l'attrapait brutalement par les épaules pour le tirer vers la rue, il sentit les flammes lui brûler le dos.

— Ma femme…, réussit-il à dire avant de perdre connaissance.

Rien ne subsistait de ce qui avait été le magasin de fleurs de Suki. Le commerce mitoyen, un salon de coiffure, était également détruit, ainsi que le petit immeuble. L'incendie s'était déclaré vers 4 heures du matin, partant sans doute d'une des deux boutiques. Par chance, il y avait peu de locataires et ils avaient réussi à fuir. Quant à Valère et Suki, l'intervention des pompiers les avait sauvés. Valère souffrait de légères brûlures dans le cou, mais ni son état ni celui de sa femme n'étaient alarmants. Cependant on les gardait en observation, les défaillances respiratoires pouvant survenir après coup.

Anne avait été la première à leur chevet car Suki, dès qu'elle avait pu parler, avait donné son numéro pour prévenir la famille. Estelle et Gauthier étaient arrivés de Biarritz peu après, puis Lily. Trop heureux de les savoir quasiment indemnes, ils les avaient étreints jusqu'à ce que Suki se mette à pleurer en silence.

En l'observant, Anne fut la seule à comprendre l'étendue de son désespoir, ainsi que sa hâte à quitter l'hôpital pour aller constater elle-même le désastre. Valère, lui, semblait moins pressé, devinant qu'il ne restait pas grand-chose de leur vie passée. Néanmoins, Anne promit d'y faire un tour le soir même avant de rentrer chez elle.

Lorsqu'elle arriva sur les lieux, la vision apocalyptique des décombres de l'immeuble la sidéra. À l'évidence, rien ne pourrait être récupéré dans ce bourbier encore fumant. Anne resta un long moment sur le trottoir, atterrée à l'idée de ce qui attendait son frère et sa belle-sœur. Ils n'avaient même pas de quoi s'habiller pour quitter l'hôpital quand on les y autoriserait !

Sur la route du retour, elle ne cessa de penser à ce qu'elle devait faire pour tenter de les soulager. D'abord, il leur fallait un toit, et elle leur ouvrirait volontiers sa maison s'ils le souhaitaient. La grande chambre du second étant finie, avec sa salle de bains, Valère et Suki pouvaient y être hébergés immédiatement. Évidemment, la bastide allait se transformer en ruche avec Jérôme qui avait décidé de loger son ami Ludovic, Léo qui ne venait jamais sans Charles, Paul qui proposait un essai de cohabitation…

Comme souvent, elle fit un petit détour par la plage du Cap-de-l'Homy pour s'arrêter cinq minutes au bord de l'océan. Le vent du soir était frais, gonflant les rouleaux qui venaient s'écraser à ses pieds. La contemplation de l'Atlantique était si apaisante qu'elle finit par s'asseoir, les yeux rivés sur l'horizon. Le soleil étant déjà couché, le ciel virait au rose orangé. Valère avait fait des photos fabuleuses ici, mais finalement il n'avait pu les vendre à personne, et aujourd'hui la totalité de son matériel professionnel devait être détruit par les flammes. Valère et Suki allaient traverser une période épouvantable. Au moins, ils avaient la chance de s'aimer et d'avoir échappé à l'incendie. Peut-être parviendraient-ils à redémarrer leur vie main dans la main.

Parcourue d'un frisson, Anne se releva. Où en était donc sa propre vie ? Elle ne tenait plus la main de personne et n'était pas certaine de vouloir retrouver celle de Paul.

— COMMENT ça, chez ta sœur ? C'est ridicule, Valère ! Venez chez nous, on vous dorlotera, n'est-ce pas, Gauthier ?

Quêtant le soutien de son mari, Estelle semblait désolée.

— L'appartement est confortable et on vous laissera bien tranquilles, reprit-elle avec conviction.

— Suki veut être à la campagne, maman. Elle a besoin de repos.

Estelle haussa les épaules et se tut, gardant les lèvres pincées sur sa contrariété. Prudemment, Valère tourna la tête vers la fenêtre. Les brûlures de son cou ne le faisaient pas trop souffrir grâce aux calmants. Quand les pompiers avaient défoncé la porte, l'appel d'air avait attiré les flammes vers lui, mais l'instant d'après il était tiré hors du feu. Son évanouissement était dû à l'intoxication par la fumée, et les médecins redoutaient encore un problème pulmonaire. Lui se sentait plutôt bien physiquement, prêt à affronter les difficultés qui l'attendaient dès qu'il quitterait l'hôpital.

— Suki aime beaucoup Anne, elle s'entend bien avec elle, ajouta-t-il. Et il y a là-bas une belle chambre pour nous.

— De quelle façon envisages-tu l'avenir ? s'enquit Gauthier avec un sourire encourageant.

— Tout dépendra de la compagnie d'assurances. Il va d'abord y avoir une enquête pour connaître la cause de l'incendie. Les responsabilités seront à déterminer, ça va prendre un temps fou, or nous n'avons plus aucun moyen d'existence. Je n'ai plus rien pour faire des photos, et Suki ne peut pas vendre des fleurs sur le trottoir.

Un silence angoissé s'installa entre eux.

— Je t'ai apporté des vêtements, finit par dire Gauthier avec une grimace pathétique. Des trucs de secours, tu es plus grand que moi...

— Et Lily a donné à Suki des affaires appartenant à ses filles, renchérit Estelle. Ta femme est tellement maigre que ça devrait lui aller.

— Tant mieux, parce qu'elle va sortir la première. Les toubibs la laissent partir aujourd'hui mais ils me gardent encore deux jours.

— As-tu besoin d'argent dans l'immédiat? Des espèces, peut-être?

Gauthier avait ouvert son portefeuille et il en sortit quelques billets qu'il glissa prestement dans le tiroir de la table de nuit.

Il tapota l'épaule de Valère puis fit signe à Estelle.

— On te laisse, on reviendra te tenir compagnie cet après-midi.

Une fois hors de la chambre, il poussa un long soupir désolé.

— Comment vont-ils s'en sortir, grands dieux? Ils ne roulaient déjà pas sur l'or !

Toujours maussade, Estelle laissa tomber :

— Pourquoi vont-ils chez Anne? S'ils s'étaient installés chez nous, on leur aurait facilité la vie pour bien des choses.

— Valère sera mieux avec sa sœur et son frère qu'avec ses parents. Il a passé l'âge.

Les portes de l'ascenseur s'ouvrirent devant eux et ils se retrouvèrent nez à nez avec Paul.

— J'ai profité de l'heure du déjeuner pour venir faire une petite visite à Valère, expliqua-t-il en les saluant. Comment va son moral?

— Il ne se plaint pas, mais je crois qu'il se sent au fond du trou, répondit Estelle, tout sourire. Ça lui fera du bien de vous voir, Paul, vous êtes resté son meilleur ami !

Pourquoi était-elle si affable avec ce gendre pour lequel elle n'avait jamais eu beaucoup de considération? Espérait-elle réconcilier Paul et Anne à force d'amabilités? Décidément, Gauthier ne comprenait plus sa femme ces temps-ci.

JÉRÔME et Ludovic avaient entassé les pots de peinture et les outils le long du mur dans le couloir. Une odeur de térébenthine flottait encore, mais les deux fenêtres de la chambre destinée à Suki et Valère étaient restées ouvertes tout l'après-midi. Cette pièce faisait la fierté de Jérôme avec son parquet en pin, ses touches de couleur rouge basque, et l'agrandissement d'une photo très poétique des dunes et de l'océan, prise par Valère un mois plus tôt.

— Et voilà ! s'exclama-t-il. Vous serez nos premiers hôtes…

— C'est magnifique…, bredouilla Suki.

Dans un jean de Maud et un pull de Clémentine, les filles de Lily, elle avait l'air d'une gamine perdue.

— La salle de bains est à côté, ajouta Anne.

Avant de ramener Suki à la maison, elle l'avait escortée à la banque puis chez l'assureur, l'aidant de son mieux.

— Mon bureau est à l'étage en dessous. Tu peux l'investir pour passer tous les coups de téléphone que tu veux. On remplira ensemble la paperasserie, mais tu es partout chez toi ici.

Fidèle à ses habitudes japonaises, sa belle-sœur remerciait, souriait, ne se plaignait pas, pourtant elle devait être brisée par les événements. D'abord il y avait son désir d'enfant non exaucé, et maintenant ce magasin de fleurs auquel elle avait consacré toute son énergie et qui était en cendres. Jusqu'ici, elle s'était consolée dans le travail, mais comment allait-elle supporter l'inaction ? Outre les problèmes d'argent à venir, c'était toute son existence qui avait été dévorée par les flammes, elle ne possédait plus un seul souvenir personnel. Anne se rappelait quelques objets de famille que Suki lui avait fièrement montrés un jour, dont un sabre de samouraï ayant appartenu à son grand-oncle et un petit bouddha de bois précieux qu'elle tenait de sa mère.

— Remettez-vous au travail, les garçons, j'installe Suki.

Elle attendit que Jérôme et Ludovic aient disparu pour prendre sa belle-sœur par le coude et la conduire jusqu'au fauteuil installé entre les deux fenêtres.

— Tu vas te reposer un peu pendant que je fais le lit.

— Pas question. Je refuse d'être considérée comme une malade ou une convalescente. Et je ne me sentirai à l'aise que si tu me laisses prendre ma part des tâches dans la maison.

Anne la dévisagea quelques instants puis acquiesça.

— D'accord. Au fond, ça te distraira de tes soucis. (Elle s'assit en tailleur à même le parquet avant d'ajouter :) Je suis très contente que tu sois là, Suki. Il y a des trucs dont on ne peut parler qu'entre femmes et je suis entourée d'hommes! À propos, il est possible que Paul vienne nous rejoindre.

— Vous êtes réconciliés?

— Pas vraiment. C'est un peu compliqué… Aujourd'hui, Paul marche sur son orgueil parce qu'il m'aime, mais rien ne dit qu'il ne me le fera pas payer, même inconsciemment. Après avoir décrété qu'il ne vivrait *jamais* ici, arriver avec sa valise est un peu piteux.

— Et tu ne veux pas y voir une preuve d'amour?

— Si, peut-être… Je ne sais pas. Je connaissais la force de caractère de Paul, que j'ai toujours admirée, mais qui est devenue de la rigidité et qui s'est retournée contre moi.

— Est-ce que ça signifie que tu ne l'aimes plus?

— Disons que ce n'est plus tout à fait pareil. Avant, je n'avais jamais douté. Nous étions en phase tous les deux, du moins je le croyais. Aujourd'hui, nous ne regardons plus dans la même direction, c'est le pire de ce qui pouvait nous arriver.

Suki l'écoutait avec une telle attention qu'Anne en fut gênée.

— Je parle trop de moi!

— Tu en as besoin.

— Moins que toi, Suki. Je me sens très égoïste, pardon. Quand je pense à ce que vous vivez, Valère et toi, j'ai honte de mes états d'âme.

— On s'en sortira. Notre amour est sans nuage. J'ouvrirai un autre magasin dès que ce sera possible. Des fleurs, il y en aura toujours.

— Est-ce que tu m'en planterais quelques-unes si j'achète les graines?

— Oui, mais pas au milieu de ta clairière! Trop de soleil, et trop de sable apporté par le vent. Le long de la maison, peut-être.

— Et un ou deux palmiers? suggéra Anne en songeant à cet *improbable* palmier dont parlait Ariane dans l'un des cahiers. Il paraît que ma grand-mère avait essayé d'en faire pousser un ici il y a une soixantaine d'années.

— À l'époque, les variétés importées étaient sûrement moins résistantes qu'aujourd'hui. Avec la douceur de notre climat, il n'y a aucune raison pour qu'un palmier ne se plaise pas. Mais tu devras faire attention à ce que ce ne soit pas ton Goliath qui l'arrose!

Finalement, elles firent le lit ensemble puis descendirent dans la chambre d'Anne pour trier quelques vêtements. Malgré leur différence de taille et de corpulence, elles trouvèrent de quoi habiller Suki dans l'immédiat. La nuit tombait déjà et elles firent rapidement le tour de la maison pour que Suki s'y sente à l'aise.

— Que c'est grand! Quand tu as décidé de t'installer ici, avant que Jérôme ne te rejoigne, tu n'avais pas peur, toute seule?

— Je n'étais pas seule, j'avais Goliath.

— Tu crois qu'il te défendrait?

— Il suffit de l'apercevoir pour prendre ses jambes à son cou.

Dans la cuisine, elles se chamaillèrent pour savoir qui préparerait le dîner, et lorsque Paul arriva, un peu avant 20 heures, elles étaient en train de confectionner des sushis.

— Ce soir, je suis juste venu dîner, glissa-t-il à l'oreille d'Anne. Sauf si tu m'invites à dormir…

L'allusion était limpide. Elle l'entraîna vers la cave, sous prétexte de chercher du vin, et en profita pour mettre les choses au point.

— Si tu fais un essai, tu le fais vraiment! Je ne suis pas une girouette et tu n'as pas à te comporter comme un invité de passage.

Il la prit par la taille, l'attira à lui.

— Pour l'instant, je me sens étranger à cette maison et à ta nouvelle vie. Il faut que nous refassions connaissance, d'accord?

La tête levée vers lui, elle attendit qu'il se penche et qu'il l'embrasse. Il le fit avec délicatesse, sensualité, sans la brusquer, mais elle fut horrifiée de ne rien éprouver, ni désir ni plaisir. Contre sa hanche, elle sentait l'envie qu'il avait d'elle. Tout à l'heure, en tête à tête dans sa chambre, dans son lit, qu'allait-il arriver? Serait-elle obligée de jouer la comédie, de faire semblant? Alors qu'il glissait une main sous son pull, elle recula.

— On ne peut pas laisser Suki toute seule, réussit-elle à dire de façon naturelle.

Elle désigna des bouteilles sur une clayette.

— Choisis ce que tu veux, je remonte.

— J'espère que Jérôme ne sera pas odieux toute la soirée! lança-t-il tandis qu'elle s'élançait vers les marches.

Un peu plus tôt, elle avait redouté l'affrontement entre son frère et son mari, mais à présent elle avait un souci plus grave. Depuis la première nuit avec Paul, leur attirance et leur entente physique ne s'étaient jamais éteintes. Alors, que signifiait cette panne de désir?

Dans la cuisine, Ludovic s'initiait très sérieusement à la confection des sushis, bombardant Suki de questions.

— Wasabi, soja…, récapitula-t-il.

— Parlez-moi d'une bonne côte de bœuf avec des frites, mar-monna Jérôme.

Suki jeta un coup d'œil vers Anne et fronça les sourcils.

— Tout va bien?

— Oui, oui, Paul nous choisit une bonne bouteille parmi les merveilles qu'Ariane a laissées. Ce sont de très vieux millésimes, mais la cave reste à une température constante qui a dû les préserver. On va trinquer à toi et à Valère, nos deux rescapés.

Cette fois, Suki eut un vrai sourire. Quels que soient ses tourments, elle avait échappé à un incendie, elle était consciente de sa chance.

Le portable d'Anne se mit à vibrer, affichant le numéro de Julien. L'espace d'une seconde, elle hésita à répondre, se sentant vaguement coupable, puis elle prit la communication.

— Bonsoir, Anne, navré de te déranger à l'heure du dîner, mais Paul est-il dans les parages? J'ai deux urgences sur les bras et j'aimerais lui en parler.

Sa voix était pressée, professionnelle, sans rien de chaleureux.

— Je te le passe, répondit-elle avant de tendre le téléphone à Paul.

Paul sortit de la cuisine tandis qu'elle essayait de faire le tri de ses émotions. Était-elle déçue par le ton distant de Julien? Il la fuyait depuis ce stupide baiser et ne mettait plus les pieds à la bastide. Or elle n'oubliait pas qu'elle avait une dette envers lui, ce qui ne simplifiait pas non plus leurs rapports. Elle décida de le rembourser au plus tôt, et pour ça elle devait trouver un arrangement avec Jérôme puisque c'était lui le débiteur. Depuis des semaines, son frère se donnait du mal avec les travaux, en conséquence il méritait une rétribution, ce serait la somme due à Julien.

Elle déboucha l'une des bouteilles remontées de la cave.

— Est-ce que ton mari va vraiment s'installer ici? demanda Jérôme à voix basse.

Elle était en train de chercher une réponse appropriée lorsque Paul revint, la mine sinistre.

— Je dois partir, il y a deux opérations à faire tout de suite à la clinique et Julien ne peut pas y arriver seul.

— Je t'accompagne à ta voiture, proposa Anne.

Une fois dehors, Paul lui mit son bras autour des épaules.

— Je n'ai pas de chance, on dirait! soupira-t-il. Je me réjouissais de cette soirée, de te retrouver… Nous sommes dans une drôle de situation, toi et moi, n'est-ce pas?

— Oui, tout ça est un peu irréel.

— Je reviendrai demain, avec ma valise cette fois.

D'un geste tendre, il ébouriffa les cheveux d'Anne et lui souhaita une bonne soirée avant de démarrer.

D'après Julien, il y avait eu un gros carambolage sur la nationale 10 et la gendarmerie l'avait appelé pour récupérer deux chiens blessés, un cocker et un berger allemand en piteux état. Dès qu'il fut sur la route il accéléra, pressé de gagner la clinique, cependant toutes ses pensées étaient encore tournées vers Anne. Pour le moment elle paraissait distante, hésitante, pas vraiment enthousiasmée par sa présence. Pourtant, il avait fait amende honorable, que pouvait-elle souhaiter de plus? Oui, il était prêt à revenir avec sa valise, prêt à tout pour reconquérir sa femme, jamais il ne se serait cru capable de concessions pareilles. Mais il avait eu tort en demandant le divorce, tort en n'acceptant pas d'essayer de vivre dans cette bâtisse. Une tentative qu'ils auraient dû faire ensemble, dès le début, et qui leur aurait peut-être permis de rentrer chez eux quelques mois plus tard. Aujourd'hui, Anne avait des projets pour sa maison, elle l'avait carrément mise en chantier et ne la lâcherait pas facilement. Sauf si le fait de recevoir des *hôtes* lui déplaisait au bout du compte. Mesurait-elle la servitude de ce genre d'activité? Évidemment, on devait cette brillante idée à Jérôme, toujours aussi décidé à exploiter les autres.

Durant les derniers kilomètres avant Castets, il essaya de penser à Julien qui ne devait plus savoir où donner de la tête. Mais c'était un excellent praticien, qui pouvait garder son sang-froid, il avait dû parer au plus pressé en l'attendant.

« Parer au plus pressé » était ce que Paul avait fait en fuyant le palais de justice et le jugement du divorce. Il ne le regrettait pas, néanmoins il s'apercevait qu'il ne suffirait pas de prendre Anne dans ses bras pour tout effacer. Et Léo, qu'allait-il déduire de la présence de son père? Ne serait-ce pas lui donner de faux espoirs si jamais la réconciliation prévue n'avait pas lieu? Cette éventualité avait de quoi le glacer, il refusait de l'envisager, pas après tous les efforts qu'il faisait.

La clinique apparut enfin devant lui. Oubliant Anne, il se gara en catastrophe et courut vers l'entrée.

4

L E climat des Landes, s'il est généralement clément, peut parfois réserver de surprenants coups de froid lors d'hivers rigoureux. J'en connus deux, l'un après l'autre, qui rentabilisèrent mon poêle Godin ainsi que les quelques billets donnés à un bûcheron pour me scier du bois. De ça, je ne manquais pas !

Prendre le thé avec Pierre Laborde était toujours un moment divertissant car il me racontait mille petites choses et m'adressait force compliments. Craignant toujours avec obstination que je puisse être sujette à l'ennui, il m'apportait des magazines, des recueils de mots croisés, des fiches de jardinage. J'acceptais gaiement ces menus cadeaux et mettais la conversation sur les cours de la Bourse, espérant que mes avoirs s'étoffaient.

Gauthier ne donnait pas de nouvelles et, hormis une pensée pour la petite Anne, je ne m'en plaignais pas. Pourtant, un matin, je reçus de sa part un appel m'annonçant sa visite. Il arriva l'après-midi même au volant de son vieux tacot, la mine soucieuse et embarrassée. Après de vagues formules de politesse, il en vint au fait : il avait besoin d'argent. De quoi constituer un apport personnel pour l'acquisition d'un appartement.

Je lui fis valoir que j'avais investi à peu près tout ce que je possédais dans le rachat de la bastide, ce qui provoqua un haussement d'épaules, sans toutefois le décourager. L'appartement qu'il guignait était une « merveille », sa situation « idéale », sur le port des pêcheurs, bref il s'agissait d'un investissement « judicieux ».

J'aurais pu refuser. Je pense même que j'aurais dû ! Mais de mon point de vue, ce qu'il sollicitait ne semblait pas exorbitant, je pouvais donc l'aider et… en faire mon débiteur. Je lui promis un chèque sous huit jours sans exiger de garantie. Il se récria, voulut me signer un papier, que je refusai. Alors il se lança dans des explications fébriles d'où il ressortait que la location de l'appartement en question couvrirait largement son crédit dans les années à venir, qu'il faisait une excellente affaire puisqu'il était logé par l'Administration, qu'il me rembourserait au fur et à mesure, que je ne regretterais pas d'avoir été utile « pour une fois ».

Ayant étourdiment lâché ces trois derniers mots, il s'arrêta net. Mais je n'allais pas revenir sur notre accord pour une petite vexation supplémentaire. Après tout, même s'il continuait à me traiter de folle, il ne pourrait mettre en doute ma générosité.

Car pour satisfaire ses besoins, il me fallut vendre mes derniers bijoux. Je ne voulais pas toucher à mes placements en Bourse pour lesquels j'avais d'autres projets, et je ne disposais d'aucune liquidité. Je ne gardai qu'un pendentif, un rubis en forme de goutte qui avait été le dernier cadeau de Paul-Henri juste avant sa maladie. J'avais bien le droit de conserver un souvenir de ma splendeur passée.

Anne reposa le cahier qu'elle se mit à tapoter distraitement. C'était donc grâce à Ariane que ses parents avaient pu acquérir leur appartement du port des pêcheurs? Ni son père ni sa mère n'en avaient jamais fait mention.

À présent, le jour se levait et elle éteignit sa lampe de chevet. Paul était parti travailler une heure plus tôt, d'assez mauvaise humeur. Incapable de retrouver du désir pour lui, elle avait simulé le premier soir et s'était inventé une grosse fatigue la veille. Paul n'était sûrement pas dupe, cependant il n'avait rien dit.

Elle alla prendre une douche puis descendit à la cuisine où Valère et Suki attaquaient leur petit déjeuner. Rentré de l'hôpital en bonne forme, son frère aîné avait décidé de décharger Suki de tous les problèmes administratifs.

— Aujourd'hui, déclara-t-il, je m'occupe de nos papiers d'identité et ensuite je passe chez l'assureur qui a des tas de questionnaires à me faire remplir. Il faut que je dresse la liste de tous nos biens partis en fumée, jusqu'au dernier torchon !

— Des indemnités sont prévues dans l'immédiat pour vous deux?

— En ce qui concerne le magasin, oui.

— Enfin une bonne nouvelle !

— Tu n'es même pas obligée de nous loger, il y a quelque chose à ce sujet dans les clauses du contrat.

— Ce n'est pas une obligation, affirma Anne, je suis heureuse de vous avoir à la maison.

— Moi aussi, intervint Suki. J'adore cet endroit !

Anne en resta bouche bée. Après avoir tellement entendu, venant de ses parents ou de Paul, de critiques sur sa « baraque », le compliment la touchait beaucoup.

— Notre chambre est fantastique, ajouta Valère. J'avoue que le boulot de Jérôme me stupéfie. Tu nous l'as vraiment changé, lui qui ne savait pas planter un clou !

— Ni rester longtemps à la même place. Je pense qu'il se plaît ici.

— Et ces chambres d'hôtes, tu crois que ce sera rentable ?

— Les recettes seront absorbées par nos travaux de rénovation, mais ceux-ci étaient nécessaires et je n'avais pas les moyens de les financer. Quand nous aurons amorti tous ces frais, la location constituera un apport pour l'entretien de la maison. On commencera avec trois chambres, mais nous pourrions en louer cinq en tout.

— C'est une belle aventure que tu vas tenter, commenta Suki. Faire revivre la maison de tes ancêtres et la partager, quelle bonne idée !

— Et Paul dans tout ça ? demanda Valère.

— Pour l'instant, nous sommes dans le brouillard, lui et moi. Avec tout le travail qu'il a, rentrer le soir dans une maison où circulent des inconnus ne lui conviendra peut-être pas, mais je ne veux pas renoncer à mon projet pour des « si » ou des « peut-être ».

Anne alla se resservir une tasse de café qu'elle décida de monter dans son bureau. Du travail l'attendait, impossible à différer. La fin de l'année approchant, ses clients ne tarderaient plus à demander leurs comptabilités, tout devait être en ordre pour établir les bilans. Durant près de deux heures, elle resta rivée à son ordinateur, la tête pleine de chiffres, puis elle s'accorda une pause. Comme toujours, elle se dirigea vers la fenêtre, mais il faisait trop froid pour ouvrir et elle se contenta de regarder à travers les carreaux. Elle aussi, comme Ariane en son temps, devrait bientôt faire appel à un bûcheron afin d'éclaircir un peu la densité de sa pinède. Il y avait partout du bois mort, et probablement de vieux arbres à abattre. La fin de l'automne était-elle la bonne saison pour le faire ? Elle n'y connaissait rien mais ne demandait qu'à apprendre.

— Je peux te voir une minute ? interrogea Jérôme.

— Entre !

— Tu regardais le paysage ? s'étonna-t-il.

— Je ne m'en lasse pas. Est-ce que tu connaîtrais un bûcheron ?

— Je peux t'en dénicher un.

— Grâce à Ludovic, je suppose.

— Oui, il a plein de copains partout.

— Vraiment ? À propos, tu m'as dit qu'il avait monté une micro-entreprise, mais où exactement ?

— À Soustons, c'est là qu'il habite.

— Pour l'instant, c'est plutôt ici.

— Est-ce que ça te pose un problème ?

— Pas du tout. J'aurais juste voulu savoir…

— Si nous sommes amants ? Occasionnellement.

— On ne fait pas plus romantique !

— Parfois je t'adore, ma jolie.

— Tu vas moins m'aimer quand je vais t'annoncer que j'envisage de rembourser ta dette envers Julien.

— Avec quel argent ?

— Celui que tu mérites pour le travail accompli depuis des mois.

— Mon travail ? Ah, non, tu ne peux pas me faire ça ! Je me suis donné un mal de chien pour toi, et bien sûr j'espérais que tu finirais par me payer. J'en ai marre de vivre sans un sou.

— Jérôme, tu es arrivé ici les mains dans les poches, avec une vieille valise à moitié vide, des tee-shirts troués et des dettes. Depuis, je te loge, je te nourris, je te passe ma voiture avec le plein. Je sais que toute peine mérite salaire, c'est bien pour ça que je veux rembourser Julien à ta place. Mais si je te donne cet argent, il n'en verra pas la couleur. Tu reporteras indéfiniment, tu le sais très bien.

— Oh, ta foutue honnêteté ! Tu sais quoi ? J'ai emprunté du fric à Ludovic pour m'offrir des petits plaisirs en ville. Alors, tu as l'intention de recommencer avec lui, tu le paieras à ma place ?

— Non, lui c'est ton ami, ça vous regarde. Tandis que Julien…

— Il t'en aurait fait cadeau, idiote !

— Cadeau ? C'est fou comme l'argent des autres a peu de valeur ! Tu ne respectes rien, Jérôme, tu n'es même pas honnête. Et quoi qu'il en soit, je ne veux pas de cadeau de la part de Julien.

— Pourquoi ?

— Il ne me doit rien. J'étais débitrice, je ne le serai plus, l'affaire est réglée. Si tu n'es pas d'accord, tant pis pour toi.

Elle se sentait exaspérée mais elle avait réussi à rester calme.

Devant lui, elle sortit un chéquier du tiroir du bureau et rédigea un chèque de six mille euros à l'ordre de Julien. Quand elle releva la tête, elle croisa le regard de son frère.

— Et maintenant ? demanda-t-il d'une voix moins agressive.

— Remets-toi au boulot.

— Esclavagiste !

— Au fait, de quoi venais-tu me parler ?

— Je voulais savoir si tu vois un inconvénient à ce que Valère nous aide, à l'occasion. J'ai peur qu'il s'ennuie…

— C'est toi l'esclavagiste. Il a mille démarches à faire. Mille choses à racheter, aussi, dont ses appareils photo et ses objectifs. L'urgence est là. Toi, tu as *déjà* de l'aide avec ton invité *occasionnel*.

— Bien, chef ! répliqua-t-il en se mettant au garde-à-vous.

Il avait retrouvé son air insouciant, apparemment il ne lui en voulait pas.

— En tant que chef, j'aimerais que tu te mettes en conformité avec la loi. Où en es-tu vis-à-vis des caisses de chômage, d'assurance-maladie ? On pourrait m'accuser de te faire travailler au noir.

— Nous sommes en famille ! protesta-t-il.

— Je sais bien, pourtant, il faut qu'on trouve une solution pour te rémunérer. Une sorte de… d'association ?

— Pas maintenant, Anne. Quand nous aurons des clients.

— Est-ce que ça signifie que tu n'es pas sûr de rester ?

— Je ne suis jamais sûr de rien.

Elle le laissa partir, perplexe. Il avait eu l'honnêteté de ne pas s'engager pour l'avenir, au moins il ne cherchait pas à la bercer d'illusions.

Baissant les yeux sur le chèque, elle le considéra quelques instants, puis appela Julien sur son portable. Il était dans un bistrot de Castets. D'emblée, il protesta qu'il n'y avait pas urgence à le rembourser.

— Ce sera fait, insista-t-elle, je serai tranquille. Je te l'envoie aujourd'hui. Quand viens-tu nous voir ? La maison est pleine de monde avec Valère et Suki, le copain de Jérôme et…

— Et Paul, je suis au courant. Est-ce que ça se passe bien ?

Elle hésita une seconde, puis avoua :

— Pas terrible. Je crois que c'est de ma faute. Disons que… le cœur n'y est pas.

— Ce serait trop bête, Anne.

— Mais ça ne se commande pas. Il y a trop longtemps que je ne t'ai pas vu, j'aimerais bien qu'on puisse discuter tous les deux. Franchement, je ne sais plus où j'en suis.

— Et tu comptes sur moi pour te le dire ?

Après un silence, elle enchaîna :

— Paul prétend que si ça ne marche pas nous deux, il vendra tout et il s'en ira. C'est presque une forme de… chantage.

— Non, il le pense vraiment.

— Mais je ne veux pas détruire son existence, je ne veux pas qu'il s'éloigne de Léo ! Je ne veux pas être responsable de tout ce gâchis !

Elle se mit à pleurer, trop désespérée pour se contenir.

— Écoute-moi. Les responsabilités sont toujours partagées. Le mieux que vous puissiez faire, c'est de vous laisser un peu de temps.

— Tu ne comprends pas, bredouilla-t-elle à travers ses sanglots. Les choses ont changé, je n'ai plus envie de dormir avec lui !

Avoir réussi à le dire la fit pleurer encore plus fort.

— Excuse-moi, hoqueta-t-elle en coupant la communication.

Pourquoi se confiait-elle à lui si facilement ? Parce qu'elle n'avait personne d'autre à qui s'adresser ? Mais Julien pouvait-il être impartial ? Bien sûr que non ! En lui faisant ce genre d'aveu, elle n'était pas innocente et elle s'en voulait.

Elle prit le temps de se calmer. Le programme du week-end serait chargé. Avant d'aller chercher Léo et Charles à la pension en fin d'après-midi, elle devait faire un gros ravitaillement au supermarché en prévision de huit personnes à table à tous les repas. Elle avait voulu de l'animation, elle en avait !

— Avec la meilleure volonté du monde, je ne sais pas couper du bois. Je ne l'ai jamais fait de ma vie et je tiens à mes doigts, j'en ai besoin.

Déçu, Valère décréta qu'il s'y attaquerait seul.

— Je veux me rendre utile. Anne a parlé d'embaucher un bûcheron, évitons-lui la dépense. Et puis, vous allez bien en consommer plusieurs stères cet hiver !

Paul esquissa une mimique dubitative.

— Emmenons plutôt Léo et Charles faire une grande balade.

Il jeta un coup d'œil par la fenêtre et constata que le ciel était plombé.

— Si on veut se promener, c'est maintenant, une averse se prépare.

Abandonnant la chaleur de la cuisine, Paul gagna le hall d'entrée et appela son fils du bas de l'escalier. La tête levée, il considéra le lustre vieillot qu'Anne n'avait pas encore remplacé. Quelques mois auparavant, il était venu ici un soir pour vacciner Goliath, mais il avait trouvé la bastide déserte, personne ne répondant à ses appels. Finalement, il était monté jusqu'à la chambre d'Ariane, l'avait vue écroulée sur le tapis, morte, avec le chien qui montait la garde à côté d'elle. Il en conservait un souvenir pénible et ne comprenait toujours pas comment sa femme avait pu vouloir s'installer dans cette maison.

— Oui ? grogna Léo du haut des marches.

— On va marcher un peu, Valère et moi. Ça vous tente ?

— Pas du tout.

Paul eut un sourire résigné et fit demi-tour. Léo arrivait à un âge où se promener avec son père ne présentait plus aucun intérêt. Il préférait sûrement, en compagnie de Charles, dévorer des mangas ou surfer sur Internet. En tout cas, son dernier bulletin de notes était à peu près satisfaisant. Et, autant le reconnaître, il avait l'air d'aimer cette maison et toute son agitation. Peut-être parce que sa mère, occupée à mille autres choses, le laissait libre. Par exemple, ce matin, elle s'était levée très tôt, sautant hors du lit comme si elle fuyait, et elle s'était enfermée dans son bureau pour boucler quelques dossiers comptables. Depuis qu'elle avait quitté Castets, elle se débrouillait seule et paraissait s'en sortir, mais il ne savait plus grand-chose de ce qui la concernait. Et il ne savait plus non plus comment s'y prendre avec elle. Les retrouvailles n'avaient pas eu lieu sous la couette, ou alors de manière peu satisfaisante. Il la sentait tendue et la tête ailleurs. Pour l'instant, il mettait sa froideur sur le compte de leur séparation, de cet épouvantail du divorce qu'il lui avait agité sous le nez. Mais un jour prochain, ils allaient devoir s'expliquer.

— Je te vois rêvasser au pied de l'escalier ! cria Jérôme depuis le palier du second. Si tu veux te joindre à nous, il y a du travail pour tout le monde !

— Je pars me balader avec Valère.

— Ah bon ? J'espère que vous avez un parapluie bien étanche !

Haussant les épaules, Paul regagna la cuisine à grands pas.

— Je vais me lancer dans une recette, annonça-t-il à Valère. Poulet basquaise ? proposa-t-il. Je crois qu'il y a un marché le dimanche matin à Lit-et-Mixe, on prend deux beaux poulets des Landes, quelques tomates, des poivrons, et le tour est joué !

Ce serait sa manière de s'intégrer à la vie de la maison, et Anne lui en serait sans doute reconnaissante.

JULIEN se décida à rebrousser chemin, découragé par l'averse qui rendait les chaussées glissantes. Sur sa puissante moto, il avait emprunté de petites routes sinueuses pour gagner l'étang de Léon, celui de Soustons, puis le Hardy, et enfin l'étang, au-dessus de Seignosse. Bien à l'abri sous son casque intégral et sa combinaison de cuir, il rentra lentement, profitant du paysage.

Il adorait cet endroit, l'avait adopté dès le premier jour. Né à Bordeaux, il avait passé tous les étés de son enfance au Cap-Ferret et s'était initié très tôt au surf, à la plongée et au ski nautique. Mais il avait toujours été attiré par les Landes de la côte sud, plus sauvages, dont il appréciait les plages à l'infini. Comment Paul pouvait-il envisager l'hypothèse d'un départ? Il l'avait évoqué à plusieurs reprises, même depuis qu'il avait rejoint sa femme à la bastide. Si le couple ne parvenait pas à se réconcilier pour de bon, Paul serait-il capable de tout bazarder? Connaissant son caractère entier et orgueilleux, Julien n'en doutait pas. L'échec de son mariage, dont il était bien obligé de prendre une part de responsabilité, allait être le premier de son existence, or Paul détestait perdre, il n'aimait pas le désordre ni le changement.

Julien pénétra sous la grange qui servait d'abri à sa moto, coupa le contact et mit la béquille. Quand il enleva son casque, il perçut le bruit régulier de la pluie sur les tuiles et de la gouttière qui ruisselait. Sa petite maison landaise lui plaisait bien, il avait failli la vendre après le départ de sa femme et des jumeaux, mais il s'était finalement habitué à y vivre seul. Contrairement à Paul, il n'aimait pas les constructions modernes. Cette bâtisse ancienne, un peu de guingois et qui paraissait tassée sur ses fondations lui était sympathique.

À peine entré chez lui, il se débarrassa de sa combinaison et alla se faire un thé. Sur le comptoir de sa cuisine ouverte sur le séjour, son ordinateur était posé à côté des notes prises dans la matinée. Songeur, il considéra les chiffres qu'il avait alignés. Si vraiment Paul voulait vendre, serait-il en mesure de lui racheter ses parts? Le calcul était serré mais jouable. Mais au-delà du rachat, le casse-tête était ailleurs. Il fallait être deux pour exercer, deux pour les gardes d'urgence. S'il se retrouvait seul, il serait obligé d'engager un confrère, soit comme associé, soit comme vétérinaire salarié. Et il lui faudrait une bonne dose de chance pour mettre la main sur quelqu'un d'aussi doué que Paul. Néanmoins, il n'avait pas d'autre option, il tenait par-dessus tout à cette clinique. Julien ne s'imaginait pas installé ailleurs, avec tout à recommencer, il était bien là et voulait y rester.

D'une manière ou d'une autre, la présence d'Anne influençait-elle son choix? Même en sachant que rien n'était possible entre eux, il répugnait à s'éloigner d'elle. Il aurait aimé pouvoir penser à elle sans culpabilité, mais l'interdit pesait trop lourd, elle était encore la femme de Paul, et même si elle devenait un jour prochain l'ex-femme de Paul, ça ne changerait pas grand-chose. Il devait provoquer d'autres rencontres et s'astreindre à y trouver de l'intérêt. Si ses tentatives de séduction débouchaient toujours sur de pitoyables aventures sans lendemain, c'était parce qu'il avait Anne en tête et comparait à elle toutes les autres femmes.

Il se remémora l'époque où ils sortaient tous les quatre, se recevaient. Julien ne louchait pas sur Anne à ce moment-là. D'accord, il la trouvait charmante, enjouée, appétissante en maillot de bain sur la plage, et il aimait bien discuter avec elle. Rien d'équivoque. À quel moment s'était-il mis à la regarder autrement?

Il alla prendre son téléphone. Il ne passerait pas son dimanche à se torturer en vain, autant appeler des copains et organiser une sortie. Il n'était pas de garde, il pouvait, il devait s'amuser un peu.

— ET voilà, j'ai fini le plafond! annonça Ludovic en descendant de son échafaudage.

Jérôme le suivit des yeux, fasciné par sa silhouette moulée dans son jean. Ludovic surprit son regard et esquissa un sourire.

— Non, dit-il. On met la deuxième couche sur les plinthes avant de s'accorder une récréation.

— Pourquoi es-tu tellement sérieux? railla Jérôme, frustré.

— J'aime le travail bien fait.

Sans doute était-ce vrai, néanmoins il n'avait aucune raison de perdre son temps avec un chantier qui ne lui rapportait rien. Comptait-il sur ces chambres d'hôtes, plutôt réussies, pour servir de carte de visite à sa micro-entreprise? À Soustons, il disposait d'un petit local au fond duquel il avait installé un lit de camp et un réchaud. C'était là qu'un soir Jérôme avait atterri et fini la nuit. En se réveillant, il n'était pas parti sur la pointe des pieds, comme à son habitude, mais il avait secoué Ludovic pour lui proposer un petit déjeuner dans le bistrot voisin. Il l'avait ensuite revu deux ou trois fois avant de lui demander un coup de main pour les travaux de la bastide. Ludovic n'avait pas de clients en vue et pas un sou en poche, il était venu sans rien demander. Est-ce que ça cachait quelque chose? Jérôme pensait être capable de reconnaître un voyou quand il en croisait un, or Ludovic, avec sa tête d'ange et son amour du travail bien fait, ne semblait pas entrer dans cette catégorie. Mais fallait-il se fier aux apparences?

Ludovic était en train de coller un adhésif de protection tout le long du parquet. Il leva la tête et considéra Jérôme d'un air sceptique.

— Tu es plus tendre que ce que tu montres.

L'affirmation prit Jérôme au dépourvu. Il ne se sentait ni tendre ni très intéressant et affichait volontiers un masque de cynisme pour déstabiliser ses interlocuteurs. Il n'avait jamais pensé que c'était une façon de se protéger, mais Ludovic n'avait peut-être pas tort. Alors qu'il allait répliquer et s'en sortir par une pirouette, selon son habitude, Suki entra dans la pièce, un plateau dans les mains.

— Une tasse de café pour les peintres?

— En voilà une gentille belle-sœur! s'exclama Jérôme en lui prenant le plateau des mains.

Il la détailla des pieds à la tête.

— Tu es habillée de neuf, on dirait.

— J'ai fait des achats, oui. Notre assureur est compréhensif.

— Où en est l'enquête?

— Aux premières constatations, le feu serait parti du salon de coiffure mitoyen. Leur électricité n'était pas aux normes.

— Donc, vous n'êtes pas responsables?

— La question n'est pas là. En fait, l'immeuble va être détruit, rasé, et ça prendra du temps pour le reconstruire. La réouverture de mon magasin de fleurs n'est pas pour demain!

— Et ça te manque?

— Tu n'imagines pas à quel point…

— Profite donc de ces vacances improvisées, il faut savoir se donner du bon temps.

Mais sans doute n'était-elle pas capable de s'amuser, accablée par de trop nombreux soucis.

— Nous allons faire des plantations avec Anne, aujourd'hui.

— On est quasiment en hiver!

— Les rosiers le supportent, à condition de les acheter en conteneur. On peut aussi pratiquer un pralinage, c'est-à-dire tremper les racines dans un mélange boueux d'argile et de tourbe. On travaillera aux deux coins de la façade pour installer des grimpants.

— Quelle couleur ?

— C'est Anne qui décidera, mais le rouge irait bien.

Égayer la façade austère était une bonne idée. Il se souvint qu'Anne lui avait montré une photo de la bastide à l'époque de sa splendeur. Le perron était entouré d'une profusion de fleurs, il y avait des plates-bandes parfaitement entretenues et même un grand palmier.

Jérôme rendit les tasses vides à Suki. Il l'escorta le long du couloir jusqu'au palier et, tandis qu'elle descendait, jeta un coup d'œil dans la grande pièce vide qui avait été la salle de billard. On pourrait y faire une vraie suite et, tant qu'il avait Ludovic sous la main, mieux vaudrait s'y attaquer. Il fallait qu'il en reparle à Anne afin de la convaincre.

PAUL se redressa, ralluma sa lampe de chevet et s'assit en croisant les bras.

— Tu n'as aucune envie de faire l'amour, tu ne m'aimes plus !

Il se sentait rejeté, humilié, en colère.

Un moment, Anne resta silencieuse, puis elle se tourna vers lui.

— Nous avons subi une sacrée fêlure, murmura-t-elle enfin. Il va peut-être nous falloir un peu de temps.

— Du temps ? On a été séparés pendant des semaines ! Moi, je n'en pouvais plus, je rêvais de toi toutes les nuits. Apparemment, de ton côté tu en as profité pour m'oublier.

— Non, j'essayais de guérir. Tu avais demandé le divorce.

— Alors tu te venges, c'est ça ?

— Pas du tout. Je voulais que tout s'arrange entre nous. Mais il a bien fallu que je me résigne, que j'arrête de pleurer sur nous deux.

— Tu pleurais sur ce que tu avais détruit toute seule.

— Ne recommence pas à me culpabiliser, ça ne marche plus.

— Bon sang, Anne, le plus important n'est-il pas de sauver notre famille ? Tu ne fais aucun effort, tu me tournes le dos tous les soirs.

— Il faudrait que je fasse un « effort » ? N'invoque pas la famille quand il n'est question que de désir et de sexe. Je n'ai pas envie de faire l'amour, c'est vrai, mais ça ne veut pas dire que je ne t'aime plus. Pourquoi n'es-tu pas un peu patient ?

— Parce que j'en ai marre! explosa-t-il. J'ai envie de te toucher, te prendre, te faire jouir, et tu es comme un bout de bois!

— Une fois dans ta vie, gronda-t-elle, tu ne pourrais pas concevoir qu'on n'a pas forcément les mêmes envies que toi? Tu es vexé, tu m'engueules, et tu penses que ça ira mieux en montant le ton?

— Ça n'ira pas plus mal!

Tendant les mains vers elle, il la saisit par les épaules, l'attira brutalement à lui, décidé à passer outre. Il souleva le tee-shirt, vit ses seins ronds et, électrisé, perdit tout contrôle.

La claque retentissante que lui asséna Anne le stupéfia. Ébahi, il la lâcha, découvrit la marque rouge qu'elle avait en haut du bras, là où il l'avait trop serrée pour l'immobiliser.

— Désolé, bredouilla-t-il.

— Tu deviens con ou quoi?

— Je t'ai fait mal?

— Tu m'as fait peur! Tu serais prêt à te passer du consentement quand l'envie est trop forte? Tu es ce genre d'homme, Paul?

— Tu sais bien que non.

Durant quelques instants, ils ne surent quoi dire ni quoi faire. Jamais ils ne s'étaient brutalisés, la situation était inédite entre eux.

— Même si ce n'est pas une excuse, je t'aime et je te désire, chuchota-t-il. Malheureusement, je ne suis pas à ma place ici. D'ailleurs, tu ne m'en laisses aucune, j'ai l'impression de te déranger. Je n'arrive pas à aimer cette maison parce qu'il y a des courants d'air et de la poussière partout. C'est vieux, c'est au bout du monde. Quand j'éteins la lumière le soir et que tu te réfugies à l'autre bout du lit, je me demande ce que je fous là, au fond des bois, dans un endroit que je déteste avec une femme qui me boude.

— Mais alors, qu'on fasse l'amour ou pas ne change rien à tous tes autres problèmes?

— Ceux-là sont faciles à régler, on n'a qu'à se tirer d'ici et rentrer chez nous!

Après un silence, elle se décida à reprendre la parole.

— C'était malhonnête de me rejoindre avec autant d'arrière-pensées, Paul. Ce que tu veux par-dessus tout est un retour à la case départ. En somme, tu es venu me chercher. Tu as pensé que, sur place, tu serais plus convaincant?

— Évidemment!

— Mauvais calcul. Quand bien même nous ferions des exploits au lit, il y aurait toujours un lendemain à affronter. Nous n'arrivons plus à tomber d'accord sur une façon de vivre, nous ne partageons plus notre vision de l'avenir. Le changement te fait peur, moi, il me galvanise.

— Franchement, chérie, je ne peux pas croire que ton projet de chambres d'hôtes ait quoi que ce soit d'exaltant. Tu te berces d'illusions. Quand Jérôme t'aura plantée là, tu te retrouveras toute seule à faire la bonniche pour des inconnus.

— Si je comprends bien, rien n'est résolu. Tu ne veux pas t'intéresser à ce que je fais, à ce que j'aimerais faire. Pour toi, tout ce qui n'est pas « comme avant » est forcément idiot. Tout ce qui ne passe pas par toi ne vaut pas la peine d'être tenté, en plus, ça te dérange. Je ne peux pas te désirer si tu me méprises, si tu m'infantilises. Tu veux faire l'amour parce que ça te manque, mais dans ton regard il y a davantage de fureur que de tendresse pour moi.

Si agaçant que ce soit à admettre, elle n'avait pas tout à fait tort.

— Anne…, dit-il d'une voix très douce.

Mais elle ne vint pas dans ses bras, ne s'approcha même pas. Étrangement, elle lui prit la main et la serra très fort. Était-ce un geste de consolation ? D'adieu ?

— Je rentre chez nous, décida-t-il en se dégageant.

Comme prévu, elle ne chercha pas à le retenir. Entre eux, tout semblait désormais consommé.

Je ne voyais pas le temps filer. Ces années amorçaient pourtant le début de la vieillesse. Mon souffle était plus court, je me fatiguais vite. Cependant, j'exultais toujours en passant de pièce en pièce dans mon royaume. Finir mes jours ici allait me combler, mais entre-temps j'avais des choses à faire.

Une heureuse surprise fut la visite de la petite Anne. Elle venait d'avoir dix-huit ans et elle semblait radieuse. Non seulement elle avait son bac en poche, mais aussi le précieux sésame du permis de conduire. Elle m'annonça que j'étais la première destination de ses débuts de conductrice car elle avait été frustrée par les refus qu'opposait sa mère à toutes mes invitations. Et elle tenait à me faire part du mariage de sa sœur Lily, auquel nul ne m'avait conviée.

Je lui fis bonne figure, toutefois je trouvai la pilule amère. Gauthier était comme le monsieur Perrichon de la pièce de Labiche, il n'appréciait pas d'être mon obligé. Et toujours mon débiteur puisqu'il ne m'avait jamais remboursée. Afin de ne pas avoir à y penser, il préférait m'oublier tout à fait.

Mon pauvre frère ! Aurait-il pu se bonifier auprès d'une épouse moins austère qu'Estelle ? Il méprisait mon mode de vie et me traitait de folle depuis belle lurette, néanmoins il avait su à qui s'adresser lorsqu'il avait eu besoin d'argent. Mais c'était mon frère et à ce titre je lui gardais un petit reste d'affection.

Anne voulut visiter une nouvelle fois la maison et la trouva aussi séduisante que dans ses souvenirs de gamine. En sirotant son thé, elle me parla de l'insistance d'un garçon qui lui faisait la cour, un ami de son frère Valère qui se prénommait Paul. Ce jeune homme était parti pour de longues études, et de son côté Anne avait choisi d'aller préparer à Pau un diplôme de comptable. Je m'étonnai qu'elle puisse vouloir passer sa vie dans les chiffres, pourtant elle m'assura que c'était assez amusant. Mais la vraie raison, qu'elle eut la franchise d'avouer, était son désir de quitter le toit familial au plus vite.

Je lui fis promettre de donner des nouvelles de loin en loin, et l'assurai qu'elle serait toujours la bienvenue chez moi. Après qu'elle eut disparu au bout du chemin, je repensai longuement à ce mariage où on ne m'avait pas invitée. De qui venait la décision de m'écarter ? Si Gauthier ne m'aimait guère, en revanche Estelle me détestait carrément. Et cet excès de haine m'intriguait, tout comme son manque d'affection pour Anne m'avait déjà mis la puce à l'oreille. Je pressentais bien autre chose qu'une simple question d'antipathie, aussi décidai-je d'en avoir le cœur net. Je laisserais à Anne le temps de s'installer à Pau, puis je rendrais visite à ma chère belle-sœur. Anne n'était pas uniquement dissemblable des autres de par ses traits, mais toute sa personnalité criait sa différence. Et j'en trouverais la cause, je m'en fis la promesse.

Anne ferma le cahier, effrayée par ce qu'elle venait de lire. Après le départ de Paul en pleine nuit, elle n'avait pas pu s'endormir. Longtemps, elle était restée assise dans son lit sans bouger. Au bout d'un moment, elle s'était sentie plus calme, avait été capable de repenser à Paul. Le point de non-retour ayant été atteint, elle devait une fois de plus reconsidérer l'avenir. Mais au moins, il n'y aurait plus de questions en suspens, de tergiversations, de lueur d'espoir trompeuse, elle avancerait seule, sans états d'âme.

Le sommeil la fuyant toujours, elle était allée chercher le cahier de moleskine, persuadée d'y trouver un dérivatif. Or ce qu'elle y découvrait l'inquiétait de plus en plus. Bien sûr, elle se souvenait de cette visite à Ariane, de la sensation de liberté qu'elle avait éprouvée à conduire seule, des chemins où elle s'était égarée avant de dénicher celui menant à la bastide. Avec elle, sa tante s'était toujours montrée aimable, et son univers avait quelque chose de fascinant. La grande maison contenait des souvenirs qu'Ariane illustrait avec des photos d'une autre époque. Elle racontait les campagnes de gemmage des résiniers, les fêtes, sa jeunesse insouciante, puis la faillite honteuse. Anne l'écoutait bouche bée, faisant connaissance avec des générations de forestiers prospères qui étaient ses ancêtres mais dont on ne lui avait jamais parlé.

Elle déposa le cahier sur sa table de nuit, peu désireuse d'en apprendre davantage pour l'instant, et s'enfonça sous la couette. Était-il concevable qu'il y ait un doute quelconque à propos de sa naissance?

Dehors, le vent soufflait fort autour de la maison, pourtant Anne se sentait en sécurité dans cette chambre qu'Ariane avait préparée pour elle. Si lourd que soit son chagrin d'avoir perdu Paul, elle était à sa place, elle en avait la conviction.

5

JULIEN avait passé toute la journée du dimanche à Dax, chez de vieux amis, puis il était rentré à Castets pour rejoindre Paul qui ne voulait pas s'éloigner, étant de garde.

Comme convenu, Paul avait préparé le dîner, mais au lieu de mettre en œuvre une recette compliquée, il s'était contenté de faire réchauffer deux pizzas dans le four. À voir son visage fermé et ses mâchoires crispées, il était d'une humeur massacrante.

— Autant te prévenir, annonça-t-il abruptement alors qu'ils trinquaient, tu vas devoir te décider vite pour racheter mes parts.

— Tu vas vraiment lâcher plus de dix ans de travail acharné et une réussite formidable ? La clinique que nous avons montée ensemble ? Tes amis, ta…

— … famille ? Je n'en ai plus ! Avec Anne, c'est fini. Elle s'est éloignée de moi, détachée. Et je dois avouer que je ne la regarde plus comme avant. Quelque chose est cassé définitivement. En conséquence, je ne vais pas rester là, je n'en aurais pas la force. Si je veux me reconstruire une vie, ce sera ailleurs.

Julien n'avait rien à rétorquer devant la détermination de Paul.

— Que comptes-tu faire exactement, Paul ?

— Mes valises. J'ai chargé mon père de me trouver un studio meublé à louer, le temps de m'organiser. J'ai aussi appelé un agent immobilier pour vendre la maison, et un commissaire-priseur pour liquider ce qu'il y a dedans. En principe, tout sera réglé à la fin de la semaine, je compte partir vendredi.

Abasourdi, Julien le dévisagea.

— Je me tire, Julien.

— En cinq jours ? Et où crois-tu que je vais trouver un nouvel associé en cinq jours ? Tu es d'un égoïsme confondant.

— Chacun ses problèmes.

— Mais tu me mets dans la merde !

Jamais Julien n'aurait pu imaginer que Paul le laisserait tomber de cette façon-là. Il passa rapidement en revue les solutions d'urgence pour maintenir la clinique ouverte et assurer l'ensemble des rendez-vous. Prendre en stage un jeune diplômé frais émoulu d'une école vétérinaire ? Certains confrères n'ayant pas eu l'opportunité de s'installer se contentaient de faire des remplacements, mais comment choisir le candidat en si peu de temps ?

— Je ne peux pas t'empêcher de partir, mais tu te comportes très mal, déclara-t-il en se levant.

— Je ne te mettrai pas le couteau sous la gorge pour le rachat de mes parts.

— Encore heureux !

Paul évita son regard, fixant obstinément la table. Après avoir attendu deux secondes, Julien abandonna la partie et sortit.

Jérôme et Ludovic avaient écouté les conseils de Suki qui préconisait des différences de couleur sur les murs d'une même chambre, et une disposition précise des meubles selon les règles du feng shui.

— Pas d'étagères au-dessus du lit, pas de miroir non plus. Les glaces et les carrelages accélèrent le flux du *ki*, mettez-en dans les salles de bains.

— Du *ki*? répéta Ludovic, éberlué.

— *Ki* en japonais, *qi* en chinois. Mais pour les chambres, croyez-moi, il faut privilégier l'énergie du *yin*. Tout doit être harmonieux, moelleux, arrondi, car c'est un lieu de repos et de ressourcement.

Jérôme était sceptique mais Ludovic semblait très intéressé. Il dessina le plan de la pièce sur un carnet et ajouta quelques annotations.

— Ah, vous êtes là! s'exclama Valère en surgissant. Regardez, je viens de recevoir l'appareil que j'avais commandé, le tout dernier Nikon numérique reflex, une merveille! Ne bougez plus…

Suki lui adressa un sourire lumineux.

— Notre assureur est efficace, affirma-t-il, ça n'a pas traîné.

— Et pour le magasin? ne put-elle s'empêcher de demander.

— Ce sera un peu plus long, mais la compagnie fait ce qu'elle peut. Notre ancien immeuble doit être détruit. Plutôt qu'attendre la reconstruction, je pense qu'ils vont te proposer un local ailleurs.

— Mais je veux rester dans le centre!

Elle avait mis longtemps à se faire une clientèle et refusait d'avance de la perdre, de repartir de zéro.

— C'est le Nikon dont tu rêvais? s'enquit Jérôme, la main tendue.

— Pas touche, Brisefer, ce bijou est pour les pros.

Le surnom de son enfance fit sourire Jérôme. En tant que benjamin, il avait bénéficié de l'indulgence de ses parents devant ses frasques et ses maladresses.

— Il y a longtemps que je ne casse plus rien, protesta-t-il pour la forme.

Une cavalcade dans l'escalier leur annonça l'arrivée d'Anne, suivie de Goliath, et elle déboucha dans la chambre tout essoufflée.

— Paul s'en va, annonça-t-elle d'une traite. Il quitte les Landes pour s'installer à Paris, il plante Julien seul à la clinique et il met la maison de Castets en vente! Je n'en reviens pas… Et il ne se donne pas la peine de prévenir Léo, je suis censée le faire à sa place.

Il y eut un court silence, puis Suki lâcha dans un souffle:

— C'est injuste, Anne. Il doit parler lui-même à son fils.

— J'avais du mal à y croire quand il m'a annoncé tout ça par téléphone, poursuivit Anne. Alors j'ai appelé Julien, qui est furieux.

Elle regarda le désordre du chantier sans le voir et finit par s'asseoir par terre. En lâchant sa clinique, Paul lui faisait porter une culpabilité supplémentaire.

— Je vous ai trouvé un bûcheron, déclara Ludovic.

C'était totalement incongru après ce qui venait d'être dit, mais Anne leva les yeux vers lui, intéressée.

— Pas trop cher?

— Non. Et qui connaît son métier. Il débitera tout le bois mort et le rangera où vous voulez. Après, il pourra s'occuper des arbres à abattre, mais ceux-là devront sécher deux ou trois ans avant de pouvoir être brûlés dans le poêle.

— D'accord, faites-le venir.

Plus tôt dans la matinée, Anne avait dressé la liste des problèmes à affronter durant les prochains mois, au moins celui-ci serait-il réglé.

Elle redescendit au premier, toujours flanquée du chien, et gagna son bureau. Le thermomètre intérieur affichait dix-huit degrés. Avec un soupir résigné, elle s'enroula dans un châle puis s'installa devant son ordinateur. Malgré tous les bouleversements des derniers mois, elle avait continué à rendre des dossiers comptables impeccables à ses clients. Et le bouche-à-oreille fonctionnait bien puisqu'elle avait de nouvelles demandes. Peut-être devrait-elle s'occuper d'une ou deux entreprises supplémentaires, un travail à mi-temps ne suffisant pas à la faire vivre. Puisque Jérôme et Ludovic se chargeaient du chantier, avec maintenant Suki pour les conseiller en matière de décoration, elle pouvait consacrer quelques heures de plus à son métier.

Elle cliqua sur l'icône de son dossier personnel. Pour recevoir des hôtes, il fallait acheter des tas de choses, draps et serviettes, couettes et oreillers, lampes de chevet, rideaux… L'addition était de plus en plus lourde. Et elle devinait que Paul ne ferait strictement rien pour l'aider, bien au contraire.

Le téléphone la fit sursauter.

— Je ne te dérange pas? demanda Julien en préambule.

— Non! J'étais dans mes comptes, les miens et ceux des autres.

— Je n'ai jamais compris comment tu pouvais t'amuser avec ça. En ce qui me concerne, les chiffres ne sont pas mes amis. Et c'est à ce sujet que je t'appelle, en fait, je crie au secours.

— Pour la clinique?

— Évidemment. Sans faire de commentaire désagréable, Paul m'a mis dans une situation impossible. Je cherche un remplaçant partout, et le seul candidat que j'ai reçu ne convenait pas. Inutile de te dire que je bosse douze heures par jour. Bref, je te quémande un coup de main. Tu connais la clinique, tu t'es longtemps occupée de la comptabilité, des fiches de paie, et moi je ne vais pas y arriver.

— Bien sûr, Julien. Quand on a commencé à se disputer, Paul a préféré me retirer le dossier, tu n'as qu'à me le rendre.

— Ah, tu es gentille !

— Mais non, c'est le moins que je puisse faire.

— Sauf que je te force un peu la main et je m'en excuse. Mais quand Brigitte m'a dit ce matin d'un ton rageur, parce qu'elle ne décolère pas, que j'avais intérêt à trouver un comptable, je me suis senti noyé. Ce qu'il faut que je trouve d'abord, et vite, c'est un confrère. J'ai appelé Toulouse, Maisons-Alfort… J'attends des réponses. Et inutile de t'expliquer que ça va me faire tout drôle de travailler avec quelqu'un d'autre que Paul. Je vais vraiment le regretter.

— Mets tout le dossier sur une clef USB et viens me la porter ce soir, tu dîneras avec nous.

— Je finis tard.

— Peu importe, on te gardera une part au chaud.

— Merci, Anne.

Après avoir raccroché, elle resta pensive un moment. La perspective de voir Julien la réjouissait toujours un peu trop, elle en était consciente mais n'avait plus envie de s'en défendre. Le temps apporterait des réponses, et advienne que pourra !

ESTELLE n'avait confié ses mains à la manucure qu'avec réticence. Elle n'était pas une adepte des instituts de beauté. Mais Lily avait insisté pour lui offrir un soin des ongles, à défaut de pouvoir la convaincre d'un massage. En ce qui la concernait, elle trompait son ennui de femme au foyer et ses angoisses de la quarantaine dans les clubs chics d'Hossegor. Plusieurs fois par semaine, elle abandonnait son visage et son corps aux doigts expérimentés d'une esthéticienne, se laissant bercer par des bavardages futiles.

— Votre maman n'a pas l'air d'apprécier, lui annonça la jeune femme qui venait de lui retirer son masque d'argile. Elle s'est récriée devant la gamme des rouges et n'a accepté qu'un vernis incolore !

— Elle n'a pas l'habitude, expliqua Lily en quittant la table de massage. Question de génération !

Et aussi de moyens. Éric lui passait tous ses caprices, même s'il s'étonnait parfois qu'elle dépense autant d'argent. Devenait-il radin en vieillissant ? Il gagnait pourtant bien sa vie dans son cabinet dentaire, mais depuis peu il s'était mis à évoquer les futures études de leurs filles, l'avenir, un jour la retraite. La retraite ! Comment pouvait-il y songer à quarante-cinq ans ?

Elle retrouva sa mère dans le hall de la réception et la vit qui contemplait ses mains d'un air perplexe. Elles quittèrent l'institut après que Lily eut fait mettre la note de la manucure sur son compte, ignorant les protestations de sa mère.

— Pour une fois que je t'offre quelque chose, laisse-toi faire.

En effet, c'était toujours Estelle qui gâtait sa fille aînée au-delà du raisonnable.

— On va prendre une pâtisserie ? proposa-t-elle.

Elles gagnèrent un salon de thé proche où elles commandèrent des gâteaux et des cappuccinos.

— Je déteste l'hiver, soupira Lily. On ne peut plus profiter de la plage, il fait nuit trop tôt, on est toujours en manteau… En plus, il faut penser à Noël ! Qu'est-ce qu'on va faire, cette année ? Je l'organise chez moi, comme d'habitude ? Anne voudra peut-être que ça se fasse chez elle, cette année.

— Ah, non ! s'emporta aussitôt Estelle. D'abord, c'est au diable, ensuite il y fait froid. Et puis on ne va pas tout changer pour Anne, d'ailleurs, je déteste cette bâtisse, et ton père aussi.

Lily n'était pas tout à fait de son avis, elle ne trouvait pas la bastide si mal que ça, bluffée par la taille des pièces et la hauteur des plafonds, l'escalier monumental, la grande clairière. Bien qu'elle ait du mal à l'admettre, elle éprouvait toujours une certaine aigreur, et sentir que sa mère était pire qu'elle la réconfortait.

— Quand je pense que mon pauvre Jérôme se crève là-dedans, enchaîna Estelle, je vois rouge. Anne exploite tout le monde ! Elle a courtisé cette vieille folle d'Ariane, elle a embrigadé ton frère dont elle fait un ouvrier sans salaire, et maintenant Valère et Suki se croient ses débiteurs.

— Donc, on fera le réveillon chez moi. Est-ce qu'on garde le menu traditionnel de foie gras, dinde aux marrons et bûche ?

— Si on changeait, ce ne serait pas vraiment Noël.

— Les filles ne vont pas tarder à rentrer du collège, soupira Lily, je dois y aller.

Encore une chose qu'elle enviait à sa sœur, de ne pas avoir à s'occuper de deux adolescentes infernales. Léo était plutôt calme et bien élevé, en plus il avait voulu être pensionnaire, le comble de la chance ! Décidément, Anne avait la belle vie, et aujourd'hui elle disposait d'un statut pour lequel Lily se serait damnée : l'indépendance.

Elle laissa sa mère régler la note et se remit un peu de rouge à lèvres avant de se lever.

JULIEN s'adressa au garçon avec beaucoup de douceur :

— Il dort maintenant, il ne t'entend plus. Il est parti…

L'enfant regardait son chat inerte sur la table, les yeux pleins de larmes. Pourquoi sa mère l'avait-elle emmené avec elle et lui infligeait-elle cette épreuve ?

La jeune femme entraîna son fils, qui devait avoir une douzaine d'années et, l'une soutenant l'autre, ils quittèrent le cabinet. Julien détestait toujours ces instants. Même pour abréger les souffrances d'un animal, pratiquer une euthanasie lui était pénible, et voir pleurer les gens l'émouvait, il ne s'était pas blindé avec les années.

Brigitte entra et lui annonça qu'il n'y avait plus de clients en attente.

— Encore une journée démente ! fit-elle remarquer d'un ton acide. Vous n'avez toujours personne en vue ?

— Si, j'ai une piste sérieuse. Un confrère qui ne veut pas s'installer seul et qui a déjà fait pas mal de remplacements, donc qui a acquis une certaine expérience. Enfin, c'est plus exactement une consœur. Elle m'est recommandée par l'école vétérinaire de Maisons-Alfort où elle était très bonne élève.

— Une femme ? s'étonna Brigitte.

— Pourquoi pas ? Vous n'êtes pas misogyne, Brigitte ?

Elle haussa les épaules, agacée. Sans doute aurait-elle préféré un séduisant trentenaire qui l'aurait aidée à oublier le départ de Paul. Quand Julien lui avait exposé la situation, elle avait failli s'en aller à son tour. Par chance, elle était très attachée à la clinique et refusait de laisser tomber Julien à son tour, affirmant qu'elle n'était pas une lâcheuse irresponsable.

— De toute façon, vous ne pouvez pas rester seul, alors plus vite cette femme viendra et mieux ce sera.

— Je la reçois demain matin, elle prend un train de nuit. Notre premier échange par téléphone a été assez concluant pour lui donner envie de se déplacer.

— Elle pourrait commencer tout de suite ?

— Oui, je crois.

— Et où logerait-elle ?

— Je n'en sais rien… À l'hôtel ? Le temps de s'organiser.

— Moi, je veux bien l'héberger, j'ai de la place. Enfin, seulement si elle est sympathique.

Brigitte possédait un agréable pavillon à deux pas de la clinique. Elle y vivait seule en affichant une indépendance de célibataire qui, en réalité, lui pesait beaucoup. Elle demanda :

— Et comment s'appelle-t-elle, votre future associée ?

— Véronique Resnais. Mais rien ne prouve qu'elle fera l'affaire, ni qu'elle se plaira ici. Quant à une éventuelle association, il faudra d'abord que je débrouille la situation avec Paul.

— Ah, celui-là ! Je le voyais comme un homme extraordinaire, droit et consciencieux.

— Je crois qu'il est vraiment désemparé.

— Ne lui cherchez pas d'excuses.

— Et vous, ne soyez pas si intransigeante.

— D'accord… Mais pour tout vous dire, et là je vous fais une confidence, je l'aurais volontiers consolé.

— Je sais.

— Ah bon ? Ça se voyait tant que ça ? Et vous me trouvez idiote ?

— Non ! Paul est séduisant. Et les femmes adorent voler au secours des hommes malheureux.

— Ce doit être mon côté maternel. Vous avez vu l'heure ? Reposez-vous, sinon vous n'aurez plus les yeux en face des trous.

Il la regarda sortir, amusé par sa spontanéité. Il devait la ménager, il n'imaginait pas la clinique sans elle en ce moment. Par chance, elle semblait surmonter sa déception concernant le départ de Paul, et elle finirait bien par trouver un homme à son goût.

Ouvrant le fichier de la comptabilité dans son ordinateur, il l'enregistra sur une clef USB. Puis il bascula la ligne du téléphone sur son portable, éteignit les lumières et enfila son blouson. En quittant la clinique, le vent glacé de la nuit le surprit désagréablement tandis qu'il déverrouillait l'antivol de sa moto. Malgré ses gants et son casque, il allait avoir froid sur la route de la bastide.

— AH non! s'emporta Léo. On va faire Noël ici, c'est bien plus grand que chez Lily, on pourra enfin avoir un sapin gigantesque et on décorera toute la maison, dedans et dehors.

— Il a raison, approuva Jérôme. Noël chez Lily, c'est idiot. Tu dis qu'elle va se vexer? Et alors?

— Alors ça fera toute une histoire, soupira Anne, aussi bien avec elle qu'avec maman.

— Si vous voulez, j'annoncerai la nouvelle à maman, proposa Valère. Venant de moi, ça passera mieux.

Il l'énonçait simplement, comme une évidence dont il ne se réjouissait pas particulièrement. Inutile de nier que leur mère préférait Valère à Jérôme, et Lily à tous ses enfants.

Goliath émit un grognement sourd qui les fit taire et ils perçurent le bruit de la moto de Julien qui arrivait. Quelques instants plus tard, quand il ouvrit la porte de la cuisine, une bouffée d'air glacé s'engouffra avec lui.

— Viens vite te réchauffer près du poêle! s'exclama Anne.

Aussi peu à l'aise qu'elle, il lui tendit tout de suite la clef USB, comme pour justifier sa visite.

— Tu as tout là-dedans, et merci de ton aide.

— Je m'en occuperai dès demain.

— Je vous sers un verre? proposa Suki.

Assez fine pour percevoir la raideur de Julien, elle lui adressa un sourire chaleureux.

— Quelqu'un sait si Paul est bien arrivé à Paris? s'enquit Jérôme avec une perfidie calculée.

— Oui, murmura Léo. Il est chez mes grands-parents.

Un silence contraint accueillit sa déclaration. Contre toute logique, Anne se sentit peinée que seul leur fils sache où se trouvait Paul. L'adolescent n'avait pas à porter la moindre part dans cette séparation, et elle se demanda ce qu'il éprouvait.

— Avant que tu n'arrives, reprit Jérôme, nous parlions de Noël. Si tu es seul, n'hésite pas à te joindre à nous!

— Je ne sais pas encore, répondit prudemment Julien.

L'année précédente, Paul l'avait invité mais il avait refusé, préférant être seul plutôt que dans une autre famille que la sienne.

— On va faire une déco de folie! affirma Léo. Il est possible que Charles soit là, ajouta-t-il à l'intention de sa mère.

— Un soir de Noël?

— Ses parents sont d'accord, et en échange j'irai passer la Saint-Sylvestre chez lui.

Anne ne répondit rien, se gardant de donner trop vite son accord.

— … oui, c'est une femme, je pense que les clients n'y verront pas d'inconvénient, était en train de dire Julien.

— Tu as déjà trouvé quelqu'un?

— Ce n'est pas encore fait, mais j'espère. Je saurai ça demain.

— Elle est jolie? lança Jérôme.

— Sur la photo de son CV, elle n'est pas mal. Une brune à cheveux longs.

— Si elle se révèle mieux que « pas mal », je suis prêt à t'amener Goliath en consultation!

Jérôme plaisantait, mais Anne ne put s'empêcher de répliquer :

— Il ne te suivra nulle part.

Était-ce de l'exclusivité pour son chien ou de la jalousie envers cette femme inconnue qui allait partager le quotidien de Julien?

— Les quiches sont en train de brûler, fit remarquer Valère.

Suki fut la plus rapide et les sortit prestement du four.

— Je ne me suis pas cassé la tête pour le menu, s'excusa Anne, mais on a une fricassée de champignons à l'ail en accompagnement, et Suki nous a préparé un pastis landais pour le dessert.

Ils s'installèrent autour de la table en continuant à bavarder. Julien choisit de s'asseoir loin d'Anne et prit place à côté de Léo. Durant le dîner, ils s'efforcèrent d'éviter toute allusion à Paul pour ne pas mettre Léo mal à l'aise.

— C'est encore un peu la bagarre entre les compagnies d'assurances, mais ça s'arrange pour nous, expliqua Valère à Julien. J'ai pu racheter du bon matériel, malheureusement la saison des mariages et des baptêmes est finie! Pour Suki, c'est plus compliqué parce qu'elle doit trouver un local. En fait, notre propriétaire n'avait pas une électricité aux normes, bref nous n'y sommes pour rien et nous subissons une perte d'activité dont nous serons dédommagés. Le vrai problème est que tout ça prend un temps fou.

— Mais grâce à Anne nous sommes très bien ici, tempéra Suki. J'ai l'impression d'être en vacances et j'adore cette maison.

— Moi aussi, renchérit Léo.

Après le café, Julien fut le premier à se lever pour prendre congé. Anne enfila une parka afin de l'accompagner jusqu'à sa moto.

— Rentre vite, Anne, tu vas avoir froid. Merci pour le dîner, et merci de ton aide pour la comptabilité. En ce qui concerne le bilan de fin d'année et tout le reste, considère-moi comme un de tes clients et envoie-moi tes honoraires.

— Tu plaisantes ! Il n'en est pas question, Julien.

— Si, ça me gêne.

— Et moi, ça me vexe. Je l'ai fait pendant des années !

— Tu le faisais pour ton mari.

— Eh bien, ce sera pour un ami.

— À charge de revanche, alors. Si tu as besoin de quoi que ce soit…

— Je sais.

Dans la pénombre, elle vit qu'il souriait enfin. Elle se mit sur la pointe des pieds et lui déposa un baiser rapide sur la joue.

— Reviens quand tu veux, ça me fait toujours plaisir.

Julien eut un nouveau sourire et boucla son casque avant de démarrer doucement. Malgré le froid, Anne attendit de voir disparaître son feu arrière au bout du chemin.

VALÈRE et Jérôme contemplèrent le tas de bois bien rangé contre le pignon de la maison.

— Il travaille bien, ce type !

Ils entendaient le bruit aigu de la tronçonneuse, quelque part sur les terres d'Anne.

— Ludovic a des tas de copains formidables, constata Jérôme. J'ai l'impression qu'il connaît tout le monde dans la région. Dès qu'on a besoin d'un truc, il sait à qui s'adresser pour des prix imbattables. Mais c'est toujours de la main à la main, et Anne veut des factures.

— Elle n'a pas tort, ça nous a bien servi pour l'assurance d'avoir les doubles des nôtres dans ses dossiers.

— Certaines personnes préfèrent être payées de la main à la main.

— Et s'il lui arrive un accident ?

— Ne vois pas la vie en noir.

— Tu as raison, le pire n'est jamais sûr, ironisa Valère.

Ils gagnèrent la lisière du bois et s'enfoncèrent au milieu des arbres.

— Le temps est vivifiant, fit remarquer Valère. Pour les Landes, c'est un sacré mois de décembre.

— Si nous avons de la neige à Noël, Léo sera fou de joie. Il ne parlera plus de son billard et il fera de la luge sur les dunes!

Ils avançaient en se fiant au bruit de la tronçonneuse, curieux de voir le bûcheron à l'œuvre. Près de la clôture d'enceinte, ils virent un énorme tas de bois.

— Anne aura de quoi se chauffer pendant des années!

Entre deux troncs, ils aperçurent le bûcheron qui s'activait. Durant quelques minutes, ils le regardèrent travailler avec admiration.

— Il a l'air infatigable, chuchota Valère. Je crois qu'on ferait mieux de ne pas le déranger, il pourrait croire qu'on le surveille.

Rebroussant chemin, ils pressèrent le pas.

— À mon avis, déclara soudain Jérôme, Julien est secrètement amoureux d'Anne.

— Alors, qu'il le reste « secrètement », Anne n'a pas besoin de ça en ce moment.

— Pourquoi? Plaire n'est jamais désagréable.

— La question n'est pas là, Jérôme! Anne va devoir se remettre d'un divorce chaotique et douloureux, elle a besoin de compter sur ses amis, or Julien en est un. Ce serait de très mauvais goût qu'il se métamorphose en soupirant. Surtout lui, l'associé de Paul!

— Vu la façon dont Paul s'est tiré en le laissant dans les ennuis, il n'a pas à avoir d'états d'âme.

— Mais Anne serait déçue, choquée…

— Je n'en suis pas aussi sûr que toi.

— Quoi? Là, c'est moi qui suis choqué. Tu ne trouverais pas ça amoral?

— Non, je ne vois pas en quoi. Combien d'hommes sont partis avec la meilleure amie de leur femme, et inversement?

Valère eut une moue dubitative, mais il n'ajouta rien. Du coin de l'œil, Jérôme enregistra sa réaction tout en se demandant s'il serait intéressant d'encourager Anne ou pas. Elle finirait forcément par tirer un trait sur Paul et par faire des rencontres. Un parfait étranger représentait un danger potentiel. Au moins, Julien était archi-occupé à longueur de journée, et il était bien placé pour savoir qu'Anne adorait sa maison. Il ne chercherait pas à la faire changer d'avis. S'il le fallait, Jérôme l'aiderait à balayer les scrupules qui n'allaient pas manquer de le freiner.

Content de lui, il entraîna Valère dans la direction de la clairière.

SUKI finissait de pailler les pieds des rosiers sous l'œil attentif de Goliath, couché un peu plus loin. Le ciel restait plombé, menaçant, et la température avoisinait zéro degré. Anne sortit de la maison et la rejoignit, agitant une doudoune.

— Si tu dois rester dehors, couvre-toi !

— J'ai fini, j'allais rentrer. Je crois que tu auras des roses magnifiques au printemps.

Un bruit de moteur les interrompit et elles virent déboucher dans la clairière la vieille voiture de Gauthier.

— Papa ? Qu'est-ce qu'il vient faire ici ? s'inquiéta Anne.

Elle le regarda descendre, rassurée par son joyeux sourire.

— Bonjour, les filles ! lança-t-il avec entrain.

— Je t'offre un café ?

— Volontiers.

Une fois dans la cuisine, il expliqua qu'il voulait voir Jérôme, porteur d'une excellente nouvelle le concernant. Quand Valère et Jérôme arrivèrent à leur tour, revenant de leur expédition dans les bois, Gauthier annonça fièrement :

— Jérôme, je t'ai trouvé du travail ! Il s'agit d'une opportunité incroyable. Figure-toi que le fils d'un de mes anciens collègues de l'Éducation nationale a monté une petite société fabriquant des produits bio. Savons, parfums d'intérieur, nettoyants domestiques. Il a besoin d'un commercial pour démarcher toute la région des Landes et il cherche un homme d'une trentaine d'années, avec permis de conduire, maîtrise de l'anglais et beaucoup d'assurance. Exactement ton profil ! Tu aurais un salaire fixe, plus un intéressement aux ventes. Je lui ai parlé de toi, et il est prêt à te recevoir. Voilà ses coordonnées…

D'un geste ample, Gauthier sortit une feuille de la poche de sa veste et la posa sur la table. Jérôme n'y jeta même pas un coup d'œil.

— Tu n'aurais pas dû te donner tout ce mal, papa. Je suis désolé mais ça ne m'intéresse pas. Qu'est-ce qui a bien pu te faire croire que je cherchais du travail ?

— Eh bien… c'est une évidence, non ? Tu es sans le sou, tu végètes ici en te berçant d'illusions. Sois sérieux pour une fois ! conclut Gauthier en tapant du poing sur la table.

— Il est sérieux, finit par intervenir Anne. Notre projet aussi. Nous ne gagnerons peut-être pas beaucoup d'argent au début, mais le but n'est pas de s'enrichir.

— Tu ne vois donc pas que tu l'entretiens dans ses rêves, dans son refus de se confronter au monde du travail, aux réalités de la vie ? Il n'a pas de statut chez toi, il est bénévole. Il…

— Tu pourrais t'adresser à moi quand tu parles de moi ? intervint Jérôme d'une voix glaciale.

— Eh bien oui, je vais te le dire en face, il est temps que tu atterrisses ! À trente-cinq ans, quand on n'a strictement rien fait de son existence, on est un raté. Ce constat me navre, je suis déçu et inquiet pour toi. Quant à ta mère, elle en est malade. J'ai frappé à toutes les portes pour te trouver quelque chose, je te l'apporte sur un plateau, et tu n'es pas content ?

— Non. Je n'irai pas vendre des savons ou des détergents bio aux deux bouts du département. C'est clair ?

— Évidemment, dit Gauthier à sa fille, toi, ça t'arrange qu'il reste là. Cette maison a le chic pour rendre tout le monde irresponsable !

Avant qu'Anne ne puisse répliquer, Jérôme lança rageusement :

— Ah non ! Tu ne vas pas nous ressortir ta litanie sur la maison. On sait que tu ne l'aimes pas et on s'en fout. On sait que tu en veux à Ariane de l'avoir léguée à Anne, et aussi à Anne de l'avoir acceptée. Et maintenant tu viens me faire la morale à demeure ?

Gauthier avait pâli sous la diatribe. Il se leva pesamment et marcha d'un pas raide jusqu'à la porte. La main sur la poignée, il parut attendre quelque chose. Anne se tourna vers Valère. Son frère aîné était le moins impliqué dans toute cette histoire, à lui de raccompagner leur père qu'on ne pouvait pas laisser partir seul.

Quand ils furent sortis tous les deux, Jérôme soupira.

— Il n'est venu que pour me faire rentrer dans le rang. Il est resté dans la logique des bons et des mauvais élèves, sauf que ça ne marche plus. En revanche, il y a un truc qui fonctionne toujours : plus on veut me décourager, plus je m'accroche !

Quittant la cuisine à son tour, il claqua la porte.

— Je refais du café ? proposa Suki à mi-voix.

— Volontiers, répondit Anne. Tu crois que j'exploite Jérôme ?

Suki eut un petit rire discret mais très gai.

— Bien sûr que non. Tu le loges, tu le nourris, et son copain aussi ! Tu lui as ouvert des horizons tout en le laissant faire ce qu'il veut. Rien ne pouvait mieux le satisfaire.

— Je vais l'associer pour de bon à notre projet. L'idée vient de lui, il réalise sa part de travaux, il mérite d'être traité autrement que comme un bénévole de passage.

— Ne lui mets pas une chaîne au pied, murmura Suki, il détesterait ça.

Anne en avait bien conscience, pourtant elle devait trouver un statut à son frère s'il était vraiment décidé à rester. Sur ce point, leur père n'avait pas tort. Mais d'ici là, elle avait un autre problème.

— Ça s'annonce mal pour un Noël ici en famille, soupira-t-elle. Nous l'avons toujours fêté tous ensemble…

Déjà, l'absence de Paul était pénible à imaginer, alors le reste devenait inconcevable.

— Les choses s'arrangeront, promit Suki. Je crois que ton héritage les a un peu déboussolés.

— C'est le moins qu'on puisse dire !

— Mais tu en fais bon usage. Tu n'as rien à te reprocher puisque tu offres à chacun l'hospitalité pour la fête de Noël. À eux de choisir.

Anne décida que sa belle-sœur était la voix de la sagesse.

— En ce qui concerne les cadeaux, que doit-on prévoir ? interrogea Suki avec une nuance d'inquiétude.

— Des bêtises à trois sous dans du papier doré ! Aucun d'entre nous n'a les moyens de beaucoup dépenser en ce moment.

Avec trois fois rien, Suki savait réaliser des merveilles, elle allait sûrement s'y employer.

— Quel âge avait ton père quand la maison a été vendue ?

— Huit ou neuf ans.

— Donc, il a passé plusieurs Noëls de son enfance ici.

— Oui, et j'avais bêtement supposé que ça l'amuserait de s'y retrouver soixante ans plus tard. Mais je me suis trompée. Tu as entendu sa hargne pour dire que la maison rend tout le monde irresponsable ? S'il en avait hérité, il l'aurait vendue sur-le-champ, et il s'attendait que je le ferai. Peut-être aurais-je dû ?

— Pourquoi l'aurais-tu fait ? Ta tante a voulu t'offrir une chance à toi seule. Il faut respecter la volonté des morts.

— Avoue qu'une part d'héritage vous aurait bien arrangés !

— Peut-être, mais mon magasin marchait bien, et ce sera pareil dès que je pourrai rouvrir. De son côté, Valère se débrouille toujours pour gagner un peu d'argent, nous ne sommes pas dans la misère. Et puis sois sans regret, Lily aurait claqué sa part en futilités, et Jérôme aurait été capable d'aller jouer la sienne au poker ! Pire encore, la maison aurait fini dans les mains d'inconnus. Toi, tu la gardes et tu la fais revivre, c'est ce qu'Ariane espérait. Dans mon pays, on dirait que tu honores tes ancêtres.

Médusée, Anne la dévisagea. C'était le plus gentil discours qu'elle ait entendu depuis l'ouverture du testament. Elle contempla Suki un moment encore puis se mit à rire elle aussi, soudain très gaie.

6

Ce matin, en allant ramasser du bois mort, je me suis fait l'effet d'une vieille sorcière traînant son balai. Avoir été une belle femme et découvrir chaque matin dans son miroir une dame âgée est une épreuve. Il n'y a plus que mon notaire pour me faire les yeux doux. Pauvre Pierre Laborde ! Sa cour est si discrète que je peux l'ignorer sans le vexer. Il vient me voir chaque semaine, avec les chiffres de mes placements. Récemment, je lui ai fait part de mes intentions concernant l'avenir de la bastide après moi et il a attiré mon attention sur les droits de succession. Quoi ? Tout cet argent dans la poche d'un État si glouton que je vais devoir vivre chichement jusqu'à mon dernier jour pour arriver à transmettre mon seul bien ? Hélas ! il le faudra. Mais je ne peux m'empêcher de regretter la somme prêtée à Gauthier et jamais remboursée. Comme j'ai trop d'orgueil pour lui rappeler sa dette, je préfère encore me priver.

Mon médecin affirme que mon cœur est fatigué. De toute façon, mourir d'un arrêt du cœur serait une bénédiction, la fin interminable de mon très cher Paul-Henri a été trop atroce.

Mon après-midi est illuminé par une visite surprise d'Anne. Elle a coupé court ses boucles blondes, elle est ravissante. Étrangère à notre famille, j'en mettrais ma main au feu, mais vraiment jolie. À peine descendue de voiture, elle se jette dans mes bras et m'annonce son mariage. Elle m'avait déjà parlé de ce Paul, l'heureux élu, qui termine ses études de vétérinaire.

Je l'écoute babiller, je la regarde sortir des gâteaux d'un carton de pâtisserie, et je m'étonne d'éprouver un tel plaisir à sa présence. Elle m'invite à la noce. Je l'avertis qu'elle risque de mécontenter ses parents, ce qui la fait rire.

Après son départ, je reste longtemps songeuse. Gauthier et Estelle ne m'aiment pas et ils seront embarrassés de se retrouver face à leur créancière. Je ne connaîtrai personne à cette réception, cependant j'ai l'usage du monde et je saurai faire honneur à ma nièce Anne. Ce sera aussi l'occasion rêvée de mener ma petite enquête, que je ne perds pas de vue.

Le soir s'étend sur la bastide. Un de ces crépuscules mordorés de l'automne qui rendent nostalgique. Je me perds dans mes souvenirs. Je peux presque entendre les résiniers peler l'écorce des pins. Perchés sur leur drôle d'échelle à un seul montant, ils savaient s'arrêter au liber, cette peau entre écorce et bois. La campagne de gemmage commençait toujours en janvier, pelage et cramponnage, puis en mars on donnait les premières piques, et jusqu'en octobre on récoltait la résine qu'on transvasait dans de grands paniers en bois. Je n'ai pas vu venir la ruine car personne n'en parlait à la maison. Grèves des gemmeurs, révoltes, émeutes, puis ouverture brutale du marché français à la concurrence, baisse des cours… Certains gros propriétaires forestiers ont senti le vent tourner, ils se sont mis d'accord avec les industriels de la papeterie et ont réaffecté leurs forêts. Mon père s'est entêté jusqu'au bout et il a sombré. Son grand-père et son père avaient largement profité des « arbres d'or », il n'a rien voulu changer et il a eu tort.

— Est-ce que tu as payé le bûcheron ? demanda Valère en entrant dans le bureau d'Anne.

Surprise en pleine lecture, elle referma le cahier de moleskine.

— Oui, pourquoi ?

— Parce que c'est un filou ! Pour nous mettre en confiance, il a fait un petit tas près de la maison, mais l'essentiel de ce qu'il a coupé était rangé près de la clôture et il est venu le chercher cette nuit ! On s'est fait avoir comme des bleus. Ludovic « Je-connais-tout-lemonde » prétend qu'il n'a pas l'adresse de ce type, rencontré dans un bar, et donc on ne remettra pas la main sur lui.

Anne dévisagea son frère puis secoua la tête, impuissante.

— Ne te fie plus à lui pour embaucher quiconque.

— Que dit Jérôme ?

— Tu le connais. Il pense que Ludovic est de bonne foi. Moi, je n'en jurerais pas. Ils ont pu faire moitié-moitié.

— Mais tu n'en as pas la preuve. Au moins, soupira-t-elle, tout ce bois mort aura été nettoyé.

— Pas seulement. Il a aussi abattu deux jeunes arbres, sans doute pour compléter sa cargaison, et il a fait un trou sauvage dans le grillage pour son chargement.

— Mon Dieu…

— Jérôme a récupéré un rouleau de fil de fer à la cave, il est parti réparer les dégâts. Et Ludovic aimerait monter te voir pour te dire à quel point il est « désolé ».

— Non, c'est moi qui descends.

— J'aurais dû surveiller ce bûcheron, se reprocha Valère. Je n'ai rien d'autre à faire…

— Aucun reportage photo en vue ?

— Ce n'est pas la saison. En plus, les gens ne savent plus où me trouver. J'irai demain à Dax distribuer mes nouvelles cartes professionnelles un peu partout.

— Où en êtes-vous avec l'assurance ?

— Ils ont trouvé un local pour Suki. S'il lui convient, nous n'aurons pas à attendre la reconstruction de l'immeuble.

Ils descendirent ensemble et trouvèrent Ludovic qui faisait les cent pas au pied de l'escalier. Dès qu'il aperçut Anne, il se précipita.

— Je suis tellement contrarié, si vous saviez ! Ce garçon m'a été présenté par des copains, je ne l'avais jamais vu de ma vie et je ne sais pas où il habite. Je vais aider Jérôme à réparer votre clôture mais je voulais d'abord m'excuser auprès de vous, même si ce n'est vraiment pas ma faute. Heureusement, il ne s'agit que d'un tas de bois…

Anne estima qu'il en faisait trop, et que sa conclusion n'était pas très habile. Néanmoins, elle acquiesça avec fatalisme.

Sortant ostensiblement une paire de tenailles de sa poche, Ludovic se dépêcha de sortir. Valère et Anne échangèrent un regard.

— Méfie-toi de lui, ma grande.

Elle était de son avis mais elle ne fit pas de commentaire.

— Je retourne travailler, décida-t-elle. Ce n'est pas le moment de se laisser aller !

Tant pis pour le cahier d'Ariane. D'ailleurs, elle tenait à s'attarder sur chaque page, à se laisser le temps d'assimiler les révélations qu'elle y trouvait. Tout à l'heure, à l'évocation de ce jour où elle avait annoncé son mariage, une bouffée de tristesse lui avait fait monter les larmes aux yeux. Elle se souvenait parfaitement de sa joie, de son exaltation à l'idée d'épouser Paul. Elle s'était mariée pour la vie, avait prêté serment du fond du cœur, et aujourd'hui elle ne savait même pas où était Paul ni ce qu'il devenait. Seul Léo avait droit à un appel durant le week-end, mais Paul ne demandait jamais à lui parler.

Elle remonta l'escalier, une main sur la tête de Goliath qui la suivait toujours comme son ombre.

PAUL traversa la cour d'honneur et quitta l'école vétérinaire de Maisons-Alfort. Son inscription à une formation diplômante pour changer d'orientation professionnelle était validée. Il se consacrerait par la suite à la recherche clinique.

Soulagé d'avoir réorganisé son existence, il se sentait moins mal que lorsqu'il avait débarqué à Paris quelques semaines plus tôt. Il reprit le métro pour rentrer chez lui, à savoir un grand studio meublé qu'il avait loué à peine arrivé. De Castets, il n'avait emporté que ses vêtements et ses livres, aucun meuble ni objet personnel. Le commissaire-priseur chargé de tout vendre avait vidé la maison qui n'attendait plus qu'un acheteur. Son avocat lui avait fait remarquer que ces décisions étaient contestables vis-à-vis d'Anne, mais Paul s'en moquait. Pour l'instant, il ne voulait plus voir Anne. Néanmoins, il y serait contraint le jour du jugement, et cette fois il ne partirait pas en courant et liquiderait le problème.

Prendre Castets en horreur représentait une solution radicale pour oublier plus vite le passé. Son seul regret était d'avoir plus ou moins trahi Julien. Si celui-ci s'était plaint à l'ordre des vétérinaires, Paul n'aurait sans doute pas été accepté aussi facilement à Maisons-Alfort. Il avait délibérément laissé un confrère et associé dans les ennuis, avait abandonné sa clientèle sans préavis. D'un point de vue déontologique, il avait honte. Quant à son sens de l'amitié…

Il se promit d'appeler Julien le soir même, tant pis s'il était mal accueilli. Et tant pis si évoquer la clinique vétérinaire lui serrait un peu le cœur. Comment s'en sortaient Julien et Brigitte ? Malgré toute sa volonté, il pensait à eux, à celui ou celle qui le remplacerait, à un chiot de dix mois qu'il avait sauvé de la mort et pris en affection.

Mais il allait voir un grand nombre de cas cliniques à l'avenir, il allait améliorer ses connaissances des maladies animales et faire de la pathologie comparée au profit de la médecine humaine. Un beau programme pour lui qui aimait apprendre.

En sortant du métro à la station Clichy, il remonta le boulevard des Batignolles jusqu'à la rue de Moscou. Le quartier lui plaisait, il n'était ni trop près ni trop loin de ses parents et en plein cœur de Paris. La capitale ne lui rappelait pas Anne, il s'y sentait libre de devenir un autre homme.

Le studio était tellement anonyme qu'il en devenait agréable comme une grande chambre d'hôtel. Il était bientôt 19 heures, il supposa que la journée s'achevait à la clinique et il décida d'appeler. Ainsi qu'il le prévoyait, il tomba sur Brigitte qui se montra glaciale en reconnaissant sa voix. Il l'entendit dire d'un ton suave :

— Bonsoir, docteur Resnais, à demain !

Finalement, elle lui passa Julien sans prendre congé.

— Salut, vieux, commença-t-il en hésitant. Je m'inquiétais pour toi.

— Trop aimable ! ironisa Julien.

— Je suis sincère. J'ai cru comprendre que tu as trouvé quelqu'un ?

— Oui. Véronique Resnais, une femme charmante.

— Tant mieux pour toi. Compétente ?

— On dirait. Mais c'est un peu tôt pour en juger.

— Elle partage les gardes avec toi ?

— C'était dans mon offre d'emploi.

— Bien, tu me rassures… Écoute, je sais que j'ai mal agi envers toi. Tu es en droit de m'en vouloir.

— Je t'en veux, Paul. Et je t'ai trouvé con sur toute la ligne. Ta femme, ta clinique, une vraie débâcle…

— Je ne souhaite pas en parler, je suis passé à autre chose. C'est la raison de mon appel. Je vais suivre une formation pour faire de la recherche clinique sur les pathologies spontanées. Je me suis inscrit aujourd'hui à l'Enva.

— Tu reprends des études à Maisons-Alfort ? s'étonna Julien. Tu veux te prouver quelque chose ?

La question arracha un sourire à Paul. Julien le connaissait par cœur, il ne se trompait pas.

— En tout cas, ne te fais pas de bile pour les parts de la clinique, je n'ai pas besoin d'argent puisque je ne me réinstalle pas. On trouvera une honnête solution sans se presser. Ça te va ?

— Mieux que si tu me mettais le couteau sous la gorge.

Il y eut un petit silence, puis Paul lâcha :

— Tu vas me manquer, j'ai beaucoup aimé travailler avec toi.

— Les caïds de Maisons-Alfort te feront oublier Castets et ton pote Julien.

— Oui, c'est probable. Mais là tout de suite, ça me rend un peu triste. Même Brigitte, toujours si chaleureuse, m'a répondu très sèchement. Je ne suis plus dans ses petits papiers.

— Elle avait le béguin pour toi.

— Brigitte ? Tu plaisantes ?

— Ah, tu ne vois vraiment rien, mon pauvre…

Paul imagina Julien assis sur le coin de son bureau, le téléphone coincé entre sa joue et son épaule, classant des fiches de ses mains libres.

— J'espère que cette nouvelle collègue fera ton affaire. J'aimerais savoir que tout va bien pour toi. Tu me tiendras au courant ?

— Franchement, je n'en meurs pas d'envie.

— D'accord, je comprends. Mais si je t'appelle de loin en loin, je ne te harcèlerai pas ?

— Tant que nous aurons quelque chose en commun, à savoir une histoire de gros sous, tu peux le faire.

— Tu n'es plus mon ami, hein ? C'est mort ?

— Nous avons vécu de belles choses ensemble, je ne l'oublie pas, finit par répondre Julien. Mais l'amitié, c'est comme l'amour, ça supporte mal les coups en traître. Qu'est-ce qui ne va pas chez toi ? Ton ego va te bouffer, tu t'en apercevras trop tard. En tout cas, je te souhaite de réussir ta formation et de t'éclater à Maisons-Alfort.

Leur conversation touchait à sa fin et, à regret, Paul murmura :

— Bonne soirée, vieux…

— Attends une seconde. Je te signale que, dans l'urgence, j'ai repris Anne comme comptable.

— C'est logique, elle connaît ça par cœur. Elle pourrait même faire une estimation du matériel en cours d'amortissement, de l'état d'endettement et du chiffre d'affaires, ce sera utile pour qu'on se mette d'accord quand le moment sera venu.

— Parfait. Une dernière chose. Anne et toi, c'est tout à fait fini ?

— Définitivement.

— Je le note. Salut, vieux !

Julien coupa la communication tandis que Paul restait perplexe. La dernière question était-elle chargée de sous-entendus ? Non, Julien n'avait aucune vue sur Anne, mais peut-être avait-elle déjà rencontré quelqu'un ? Improbable… Toutefois, si c'était le cas, que ressentirait-il ? Il repoussa cette idée avec exaspération et décida de descendre s'acheter de quoi dîner.

LILY avait décidé que ses filles se garderaient toutes seules pendant qu'Éric et elle s'offriraient un dîner au restaurant. Elle était passée le chercher au cabinet et l'avait emmené sur les bords du lac, au Pavillon Bleu où elle avait réservé.

— Ils ferment le 26 décembre, j'en ai profité, expliqua-t-elle pour justifier son choix dispendieux.

Elle aimait le luxe et affirmait que lorsqu'on était un notable à Hossegor il fallait se montrer dans les bons endroits. Éric s'en moquait, mais il était toujours prêt à faire plaisir à sa femme. Ce dîner impromptu le réjouissait, les occasions d'un tête-à-tête avec Lily n'étant pas si fréquentes. Avoir deux adolescentes turbulentes à la maison ne le gênait pas, mais leurs sempiternelles disputes exaspéraient Lily.

— À propos du réveillon, que fait-on finalement ?

— Maman aimerait que ce soit chez nous, comme d'habitude.

— Pourquoi ne pas changer, pour une fois ? Anne a l'air d'y tenir.

— Papa s'est disputé avec Jérôme et avec elle.

— Je sais, nous en avons parlé lui et moi. Il est prêt à faire un effort car au fond il aimerait voir tous ses enfants réunis.

— Reste maman, qui est très remontée contre Anne. Elle pense que c'est sa faute si Jérôme refuse de travailler.

— Mais non ! Jérôme est un marginal dans l'âme, et je serais d'avis qu'on lui fiche la paix.

— C'est marrant, ragea Lily, comme les hommes se défendent toujours entre eux !

Elle étudia la carte d'un air boudeur et finit par opter pour des fruits de mer. Bon prince, Éric commanda du champagne.

Elle lui adressa un sourire et il en profita pour enchaîner:

— Si on va chez Anne, tu n'auras à t'occuper de rien. Et nos filles seraient ravies parce qu'il y aura non seulement Léo mais son copain Charles qu'elles adorent. Et si nous buvons trop, ce ne sont pas les chambres qui manquent.

— Tu te fais l'avocat du diable, on dirait!

— Ta sœur n'est pas le diable.

— Elle a pourtant manœuvré de façon diabolique. Je ne crois pas une seconde à sa pseudo-affection pour la vieille timbrée.

La merveilleuse liberté dont jouissait Anne désormais la faisait bouillir de rage. Mais lui en vouloir ne servait à rien, et se fâcher avec elle serait une erreur. Lily, qui s'offrait parfois une petite aventure sans lendemain et avait toujours peur de se faire prendre, aurait peut-être besoin d'elle un jour. Et puis n'avoir qu'à se mettre les pieds sous la table un soir de réveillon était assez tentant. Mais comment convaincre leur mère?

— Si tu arrives à persuader maman, je ne suis pas contre, dit-elle du bout des lèvres.

— Je vais essayer. Et pour les cadeaux, comment fait-on?

— Je m'en charge!

Le shopping étant son activité favorite, elle allait s'en donner à cœur joie.

BRIGITTE considérait avec effarement l'énorme chien noir assis à côté d'Anne, tête basse et langue pendante. Elle venait d'avertir Julien de l'arrivée d'Anne en urgence, mais en attendant qu'il la reçoive elle ne se privait pas de l'observer. Elle trouvait la jeune femme plus mince que quelques mois plus tôt, et accusant ses trente-six ans. Mais ses yeux verts étaient toujours aussi étonnants, rendus brillants par l'angoisse que lui causait son chien. Elle se demanda si elle devait engager la conversation avec Anne. Mais comment faire pour rester naturelle, pour ne pas évoquer Paul?

Véronique Resnais raccompagna un client puis elle se tourna vers Anne, qui était seule dans la salle d'attente.

— Je suis à vous dans une minute, dit-elle en souriant.

— Non, intervint Brigitte, cette dame est une patiente de votre confrère.

— Ah bon… Belle bête que vous avez là!

Avec un petit mouvement de tête, elle repartit vers son cabinet tandis qu'Anne la suivait des yeux, intriguée. Découvrir celle qui remplaçait son mari devait lui faire un drôle d'effet.

— Votre chien a un dossier chez nous, n'est-ce pas ?

— Oui, au nom d'Ariane Nogaro.

— Goliath, c'est ça ?

— Sa propriétaire est décédée et c'est moi qui l'ai récupéré. Vous pouvez l'enregistrer à mon nom.

— Très bien. Je transmettrai le changement au centre d'identification. Votre adresse ?

— C'est celle du dossier.

— Et, euh… Pour votre nom, je mets…

— Mon nom de jeune fille, Nogaro.

— Alors, je ne change que le prénom, et à peine !

Julien surgit à ce moment-là, flanqué d'un vieux monsieur qui portait un chaton dans les bras. Il confia son client à Brigitte et fit signe à Anne de le suivre.

— Tu as un problème avec Goliath ?

— Il a bu et vomi son eau toute la nuit.

— En effet, il n'a pas l'air bien. Fais-le asseoir, tu veux ?

Le chien se coucha de lui-même puis bascula sur le flanc, haletant. Ils s'agenouillèrent ensemble de part et d'autre de l'animal. Julien palpa le ventre, qu'il trouva dur et plein de gargouillements, puis il prit sa température.

— C'est une gastro, décida-t-il. Il a dû manger un truc avarié qu'il a trouvé dans les bois. Je lui fais une piqûre mais ça ira, ne t'inquiète pas. Tu as bien fait de venir tout de suite.

Il tendit la main à Anne pour l'aider à se relever et ils se retrouvèrent face à face, un peu trop près et les yeux dans les yeux.

— Vous n'avez plus besoin de moi, Julien ? demanda Véronique Resnais en passant la tête à la porte.

— Non, non, allez-y ! répondit Julien en hâte.

Puis il se ravisa et fit les présentations, sans préciser qu'Anne était l'ex-femme de son ancien associé. Dès qu'elle fut partie, il alla se réfugier derrière son bureau.

— Tu le laisses à la diète complète pendant douze heures, et après tu lui donnes de l'eau de riz en petites quantités. Dans vingt-quatre heures, un peu de bœuf haché maigre. Ces comprimés lui feront un pansement gastrique, et s'il n'a pas d'autres vomissements ou diarrhées, tu pourras considérer qu'il est sorti d'affaire.

— Génial ! Je te dois combien ?

— Tu n'es pas sérieuse ! Je te raccompagne. Tu arriveras à le faire monter dans ta voiture ?

— Il est de bonne composition et il doit avoir envie de rentrer à la maison.

Il l'escorta jusqu'à la sortie.

— Je compte toujours sur toi pour le réveillon ? demanda-t-elle une fois que Goliath se fut péniblement casé sur la banquette arrière.

— Vous êtes en famille, j'ai peur de…

— Non, il y aura Charles, le copain de Léo, et aussi Ludovic, ce n'est pas un huis clos. Viens, tu me feras plaisir, je n'ai pas envie de te savoir seul un soir de Noël. À moins que ta consœur ne t'ait invité ?

— Elle a des projets, et nous ne sommes pas intimes.

— Vous pourriez vite le devenir parce qu'elle est très jolie.

— Tu trouves ?

— Oh, ne me dis pas que tu ne l'avais pas remarqué !

— Peut-être qu'elle n'est pas mon type. Et peut-être que je ne veux pas d'ennuis après avoir enfin trouvé quelqu'un…

— Paul t'a fait un sale coup, je sais.

— Nous nous sommes expliqués par téléphone.

— Il t'a appelé ? À moi, il ne donne aucune nouvelle. Je sais seulement par mon avocat que nous avons une nouvelle convocation chez le juge fin janvier. D'ici là, il faut qu'on s'entende sur le protocole d'accord, et franchement, il ne me fait pas de cadeau ! Mais je veux en finir, je ne discuterai pas.

— Ne signe pas n'importe quoi pour autant. Tu n'es coupable de rien, Anne. Paul m'a annoncé qu'il allait suivre une formation pour faire de la recherche clinique. Je pense que c'est un bon choix.

Il souriait, de ce sourire de gamin qui la faisait craquer. Il se pencha pour l'embrasser, lui effleurant à peine la joue, et resta debout dans le froid pour la regarder partir tandis qu'elle manœuvrait.

Sur la route du retour, elle essaya de définir la cause de cet instant de gêne entre eux, juste avant que Véronique Resnais n'apparaisse. Dès qu'ils étaient seuls et trop proches physiquement, une sorte d'attirance mutuelle les plongeait dans l'embarras. L'irruption de Véronique y avait mis fin, mais Anne avait éprouvé un pincement de jalousie malvenue.

La jeune femme avait tout pour plaire, de grands yeux sombres, de longs cheveux bruns, une silhouette irréprochable. Et la manière dont elle avait regardé Goliath était chaleureuse. Les clients allaient l'apprécier. Elle aurait vite fait de séduire tout le monde. Julien aussi ?

Elle jeta un coup d'œil au rétroviseur et constata que Goliath s'était endormi. La route de Castets à la bastide lui rappelait une foule de souvenirs, à commencer par ses visites à Ariane certains après-midi. Après son décès, Anne avait multiplié les allers-retours pour ranger la maison, trier et jeter. Par la suite, elle avait apporté quelques vêtements, s'était progressivement installée jusqu'à ne plus vouloir partir. À présent, elle n'allait plus jamais à Castets, préférant monter à Mimizan pour ses courses. Elle savait que Paul avait mis la maison en vente sans lui demander son avis. Sa manière de tourner la page s'était révélée plutôt violente, mais peut-être était-ce pour lui un moyen de moins souffrir, et dans ce cas elle ne pouvait pas le lui reprocher.

À Uza, elle prit la départementale en direction de Lit-et-Mixe, inquiète de voir le ciel en train de s'assombrir. L'automne avait été froid, maussade, l'hiver s'annonçait glacial. En s'engageant sur le chemin qui menait au portail, elle trouva les premiers flocons.

Penché sur l'ordinateur portable de Léo, Jérôme hocha la tête.

— Cette annonce-là est correcte, approuva-t-il. Puisque tu voulais un billard américain, à ce prix-là tu fais une affaire.

— Reste à organiser la livraison.

Léo acceptait que le billard soit installé en bas, dans le petit salon, abandonnant la grande pièce du second qui pourrait ainsi devenir la plus vaste des chambres d'hôtes. En contrepartie, Jérôme avait promis de repeindre le petit salon.

— Tu t'offres le billard, et moi je te crée l'ambiance autour. Il faut un porte-queue, un marqueur de scores, une horloge… Voilà de bonnes idées de cadeaux pour Noël !

Abandonnant Léo à sa transaction sur Internet, Jérôme monta rejoindre Ludovic. Leur relation se prolongeait au-delà de ce qu'il avait imaginé. Le jeune homme était certes attachant, mais Jérôme commençait à se poser des questions. Pourquoi Ludovic s'attardait-il autant ? Sa micro-entreprise n'avait donc aucun chantier en vue, aucun client ? Il le retrouva au second, en train d'étaler des bâches sur le plancher de la grande pièce.

— Je vais aller acheter de la peinture avant que les routes soient impraticables! Je préfère m'en débarrasser maintenant parce que, après, tout sera fermé pour le week-end de Noël.

— D'accord, je t'accompagne.

— Non, pas la peine. Tu devrais ouvrir les fentes du plafond pendant ce temps-là, et je n'aurai plus qu'à les reboucher en rentrant.

— Quelle énergie! railla Jérôme.

Mais il était ravi de la manière dont Ludovic s'impliquait dans le chantier.

— Besoin d'aide? demanda Valère en passant devant la porte ouverte. Ce sera une chambre magnifique quand vous aurez terminé.

— Le fleuron de notre maison d'hôtes! Et tu verras qu'on finira par gagner de l'argent, quoi qu'en pensent les parents.

— À ce propos, ils viennent pour le réveillon.

— Ah bon? Je croyais que…

— C'est Éric qui les a convaincus. Tu sais bien qu'il est pour la paix en famille. J'ai aussi une bonne nouvelle, le chien va mieux, Anne l'a ramené.

— Elle est dans son bureau? demanda Ludovic. Je descends la voir, j'ai besoin d'argent pour les fournitures.

Il s'esquiva et les deux frères restèrent face à face. Au bout de quelques instants, Valère demanda carrément:

— Est-ce qu'il compte pour toi?

— Il y a quelques semaines je t'aurais dit non, mais maintenant, je ne sais pas trop. Je me suis habitué à lui, il est très gentil. Facile à vivre, gai, plein de bonnes idées. Mais je sais très peu de choses sur lui et ça m'agace.

— Il n'a pas de famille, pas de domicile?

— À Soustons, un gourbi lui sert d'adresse pour son job. Côté famille je n'en ai aucune idée, il n'en parle pas. Les parents t'ont cuisiné à mon sujet?

— Non.

— Eh bien ça ne tardera pas!

— Et ça te déplairait qu'ils sachent?

— Que je suis gay? J'ai trente-cinq ans, je me contrefous de ce qu'ils pensent! Surtout avec leur étroitesse d'esprit. Tu as entendu papa, l'autre jour, il me voyait déjà en représentant de commerce débitant mon boniment sur le savon bio! C'est de l'aveuglement…

Valère ne put retenir un éclat de rire qui mit son frère en joie. Derrière les vitres, les flocons défilaient toujours.

— Ce sera un Noël blanc, c'est fantastique! Si tu n'as pas besoin de moi, je vais aller faire quelques prises de vue.

Il sortit en hâte, soudain surexcité. Posté devant l'une des fenêtres, Jérôme alluma une cigarette. Au-delà de la clairière, les pins commençaient à blanchir. Décidément, Anne avait eu grandement raison de garder cette maison. Pour la première fois de sa vie, il se sentait ancré quelque part, avec l'envie d'y rester. Ce qui n'était à l'origine qu'un calcul de sa part avait déclenché un véritable désir de réussite. Dans cette bastide, il était devenu quelqu'un, il existait enfin.

JULIEN s'était entendu avec Véronique pour prendre son après-midi et il avait filé à Dax en voiture, négligeant sa moto à cause de l'état des routes. Une fois arrivé dans son garage, où il avait rendez-vous pour faire monter des pneus neige, il était parti à pied vers les rues piétonnes du centre-ville en espérant que les nombreuses vitrines lui donneraient des idées. Pour Brigitte, c'était facile, il connaissait son eau de toilette favorite qu'il acheta dans une parfumerie. Pour sa consœur, ayant remarqué qu'elle arborait volontiers des bijoux fantaisie, il trouva un sautoir en perles de verre et de bois assez original. Ensuite, il dévalisa un magasin de jouets, heureux de pouvoir gâter ouvertement ses jumeaux qui ne croyaient plus au père Noël. Restait à trouver quelque chose pour Anne, puisqu'il était son invité. Faire un cadeau à une femme lui était toujours agréable, cependant il ne pouvait pas se ruiner pour Anne, même s'il en mourait d'envie. Ce serait très malvenu. Après une bonne heure d'errance, il dénicha chez un antiquaire un cadre ancien, et depuis la boutique il appela Valère pour savoir s'il possédait un cliché de la bastide de ce format-là. Il s'arrêta encore chez un caviste où il choisit un magnum de champagne Roederer qui serait sa participation au réveillon.

Avant de rentrer chez lui, il fit un crochet par la clinique où il trouva Véronique et Brigitte en grande conversation dans la salle d'attente déserte.

— Le Dr Resnais a pu voir tout le monde! lui lança Brigitte.

— Mais la neige a découragé certains clients qui ont reporté leurs rendez-vous, précisa Véronique par souci d'honnêteté.

Il offrit leurs cadeaux aux deux jeunes femmes en ayant un mot gentil pour chacune, et elles lui sautèrent au cou en même temps dans un joyeux chahut.

— Si vous avez le moindre souci pendant cette garde, dit-il à Véronique, n'hésitez pas à me joindre.

— Je ferai le tri des appels ! affirma Brigitte.

Comme elle hébergeait Véronique, elles allaient passer ensemble la soirée et la journée du lendemain.

— J'ai invité des amis pour que ce soit plus gai, mais je vous promets qu'on ne boira pas trop.

— Je n'aime pas beaucoup l'alcool, déclara Véronique en souriant à Julien.

Un sourire très chaleureux qui le mit vaguement mal à l'aise. Travailler avec une jolie femme l'obligeait à installer une certaine distance.

Brigitte actionna la commande des volets électriques et éteignit les lumières.

— Allez, ne faites pas cette tête-là, nous aussi on a pensé à vous ! dit-elle en tendant la main par-dessus le comptoir. Ce n'est pas follement original, mais je connais votre péché mignon. On a commandé sur Internet, et un peu plus ça n'arrivait pas à temps !

Le coffret de macarons Pierre Hermé avait un peu souffert de l'expédition mais Julien fut très ému qu'elles y aient pensé.

— Allez, les filles, on ferme ou on va se retrouver bloqués ici.

Avant de gagner la bastide, Julien devait passer chez lui pour se changer. Anne avait précisé que, vu le temps, tout le monde pouvait venir en pull et en bottes, néanmoins il voulait prendre une douche et se raser. Il se sentait un peu stupide, devinant d'avance qu'il n'oserait pas faire un pas vers elle. Décemment, il ne pouvait pas courtiser Anne. Pas maintenant et pas avant longtemps.

Toujours raisonnable, Gauthier avait pris soin de mettre une paire de chaînes dans son coffre. Dès qu'il se retrouva sur les départementales, il dut s'arrêter pour les installer.

De leur côté, Éric et Lily s'étaient équipés de pneus neige, et en partant d'Hossegor, Éric avait choisi de remonter au plus court à travers les forêts de Soustons puis de Messanges. À l'arrière, Maud et Clémentine étaient ravies, chantant à tue-tête. Changer de cadre pour le réveillon les charmait et la perspective de passer la soirée en compagnie du *beau* Charles les surexcitait.

L'arrivée à la bastide était assez impressionnante car, au milieu de la clairière entièrement blanche, la façade illuminée par Léo semblait le décor improbable d'un conte de Noël.

Fidèle à elle-même, Estelle entra en maugréant contre le temps, immédiatement relayée par Lily qui lança à sa sœur :

— C'est tout de même le bout du monde, chez toi ! On aurait pu se tuer sur la route, et je préfère ne pas penser au retour…

— Vous pouvez très bien dormir ici, répondit Anne, impassible.

— Pour nous, il n'en est pas question, trancha Gauthier.

— Oh, ce serait trop génial ! s'exclama Clémentine en regardant son père d'un air suppliant.

Éric n'eut pas le temps de répondre, interrompu par l'arrivée de Julien qui tendit le magnum de champagne à Anne.

— Je crois qu'il est frais, je l'ai mis un peu au congélateur chez moi, et ensuite dans le coffre où il n'a pas dû se réchauffer.

Il passa discrètement le paquet du cadre à Valère qui s'éclipsa.

— Eh bien, on va trinquer, décida Jérôme. Nous avons fait du feu dans la cheminée de la salle à manger. Allons donc nous y installer.

— Mais le sapin est au salon…, protesta Maud.

— On le voit très bien avec les portes ouvertes.

Lily, qui avait tenu à remettre sa robe bustier et qui frissonnait, se précipita vers la cheminée. Elle était la seule à être habillée aussi élégamment, et elle se sentait empruntée dans sa tenue de soirée.

Pendant que Jérôme servait le champagne, Valère revint et Julien put offrir son cadeau à Anne.

— Ton frère m'a aidé à lui donner une utilité, précisa-t-il avec son sourire craquant.

Elle découvrit la photo, prise à l'automne par Valère. Dans l'objectif de son frère, la bastide était superbement mise en valeur à la lumière du soleil couchant.

— C'est magnifique, murmura-t-elle.

— Non, je rêve ! s'exclama Estelle. Nous sommes treize ?

— Depuis quand es-tu superstitieuse ? ricana Jérôme. Et encore, tu ne connais pas le menu !

— On ne mange pas de la dinde ? voulut savoir Lily.

— Nous avons fait plus original, et surtout plus économique.

— À savoir ?

— Un cassoulet, annonça Anne d'une voix ferme.

— Pour le réveillon ? Du cassoulet ?

— Tout le monde aime ça, et comme nous sommes nombreux, c'était en effet moins cher que…

— Mais c'est toi qui nous as tannés pour venir chez toi ! Quand on n'a pas les moyens de recevoir, on ne lance pas d'invitations ! trépigna Estelle. Ou alors tu n'avais qu'à demander, on aurait tout apporté.

Agacée, Anne la regardait s'énerver, et finalement Gauthier intervint, un peu gêné :

— Moi, j'adore ça.

— Et ton cholestérol ? lui lança Estelle, furieuse.

— On y a pensé en évitant le foie gras en entrée, laissa tomber Jérôme. À la place, vous aurez des petits chèvres en salade.

— Et Suki s'est occupée des desserts, renchérit Anne.

— J'ai fait une crème vanillée aux perles du Japon. Une recette traditionnelle à base de tapioca. Et aussi du *yokan*, qui ressemble à de la pâte de fruits mais qui est préparé avec des haricots.

— Ce menu est magnifique, déclara Julien avec enthousiasme. Je suis très heureux d'être des vôtres ce soir.

Il leva son verre en direction d'Anne et leurs regards se croisèrent.

— Vous avez trouvé un remplaçant, paraît-il ? lui demanda Gauthier qui semblait pressé de changer de sujet de conversation.

— Oui, une jeune femme. J'espère qu'elle se plaira à Castets.

— À condition de ne pas aimer la ville, glissa perfidement Lily.

Les quatre adolescents avaient profité de la discussion pour se regrouper dans le salon, autour du sapin qu'ils admiraient. Jérôme leur apporta quatre coupes de champagne à moitié pleines.

Comme à son habitude, Ludovic se tenait un peu à l'écart. Jérôme le servit à son tour en lui chuchotant à l'oreille :

— J'ai une drôle de famille. Est-ce que la tienne ressemble à ça ?

— Il y a longtemps que je ne l'ai pas vue.

Une réponse laconique qui excluait toute autre question, et Jérôme n'insista pas. Dès qu'il s'aventurait sur un terrain personnel, Ludovic se fermait.

Anne fila vers la cuisine, suivie de Suki et de Julien qui voulait se rendre utile. Après avoir ouvert la porte du four, elle précisa, à l'intention de Julien :

— J'ai mis les lingots à tremper hier. Les confits, le jarret et les saucisses viennent d'un très bon charcutier de Dax, et je surveille la cuisson depuis quatre heures. Contrairement à ce que pense maman, je me suis donné du mal et…

Elle dut s'interrompre, la gorge serrée par une bouffée de tristesse qui lui faisait monter les larmes aux yeux. L'hostilité persistante de sa mère la blessait, et ce premier Noël sans Paul la perturbait.

Julien et Suki échangèrent un coup d'œil navré, puis Julien fit un pas vers Anne, lui posa la main sur l'épaule.

— Tout ira bien, dit-il d'une voix apaisante. Les petites frictions avec les parents n'ont pas d'importance, ne te laisse pas atteindre.

Elle n'y parvenait pas. Depuis le décès d'Ariane et la grande affaire du testament, Estelle avait carrément sorti ses griffes.

— Je vais poêler mes chèvres ! claironna Jérôme en faisant irruption. Mettez donc de la salade dans les assiettes. Les *treize* assiettes…

Lui au moins savait se moquer de tout, et Anne envia son insouciance. Elle se mit à disposer des feuilles de mesclun en chargeant Julien d'y verser un trait d'huile d'olive. Ils se suivaient le long du plan de travail, et à plusieurs reprises leurs mains se frôlèrent. Arrivée à la dernière assiette, elle se tourna vers lui. Le regard qu'ils échangèrent fut d'abord prudent, puis ambigu, et finalement embarrassé.

Anne finit par baisser les yeux, mais ce qu'elle éprouvait était du désir, et elle n'avait pas vraiment envie de le réfréner.

— Notre Goliath a l'air d'avoir récupéré, dit Julien en regardant le chien qui venait de s'asseoir derrière Anne.

Elle lui fut reconnaissante de ce « notre » qui ne l'impliquait pas seulement en tant que vétérinaire. Paul ne s'était jamais beaucoup intéressé à Goliath, peut-être parce qu'il lui rappelait trop Ariane.

Relevant les yeux sur Julien, Anne vit qu'il la regardait toujours et elle se mit à sourire.

7

UN beau mariage ! Anne était splendide dans sa robe de satin drapé, si fraîche et si radieuse que j'en fus retournée. Quant à Paul, que je voyais pour la première fois, il avait beaucoup d'allure dans son costume bleu nuit. Parents et beaux-parents avaient loué pour la réception un restaurant et son jardin dans les environs de Biarritz. Il y avait là des confrères du jeune marié, avec lesquels il avait fait ses études, des camarades d'Anne rencontrés à l'école supérieure de comptabilité de Pau, et bien sûr des collègues de Gauthier et d'Estelle, tous enseignants.

J'observais tout ce petit monde avec amusement, sentant bien qu'on ne venait me saluer qu'à regret. J'étais l'incontournable tante, affublée d'un tailleur démodé mais très chic, la vieille toquée à qui on devait malgré tout le respect.

Pour me mettre en condition, je me promenai de groupe en groupe, écoutant distraitement les conversations, je bus deux coupes de champagne, et enfin je cherchai Estelle des yeux. Installée à une table, près de la piste de danse encore déserte, elle se remettait de ses émotions en compagnie d'Éric et de Lily. J'attendis que le couple se lève puis je redemandai deux coupes au bar avant de venir m'affaler sur une chaise, près d'Estelle. Je lui proposai de trinquer aux jeunes mariés, ce qu'elle ne put refuser malgré sa répugnance pour l'alcool.

J'avais peu de temps à ma disposition. Je savais qu'après deux minutes de politesses obligatoires, Estelle chercherait à me fausser compagnie sous n'importe quel prétexte. Je lui demandai donc tout à trac pourquoi elle n'aimait pas sa fille cadette. Elle se récria, comme prévu, mais je poursuivis mes questions en baissant la voix pour prendre un ton de confidence. Anne était-elle le fruit d'une infidélité? Un souvenir honteux qu'elle aurait préféré oublier mais qu'elle avait eu chaque jour sous les yeux durant près de vingt ans?

La réaction d'Estelle fut plus violente que prévu. Saisie, elle ouvrit démesurément les yeux tout en chuchotant: « Comment le savez-vous? Qui vous l'a dit? » Je repris ma voix la plus suave pour l'assurer qu'elle pouvait se confier à moi, ce qui la soulagerait d'un poids sans doute trop lourd à porter, d'ailleurs j'étais la mieux placée pour savoir à quel point Gauthier pouvait être ennuyeux. Elle me dévisagea d'un air las, écœuré. « Vous n'y êtes pas du tout. On m'avait fait boire! »

Elle était plus sotte encore que je ne l'avais cru car, avec quelques questions habiles, j'obtins le récit complet. Un week-end de formation à Bordeaux entre instituteurs, des collègues peu scrupuleux qui avaient profité de son inexpérience pour lui faire découvrir le mélange de la bière et du whisky. Naïve, elle s'était prêtée au jeu par peur du ridicule. Et quand sa tête s'était mise à tourner, un collègue compatissant l'avait raccompagnée à sa chambre. Elle ne se souvenait pas de la suite, n'avait jamais pu s'en souvenir malgré tous ses efforts. Elle s'était réveillée nue au milieu de draps sales et froissés, et alors l'enfer s'était ouvert sous ses pieds.

De retour chez elle, bien entendu elle n'avait rien dit. Comment avouer l'impensable à Gauthier ? À des jours d'angoisse muette avait succédé l'abominable nouvelle : elle était enceinte. Durant sa grossesse, elle s'était raccrochée à un doute permis, mais en découvrant les jolis yeux verts du nouveau-né, elle l'avait pris en horreur sur-le-champ.

J'avais appris la vérité, je pouvais m'en aller. J'abandonnai Estelle à ses remords sans fin, sachant qu'elle me haïrait pour ses confidences. Mais je n'y perdais rien puisqu'elle ne m'avait jamais accordé une once de sympathie.

De retour chez moi, je savourai une belle fin de journée sur ma chaise longue. Qu'allais-je faire de la révélation arrachée à Estelle ? Rien, sans doute, car ce serait trop cruel pour Anne. Mieux valait lui laisser le temps de fonder sa propre famille en ayant des enfants à son tour avant de lui infliger une vérité fatalement pénible. À laquelle, néanmoins, elle avait droit. Ne doit-on pas savoir de qui l'on vient ? Mais comment faire pour retrouver la bande de joyeux fêtards qui avaient abusé d'Estelle vingt et un ans plus tôt ? Et lequel choisir parmi eux ? Cet homme-là pensait-il parfois à cette soirée de beuverie ? Sûrement pas, puisqu'il en ignorait la conséquence.

Lorsque Anne aurait fait son chemin dans la vie, je pourrais peut-être lui parler. Mais serais-je encore là pour le faire ? Ces cahiers sont le moyen de lui raconter son histoire, à condition qu'elle les trouve un jour. À elle de trier, de garder, car elle sera mon unique héritière, je l'ai décidé depuis longtemps. Et savoir qu'elle n'est peut-être pas une Nogaro n'y change rien !

Je dis « peut-être » parce que, depuis que la question de ses yeux verts me trotte dans la tête, j'ai pris quelques renseignements. Comme toujours dans ces cas-là, c'est vers Pierre Laborde que je me suis tournée. Je sais bien ce qu'on dit sur le gène récessif des yeux bleus, et je sais aussi que Gauthier a les yeux marron, comme moi et presque tous ceux de notre famille. Comme Estelle. Aussi en avais-je déduit l'infidélité mathématique. Sauf que je ne connais pas la famille d'Estelle et que Pierre m'a apporté tout un dossier très instructif dont il ressort qu'il peut y avoir des exceptions. J'en ai pris bonne note, admettant qu'un doute était donc permis. Et si Estelle avait tort? Si elle s'était rongée pour rien depuis toutes ces années? Si elle avait injustement pris cet enfant en grippe?

Hébétée, Anne s'arrêta de lire. Au bout de quelques instants, elle feuilleta la fin du cahier, qui ne comportait plus que quelques pages et s'interrompait brutalement. Elle le referma, le garda contre elle. Ce qu'elle venait de découvrir la laissait désemparée. Que devait-elle éprouver? Colère? Compassion? Dégoût? Elle n'était probablement pas la fille de Gauthier, pas la nièce d'Ariane, ses ancêtres ne s'appelaient pas Nogaro. Inimaginable.

Elle sortit de son lit et s'emmitoufla dans sa robe de chambre. S'approchant d'une fenêtre, elle effaça la buée pour regarder dehors. Tout était uniformément blanc. La veille, seuls ses parents avaient eu le courage de reprendre leur voiture, heureusement équipée de chaînes, mais tous les autres avaient dormi là.

Debout devant la porte, Goliath remuait la queue pour signifier qu'il voulait sortir. Anne eut envie de le prendre dans ses bras, de le serrer contre elle pour trouver un peu de réconfort, mais c'était un très gros chien, pas une peluche, et elle lui ouvrit. Elle fila à la cuisine qu'elle pensait trouver dans un désordre indescriptible, mais elle découvrit Suki et Julien en plein rangement.

— Vous êtes tombés du lit?

— Avec le magasin, j'ai pris l'habitude de me lever tôt, se justifia Suki. Et je ne voulais pas que tu fasses ça toute seule.

— Alors tu as réquisitionné Julien?

— Non, protesta-t-il en riant, c'est un appel de ma consœur qui m'a réveillé. Elle avait un petit souci avec une urgence, mais on a pu régler ça par téléphone. Une fois debout, j'ai eu envie d'un café.

— Viens t'asseoir, suggéra Suki. Thé ou café?

— D'abord, je vous aide.

— Mais non! On a presque fini, prends donc ton petit déjeuner tranquillement.

Anne fit sortir Goliath puis s'assit sur la chaise la plus proche du poêle qui ronflait, sans doute allumé par Julien.

— Il ne te reste plus beaucoup de bûches, fit-il remarquer.

— Je sais. Une triste histoire de bûcheron malhonnête.

— Je peux te donner le numéro d'un marchand de bois sérieux. Il me livre deux fois par an et j'en suis content.

Elle hocha la tête, puis fit signe à Julien de s'asseoir près d'elle.

— Toi qui as fait des études scientifiques, tu devrais pouvoir m'expliquer le truc des gènes concernant la couleur des yeux. Tu sais, deux parents aux yeux bleus, ou aux yeux marron, ne peuvent faire que…

— Non, il y a des exceptions. Comment te décrire ça? Bon, le gène responsable de la coloration dominante de l'œil s'appelle EYCL 3, et il est situé sur le chromosome 15. Il existe deux variétés, la couleur brune et la couleur bleue.

— Oui, oui, d'accord, mais ce n'est pas ça qui m'intéresse, c'est…

— Oh, tu veux que je te parle de la couleur verte? dit-il en riant. Il y a un autre gène, le EYCL 1, situé sur le chromosome 19. L'allèle dominant de ce gène détermine la couleur verte, et l'allèle récessif la couleur bleue. Mais il y a encore d'autres gènes qui interviennent, c'est bien plus compliqué que ce qu'on croit généralement. En fait, rien n'est tout à fait impossible. Ai-je répondu à ta question?

— Alors, dit-elle lentement, moi, par exemple…

Mais elle n'acheva pas, découragée, ne sachant plus que croire. Si tout était envisageable, elle pouvait très bien être la fille de Gauthier, pas forcément celle de cet inconnu haïssable.

— Toi, finit par déclarer Julien qui s'inquiétait de son silence, ce qu'on peut dire à propos de tes yeux, c'est qu'ils sont superbes!

Suki déposa une tasse de thé fumant devant elle et la scruta.

— Tu as un problème, Anne?

— Non, non, tout va bien.

Pour ne plus être observée, elle se leva, alla remplir de croquettes la gamelle du chien qu'elle fit rentrer. Avec lui s'engouffra de l'air glacé et elle se dépêcha de reprendre sa place près du poêle.

— Drôle d'hiver pour les Landes, marmonna-t-elle.

Elle eut brusquement conscience de la maison autour d'elle, si vaste et si… *bienveillante*. Le cadeau d'Ariane n'était pas empoisonné, il était royal. Mais pour Estelle, il devait être insupportable de voir

Anne désignée comme l'héritière des Nogaro, un paradoxe dérisoire, et sans doute craignait-elle que la vieille dame n'ait laissé quelques confidences derrière elle. D'où son insistance à voir Anne tout vendre en vitesse, d'où sa répugnance à mettre les pieds ici. Tout s'expliquait.

— Tu es partie très loin, fit gentiment remarquer Julien.

— Oh, non, je suis là et bien là, très contente d'y être !

Un cri du cœur, qui l'étonna elle-même. Elle se décida à regarder franchement Julien puis se souvint qu'elle portait sa vieille robe de chambre et qu'elle ne s'était même pas donné un coup de peigne. Mais la façon dont il lui rendait son regard et son sourire lui ôtèrent toute envie de monter se doucher. Elle mit ses mains autour de la tasse de thé, s'aperçut qu'elle avait faim.

BRIGITTE engloutit une tranche de la bûche au café qu'elles n'avaient pas terminée la veille. Selon les prévisions de Julien, il n'y avait eu que peu d'appels, rien de sérieux à part un cas un peu plus compliqué, avant l'aube, pour lequel Véronique avait dû joindre son confrère. Il lui avait suggéré de régler le problème par téléphone, estimant qu'il n'y avait pas lieu de se déplacer. Elle enviait son expérience et la sûreté de son diagnostic.

— Ce sont les années de pratique, affirma Brigitte. Avec Paul, ils ont soigné des milliers d'animaux malades ou accidentés !

— Pourquoi est-il parti aussi brusquement, ce Paul ?

— Désaccord d'ordre privé. Le problème concernait sa femme, pas son travail.

— Julien et lui sont fâchés ?

— Même pas ! Je crois que Julien a compris. Lui aussi a divorcé, il sait ce que c'est.

— Il m'est très, vraiment très sympathique…

— Alors, je dois vous mettre en garde. Mais, avant, expliquez-moi ce qu'une jolie fille comme vous est venue faire dans ce trou perdu.

— Merci du compliment ! Je souhaitais changer d'horizon après un gros chagrin d'amour l'année dernière. J'ai fait toutes mes études à Nantes, qui n'est qu'à une demi-heure de l'Atlantique, et l'océan me manquait. Les remplacements, ça va un moment, aujourd'hui j'aimerais me fixer. Or Julien m'a laissé entendre qu'une association serait éventuellement possible, donc je tente ma chance. Maintenant, je vous retourne la question, que faites-vous ici ?

— Je suis originaire du coin. J'avais la passion des animaux mais je n'étais pas douée pour les études. Ma seule possibilité était de suivre une formation d'assistante de cabinet vétérinaire, qui se terminait par deux stages obligatoires. Le second était ici, je n'en ai plus bougé. Je considère que j'ai eu de la chance de tomber sur Paul et Julien.

— Si tout se passe bien, ce sera désormais Julien et moi. Ça ira quand même ?

— À vous de faire vos preuves, répondit Brigitte en riant.

Elles échangèrent un regard, puis Véronique suggéra :

— Allez-y pour la mise en garde.

— Julien n'est pas un cœur à prendre.

— Il a quelqu'un dans sa vie ?

— Non, juste dans son cœur. Je le connais bien, j'ai vu qu'il était tombé amoureux, mais ce n'est pas une histoire simple pour lui.

— Bon, message reçu. Même si je trouve ça dommage !

— Au contraire. En vous cantonnant à des rapports professionnels, tout ira bien à la clinique. Il fut un temps où j'ai eu mes illusions aussi, avec Paul. Finalement, je suis contente qu'il ne se soit rien passé parce que ce serait devenu ingérable. Des hommes, il y en a partout, pourquoi se compliquer la vie sur son lieu de travail ?

Brigitte insistait un peu lourdement, mais sans doute n'avait-elle pas tort. Le départ en catastrophe d'un des deux associés avait dû désorganiser la clinique et, à peine le calme revenu, un nouveau trouble n'était pas souhaitable. Véronique le comprenait tout en le regrettant. Julien était un homme séduisant, comment l'ignorer ? Peut-être qu'avec le temps, son histoire « pas simple » se terminerait ? Elle pouvait attendre, elle n'était pas pressée, et pendant ce temps-là elle apprendrait beaucoup à ses côtés.

— Si Julien est content de moi, je chercherai un logement.

— D'ici là, vous pouvez rester chez moi.

Véronique la remercia d'un sourire chaleureux tout en se demandant si son hospitalité était dictée par une simple gentillesse, une envie de compagnie, ou un désir plus sournois de la surveiller.

LE redoux eut lieu dans la nuit du 26 au 27 décembre, et au matin les forêts de pins avaient retrouvé leur couleur verte. Heureuse d'avoir moins froid dans la maison, Anne en profita pour s'installer à son bureau dès 8 heures, pressée de mettre à jour quelques dossiers en attendant que Léo et Charles réclament à grands cris leur petit déjeuner. Sachant que les adolescents aimaient faire la grasse matinée, elle fut très surprise de voir débarquer son fils en pyjama, l'air courroucé.

— Devine qui vient de me tirer du lit pour m'engueuler… Papa! Non seulement il ne se donne pas la peine d'un coup de fil pour Noël, sans parler d'un cadeau, mais il a demandé au proviseur d'avoir le double de mes résultats scolaires! Et, bien sûr, il les trouve mauvais.

— C'est vrai que ton bulletin n'est pas terrible, mon grand. Je voulais t'en parler aussi mais j'ai préféré laisser passer Noël.

— Tu savais que papa se faisait adresser mes notes?

— Non. Je ne l'ai pas eu depuis un moment au téléphone. Maintenant, qu'il s'intéresse à ta scolarité me semble légitime.

— Il aurait dû me prévenir!

— Pourquoi? Tu aurais mieux travaillé?

Léo haussa les épaules et s'affala dans le fauteuil. Anne ouvrit un tiroir et en sortit le courrier de la pension.

— Ton bulletin était accompagné d'une lettre. Le proviseur admet que le bouleversement de ta situation familiale peut expliquer une baisse générale de tes notes, toutefois il te trouve dissipé et peu motivé. Il va falloir que tu te reprennes au deuxième trimestre. Tu ne dois pas en vouloir à ton père, chéri. Il remplit son rôle, même s'il est loin d'ici.

— Ce n'est pas parce que c'est mon père qu'il a forcément raison. Il m'a dit qu'il allait faire de la recherche. Peut-être en avait-il envie depuis longtemps? Tu as vu à quelle vitesse il est parti d'ici? Tout vendre et se tirer comme un voleur, quel égoïsme!

— Chacun ses problèmes, Léo. Pour le moment, je voudrais que tu travailles mieux, ton avenir en dépend. Est-ce que Charles a de mauvais résultats lui aussi?

— Non…

— Alors si tu tiens à poursuivre ta scolarité dans la même classe que lui, tu sais ce qui te reste à faire.

— Courrier! claironna Jérôme en entrant brusquement.

Il lança des enveloppes sur le bureau d'Anne et croisa les bras.

— Il m'arrive une tuile, annonça-t-il. Et pas qu'à moi… Ludovic est parti.

— Ah bon?

— Je dis « parti », mais en fait il s'est enfui. En me laissant un mot très explicite. C'est un minable petit voyou, et il m'a bien eu!

— Jérôme…, murmura Anne avec un geste en direction de Léo.

— Oh, mais ton fils peut entendre, il est concerné! Ludovic a embarqué des souvenirs. Les chandeliers, une théière en argent, les espèces que tu lui avais données pour acheter des fournitures qu'il n'est finalement pas allé chercher sous prétexte du gel, le nouvel appareil photo de Valère et l'ordinateur portable de Léo, restés tous les deux dans le salon.

— Quoi? hurla Léo. Je suppose qu'il était de mèche avec son copain le bûcheron. Tu as vraiment des amis formidables!

— Toi, la ferme.

— Ne vous disputez pas, temporisa Anne. Le portable de Léo était une antiquité, je pensais le changer de toute façon. Est-ce que tu as parlé à Valère? Il va en faire une maladie…

— D'autant plus que, sans effraction, ton assurance ne marchera pas. Je ne sais pas comment le lui annoncer.

— Je suis consternée, Jérôme, murmura Anne.

— Pas autant que moi, tu peux le croire!

Anne fit signe à Léo de s'en aller, mais il n'avait pas besoin d'encouragement, il était pressé de raconter l'histoire à Charles.

— Il n'a rien pris d'autre? voulut-elle savoir.

— Je ne pense pas. En trouvant ce chiffon de lettre sur son oreiller j'ai d'abord fait le tour de la maison pour évaluer les dégâts, ensuite j'ai eu besoin de marcher pour ne pas donner des coups de poing dans les murs! Évidemment, tout le monde dira que c'est bien fait, que je suis tombé sur plus filou que moi. En tout cas, j'irai dès aujourd'hui à Soustons, même sans grand espoir de le retrouver. Il a dû abandonner le trou à rats qui lui servait de local. S'il ne l'a pas fait, je suis tout disposé à lui casser la figure. Je suis désolé pour toi, et plus encore pour Valère. Si je ne remets pas la main sur cette crapule, je ne sais pas comment je pourrai vous dédommager…

— Tu ne t'es jamais demandé pourquoi il nous aidait si gentiment?

— Bien sûr que si! Sauf que la raison était évidente, il n'avait pas de quoi bouffer et pas la queue d'un client pour sa micro-entreprise. Après, j'ai eu la vanité imbécile de supposer qu'il restait pour mes beaux yeux. Quel con je fais!

— Mais enfin, il a appris un métier? À le voir travailler, on comprend tout de suite que ce n'est pas un amateur du dimanche.

— Il a surtout un grand poil dans la main. Ici, il me montrait comment faire, et ensuite il me regardait ! Si je n'avais pas eu un faible pour lui, je lui aurais demandé de débarrasser le plancher.

— Un petit faible ou un gros ? Tu es vexé ou tu as de la peine ?

— Les deux, soupira-t-il. Je suis humilié d'avoir été pris pour un pigeon, et je dois aussi reconnaître que… euh, oui, c'était devenu autre chose pour moi qu'un petit coup en passant.

La tête baissée, il avait lâché l'aveu du bout des lèvres. Anne eut l'impression de revoir son petit frère enfant, parfois boudeur, souvent démuni, dissimulant ses pensées secrètes sous un rire artificiel.

— Je vais parler à Valère, annonça-t-il. Après, je file.

Elle le laissa partir, et au moment où il sortait, Goliath se faufila dans le bureau.

— Tu es toujours là quand il faut, toi, dit-elle en se penchant pour lui grattouiller les oreilles.

Les problèmes s'accumulaient, pourtant elle ne voulait pas se laisser dépasser. Pour Valère, il s'agissait d'une catastrophe, mais elle n'y pouvait pas grand-chose. En ce qui concernait Léo, elle n'avait pas du tout prévu de changer son ordinateur et ne l'avait prétendu que dans le but de l'apaiser. Son budget allait s'en ressentir. Enfin, et même si c'était le moins important, elle s'attristait de la disparition des grands chandeliers en argent. Tant pis, elle possédait d'autres souvenirs d'Ariane et elle s'en contenterait.

Elle s'en sortirait quoi qu'il arrive, elle l'avait décidé le jour où elle s'était installée ici. Au besoin, elle travaillerait quinze heures par jour, recruterait de nouveaux clients. Mais elle serait obligée de s'en remettre entièrement à Jérôme pour la partie maison d'hôtes. Or il n'avait pas que de bonnes idées, il était même parvenu à introduire le loup dans la bergerie ! Elle devrait rester vigilante.

Elle jeta un regard distrait au courrier éparpillé sur son bureau. Une enveloppe attira son attention. Il s'agissait de l'écriture de Paul. Elle l'ouvrit en se demandant quelle nouvelle désagréable elle allait encore apprendre. Lorsqu'elle déplia le simple feuillet blanc, un chèque s'échappa.

Ci-joint le Noël de Léo, embrasse-le pour moi. J'ai diminué la somme prévue parce que ses notes sont désastreuses, et je l'appellerai d'ici un jour ou deux pour lui remettre les idées en place. Aide-moi dans ce sens, faisons bloc tous les deux. J'ai réglé le trimestre à venir directement au proviseur. J'espère que tu vas bien et que tu te plais toujours dans ton bric-à-brac géant où tu dois geler. Tendres pensées, Paul.

Elle relut plusieurs fois les derniers mots, perplexe. Tendres pensées ? Ne restait-il rien d'autre de ce qui avait été un grand amour ?

À présent, elle n'avait vraiment plus aucune envie de travailler. Mais elle allait s'y contraindre parce que trop de choses étaient en jeu, trop de gens, elle-même, son frère, son fils en dépendaient.

JULIEN ouvrit la baguette en deux, disposa trois tranches de jambon qu'il badigeonna de moutarde, puis ajouta des cornichons. Il aurait préféré un steak frites salade dans son bistrot habituel mais il était repassé chez lui pour sortir sa lessive de la machine à laver et mettre le sèche-linge en route. La dame qui s'occupait du ménage chez lui était en vacances, or ses jumeaux allaient venir passer deux jours à la maison et tout devait être en ordre pour les accueillir.

Une impressionnante liste de rendez-vous l'attendait dès 13 h 30. Heureusement, Véronique l'aidait beaucoup et elle avait conquis un certain nombre de clients. Le plus dur était fait. D'un point de vue professionnel, il n'était pas mécontent, elle apprenait vite et savait déjà beaucoup de choses. Néanmoins, Paul lui manquait. Avec Véronique, c'était lui l'ancien, lui qui servait de référence. Durant quelques mois il risquait de se sentir seul en cas de diagnostic difficile, d'opération délicate en urgence.

Penser à Paul le ramena inexorablement à Anne. À ce qu'il avait ressenti le soir du réveillon, et surtout le lendemain matin dans sa cuisine. Il était amoureux d'elle, son cœur s'affolait dès qu'elle entrait quelque part. Il avait eu envie de la prendre dans ses bras, de lui dire des mots tendres. Ce serait peut-être possible un jour, mais ce jour n'était pas venu. Il existait forcément une blessure, combien de mois ou d'années mettrait-elle à cicatriser ?

Il fila vers la chambre des jumeaux, s'assura que les lits étaient faits, que les cadeaux de Noël s'empilaient bien sur les oreillers. Passer du temps avec ses enfants allait lui procurer un grand plaisir, en revanche il n'éprouvait plus rien pour leur mère. Il était guéri d'elle au point de se demander pourquoi il l'avait aimée et pourquoi il était resté seul après qu'elle l'avait laissé tomber. Bon, il était sentimental, il n'y pouvait rien, les aventures d'une nuit ne le satisfaisaient pas, il préférait vivre une véritable histoire. S'il voulait que ce soit avec Anne, il lui faudrait encore beaucoup de patience. La solitude finissait par lui peser, pourtant il s'en accommoderait encore le temps nécessaire.

Un franc soleil d'hiver éclairait Biarritz d'une lumière radieuse. Installé dans son fauteuil favori, Gauthier lisait son journal face à la baie vitrée donnant sur le port des pêcheurs. Ce matin, il ne parvenait pas à se concentrer sur la lecture de son quotidien. Ses pensées l'entraînaient invariablement vers la bastide Nogaro, vers Anne, vers Jérôme. La déception infligée par son fils cadet était toujours vive. Avec quel mépris il avait refusé ce travail de commercial ! Et Anne qui l'entretenait dans ses illusions... Croyaient-ils vraiment tous les deux à la réussite de leurs chambres d'hôtes ? Gauthier s'inquiétait, toutefois il reconnaissait qu'au moins Jérôme semblait plus stable. Contrairement à Estelle, qui lui rebattait les oreilles de sa rage contre Anne, il estimait que le frère et la sœur pouvaient s'entraider. Après tout, elle l'avait obligé à faire quelque chose de ses journées, et pour sa part il lui évitait de se retrouver seule dans cette sinistre bâtisse. Quelle idée de vivre là ! Il se souvenait encore de ses terreurs nocturnes lorsqu'il était enfant. Il détestait être issu d'une famille de forestiers dont, fort heureusement, il n'avait pas eu à reprendre le flambeau. Leur ruine l'avait soulagé en provoquant la vente de la maison et le départ pour Biarritz. Était-il possible qu'Anne éprouve un réel attachement à la terre ?

Il plia son journal sur ses genoux et resta les yeux dans le vague. Anne avait commis une erreur en imposant son choix stupide à Paul, néanmoins il s'agissait de sa vie et personne ne pouvait la vivre à sa place. L'aigreur d'Estelle devenait fatigante. Avait-elle toujours été aussi désagréable avec Anne ou n'était-ce que depuis l'héritage ? Pauvre Ariane, pauvre folle, certes elle avait semé le chaos, mais paix à son âme. Après tout, elle n'avait jamais réclamé son dû, la somme empruntée par Gauthier et Estelle ayant été délibérément *oubliée*.

— Tu t'endors ? demanda Estelle en déposant un plateau sur la table basse devant lui. J'ai fait un gâteau basque aux cerises noires.

— Je pensais aux enfants.

— Tu te fais du souci pour Jérôme, hein ? Tant qu'il restera sous l'influence de cette punaise d'Anne...

— Cette *punaise* d'Anne ? s'insurgea-t-il. Tu t'entends ?

— Pardon, se reprit-elle aussitôt, mais tu ne m'ôteras pas de l'idée qu'elle a multiplié les sottises et que son influence est catastrophique. Il n'y avait que Paul pour la calmer, or elle s'en est débarrassée !

— Je te trouve très injuste. Paul n'était pas très amusant.

— La vie n'est pas qu'une vaste partie de rigolade.

Il la dévisagea, toujours surpris qu'Anne puisse la faire si facilement sortir de ses gonds.

— Fais un effort avec Anne, suggéra-t-il, ou elle finira par se demander ce qu'elle t'a fait.

— Mais rien, marmonna-t-elle. C'est bête ce que tu dis…

Les yeux baissés, elle se mit à servir le thé.

PAUL avait réveillonné chez ses parents le soir de Noël, dans une ambiance un peu tendue. Son père, qui le connaissait bien, jugeait absurde son départ précipité de Castets, et envisageait avec circonspection sa nouvelle orientation professionnelle vers la recherche. Pour ne pas avoir à en parler davantage, Paul s'était abstenu de retourner chez eux durant quelques jours. Il refusait de se remettre en question, d'admettre ses torts. Dans le naufrage de son mariage, il était une victime, il n'en démordait pas. En revanche, le retour aux études lui plaisait pour de bon. À Maisons-Alfort, il restait en contact avec les animaux, et surtout il rencontrait des gens intéressants. Chaque fois qu'il pensait à Anne, il se raisonnait et la chassait tant bien que mal de son esprit. Mais il songeait souvent à son fils pour lequel il devait rester un père attentif, même de loin. Lorsqu'un souvenir de la clinique lui traversait la tête, il le repoussait aussitôt pour éviter toute nostalgie. Décidé à dédommager Julien de sa fuite, il ne comptait pas évoquer le rachat de ses parts avant au moins un an. Néanmoins il avait fait un calcul approximatif et se demandait comment Julien allait se débrouiller pour tout absorber. Leur mise de fonds initiale était dérisoire au regard de ce que valait la clinique aujourd'hui.

Se sentir libre et sans attache ne lui apportait pourtant pas l'exaltation prévue. Lui qui aimait l'ordre avait certes réussi à organiser au mieux son quotidien, mais l'absence d'Anne créait un vide. Désormais, tout était à refaire. Jamais il n'aurait cru que ça puisse lui arriver. Prendre un nouveau départ professionnel ne l'effrayait pas, mais fonder une autre famille… Une famille sans Anne ? Dorénavant, elle ne serait plus que la mère de son fils ? Le constat lui donnait le vertige, vite il se replongeait dans ses notes de cours.

Une seule fois, un soir où il rentrait en métro, il s'était demandé s'il n'avait pas tort, s'il n'aurait pas pu agir autrement. Mais ces questions n'avaient fait que l'effleurer. Non, il était dans son bon droit et ne voulait plus regarder en arrière. Anne était la seule fautive, il ne s'était pas laissé entraîner dans sa stupide aventure, il s'en félicitait.

8

ANNE et Suki avaient attendu toute la soirée, folles d'inquiétude. Il était près de minuit, et elles n'avaient toujours aucune nouvelle.

— Ce n'est pas qu'une question d'argent, murmura Suki, c'est aussi une question d'honneur, je suppose…

— Pour Jérôme ? Il est triste et il est vexé de s'être fait avoir. De là à se lancer dans cette ridicule expédition !

— Peut-être, mais Valère ne pouvait pas le laisser partir tout seul.

— Même à deux, ils ne feront pas le poids. Si j'ai bien compris, Ludovic a toute une bande de copains qui sont des voyous, comme lui, et qui vont bien rigoler en voyant arriver les deux touristes !

Anne n'était pas seulement angoissée, elle ne décolérait pas. Jérôme s'était bien gardé de la prévenir de ses intentions, il s'était éclipsé en entraînant Valère. Pour récupérer les objets volés ? Ils n'avaient probablement aucune chance de les retrouver.

Valère avait donné à Suki une brève explication avant de partir, promettant de rentrer vite. Mais ils étaient partis juste après le déjeuner et restaient injoignables depuis.

— Je refais une théière ? proposa Anne.

Elle se demandait à quel moment il lui faudrait appeler le commissariat de Dax ou l'hôpital. Pour la énième fois, elle regarda sa montre, soupira.

— Le magasin sera prêt à la fin du mois, annonça soudain Suki.

— Génial ! Pourquoi ne me l'as-tu pas dit plus tôt ?

— L'assureur m'a téléphoné en fin d'après-midi, mais j'avais la tête ailleurs. Je me fais trop de souci pour Valère.

— Ils vont revenir, affirma Anne. Tu vas enfin retrouver tes fleurs, c'est formidable.

— Et mes engelures, dit Suki avec un sourire réjoui. Nous aurons aussi un logement, juste à côté. Plus grand que l'ancien et tout neuf! Dès que Valère sera revenu, on va pouvoir faire des projets.

Elle ne parlait pas de l'appareil photo volé. Pourtant, Valère ne pourrait pas reprendre son activité professionnelle sans ce Nikon dernier cri qui valait une fortune. Anne tirait des plans sur la comète pour parvenir à dédommager son frère et lui permettre de redémarrer. Mais elle avait refusé tout net le plan de Jérôme, jamais à court d'idées tordues, qui avait proposé d'organiser un faux cambriolage.

Un grondement sourd de Goliath les fit se précipiter ensemble à la porte. La lumière des phares balaya la façade, puis il y eut des claquements de portières. Anne reconnut avec soulagement les silhouettes de ses frères. Ils marchaient d'un pas mal assuré, l'un soutenant l'autre.

— Qu'est-ce qui vous est arrivé? s'écria Suki en courant vers eux.

— On a besoin d'un remontant, grommela Jérôme.

Il entra le premier, se laissa dévisager par sa sœur.

— Oui, admit-il, on a morflé. Tes chandeliers sont dans la voiture, avec l'appareil photo. Pour le reste, c'était trop tard.

Anne avait vu ses yeux au beurre noir, sa lèvre fendue, son blouson déchiré. Elle se tourna vers Valère, que Suki enlaçait frénétiquement, découvrit les points de suture sur l'arcade sourcilière et le bras en écharpe.

— Mon Dieu…, souffla-t-elle.

— Ils nous ont pris pour des rigolos, déclara Jérôme, alors qu'ils avaient affaire aux célèbres frères Nogaro!

— Commence par le début, suggéra Anne.

— Eh bien, on a cherché Ludovic un peu partout et on ne l'a déniché qu'en fin de journée, au fond d'un bar pourri. Il n'était pas tout seul, il se saoulait à la bière avec sa petite bande. Tu aurais vu la tête qu'il a faite en nous apercevant!

— Le ton est monté très vite, renchérit Valère. Mais il ne voulait pas de scandale en public, je suppose qu'il ne tient pas à se faire remarquer, or le patron du bouge paraissait sur le point d'appeler les flics. On est partis s'expliquer dehors. Les « amis » de Ludovic ont fini par s'égailler comme des moineaux. Et une fois seul, il a été beaucoup plus coopératif…

— Mais vu la pagaille qu'on mettait dans la rue, les flics se sont pointés. On a été embarqués tous les trois. Une fois au commissariat, au lieu de raconter l'histoire en entier et de porter plainte contre Ludovic, cet abruti de Jérôme a calé, il s'est dégonflé !

— Il venait de dire qu'il allait rendre l'appareil photo, protesta Jérôme. Mieux valait tenir que courir, non ? Les flics nous ont emmenés à l'hôpital où on a passé des heures.

— Vous auriez pu appeler !

— J'ai perdu mon téléphone dans la baston et celui de Valère a été réduit en miettes. En sortant de l'hosto, Ludovic a tenu sa promesse, il nous a conduits à sa nouvelle adresse. Il n'avait pas encore négocié le Nikon, ni les chandeliers. Mais trop tard pour le portable de Léo, trop tard pour le fric qui a déjà été dépensé. On a récupéré nos biens et on s'est tirés.

— Qu'ont trouvé les médecins ? s'impatienta Suki. Vous avez quelque chose de cassé ?

— Jérôme, c'est le nez, mais sans déplacement. Moi, deux côtes.

— Et ton bras ?

— Entorse du poignet, rien de sérieux. Et ces points de suture ne devraient quasiment pas laisser de cicatrices.

Tandis que Valère rassurait sa femme, Anne observa Jérôme avec intérêt. N'était-il donc pas guéri de Ludovic ?

— Tu comptes le revoir ? lui demanda-t-elle d'un ton neutre.

— Pas ici, si c'est ce qui t'inquiète, répliqua-t-il.

— C'est toi qui m'inquiètes.

Valère s'interposa, posant sa main valide sur celle de sa sœur.

— Laisse-le…

Elle n'insista pas, remettant la discussion à plus tard.

— À l'hôpital, on nous a donné des calmants qui sont restés dans la voiture. J'en prendrais bien un.

— J'y vais, décida Anne.

Elle fit signe à Goliath de la suivre et sortit. Puis elle alla récupérer le sac de médicaments, le Nikon et les chandeliers. Comme ces derniers étaient très lourds, elle essaya d'en coincer un sous son bras et sentit qu'on le lui retirait.

— Je t'aide, dit doucement Jérôme.

— Ça me fait plaisir qu'ils reviennent. Leur place est ici.

— Je savais que tu y tenais, j'ai été content de les retrouver.

— Vous y avez mis le prix, Valère et toi.

— Comment faire autrement ? Je n'en dormais plus la nuit.

— Vous auriez pu être sérieusement blessés. Ou placés en garde à vue.

— Tu vas me trouver con, mais maintenant que l'histoire est réglée je n'arrive plus à lui en vouloir.

— À Ludovic ?

— Il a été presque… soulagé que ça finisse comme ça. Et puis, dans la mêlée, il aurait pu me tomber dessus à un moment, mais il ne l'a pas fait. Je crois qu'il se laisse entraîner par sa petite bande.

Anne avait perçu l'émotion de sa voix.

— Tu l'aimes ? demanda-t-elle seulement.

Son frère ne répondit rien.

Le cœur battant la chamade, Lily s'était réfugiée dans les toilettes du Baya. Elle était en train de déguster un cocktail exotique tout en minaudant avec sa dernière conquête lorsqu'elle avait aperçu Éric s'apprêtant à entrer dans le bar. Que venait-il faire là, grands dieux ?

Un regard au miroir lui apprit qu'elle était livide. La dernière chose qu'elle souhaitait était de se faire surprendre en galante compagnie par son mari. Bon, elle avait été idiote de ne pas s'éloigner davantage. L'été, elle allait volontiers vers Contis-Plage ou même jusqu'à Mimizan pour mettre de la distance entre ses frasques et les regards indiscrets. Pourquoi avait-elle accepté ce rendez-vous au Baya ? Parce que le bar, romantique, se prolongeait par un restaurant et un hôtel ?

Et maintenant, elle était stupidement coincée dans les toilettes, persuadée qu'Éric l'avait aperçue ! Lui se trouvait en compagnie de deux hommes de son âge, d'ailleurs elle en connaissait un de vue, qui pouvait l'avoir remarquée lui aussi. De toute façon, elle allait s'éclipser, fuir, bien décidée à tout nier en bloc si Éric l'interrogeait. Tant pis pour celui qui l'attendait devant les cocktails à peine entamés.

Lorsqu'elle réussit à gagner sa voiture, qu'elle avait eu la présence d'esprit de garer à l'écart, elle démarra sur les chapeaux de roue. Jamais plus elle ne prendrait un tel risque ! En attendant, et pour parer à toute éventualité, elle devait s'inventer un solide alibi.

Filant au nord, elle dépassa Hossegor et Seignosse puis s'arrêta sur le bord de la route, au-delà de Vieux-Boucau-les-Bains, pour écrire un SMS au malheureux qu'elle venait d'abandonner.

Elle redémarra, plus lentement cette fois, et parcourut la trentaine de kilomètres qui la séparaient de Lit-et-Mixe en réfléchissant. Pourquoi avait-elle un tel besoin de ces infidélités ? Elle ne se sentait exister que lorsqu'elle séduisait. Pourtant, pas une seconde elle n'envisageait de quitter Éric. Il l'aimait, lui assurait une vie confortable, la laissait faire ce qu'elle voulait.

Elle s'engagea sur le chemin de la bastide, agacée par avance d'avoir à solliciter l'aide de sa sœur, mais elle n'avait rien trouvé de mieux. En débouchant dans la clairière, elle fut frappée comme chaque fois par l'élégance de la façade.

Avant de descendre de voiture, elle jeta un regard inquiet au chien venu l'accueillir, suivi de sa sœur.

— Il n'est pas méchant, assura Anne. Tu passais dans le coin ?

— Non, je voulais te voir, j'ai besoin d'un service.

— On finit juste de déjeuner. Tu as déjà mangé ?

— Attends une seconde, Anne. Il faut que je te parle en privé.

Anne la scruta, attendant qu'elle s'explique.

— J'ai fait une bêtise. J'ai accepté un rendez-vous avec un… un ami. Enfin, non, plutôt une rencontre. Tu vois ce que je veux dire ?

— Pas vraiment.

— Oh, ne te fais pas plus cruche que tu n'es ! Je suis quasiment tombée sur Éric, je ne sais pas s'il m'a vue, mais dans le doute je vais lui raconter que j'étais ici, que j'ai déjeuné avec toi.

— Tu trompes Éric ? demanda Anne sans intonation particulière.

— Tout de suite les grands mots ! Tu sais ce qu'un homme prétendrait, à ma place ? Qu'un « petit coup de canif dans le contrat », ça ne compte pas. Moi, c'est pareil. Nous avons dix-huit ans de mariage. Je suis sûre que tu n'as pas toujours été fidèle à Paul.

— Eh bien, si !

Agacée, Lily resserra son manteau autour d'elle.

— Admettons, tu es une sainte. Mais moi pas ! Écoute, petite sœur, n'oublie pas que j'étais seulement en train de boire un verre avec un monsieur. Tu ne couvriras pas un grand crime en acceptant de dire que j'étais chez toi.

— Comme tu viens de le faire remarquer, je suis ta sœur. Et tu savais en venant ici que tu pouvais compter sur moi. Alors, ne cherche pas à me manipuler puisque je suis d'accord quoi qu'il arrive.

— J'ai froid, et j'ai faim. Tu me l'offres, ce déjeuner ?

Elles gagnèrent la cuisine où Jérôme était encore attablé devant une assiette de fromages. Lily marqua un temps d'arrêt en découvrant son visage tuméfié.

— Mon Dieu, qu'est-ce qui t'arrive?

— J'ai rencontré une porte, maugréa-t-il.

Lily s'assit et désigna ce qui restait d'une omelette dans un plat.

— Je peux? Non mais, sincèrement, Jérôme, tu t'es battu?

— Ça ne te regarde pas.

— Vous menez une drôle de vie, ici, soupira Lily.

— Tu viens nous donner un coup de main pour la décoration des chambres? ironisa Jérôme.

— Je suis là pour le plaisir de vous voir et parce que l'hiver est un peu morne à Hossegor, répliqua-t-elle. Les travaux sont finis?

— À peu près. Va visiter notre site Internet qui est magnifique et que j'ai créé tout seul. Nous ouvrons fin mars, avec l'arrivée du printemps. Et si ça marche, j'ai encore plein d'idées…

— Tu en as toujours eu, mais pas forcément des meilleures!

— Arrête, on dirait les parents. Je sais bien que ça vous fait braire, pourtant nous allons réussir, Anne et moi. Et on finira par mettre une plaque commémorative à la mémoire de la brave tante Ariane!

Lily se contenta de terminer son assiette. Elle avait obtenu ce qu'elle voulait d'Anne, c'était le principal.

— C'est bientôt l'anniversaire de maman, je compte organiser un petit truc chez moi, déclara-t-elle. Vous viendrez?

Anne lui lança un regard indéchiffrable avant de déclarer :

— J'ai pris de nouveaux clients et j'ai beaucoup de travail.

— Dis carrément que tu n'as pas envie de faire la fête avec nous!

— Eh bien… pas vraiment. Chaque fois que je vois maman, elle est odieuse.

— Tu sais bien que tout ce qui touche Ariane la rend enragée.

— Vous rend *tous* enragés, rappela Jérôme.

— Oh, je t'en prie! Tu es entré dans le camp d'Anne parce que ça t'arrangeait bien. Pour toi, cette maison était du pain bénit, tu n'étais pas jaloux parce que tu étais intéressé.

— Au début, peut-être, reconnut-il sans s'émouvoir. Mais c'est différent maintenant.

— Parce que tu as ripoliné trois murs et planté deux clous? Enfin, regardez-vous tous les deux! Tu t'es fait défoncer la gueule par qui, Jérôme? Un de ces voyous que tu affectionnes? Et Anne qui a largué son mari pour conserver son héritage ! Vous n'allez pas vous poser en modèles, hein ?

Anne échangea un coup d'œil avec Jérôme puis reporta son attention sur sa sœur.

— Il ne me semblait pas que tu étais venue pour faire une scène.

— Je m'énerve, désolée. Finalement, ta cuisine est assez douillette grâce au poêle. J'avais peur d'avoir froid !

— Vu comment tu t'habilles…, ironisa Jérôme. Je fais du café ?

Pendant qu'il s'activait, Lily se détendit un peu. Et pour la première fois depuis son arrivée, elle regarda autour d'elle. Brusquement, elle éprouva une tristesse inexplicable. Sa sœur et son frère avaient l'air sereins alors qu'elle-même se sentait perpétuellement insatisfaite. Anne divorçait et se débattait dans des problèmes matériels, Jérôme était un raté qui n'assumait même pas son homosexualité vis-à-vis de leurs parents, et malgré tout ils étaient bien dans leur peau !

— Je dois rentrer, décida-t-elle, maussade.

En reprenant la route d'Hossegor, elle se demanda si elle ne serait pas bien inspirée de changer radicalement son mode de vie. L'idée ne fit que l'effleurer, incapable de se remettre en question, elle pensait déjà à autre chose trois kilomètres plus loin.

Le 30 janvier, Anne sortit du palais de justice avec l'impression d'avoir reçu une douche glacée. Le juge avait prononcé le divorce en quelques instants, tout était réglé. À ses côtés, Paul semblait sonné lui aussi. Venu de Paris le matin, il devait reprendre le train en fin d'après-midi. Par la rue Saint-Pierre, ils gagnèrent la place de la Cathédrale, déambulèrent un peu en silence, puis tombèrent d'accord pour aller boire un thé au Salon Valmont, rue des Carmes. Ils choisirent une table à l'écart et s'installèrent face à face, s'observant avec curiosité.

— Mon Dieu, finit par bredouiller Paul, c'est un peu dur de se retrouver comme ça… Tu vas bien ?

— Oui, réussit-elle à répondre platement. Et toi ?

— La formation que je suis est passionnante. Et puis, être à Maisons-Alfort me réjouit. C'est mythique !

— Tu t'habitues à la vie parisienne ?

— Le changement a été un peu rude au début, maintenant je me sens à l'aise.

— Et tu te plais dans ton studio ?

— Beaucoup. À ce propos, je crois avoir un acheteur pour Castets, je t'en parlerai si ça se concrétise.

Les questions d'argent restaient en suspens. Paul ne lui avait fait aucun cadeau, il considérait que la maison et la clinique étaient le fruit de son travail, qu'il n'avait donc pas à partager. Anne avait demandé à son avocate de ne pas s'obstiner, peu désireuse d'envenimer la situation. Sa seule exigence avait été de percevoir une pension alimentaire pour Léo jusqu'à sa majorité.

— Tu n'auras pas la place de loger Léo quand il viendra te voir le week-end ?

— J'y ai pensé, il pourra dormir chez ses grands-parents.

Il lui répondait mais se gardait bien de l'interroger, comme si tout ce qui concernait la vie d'Anne ne l'intéressait pas. Discrètement, il consulta sa montre. La conversation languissait.

— Surveille de près les notes de Léo, finit-il par déclarer.

— Oui, bien sûr, tu n'as pas besoin de me le dire. Je pense qu'il va faire un effort, ne serait-ce que pour rester avec Charles. Mais il a des excuses pour les mauvais résultats du trimestre dernier. Notre séparation l'a forcément perturbé.

— Je pourrais te répondre de t'arranger avec ta conscience mais je ne cherche plus la bagarre.

Elle se raidit devant cette attaque imprévue. Jusque-là, Paul avait eu l'air calme et résigné alors qu'il n'avait rien digéré du tout. Il la tenait pour seule responsable de leur divorce, il n'en démordrait pas.

— Moi non plus, Paul, je ne veux pas d'affrontement. Essayons de rester…

— … amis ? Tu plaisantes, j'espère !

— … en bons termes.

L'éclat de rage qui avait brillé dans ses yeux s'éteignit. Il fouilla sa poche, déposa un billet sur la table.

— Plus tard, peut-être. Là, c'est trop frais. Nous sommes divorcés depuis quarante-cinq minutes, ne m'en demande pas trop. Bon, j'y vais, je m'achèterai des journaux à la gare.

Debout à côté d'elle, il parut danser d'un pied sur l'autre puis se pencha, lui déposa un rapide baiser sur la tempe et partit sans se retourner. Quand se reverraient-ils, et dans quel état d'esprit ? Avec lui, Paul emportait quinze ans de sa vie.

Au fond de son sac, son téléphone se mit à sonner et elle se dépêcha de répondre, persuadée que Paul, pris de regrets, allait enfin lui dire un mot gentil.

— Je te dérange? demanda Julien. Jérôme m'a dit que tu étais au tribunal cet après-midi…

— Oui, c'est terminé. Tu as besoin de quelque chose?

— Pas moi, toi! Tu ne dois pas rester seule, Anne. Je sais que c'est un mauvais moment, je suis passé par là. Alors, je t'invite à dîner pour te changer les idées.

— Je ne sais pas si…

— Pas de discussion! J'ai encore deux clients à voir, ensuite j'arrive. Profites-en pour faire un peu de shopping et retrouve-moi vers 20 heures à la Table de Pascal, rue de la Fontaine-Chaude.

Après tout, aller au restaurant lui ferait du bien, elle n'avait quasiment pas quitté la bastide depuis des semaines.

Tout en flânant dans les rues piétonnes, elle essaya de ne pas penser à Paul, à sa froideur, à la tristesse de leur divorce. Perdue dans sa nostalgie, elle se souvint soudain du nouveau magasin de Suki. Revenant sur ses pas, elle gagna la rue Saint-Vincent et trouva sans difficulté le local en question, mais la vitrine avait été passée au blanc d'Espagne, elle ne pouvait rien voir. En tout cas, l'emplacement était bon pour un fleuriste.

Anne poursuivit sa balade, jetant des coups d'œil distraits aux boutiques de mode, et avisa un salon de coiffure. Elle fit rafraîchir sa coupe et s'offrit une manucure sans remords. Lorsqu'elle sortit de là une heure plus tard, elle se sentait déjà mieux. Elle prit encore le temps de s'acheter un pull, puis de choisir un mascara dans une parfumerie qui allait fermer. Finalement, elle arriva un peu en retard à la Table de Pascal où Julien l'attendait.

— Et voilà! lança-t-elle avant de s'asseoir face à lui. J'ai dépensé de l'argent en futilités mais ça m'a remonté le moral.

— Joli pull… Ce vert te va très bien. Tu as fait quelque chose à tes cheveux?

— Je sors de chez le coiffeur. Consolation garantie pour toutes les femmes. Pour les hommes, c'est quoi?

— Prendre une cuite avec les copains ou aller se faire malmener par les rouleaux de l'océan quand c'est la saison.

Il souriait gentiment et elle fut contente d'avoir accepté son invitation à dîner.

— Regarde l'ardoise et dis-moi ce que tu aimerais manger.

— Je prendrais bien un foie de veau en persillade accompagné d'un verre de blanc.

— Parfait. J'opte pour les aiguillettes de canard farcies au foie gras, et je vais nous commander une bouteille de pouilly. Ça s'est bien passé, au tribunal ? Si tu n'as pas envie d'en parler, je comprendrai.

— Paul n'a pas été très… altruiste, mais je suppose que c'est sa façon de se venger. Il est persuadé que je ne m'en sortirai pas financièrement et il veut me le prouver. Comment t'y es-tu pris, toi ?

— Ma femme voulait partir, et même si ça m'était très douloureux qu'elle soit tombée amoureuse d'un autre, je ne me voyais pas la « punir » pour ça. Elle n'a jamais travaillé. J'ai préféré me montrer généreux. Le contraire m'aurait paru sordide.

— Et aujourd'hui ?

— Elle touche toujours une pension confortable qui lui permet d'élever nos jumeaux sans attendre le bon vouloir d'un autre que leur père. Comme je gagne bien ma vie, ça me va. Mais bientôt il y aura le souci du rachat des parts de Paul pour la clinique, et là…

— Il ne te met pas au pied du mur, j'espère ?

— Non, il a promis d'être patient. Sauf qu'en ce moment, il ne fait pas toujours ce qu'il dit.

— C'est miraculeux que votre amitié ait résisté à…

— Oh, détrompe-toi ! l'interrompit-il en riant carrément. Paul reste à mes yeux un vétérinaire exceptionnel, mais en tant qu'homme il a perdu toute mon estime. Je trouverai le moyen de racheter ou faire racheter ses parts parce que je refuse que la clinique se casse la gueule. C'est autant mon affaire que la sienne.

Le serveur apporta leur commande. Ils se mirent à manger en échangeant de brefs regards complices puis, une fois rassasiée, Anne eut envie de se confier davantage.

— Je suis en train d'achever la lecture d'une sorte de journal que ma tante a tenu durant des années. Je crois qu'elle me le destinait.

— Et tu découvres des choses intéressantes ?

— Oh, là là, si tu savais ! Figure-toi que je ne suis peut-être pas la fille de mon père.

Il la contempla avec stupeur jusqu'à ce qu'elle ajoute :

— Voilà pourquoi je t'ai posé des questions sur la couleur des yeux.

— Justement, je t'ai expliqué que tout est possible.

— Oui, le doute est permis et je n'aurai jamais de certitude. Je ne vais pas demander à mon père un prélèvement de son ADN.

— Il est au courant ?

— Non ! Et je ne compte pas aborder le sujet. Ni avec lui ni avec ma mère. Pour elle, c'est juste le mauvais souvenir d'un soir de beuverie avec des collègues qui ont profité d'elle.

— Quel truc ignoble… Comment ta tante l'a-t-elle appris ?

— Ariane était très perspicace. Personne ne l'aimait dans la famille, personne ne cherchait à la comprendre. On la traitait de folle et on la laissait de côté, ça me serrait le cœur. Comme elle avait des tas de choses à raconter, elle a préféré les écrire.

— Tu as lu son journal en entier ?

— Presque. J'arrive à la fin mais je prends mon temps pour digérer ce que j'apprends.

Ils commandèrent un dessert et finirent la bouteille de pouilly tout en continuant à bavarder. Quand ils constatèrent qu'ils étaient les derniers clients, ils se levèrent à regret et elle laissa Julien régler l'addition. Il insista pour la raccompagner à sa voiture.

— Mais on passe d'abord devant la fontaine chaude, suggéra-t-il en la prenant par la main.

Ils longèrent les arches qui encadraient la célèbre fontaine, fascinés par la vapeur qui s'élevait au-dessus du bassin.

— Il y a quelque chose que je dois t'avouer, murmura-t-il.

Elle se crispa, devinant où il voulait en venir. Il dut percevoir sa raideur car il lui lâcha la main et se remit en marche.

— Viens, Anne, tu vas avoir froid. Je ne suis pas mufle au point de choisir le soir de ton divorce pour te draguer. Je voudrais seulement que tu saches que, depuis qu'on s'est embrassés, j'y ai souvent repensé en me sentant coupable mais… toujours aussi attiré. Alors, un jour ou l'autre, je vais vouloir recommencer. Si ça devait nous fâcher, je préférerais que tu me le dises maintenant, comme ça je me tiendrais tranquille à l'avenir.

Sa déclaration était si simple qu'elle prit Anne au dépourvu.

— Je suis censée te répondre un truc spirituel ?

— Réponds juste qu'on verra, et je serai très heureux.

— D'accord, on verra.

Il reprit sa main sans rien ajouter. Elle trouvait agréable de marcher à côté de lui, soulagée par sa franchise. Il ne lui avait rien demandé d'impossible, ne l'avait pas obligée à se prononcer. Elle était presque sûre que quelque chose d'important finirait par arriver entre eux, quand le moment serait venu. Et elle l'espérait.

JÉRÔME avait failli renoncer. Dix fois, il avait été sur le point de faire demi-tour, mais l'envie était trop forte. Ludovic lui avait donné rendez-vous dans le petit village d'Azur, à cinq minutes de Soustons. Le pub s'appelait le Last et servait toutes sortes de bières.

Ils arrivèrent ensemble, Ludovic sur un vieux Solex qu'il arrêta à côté de la voiture d'Anne.

— C'est ton nouveau moyen de locomotion ? lui lança Jérôme.

— J'ai vendu ma vieille bagnole pour bouffer.

— Manquerais-tu de combines juteuses ?

— J'essaie de me dégager de tout ça.

— On entre ? proposa Jérôme. Je t'offre un verre.

— Je te conseille la Blonde, une bière locale au maïs qu'ils brassent eux-mêmes.

Installés au bar, ils commandèrent des pintes.

— Tu voulais qu'on parle ? risqua enfin Jérôme. La dernière fois, il me semble qu'on s'était tout dit, non ?

Il désigna ce qui restait d'hématomes sur son visage en ajoutant :

— À propos, je n'aime pas tes amis.

— Rassure-toi, je ne les vois plus. Je te le répète : je me range.

— Et qu'est-ce que tu comptes faire ?

— J'ai trouvé du travail chez un entrepreneur en bâtiment. Je commence demain, c'est ce que je voulais t'annoncer.

— Belle résolution ! Tu vas lui piquer quoi, à ton entrepreneur ?

— Tu as tort de te moquer. J'ai eu trop d'ennuis, j'en ai soupé, je ne veux pas finir en taule. Et puis, ajouta-t-il, si ça s'arrange pour moi j'aimerais bien qu'on puisse se revoir. Tu me manques.

Il avait lâché les trois derniers mots dans un souffle. Jérôme fut surpris du plaisir que lui procurait cet aveu, pourtant c'était exactement ce qu'il était venu chercher, sans oser l'espérer. Il n'éprouvait pas de rancune à l'égard de Ludovic, il avait même envie de le protéger. Qu'est-ce qui avait changé dans sa tête ?

Jérôme lui tapota le genou d'un geste maladroit, submergé par le désir de l'embrasser. Il déposa de la monnaie sur le comptoir et descendit de son tabouret.

— Viens, on s'en va.

Il l'entraîna jusqu'à la voiture, le fit monter, brancha le chauffage.

— Où habites-tu en ce moment?

— Nulle part. Mon employeur a prévu une piaule pour moi, mais ces derniers jours j'ai dormi sur la plage.

— En plein hiver? Tu es cinglé.

— Je ne veux plus squatter avec cette bande d'abrutis. Mais demain n'est plus très loin. J'aurai un toit, et une paie à la fin du mois.

Jérôme l'attrapa par le cou, l'attira à lui et l'embrassa avec avidité.

— Tu me manques aussi, petit con, lui chuchota-t-il à l'oreille, mais je n'ai plus confiance en toi.

— Je sais. Je regrette.

— Ça ne suffit pas. Tu as été mal inspiré de voler ma sœur.

— J'ai eu l'occasion de vendre ce que j'avais pris. J'avais un client en or pour le Nikon mais je l'ai fait lanterner. Je voulais m'expliquer avec toi et te rendre tes affaires, mais tu es arrivé avec ton frère, ça a dégénéré.

Ludovic se jeta sur lui et lui rendit son baiser passionné. Puis ils échangèrent un sourire hésitant.

— Maintenant, reprit Jérôme, ma famille te déteste. Il va falloir faire tes preuves, et laisser passer du temps.

— Beaucoup?

— Aucune idée. Si tu veux, je t'emmènerai dîner un de ces jours. Quand il fera moins froid sur les plages! Tu as un téléphone?

— Même plus. Ma carte est vide.

— Prends le mien. Je t'appellerai depuis la ligne fixe de la maison.

Il lui mit l'appareil dans la main, attendit un remerciement qui ne vint pas. Se penchant au-dessus de lui, il ouvrit la portière. Avant de sortir, Ludovic demanda:

— Tu promets qu'on se reverra?

— Je n'ai pas besoin de promettre. Je suis amoureux, ça devrait te suffire.

Le visage du jeune homme s'éclaira d'un sourire qui semblait vraiment sincère. Mais Jérôme s'était déjà fait avoir et il avait décidé de se montrer prudent. Pour une fois, il allait se contraindre à la patience. Il regarda Ludovic grimper sur son Solex. Au-delà du désir, il se sentait touché, ému. Sous sa carapace de petit dur, ce garçon était intéressant, malin, attachant. Il méritait mieux que l'existence minable qu'il menait, et il avait dû comprendre confusément, mais trop tard, que Jérôme pouvait lui offrir autre chose.

Au lieu de démarrer, il inclina le rétroviseur vers lui. Pouvait-on l'aimer pour lui-même ? À trente-cinq ans, ses rides d'expression étaient déjà bien marquées. Son visage n'avait rien d'exceptionnel. Il n'était ni riche ni puissant, il vivait chez sa sœur, sans statut social. Au lit, il était plutôt doué, un bon point, mais ça ne suffisait pas dans une véritable histoire d'amour. Et c'était ça qu'il voulait à présent. Un truc qui le fasse vibrer, exister.

Ces quelques mois dans les Landes l'avaient peu à peu transformé. Tout à l'heure, en faisant la morale à Ludovic, il s'était aperçu qu'il prenait un certain plaisir à ne plus être l'éternel rebelle. Tout comme il avait découvert la satisfaction de se rendre utile à la bastide. Il était largement temps d'enterrer la jeunesse où il s'était trop longtemps attardé et de passer à autre chose.

Suki allait et venait, virevoltait, s'adossait à un mur, reprenait sa marche. Son nouveau local l'enchantait, elle en imaginait l'agencement dans ses moindres détails.

— Et là, dit-elle à Valère, je mettrai des étagères de fer forgé en forme d'escalier. J'y disposerai les orchidées. Dans la vitrine il y aura des bouquets tout faits, prêts à être achetés, des compositions simples mais élégantes.

— Ce sera magnifique. Je m'occuperai de l'appartement pendant que tu arrangeras tout ici.

— J'ai hâte d'y être ! Mais la bastide me manquera un peu, c'est une maison extraordinaire. Les gens vont l'adorer, je suis sûre qu'Anne et Jérôme auront beaucoup de succès. C'est une bonne année qui commence pour toute la famille…

— Alors pourquoi ne veux-tu pas faire ce test ?

— Non, non, non !

— Mais tu n'as pas envie de savoir ?

— Je refuse d'être déçue encore une fois, je ne pourrais pas le supporter. Quinze jours de retard, ce n'est rien, il peut y avoir mille autres raisons. On verra dans quelques semaines. (Résolue à changer de sujet, elle se remit à parler du magasin.) J'ai dix mètres carrés de plus que dans l'ancienne boutique, ça compte ! Je fais placer le comptoir là, avec la caisse de ce côté, les dérouleurs de papier d'emballage et de rubans ici, le présentoir des cartes de vœux… Tu sais quoi ? L'incendie a été notre chance ! Un mal pour un bien. On redémarre du bon pied et tout ira pour le mieux. Cet endroit est plein d'ondes positives, je le sens !

En la voyant si exaltée, Valère fut certain que, contrairement à ce qu'elle affirmait, elle pensait au bébé. Si elle essuyait un nouvel échec, le magasin parviendrait-il à lui servir de dérivatif ?

LILY avait tenu à accompagner Anne pour ses achats. Meubler et décorer les chambres d'hôtes sans se ruiner demandait un peu d'imagination, et Lily connaissait toutes les bonnes adresses de Bayonne et de Biarritz. À la fin de la journée, la voiture d'Anne se retrouva chargée jusqu'au toit.

Lily éprouvait de la reconnaissance envers Anne pour avoir couvert son escapade au Baya. Éric n'avait pas manqué de raconter en riant qu'il avait cru apercevoir dans un bar une femme ressemblant à la sienne, preuve que Lily l'obsédait ! Moqueuse, elle l'avait traité d'idiot avant de lui faire remarquer qu'elle déjeunait ce jour-là à la bastide avec sa sœur et son frère. Mais par mesure de sécurité, elle avait jeté la robe, de peur qu'il ne la reconnaisse.

Anne rapportait des tables de chevet, des lampes, des tapis et du linge de maison. Elle avait vidé son compte en banque mais tout serait prêt pour le premier jour du printemps, comme prévu. Avant de quitter Biarritz, elle fit un crochet par le port des pêcheurs et se gara non loin de l'immeuble de ses parents. Toute la journée, elle y avait pensé. Devait-elle avoir une conversation avec sa mère ? Au moins lui dire qu'elle savait ce qui s'était passé avant sa naissance, vider ce contentieux de trente-six années, cesser de faire semblant. Mais à quoi cela servirait-il aujourd'hui ? Sa mère n'allait pas se mettre à l'aimer pour autant ! Et elle serait sans doute horrifiée qu'Anne connaisse la vérité.

Les yeux rivés sur les fenêtres de l'appartement, elle hésita un long moment. Elle se souvenait très bien que lorsqu'elle avait annoncé son intention de trier les papiers d'Ariane, sa mère lui avait dit de tout jeter sans perdre son temps. Par crainte des confidences posthumes de sa belle-sœur ? Eh bien, oui, à travers son journal Ariane avait livré la vérité. Était-ce un mal ou un bien ? Au moins, Anne comprenait pourquoi elle n'avait pas eu droit à la tendresse maternelle dont Lily et ses frères jouissaient. À présent, elle n'avait plus à se poser de questions sur elle-même, elle n'était pas en cause. Ariane l'avait inno-centée, lui offrant ainsi un cadeau supplémentaire.

Elle distingua la silhouette de son père qui passait devant la baie vitrée du séjour. Non, décidément, elle allait se taire. Qu'elle soit ou non la fille de Gauthier ne changeait rien. Il était son père de toute façon. En démarrant, elle se sentit légère, comme apaisée. Elle allait pouvoir lire la fin du cahier.

9

LE temps file, le débit du sablier s'accélère. Anne et Paul ont eu un garçon qu'ils ont appelé Léonard. Un choix étrange car mon grand-père Nogaro se prénommait ainsi. L'ai-je cité devant Anne quand nous feuilletions les albums de photos ? En tout cas, elle m'a invitée au baptême, ce que Lily n'avait pas jugé bon de faire pour ses filles. C'est la dernière fois que j'ai vu Gauthier et Estelle, toujours aussi peu aimables à mon égard. Et toujours muets sur l'argent qu'ils me doivent ! De plus, Estelle me regarde avec horreur, regrettant sans doute ses confidences.

Récemment, j'ai demandé à Pierre Laborde où en sont mes avoirs. Grâce à mon sens de l'économie, je suis à la tête d'un petit magot qui devrait suffire à Anne pour se libérer des droits de succession si elle décide de garder la bastide. Ouf !

Elle vient régulièrement m'apporter des gâteaux et me faire la conversation. Deux fois, je l'ai invitée à dîner avec son mari. Je ne suis pas persuadée que cet homme l'épanouisse.

Anne, petite Anne, qu'as-tu fait de ta fantaisie ? Ne laisse aucun homme te la voler au nom de l'amour. Près de Paul, je te vois trop sage dans ton rôle d'épouse et de mère.

Je constate que, désormais, je m'adresse directement à toi. Mais tu auras compris, depuis la première ligne, que mes cahiers te sont destinés, et à toi seule.

Mon cœur donne des signes de fatigue, la vieillesse est là. J'ai acheté un chien. Plus exactement je l'ai adopté dans un refuge. Il est tout jeune mais déjà énorme. Personne n'en voulait, paraît-il. À peine arrivé, il a pris possession des lieux, il est le cerbère de la bastide et mon ange gardien.

Tu as rencontré Goliath et tu l'as trouvé beau. Pas de commentaire acerbe, aucune stupeur, nul jugement. Quand nous parcourons la maison ensemble et que je te raconte les fêtes qu'on y donnait autrefois, tu m'écoutes sans ennui, tu demandes des détails. Tu m'as interrogée à plusieurs reprises sur l'exploitation du pin des Landes à l'époque de la résine, et tes questions sont pertinentes.

Je ne vais pas très bien. Je l'ai lu dans ton regard lors de ta dernière visite. Je n'aurai pas recours aux médecins, incapables qu'ils seraient de me rendre ma jeunesse. Je crois avoir fait mon temps. L'heure est donc venue de te parler de ce rubis en forme de goutte, unique souvenir de Paul-Henri et seul bijou que j'ai conservé comme « poire pour la soif ». Il est caché au fond de la cave, scotché dans le cul d'une bouteille de romanée-conti dissimulée parmi d'autres grands crus. On ne porte plus ce genre de bijou, vends-le donc, il est à toi.

Ton mari doit venir vacciner Goliath ce soir. J'ai une douleur dans le bras gauche et dans la poitrine. La Faucheuse est-elle déjà à ma porte ? Si c'était le cas, sais-tu ce que j'aimerais pour mon enterrement ? Ce si beau requiem de Mozart, dont le *Lacrimosa* m'a toujours tiré l

Un trait tremblé barrait la fin de la page, les suivantes étaient vierges. Anne avait la gorge serrée par l'émotion, ayant l'impression d'avoir vécu les derniers instants d'Ariane avec elle. Ce soir-là, exactement un an auparavant, sa tante avait succombé à un infarctus massif alors qu'elle était sans doute en train d'écrire les derniers mots. Goliath l'avait veillée car Paul l'avait trouvé couché contre elle. Le cahier était tombé plus loin. Par la suite, le chien l'avait traîné dans son panier parce qu'il portait l'odeur de sa maîtresse, et Anne ne l'y avait déniché que des mois plus tard.

Réprimant un sanglot, elle mit sa tête entre ses mains et resta un long moment immobile, bouleversée. Tout le récit des deux cahiers de moleskine s'adressait à elle. *Rien* qu'à elle.

Le *Lacrimosa* du requiem de Mozart ? Il n'avait pas été joué à l'enterrement, mais elle allait se le procurer et le faire résonner dans toute la maison ! Elle devait bien ça à Ariane qui l'avait aimée davantage qu'une nièce, plutôt comme la fille qu'elle n'avait pas eue.

Elle se redressa, pensa à la cave. Enfilant en hâte sa robe de chambre, elle sortit sans bruit dans le couloir, le chien sur ses talons. Dans la cuisine, elle prit une lampe torche et ouvrit la porte donnant sur l'escalier de pierre.

En bas, il y avait une première cave voûtée, puis une arrière-cave où se trouvaient les fameuses bouteilles couvertes de poussière dans leur casier. Elle répertoria un margaux, quatre sauternes, deux château-d'yquem, trois rieslings et un pommard, mais pas de romanée-conti. Repassant dans la première cave, elle dirigea le faisceau de sa lampe le long des murs. À part les pots de peinture et les bâches de Jérôme, il n'y avait que quelques bouteilles vides empilées dans un coin. Elle s'approcha pour mieux les voir et laissa fuser une exclamation de dépit en découvrant l'étiquette qu'elle cherchait. Jérôme avait dû boire ce vin rare en douce, sans doute avec Ludovic, et jamais elle ne saurait si un rubis y était caché. Ces deux abrutis ne l'avaient évidemment pas trouvé, sinon ils n'auraient pas pu s'empêcher de s'en vanter. À moins que Ludovic n'ait fait main basse dessus sans rien dire à Jérôme.

Elle saisit la bouteille et, en la retournant à tout hasard, eut un coup au cœur. Elle braqua le faisceau de la lampe, distingua une petite boule à peine visible. Avec les années, la colle du Scotch avait formé une sorte de magma qui adhérait parfaitement aux parois. Elle essaya en vain de l'attraper et décida de remonter à la cuisine.

Surexcitée, elle grimpa l'escalier quatre à quatre et alla déposer la bouteille sur le billot. Avec la pointe d'un couteau, elle parvint à extraire la boule de sa cachette. Elle arracha un minuscule morceau de papier de soie qui protégeait la pierre et découvrit le rubis. Elle le prit entre le pouce et l'index, l'éleva devant la lumière.

En forme de goutte et surmonté d'une bélière qui permettait de le porter en pendentif, il avait la couleur du sang, un rouge pourpre fascinant. Sans inclusion apparente, il semblait liquide tant il était pur. Quelle pouvait être sa valeur ? Anne n'envisageait pas un instant de le porter. Il représentait une sorte d'assurance pour l'avenir. Une poire pour la soif, selon l'expression d'Ariane. Et sans la paresse de Jérôme, il aurait disparu ! Elle devait lui trouver une autre cachette, plus sûre. Serrant le bijou au creux de sa main, elle remonta dans sa chambre. Après avoir glissé le rubis dans une enveloppe, elle plaça les deux cahiers et l'enveloppe au fond d'un tiroir. Devait-elle louer un coffre à la banque ? Aller se renseigner auprès d'un joaillier ?

— Qu'est-ce que tu trafiques ? demanda Jérôme depuis le seuil. Tu as un problème ? Pourquoi es-tu debout au milieu de la nuit ?

— Pourquoi bois-tu les bons vins en cachette ? demanda-t-elle.

— Tu as découvert ça ? J'aurais dû faire disparaître les cadavres.

— Sur ce point, tu as été bien inspiré. Mais tu ne m'as pas répondu.

— Nous n'avons commis ce crime que deux fois avec Ludovic. Je voulais lui faire goûter un grand cru, il n'en avait jamais eu l'occasion. Désolé, Anne. Maintenant, je ne comprends toujours pas pourquoi tu visites les caves la nuit.

— Je vais te le raconter, assieds-toi.

Un peu étonné, il s'installa en face d'elle et écouta son récit en silence. Elle mentionna l'existence des cahiers, mais sans révéler ce qui concernait leurs parents, se contentant de résumer les trois mariages d'Ariane et son acharnement pour racheter la maison.

— À part moi, personne ne venait la voir. Elle tenait ce journal pour se distraire, en espérant que je le trouverais après sa mort.

— Tu me le feras lire ?

— Non, c'est trop personnel. Ce que je peux te dire est qu'elle aurait adoré ce que nous sommes en train de faire avec la maison.

Elle sourit à Jérôme et acheva l'histoire par l'épisode du rubis. Il la regardait d'un air si incrédule qu'elle sortit l'enveloppe du tiroir, fit glisser le bijou dans sa main et le lui tendit.

— Putain de bordel, jura-t-il, on aurait pu le *perdre* ?

— Par ta faute, oui.

— Qu'est-ce que tu vas en faire ? Le vendre ?

— J'ignore sa valeur, mais je suppose qu'il pourra nous aider en cas d'ennuis.

— Mais nous n'aurons pas d'ennuis, Anne ! Nos chambres d'hôtes vont marcher d'enfer, tu verras.

— Eh bien, on refera le toit avant qu'il ne nous tombe sur la tête !

— Ça m'enlève une épine du pied, avoua-t-il. Tu galères avec tes dossiers de comptabilité pour faire rentrer de l'argent, moi j'en suis incapable, et je commençais à me demander si on ne jouait pas un peu les funambules…

— Tu penses à ce genre de choses ?

— Oui, ironisa-t-il, je suis moins bête que ce qu'on imagine.

— Moins indifférent ?

— Aussi.

— C'est parce que tu es amoureux.

— Il m'obsède, reconnut-il.

Elle hésita un peu puis demanda d'une voix douce :

— S'il avait trouvé le rubis en versant le romanée-conti, ne penses-tu pas qu'il l'aurait mis dans sa poche et gardé pour lui ?

— Je l'ignore. Tu le détestes ?

— Il t'a menti, il m'a volée, il n'a eu aucune pitié pour Valère…

— Mais si ! Il pouvait se défaire de l'appareil photo dans l'heure, nous n'aurions jamais dû le retrouver. Tes chandeliers non plus.

— Il aurait eu des remords tardifs ?

— Peut-être.

— Écoute, dit-elle en se penchant au-dessus du bureau, tu ne choisis pas la facilité si tu t'obstines dans cette histoire.

— Je vais y aller prudemment. Pas à pas.

— Tu sauras ?

— J'essaierai. Promis !

Il réprima un bâillement puis se leva.

— Pour le bijou, bouche cousue ?

— Ça m'est égal, Jérôme. Mais si tu le fais savoir, nous serons encore plus mal vus, et Ariane sera carrément maudite.

Elle n'était pas persuadée que son frère sache se taire, pourtant elle s'en moquait. Depuis qu'elle avait pris en main les rênes de la maison, et celles de son destin, elle se sentait tout à fait libre.

ABASOURDI, Julien relut la lettre de Paul. Il avait fait ses comptes et voulait récupérer son capital sans tarder. Se plaisant à Paris, il comptait acheter un appartement.

Dans ses phrases courtes on ne décelait aucune amitié, il s'adressait à son confrère en tant qu'associé et terminait par une formule toute faite.

Jamais les choses n'auraient dû s'achever de cette manière sordide. Paul était quelqu'un de *bien*, mais l'échec de son mariage l'avait rendu odieux. « Ça lui passera, malheureusement ce sera trop tard pour qu'on se réconcilie ! » pensa Julien avec amertume.

— Où vais-je trouver une somme pareille ?

Recommencer à s'endetter pour les dix prochaines années était une perspective décourageante.

— Vous parlez tout seul ?

Véronique avait passé la tête à la porte et lui souriait gentiment.

— Brigitte est partie déjeuner. On mange un croque-monsieur ensemble? Mais je vous dérange, vous lisiez votre courrier.

— J'ai fini, dit-il en rangeant la lettre de Paul. Va pour le croque si on prend ma moto.

Il lui tendit un casque, mit le sien, démarra sa moto et attendit qu'elle prenne place derrière lui.

Il s'arrêta devant leur bistrot habituel après s'être offert quelques détours pour le plaisir de la balade.

— Je devrais m'acheter une de ces machines, c'est génial, dit-elle en mettant pied à terre. Vous, vous allez me raconter vos soucis parce que vous êtes carrément sinistre aujourd'hui.

En revanche, elle semblait d'humeur joyeuse. Elle n'habitait plus chez Brigitte et louait un appartement avec terrasse à deux pas de la clinique. Ils s'attablèrent et commandèrent des salades landaises, une bière pour lui et un Perrier pour elle.

— Julien, je voudrais savoir si vous êtes content de mon travail.

— Très. Les clients vous ont immédiatement adoptée, et vous avez un bon contact avec les animaux. (Il l'observa quelques instants, essayant de deviner ses intentions.) Vous comptez rester ici, Véronique?

— Bien sûr. J'ai trouvé exactement ce que je cherchais: un climat plus doux que celui de ma Bretagne natale, mais toujours l'océan. Je ne suis pas du tout citadine, la ville m'ennuie et m'attriste.

— Vous n'êtes pas plutôt venue pour vous remettre d'un gros chagrin?

— Oh, je vois que Brigitte a bavardé… Je m'en suis remise, j'ai tourné la page. Je me sens bien à la clinique, bien avec vous.

Il eut peur qu'elle ne soit en train de lui faire du charme. Pourtant, il avait gardé ses distances, évité avec soin toute ambiguïté.

— Quand vous m'avez embauchée, vous m'aviez laissé entendre qu'une association serait envisageable dans l'avenir si nous nous entendions bien. Est-ce d'actualité ou trop tôt pour vous prononcer?

— Pourquoi me demandez-vous ça?

— Eh bien, en ce qui me concerne, je serais partante! Dès que vous aurez assez confiance en moi, dites-le-moi. Je suis prête à racheter les parts de votre ami Paul.

— Vous auriez les capitaux? s'enquit-il avec un peu de méfiance.

— Mes parents peuvent m'aider sans problème, je leur en ai parlé.

Éberlué par sa proposition, il ne répondit pas tout de suite et elle insista, volubile :

— S'il vous plaît, Julien ! Ne cherchez pas d'autre associé que moi, je vous assure que je ne vous décevrai pas. Votre clinique, c'est ce dont je rêvais quand je faisais mes études ! Et même si j'avais les moyens financiers, je ne m'installerais jamais toute seule…

— D'accord, d'accord. Mais qu'est-ce qui arrivera quand vous vous marierez, que vous aurez plein d'enfants ?

— Et alors ? J'adore ce métier, je ne le lâcherai jamais. Je n'ai pas travaillé comme une forcenée à l'école vétérinaire de Nantes pour me retrouver en train de tricoter près d'un berceau. Nous ne sommes pas de la même génération vous et moi, c'est vrai, mais ainsi nous serons complémentaires. Allez, Julien, laissez-vous convaincre…

Il se mit à rire parce qu'elle avait parlé de « génération ». Comment avait-il pu s'imaginer qu'elle le draguait alors qu'elle le trouvait vieux ?

— Véronique, je crois qu'on va s'entendre.

Elle poussa un cri de joie et voulut absolument commander deux coupes de champagne pour fêter ça. Ils étaient en train de trinquer quand le portable de Julien sonna. En voyant s'afficher le numéro d'Anne, il s'empressa de prendre la communication.

— Je ne te dérange pas ? demanda-t-elle.

— Oh non, pas du tout ! Je bois du champagne avec Véronique. Nous avons un truc à fêter.

— Alors, je ne veux pas être indiscrète, déclara-t-elle sèchement. Je te rappellerai plus tard.

— Non, attends !

Adressant un signe d'excuse à Véronique, il se leva et sortit du bistrot.

— Elle vient de me proposer de racheter les parts de Paul.

— Tu vas t'associer avec elle ?

— Est-ce que ça t'ennuie ?

— Non, ça me surprend, c'est tout. D'ailleurs, je n'ai pas mon mot à dire, c'est ton affaire. Mais je trouve que tu te précipites.

— Paul m'a envoyé une lettre, il commence à s'impatienter.

— Déjà ? Il est gonflé !

— Donc, l'offre de Véronique tombe à pic.

— Eh bien, tu seras décidément entouré de jolies filles ! Entre Brigitte et Véronique, tu…

— Anne ? Si ça t'agace qu'il y ait des jolies filles dans mon entourage, j'y vois un signe très encourageant.

Anne se tut assez longtemps pour qu'il s'inquiète.

— Tu es toujours là ?

— Oui… Bon, je suis contente que tu aies trouvé une solution.

— Est-ce que je peux passer te voir dimanche, qu'on regarde de près les chiffres de la cession de parts ?

— Viens donc déjeuner, proposa-t-elle plus gentiment.

— J'apporte le dessert.

En remettant son téléphone dans sa poche, il se mit à siffloter.

Pierre Laborde semblait avoir vieilli en quelques mois. Il se tenait voûté, ses mains tremblaient et son regard s'était voilé.

— Je suis officiellement à la retraite, annonça-t-il, mais c'est un plaisir de vous recevoir, Anne. Comment allez-vous ?

Elle s'installa dans le fauteuil qu'il lui désignait et déposa les deux cahiers de moleskine avec l'enveloppe sur un coin du bureau. Tout de suite, il parut hypnotisé par leur vue. Mais il était trop habile pour en parler le premier.

— Je n'ai pas pu entreprendre tout ce que j'aurais voulu pour retaper la bastide, déclara Anne, mais nos travaux sont presque terminés. Nous allons pouvoir accueillir nos premiers clients dès le mois prochain, avec l'arrivée du printemps.

— Ariane aurait été contente, affirma le notaire. Son plus grand souhait était que la maison vive après elle. Vous l'ouvrez au monde, vous la mettez en valeur, vous la partagez, c'est formidable. Et, surtout, vous la gardez.

— Je ne me vois plus vivre ailleurs, admit-elle en souriant. J'y ai trouvé beaucoup de choses et, mieux encore, je m'y suis trouvée moi-même. Je suppose qu'Ariane le savait.

— En effet, elle avait essayé de tout prévoir.

— Vous n'imaginez pas à quel point !

Elle prit l'enveloppe, en sortit le rubis qu'elle plaça devant lui.

— Oh, s'exclama-t-il, le pendentif de Paul-Henri… Elle l'avait donc conservé ? Êtes-vous tombée dessus par hasard ?

— Non. C'est son ultime cadeau posthume. Vous aurez l'explication dans ces cahiers.

— Vous me les confiez ?

— Je vous laisse les lire puis les mettre en lieu sûr, avec le rubis.

— À l'étude ? Non, impossible. Louez donc un coffre dans une banque sérieuse. En attendant, j'en prendrai grand soin.

— Il y a de drôles de secrets là-dedans, dit-elle prudemment. Des révélations qui pourraient heurter ma famille. Il vaut mieux que ça reste entre vous et moi.

— Je comprends. Vous savez, au fil de mes conversations avec votre tante, je n'ai pas acquis une haute estime de son entourage.

S'aidant des accoudoirs de son fauteuil, il se leva.

— La succession est close, tout est bien à présent. Louez ce coffre et mettez-y le rubis. Il sera pour vous comme une poire…

— … pour la soif, je sais. Elle aimait cette expression.

— Et Goliath ? demanda-t-il encore en lui serrant la main.

— Nous nous gardons mutuellement. Je l'aime beaucoup.

— Elle doit vous bénir de là-haut ! Prenez soin de vous, Anne.

En montant dans sa voiture, elle constata qu'elle n'avait pas pensé à Paul depuis un ou deux jours. La douleur de leur séparation commençait à s'estomper. Elle s'était trompée sur lui et sur elle-même. Il y avait eu un marché de dupes dans leur mariage, mais elle l'avait compris trop tard. C'était l'héritage d'Ariane qui avait montré la faille, elle ne le regrettait pas.

TRIOMPHALEMENT, Jérôme exhiba le panneau métallique bleu et vert qu'il venait de recevoir, celui des chambres d'hôtes à accrocher à l'entrée du chemin.

— Comme ça, nous serons plus faciles à trouver, affirma-t-il. Sinon, la plupart des gens passeraient devant le portail sans le voir.

C'était la première fois de sa vie qu'il menait quelque chose à bien et il exultait. Jamais il n'aurait imaginé tirer un tel plaisir de son propre travail. Il le devait à sa sœur, dans une certaine mesure à la tante Ariane qu'il avait si mal connue et négligée, mais aussi à lui-même parce qu'il s'était enfin accroché. Les années de stupides galères à Londres lui paraissaient loin, il était devenu quelqu'un d'autre.

L'arrivée de Julien fut l'occasion de s'extasier encore une fois sur l'enseigne qui allait faire de la bastide une maison d'hôtes. Suki en profita pour jeter un coup d'œil dans la cocotte où cuisait un poulet, et Jérôme se souvint qu'il avait promis à sa sœur de préparer un bon dîner. Était-ce en l'honneur de Julien, pourtant un habitué de la maison ? Il avait oublié la consigne et rien d'extraordinaire n'était prévu, tant pis.

— Tu as apporté des fleurs ? railla-t-il en débarrassant Julien de son bouquet. Comme c'est original !

— Elles ne sont pas pour toi, répliqua Julien du tac au tac.

— Donne, dit Suki, je vais les mettre dans un vase.

En quelques gestes précis, elle disposa les roses rouges.

— Anne n'est pas là ?

— Rassure-toi, elle ne va pas tarder, elle avait quelqu'un à voir à Dax, ensuite elle récupérait Léo à la pension.

— Tu bois quelque chose ? intervint Valère.

Toujours conciliant, il servit l'apéritif en racontant qu'il venait de décrocher deux reportages photo.

— La saison des mariages va recommencer, tant mieux, j'ai hâte de tester le Nikon en situation. Et puis nous allons emménager. À tous points de vue ce sera un nouveau départ.

— Mais il faut quitter cette maison qui a été notre refuge et qui nous a porté bonheur, murmura Suki.

Valère regarda sa femme, comme s'il s'attendait qu'elle ajoute quelque chose, mais elle se tut et garda les yeux baissés.

— Nous voilà ! claironna Léo en ouvrant la porte à la volée.

Suivi d'Anne, il affichait un air béat.

— Le billard sera livré la semaine prochaine ! annonça-t-il.

— On le met bien dans le petit salon ? s'inquiéta aussitôt Jérôme.

— Oui, c'était convenu, Léo est d'accord, intervint Anne.

— Et les clients pourront en profiter ! ajouta Jérôme. Parce que, à propos de nos hôtes à venir… (D'un geste théâtral, il désigna le panneau qu'Anne n'avait pas vu.) Qu'en dis-tu ? Il a de l'allure, non ? Mais ce n'est pas tout, ma grande, le plus beau, c'est ça… (De sa poche il extirpa une feuille imprimée.) Nous avons déjà quatre réservations pour le mois d'avril. Quatre, et ce n'est qu'un début ! Tout ça grâce au site Internet, mais j'envisage d'autres moyens de nous faire connaître. Il y a des guides spécialisés, des annonces à insérer dans les journaux gratuits…

Anne ne l'écoutait que distraitement, ce qui le vexa. Le regard de sa sœur se tourna vers Julien à qui elle sourit.

— On croirait du velours, ces roses ! Mais tu pouvais venir les mains vides.

Elle s'adressait à lui d'un ton particulier, comme s'ils venaient de se rencontrer. À l'évidence, leurs rapports étaient en train de changer, et Jérôme se sentit capable de s'en réjouir au lieu de s'amuser à semer la zizanie entre eux.

Ils dînèrent dans la cuisine, se régalant du poulet auquel Jérôme avait finalement ajouté de l'estragon, de la crème et des champignons. Léo évoquait les vacances de printemps. Il obtint de Julien la promesse de quelques cours de surf, mais Anne lui rappela qu'il devrait également se rendre à Paris pour voir son père et ses grands-parents. Léo avait besoin de son père, et elle ferait son possible pour qu'ils restent proches l'un de l'autre malgré la distance.

Vers 23 heures, Valère et Suki allèrent se coucher, Jérôme proposa une partie d'échecs à Léo. Aussitôt, Julien décida de partir, comme s'il ne voulait pas rester seul face à Anne, mais elle le retint.

— Prends une infusion avec moi, je voudrais qu'on bavarde. On a des choses à se dire, Julien.

— Tout de suite ? Je crois au contraire que…

— … que c'est trop tôt ? Oui, mais nous sommes dans une situation très inconfortable et je préfère être franche avec toi. J'ai eu un petit pincement de jalousie, l'autre jour, en apprenant que tu sablais le champagne avec Véronique. Et ça m'agace de le constater.

— En ce qui me concerne, je suis ravi.

— Non ! Rends-toi compte que nous ne pourrons même plus être des amis si…

— Aucune importance, on fera semblant en attendant. J'ai des trésors de patience, Anne. Et il va nous en falloir. Je suis persuadé qu'il y a des choses que tu ne supporterais pas d'entendre. Tu ne veux pas avoir à te dire que tu as bien vite remplacé Paul. Tu ne veux pas que ton fils le pense.

— Tu sais tout ça ?

— Je te connais, je connais ta famille. Les réflexions acides de ta mère, le cynisme de Jérôme, la jalousie de Lily… Pas question de t'infliger ce genre de commentaires. Il n'y a qu'en laissant passer du temps qu'on aura le droit d'être tranquilles. (Il prit sa main, la serra dans les siennes.) Depuis des années, j'essaie d'ignorer que tu me plais. Une attirance indigne, occultée par respect pour Paul et au nom de l'amitié. J'ai été sincèrement consterné de votre séparation. Vous étiez un couple de référence pour moi, et jamais je n'ai souhaité que ça se finisse par un divorce. Mais c'est le cas. Vous avez mis un terme à votre histoire et je n'y suis pour rien. Aujourd'hui, je me sens libre de tenter ma chance avec toi, sauf que ce n'est pas le moment. Tu viens de subir un choc et tu n'es pas prête. Jusqu'ici, tu m'as regardé comme un copain, comme l'associé de ton mari, et je voudrais que ton regard change. Moi, à force de t'observer, je sais exactement tout ce qui me séduit chez toi. Tu es belle, mais pas seulement. Tu as un rayonnement particulier qui me chavire. Tu aimes les gens pour ce qu'ils sont sans vouloir les changer. Tu ne te voiles pas la face pour affronter les réalités. Tu es solide et courageuse. Tu…

— Arrête ! s'exclama-t-elle avec un rire gêné. C'est moi, tout ça ?

— Non, tu m'as interrompu, je n'avais pas fini. En fait, je pourrais te parler de toi toute la nuit. Mais je vais rentrer chez moi et penser à toi sous ma couette, je n'ai pas le choix.

Il lâcha enfin sa main, se leva et contourna la table. Penché au-dessus d'elle, il l'enlaça puis l'embrassa. Elle se souvenait du goût de sa bouche, de l'odeur de sa peau, elle avait souvent repensé à ce premier baiser sur les marches du perron.

— Je t'appelle demain, murmura-t-il.

— Attends ! Est-ce que tu as pensé à mon *Requiem* ?

— Je l'ai oublié dans la voiture, viens…

Ils sortirent ensemble, flanqués de Goliath.

— Cet enregistrement, sous la direction de Karl Böhm, est un des meilleurs, du moins à mon goût.

Il lui tendit le CD, effleura sa joue et se dépêcha de démarrer. Elle regarda ses feux arrière disparaître au bout du chemin, puis elle leva la tête vers le ciel étoilé.

Elle regagna la cuisine, négligea les reliefs du dîner et monta directement dans son bureau dont elle ferma la porte avec soin.

— Écoute ça, dit-elle au chien en introduisant le CD dans sa chaîne.

Après avoir sélectionné le *Lacrimosa*, elle prit un des albums de photos sur une étagère et s'assit à même le parquet. Tandis que s'élevaient les premières notes, si pathétiques, elle se mit à tourner les pages. Ariane bébé, avec son grand-père qui se prénommait Léonard. Ariane fillette, tenant son petit frère par la main. Ariane jeune fille, entre ses parents. Tout le passé des Nogaro qu'Anne avait appris à connaître. Qu'elle soit leur descendante ou pas ne changeait rien, cette famille était la sienne, cette maison était la sienne, et elle avait repris le flambeau.

Elle referma l'album, écouta le morceau jusqu'à la fin. Un ultime remerciement à Ariane. Les deux cahiers de moleskine et leurs secrets étaient en sûreté, le rubis déposé à la banque où elle s'était rendue après avoir quitté Pierre Laborde. Un an plus tôt, dans cette même étude, elle ignorait encore tout du testament qui allait bouleverser sa vie. Était-elle aujourd'hui la même femme que la petite Anne écoutant, éberluée, les dernières volontés de sa tante?

Un claquement sec annonçant la fin du CD fit tressaillir Goliath endormi. Anne se releva et alla ouvrir la fenêtre. Au-delà de la clairière, les silhouettes des arbres formaient une masse noire sous le ciel bleu nuit. Le silence accentuait l'impression de sérénité, de plénitude, et la douceur de l'air annonçait le printemps. Anne eut la certitude qu'elle serait heureuse ici et qu'elle ne devait plus regarder en arrière. En jetant l'ancre ici, contre l'avis de tout le monde, elle avait réussi le paradoxe de réunir les siens sous son toit. Valère et Suki allaient repartir du bon pied. Jérôme s'était rendu indispensable, et peut-être avait-il gagné assez de maturité pour gérer sa première histoire d'amour si chaotique avec Ludovic. Lily elle-même était venue chercher de l'aide auprès de sa sœur. L'avenir était plein de promesses dans la bastide Nogaro.

Un oiseau de nuit poussa un cri rauque à l'instant où Anne avait une pensée pour sa mère. Avec le temps, n'aurait-elle pas pu aimer un peu son enfant innocente? Chasser de sa mémoire l'épisode honteux? Mais non, Estelle n'oubliait rien, ni rancune ni haine, rien, sauf ses dettes. Anne n'avait pas envie d'y songer. Cette page-là aussi était tournée. À en croire la pleine lune et les étoiles, demain serait décidément une belle journée.

Dans la poche de son jean, son téléphone vibra. Elle afficha le message qu'elle venait de recevoir et lut :

« Comme prévu, je pense à toi. »

En fermant la fenêtre, elle souriait aux anges.

« *En réalité, l'émotion la plus intense, la plus grave peut-être, c'est de mettre un point final au livre qu'on vient d'achever. Se séparer des personnages avec lesquels on a vécu durant des mois est un vrai déchirement.* »

Françoise Bourdin

Lorsque l'on demande à Françoise Bourdin, dont chaque roman devient un best-seller, d'où lui vient le goût de l'écriture, elle évoque un souvenir d'enfance : « Quand je n'étais pas sur le dos d'un pur-sang, j'étais le nez dans un livre. Mon père possédait une intéressante bibliothèque dans laquelle aucun volume n'était frappé d'interdiction. […] Toutes ces lectures éclectiques finirent par me donner une terrible envie d'écrire. » Elle avait à peine vingt ans – elle n'était même pas majeure ! – quand, en 1972, elle a publié son premier roman. Un début dans la carrière littéraire qui ressemble à un conte de fées car, dès l'année suivante, non seulement paraît son deuxième livre mais il est adapté à la télévision par Josée Dayan (dont c'est la première réalisation) : *De vagues herbes jaunes*. Et c'est Laurent Terzieff qui interprète le rôle principal. Pourtant, suit pour la jeune romancière une longue absence de la scène littéraire, une période qu'elle consacre avant tout à sa famille (elle est mère de deux filles). Puis, quand le besoin d'écrire se fait à nouveau sentir, c'est un nouveau départ : « Retrouver un éditeur après toutes ces années n'a pas été facile. J'ai galéré comme n'importe quel débutant, adressant par la poste des manuscrits comme autant de bouteilles à la mer. » Ses efforts sont récompensés : en 1991, pas un mais deux de ses romans sont publiés, *Sang et Or* et *Mano a mano*. Dès lors, quasiment chaque année, elle écrit une nouvelle histoire et bat des records de ventes. Que lui vaut un tel succès ? À n'en pas douter, bon nombre de ses lectrices et de ses lecteurs se reconnaissent dans ses personnages, criants de vérité. Françoise Bourdin porte un regard plein de justesse sur la société française et sait raconter avec sincérité des histoires de famille. La saga des Nogaro, plantée dans un beau décor landais, ne fait pas exception.

L'INDICE

DE LA PEUR

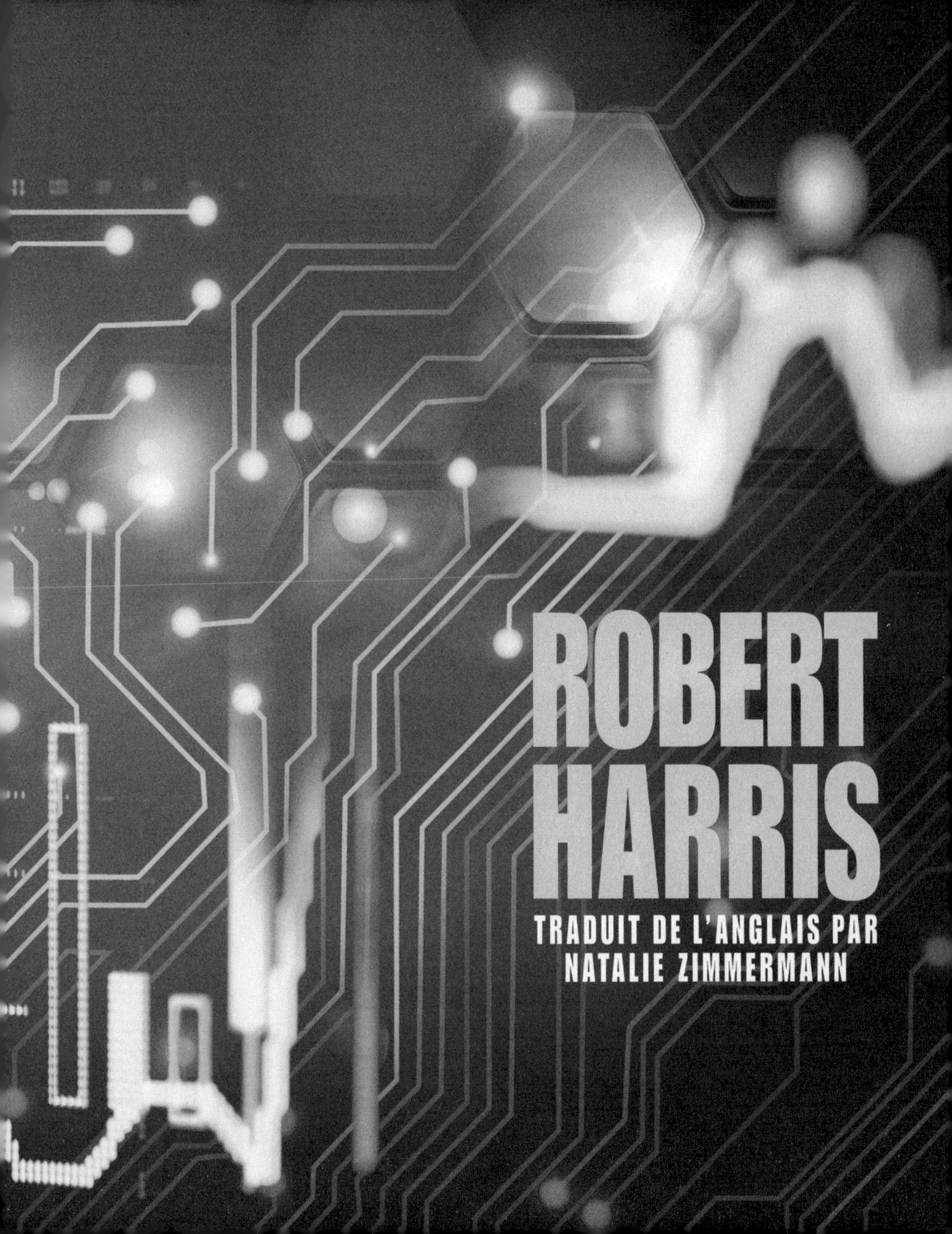

ROBERT HARRIS

TRADUIT DE L'ANGLAIS PAR
NATALIE ZIMMERMANN

Alexander Hoffmann,
financier richissime et
génie de l'informatique
passionné par son travail,
mène une vie heureuse
dans sa somptueuse propriété
au bord du lac Léman,
auprès de sa femme Gabrielle,
artiste. Mais un matin,
à l'aube, tout bascule.
Un inconnu parvient à déjouer
l'impressionnant système
de sécurité de son manoir
et assomme Alexander dans
l'entrée. C'est le début d'un
engrenage cauchemardesque
qui, en vingt-quatre heures,
va conduire Hoffmann
jusqu'aux confins de la folie
et de la mort…

1

L E Dr Alexander Hoffmann était installé au coin du feu, dans son bureau de Genève. Un cigare à demi consumé éteint dans le cendrier près de lui, une lampe d'architecte abaissée juste au-dessus de son épaule, il feuilletait une première édition de *L'Expression des émotions chez l'homme et les animaux* de Charles Darwin. La comtoise de l'entrée sonnait minuit, mais Hoffmann ne l'entendait pas. Il ne remarquait pas non plus que le feu était presque éteint. Toute sa formidable capacité d'attention était concentrée sur le livre.

Il savait que l'ouvrage avait été publié en 1872, à Londres, chez John Murray & Cie, et qu'il avait été imprimé à sept mille exemplaires. Il s'agissait de la reliure originale en toile verte et lettres dorées, à peine usée en haut et en bas. Un « bel exemplaire », qui devait valoir dans les 15 000 dollars. Il l'avait trouvé ce soir-là en rentrant du bureau, dès la fermeture des marchés new-yorkais, soit peu après 22 heures. Mais le plus étrange était que, même s'il collectionnait les premières éditions scientifiques et avait examiné cet ouvrage en ligne, il ne l'avait pas commandé.

Il avait immédiatement pensé que ce devait être un cadeau de sa femme, or elle avait nié. Il avait au départ refusé de la croire et l'avait suivie dans la cuisine pendant qu'elle mettait le couvert.

— Tu es sûre que ce n'est pas toi qui l'as acheté ?

— Oui, Alex, désolée, ce n'est pas moi. Tu as peut-être un admirateur secret.

Il n'y avait pas de message, sinon la carte d'un bouquiniste néerlandais : « Rosengaarden & Nijenhuise, livres anciens à caractère médical et scientifique, depuis 1911. Prinsengracht 227, 1016 HN Amsterdam. Pays-Bas. » Le paquet portait une étiquette avec la bonne adresse : « Dr Alexander Hoffmann, Villa Clairmont, 79, chemin de Ruth, 1223 Cologny, Genève, Suisse. » Il avait été envoyé d'Amsterdam la veille.

Après dîner, Gabrielle était restée dans la cuisine pour donner quelques coups de fil angoissés au sujet de son exposition, qui devait avoir lieu le lendemain, pendant qu'Hoffmann se retirait dans son bureau, le mystérieux livre entre les mains. Une heure plus tard, lorsqu'elle entrouvrit la porte pour lui annoncer qu'elle montait se coucher, il lisait toujours.

— Chéri, ne viens pas trop tard. Je t'attends.

Il ne répondit pas. Elle resta un instant dans l'embrasure de la porte à le regarder. Il paraissait nettement plus jeune que ses quarante-deux ans et avait toujours été plus beau qu'il ne le pensait, qualité qu'elle avait toujours trouvée séduisante chez un homme. Il n'était pas modeste pour autant. Au contraire : il affichait une suprême indifférence pour tout ce qui ne le sollicitait pas sur le plan intellectuel, et cela lui avait valu parmi les amis de sa femme la réputation d'être carrément grossier, ce qui ne déplaisait pas non plus à Gabrielle. Son visage d'éternel adolescent américain était penché sur le livre, et ses lunettes remontées en équilibre sur le sommet de son épaisse chevelure châtain clair. Avec un soupir, elle monta l'escalier.

Hoffmann savait que *L'Expression des émotions chez l'homme et les animaux* était l'un des premiers livres à avoir été publiés avec des photographies, mais il ne les avait jamais vues auparavant. Des planches monochromes montraient des modèles de peintres et des pensionnaires de l'asile d'aliénés du Surrey en proie à des émotions diverses – le chagrin, le désespoir, la joie, le défi, la terreur –, dans la mesure où il devait s'agir d'une étude sur l'*Homo sapiens* en tant qu'animal, doté de réactions instinctives animales, privé du masque des conventions sociales. Ces personnages aux yeux décalés et aux dents de travers lui firent penser à un cauchemar enfantin, où des adultes sortis d'un vieux livre de contes venaient en pleine nuit vous prendre dans votre lit pour vous emporter dans les bois.

Un autre détail troublait Hoffmann : le haut des pages consacrées à la peur avait été corné, comme pour attirer l'attention du lecteur.

« L'homme effrayé reste d'abord immobile comme une statue, retenant son souffle, ou bien il se blottit instinctivement comme pour éviter d'être aperçu. Le cœur bat avec rapidité et violence, et soulève la poitrine… »

Curieusement, le livre semblait complètement lié au projet sur lequel Hoffmann travaillait en ce moment, le VIXAL-4. Mais le VIXAL-4 était top secret, connu seulement des membres de son équipe de recherche et, même s'il tenait à les payer très bien – le salaire de base était de 250 000 dollars par an –, il n'imaginait pas l'un d'entre eux dépenser 15 000 dollars pour lui faire un cadeau anonyme. Le seul qui aurait pu se le permettre et qui aurait pu trouver ça amusant – même si cela faisait un peu cher la plaisanterie – était son associé, Hugo Quarry, et Hoffmann l'appela, sans se préoccuper de l'heure avancée.

— Allô, Alex. Comment ça va ?

Si Quarry trouvait étrange d'être dérangé après minuit, sa parfaite éducation ne lui aurait jamais permis de le montrer. De plus, il était habitué aux façons d'agir d'Hoffmann, le « professeur maboul », comme il l'appelait.

Hoffmann, qui n'avait pas cessé de lire, répliqua d'un ton distrait :

— Oh, salut. Est-ce que tu m'as acheté un livre ?

— Je ne crois pas, mon vieux. Pourquoi ? J'étais censé le faire ?

— Quelqu'un vient de m'envoyer une première édition de Darwin, et je me suis dit que, comme tu connaissais l'importance de Darwin dans le VIXAL, ça pouvait être toi.

— Dommage, mais non. Est-ce que ça pourrait venir d'un client ? Un cadeau de remerciement, et on a oublié d'y mettre la carte ? C'est possible, avec tout l'argent qu'on leur fait gagner !

— Oui, peut-être bien. D'accord. Désolé de t'avoir dérangé.

— Ce n'est rien. À demain matin. On a une grosse journée devant nous. En fait, on est déjà demain. Tu devrais être au lit.

— C'est vrai. J'y vais. Bonne nuit.

« Quand la frayeur atteint une intensité extrême, l'épouvantable cri de la terreur se fait entendre. De grosses gouttes de sueur perlent sur la peau. Tous les muscles du corps se relâchent. Une prostration complète survient rapidement, et les facultés mentales sont suspendues… »

Hoffmann porta le livre à ses narines et le huma. Un mélange de cuir, de poussière de bibliothèque et de fumée de cigare, si vive qu'il en sentait le goût, plus une légère nuance de produit chimique – du formol, peut-être, ou du gaz – l'expédièrent mentalement dans un laboratoire du XIXᵉ siècle, et, pendant un instant, il crut voir des becs Bunsen sur des plateaux en bois, des flacons d'acide et un squelette de grand singe. Il marqua sa page en glissant la carte du bouquiniste dans le livre avant de le refermer soigneusement. Puis il alla lui faire une place dans la bibliothèque entre une première édition de *De l'origine des espèces*, qu'il avait achetée aux enchères 125 000 dollars à New York, et un exemplaire relié cuir de l'ouvrage *De la descendance de l'homme* qui avait appartenu à T. H. Huxley.

Il s'efforcerait par la suite de se remémorer la chronologie exacte des événements. Il consulta sa page Bloomberg sur son ordinateur afin d'avoir les derniers indices américains : le Dow Jones, le S&P 500 et le Nasdaq avaient tous terminé à la baisse. Il lut un mail de Susumu Takahashi, l'opérateur responsable de l'application du VIXAL-4 pendant la nuit, qui lui assura que tout se déroulait parfaitement et lui rappela que la Bourse de Tokyo rouvrirait dans moins de deux heures. Elle commencerait sans doute à la baisse, pour rattraper ce qui avait été une semaine de repli sur les marchés européens et américains. Par ailleurs, le VIXAL proposait de vendre à découvert trois millions d'actions supplémentaires dans Procter & Gamble au prix de 62 dollars l'unité, ce qui leur ferait un total de 6 millions – un gros marché. Hoffmann était-il d'accord ? Celui-ci lui donna son feu vert par retour de mail, installa un pare-feu métallique devant la cheminée et éteignit les lumières du bureau. Il vérifia que la porte d'entrée était bien fermée, puis enclencha l'alarme en tapant le code à quatre chiffres. Il ne laissa qu'une seule lampe allumée au rez-de-chaussée, et gravit le grand escalier tournant en marbre blanc pour se rendre dans la salle de bains. Il se déshabilla, se brossa les dents et enfila un pyjama de soie bleu. En réglant le réveil de son portable sur 6 h 30, il remarqua qu'il était 0 h 20.

Dans la chambre, il fut surpris de trouver Gabrielle encore éveillée, allongée sur le dos en kimono noir sur le couvre-lit. Une bougie parfumée brûlait sur la table de chevet. Elle avait les mains croisées derrière la nuque. Un pied blanc et mince, aux ongles laqués de rouge foncé, dessinait de petits cercles impatients dans l'air parfumé.

— Oh, bon Dieu, dit-il. J'avais oublié la date.

— Ne t'en fais pas, répliqua-t-elle en dénouant sa ceinture pour écarter les pans de soie avant d'ouvrir les bras. Je n'oublie jamais.

Il devait être 3 h 50 quand quelque chose réveilla Hoffmann. Il fit un effort pour émerger des profondeurs du sommeil et ouvrit les yeux sur la vision céleste d'une lumière d'un blanc éclatant. Il s'agissait en fait de l'action combinée des huit ampoules halogènes au tungstène de cinq cents watts du système de sécurité qui brillaient de mille feux à travers les lattes des stores – de quoi éclairer un petit terrain de football –, et il s'était déjà dit qu'il devrait les faire changer.

Les lampes fonctionnaient avec un minuteur de trente secondes. En attendant qu'elles s'éteignent, il passa en revue ce qui avait pu les déclencher en touchant les rayons infrarouges qui quadrillaient le jardin. Ce devait être un chat, ou une branche un peu longue agitée par le vent. Au bout de quelques secondes, les lumières s'éteignirent effectivement, et la chambre fut replongée dans l'obscurité.

Mais Hoffmann était bien réveillé, maintenant. Il chercha son portable à tâtons. C'était un modèle spécialement conçu pour la société, et il permettait de crypter certains appels téléphoniques ou mails sensibles. Afin de ne pas déranger Gabrielle, il le glissa sous la couette et vérifia brièvement les résultats des transactions en Extrême-Orient. Les marchés étaient, comme prévu, en repli, mais le VIXAL-4 avait déjà grimpé de 0,3 %, ce qui signifiait qu'il avait gagné près de 3 millions de dollars depuis qu'il s'était couché. Satisfait, il reposa le portable sur la table de chevet. C'est alors qu'il entendit un bruit : léger, imprécis et cependant très troublant, comme si on bougeait au rez-de-chaussée.

Les yeux rivés sur le minuscule point rouge du détecteur de fumée fixé au plafond, Hoffmann tendit l'oreille. Ce n'était rien de particulier : un simple coup sourd. Il pouvait s'agir du chauffage ou d'une porte prise dans un courant d'air. Il n'était pas inquiet. La maison était équipée d'un système de sécurité formidable, c'était l'une des raisons qui l'avaient poussé à l'acheter, quelques semaines plus tôt : en plus des projecteurs, il y avait un mur d'enceinte de trois mètres de haut autour du jardin et un solide portail électronique, une porte d'entrée blindée munie d'un Digicode et une alarme antivol à détecteur de mouvement qu'il était certain d'avoir mise en marche avant de monter se coucher. La probabilité qu'un intrus ait pu franchir cet arsenal pour pénétrer dans la propriété était infime.

Il se leva sans réveiller Gabrielle, chaussa ses lunettes et enfila son peignoir et ses mules. Il glissa son portable dans sa poche et ouvrit la porte de la chambre. La lumière de la lampe laissée allumée en bas projetait un halo diffus sur le palier. Il s'immobilisa devant la porte et écouta. Mais le bruit – s'il y avait bien eu bruit – avait cessé. Il finit par se diriger vers l'escalier et descendit très lentement.

Peut-être était-ce dû au fait qu'il avait lu Darwin juste avant de s'endormir, en tout cas il s'aperçut, alors qu'il descendait les marches, qu'il détaillait avec un détachement scientifique l'ensemble de ses symptômes physiques. Il avait le souffle court, ses battements de cœur se précipitaient.

Il arriva au rez-de-chaussée.

Datant de la Belle Époque, le manoir avait été construit en 1902 pour un homme d'affaires français. La porte d'entrée se trouvait à gauche d'Hoffmann et, juste devant lui, il y avait la porte du salon. À sa droite, un couloir menait vers la salle à manger, la cuisine, la bibliothèque et une véranda victorienne dont Gabrielle avait fait son atelier. Il demeura parfaitement immobile, les mains levées, prêt à se défendre. Il n'entendait rien. Dans un coin du vestibule, le minuscule œil rouge du détecteur de mouvements cilla. S'il ne faisait pas attention, c'était lui qui allait déclencher l'alarme.

Il laissa retomber ses mains et traversa l'entrée jusqu'au baromètre ancien fixé au mur. Il pressa un bouton et le baromètre s'écarta. Le boîtier de commande de l'alarme était dissimulé derrière. Il tendit l'index pour taper le code qui désactivait le système.

L'alarme était déjà débranchée.

Il garda le doigt figé en l'air pendant que sa raison cherchait une explication rassurante. Peut-être Gabrielle avait-elle débranché le système puis avait oublié de le réenclencher avant de retourner se coucher. Ou bien c'était lui qui avait oublié. Ou bien il y avait un problème avec le clavier.

Très lentement, il se tourna vers la gauche pour examiner la porte d'entrée. Elle semblait bien fermée et ne présentait pas de trace d'effraction. Il s'avança vers la porte et tapa le code. Il entendit les verrous s'ouvrir. Il saisit la grosse poignée de laiton, la tourna et sortit sur le perron obscur.

Au-dessus de la pelouse d'un noir d'encre, la lune semblait un disque bleu argenté. La silhouette noire des grands sapins qui protégeaient la maison de la route oscillait et bruissait dans le vent.

Hoffmann fit quelques pas sur l'allée de gravier, juste assez pour déclencher les projecteurs devant la maison. La luminosité le fit sursauter. Il leva le bras pour se protéger les yeux et se retourna vers le rectangle jaune de l'entrée éclairée, remarquant alors une paire de grosses chaussures noires soigneusement rangées à côté de la porte, comme si leur propriétaire n'avait pas voulu laisser de traces de boue à l'intérieur. Ce n'étaient pas les chaussures d'Hoffmann, et encore moins celles de Gabrielle. Et il était certain qu'elles ne se trouvaient pas là quand il était rentré, près de six heures plus tôt.

Hypnotisé par les souliers, il chercha son portable à tâtons, faillit le laisser tomber et composa le 117.

À la première sonnerie, une femme répondit avec brusquerie :

— *Oui, police*[1] ?

Hoffmann trouva la voix très sonore dans le silence ambiant. Il prit alors conscience qu'il était complètement exposé, dans la lumière des projecteurs. Il se déporta vers la gauche, hors du champ de vision de quelqu'un qui regarderait depuis le couloir. Il chuchota :

— *Il y a un intrus dans ma propriété*.

— *Quelle est votre adresse, monsieur* ?

Il la lui donna, se déplaçant toujours le long de la façade.

— *Et votre nom* ?

— Alexander Hoffmann, chuchota-t-il.

Les projecteurs de l'alarme s'éteignirent.

— *D'accord, monsieur Hoffmann. Restez là. Une voiture est en route*.

Elle raccrocha. Hoffmann se trouvait au coin de la maison, seul dans l'obscurité. Il faisait particulièrement froid pour une première semaine de mai en Suisse. Le vent du nord-est arrivait directement

---

1. Les phrases suivies d'un astérisque sont en français dans le texte.

du lac Léman. Il entendait l'eau clapoter contre les appontements tout proches. Il resserra son peignoir sur ses épaules. Il tremblait violemment et il dut serrer les dents pour les empêcher de claquer. Pourtant, curieusement, il ne ressentait aucune panique. Il huma l'air et coula un regard vers le côté de la maison, en direction du lac. Il y avait une lumière allumée au rez-de-chaussée quelque part sur l'arrière de la demeure.

Il attendit trente secondes, puis se dirigea furtivement vers la lumière, se frayant un chemin à travers les touffes de graminées qui bordaient ce mur. En se rapprochant, il s'aperçut que la lumière venait de la cuisine et, lorsqu'il passa la tête devant la fenêtre, il distingua la silhouette d'un homme à l'intérieur. L'intrus lui tournait le dos. Il se tenait devant le plan de travail en granit de l'îlot central. Il ne semblait nullement pressé et sortait les couteaux de leur logement, dans un billot, pour les aiguiser sur une meule électrique.

Hoffmann sentit son cœur s'emballer au point de l'entendre battre à ses oreilles. Sa première pensée fut pour Gabrielle. Il devait la faire sortir pendant que l'intrus était occupé dans la cuisine. Il fallait qu'elle quitte la maison, ou au moins qu'elle s'enferme dans la salle de bains jusqu'à l'arrivée de la police.

Il avait toujours son téléphone à la main. Sans quitter l'intrus des yeux, il composa le numéro de sa femme. Quelques secondes plus tard, il entendit le portable sonner – trop près pour être au premier. Aussitôt, l'inconnu leva les yeux. Le téléphone de Gabrielle était posé là où elle l'avait laissé avant d'aller se coucher, sur la grande table en pin de la cuisine, écran illuminé, boîtier de plastique rose vibrant. L'intrus redressa la tête pour le repérer. Puis, toujours avec ce calme horripilant, il posa le couteau qu'il aiguisait – le préféré d'Hoffmann, avec la longue lame mince, si pratique pour désosser – et contourna l'îlot pour atteindre la table. Hoffmann put alors le voir vraiment pour la première fois : un crâne dégarni encadré de longues mèches grises ramenées derrière les oreilles en une maigre queue-de-cheval, des joues creuses, mangées de barbe. L'homme portait un manteau élimé en cuir brun. Il évoquait un itinérant, le genre de type qui aurait pu travailler dans un cirque ou une fête foraine. Il contempla le téléphone avec une telle stupéfaction qu'il semblait n'en avoir jamais vu auparavant, puis il le prit, hésita et le porta à son oreille.

Hoffmann se sentit submergé par une vague de rage meurtrière.

— Sors de chez moi, souffla-t-il à voix basse.

Il fut récompensé en voyant l'inconnu sursauter, affolé. L'homme remua vivement la tête – gauche, droite, gauche, droite –, puis son regard se posa sur la fenêtre. Pendant un instant, son regard croisa celui d'Hoffmann, mais sans le voir car il fixait une vitre sombre. Soudain, l'inconnu jeta le téléphone sur la table et fonça avec une agilité surprenante vers la porte.

Hoffmann poussa un juron, fit volte-face et reprit le chemin par lequel il était venu, sans cesser de glisser et de trébucher dans l'interminable plate-bande qui longeait la maison. Les mules n'arrangeaient rien et chaque respiration lui arrachait un sanglot. Il arrivait au coin de la maison quand il entendit la porte claquer. Il supposa que l'intrus filait en direction de la route. Mais non : les secondes passèrent et l'homme n'apparut pas. Il avait dû s'enfermer à l'intérieur.

— Bon Dieu, murmura Hoffmann, bon Dieu de bon Dieu.

Il se rua vers la porte. Il composa le code d'entrée d'une main tremblante tout en criant le nom de Gabrielle. Les serrures s'ouvrirent. Il poussa la porte à la volée dans l'obscurité. La lampe de l'entrée avait été éteinte.

Il demeura un instant sur le seuil, le souffle court, évaluant ses chances, puis il plongea vers l'escalier en hurlant :

— Gabrielle ! Gabrielle !

Il avait atteint le milieu du vestibule quand la maison sembla exploser. Les dalles de marbre se précipitèrent vers son crâne tandis que les murs disparaissaient pour s'enfoncer dans la nuit.

HOFFMANN ne se souvint plus de rien ensuite – ni rêves ni pensées ne vinrent troubler son esprit naturellement agité – jusqu'au moment où, surgissant enfin du brouillard, il prit conscience d'un réveil graduel de ses sens, quelque chose de froid plaqué contre son crâne, une vive douleur à la tête, une rumeur mécanique dans ses oreilles, et s'aperçut qu'il était allongé sur le côté, avec quelque chose de doux contre sa joue.

Il ouvrit les yeux et découvrit, à quelques centimètres de son visage, une cuvette blanche dans laquelle il vomit aussitôt. La cuvette disparut. On lui projeta une lumière vive dans chaque œil alternativement puis on lui essuya la bouche et le nez. On porta un verre d'eau à ses lèvres. Il le vida puis rouvrit les yeux et examina le monde qui s'offrait à lui.

Il se trouvait par terre, dans le vestibule, en position latérale de sécurité, dos appuyé contre le mur. Le gyrophare bleu d'une voiture de police illuminait la fenêtre ; la radio déversait un bavardage inintelligible. Gabrielle était agenouillée à côté de lui et lui tenait la main. Elle lui sourit et pressa ses doigts.

— Dieu soit loué, dit-elle.

Elle portait un jean et un pull fin. Il se redressa et regarda autour de lui, éberlué. Sans ses lunettes, tout lui paraissait légèrement flou : deux infirmiers penchés au-dessus d'une mallette de matériel rutilant ; deux *gendarmes** en uniforme, l'un près de la porte, un récepteur bruyant à la ceinture, l'autre qui descendait l'escalier ; et un troisième homme, la cinquantaine fatiguée, vêtu d'un coupe-vent bleu marine sur une chemise blanche et une cravate sombre, qui l'examinait avec une compassion détachée. Lorsque Hoffmann essaya de se lever, il s'aperçut qu'il n'avait pas assez de forces dans les bras. Un éclair douloureux lui transperça le crâne.

— Attendez, laissez-moi vous aider, proposa l'homme à la cravate sombre avant de s'avancer, la main tendue. Jean-Philippe Leclerc, inspecteur de la police de Genève.

L'un des infirmiers saisit Hoffmann par l'autre bras et, joignant ses forces à celles de l'inspecteur, l'aida à se mettre doucement debout. Là où sa tête s'était appuyée, sur le mur de couleur crème, s'étalait une tache de sang frottée. Il y avait aussi du sang par terre.

— Il faut qu'il aille à l'hôpital, dit Gabrielle avec inquiétude.

— L'ambulance sera là dans dix minutes, précisa l'infirmier.

— Pourquoi n'attendrions-nous pas ici ? proposa Leclerc en ouvrant la porte du salon glacial.

Une fois qu'Hoffmann fut installé en position assise sur le sofa – il refusa de s'allonger –, l'infirmier s'accroupit devant lui.

— Pouvez-vous me dire combien j'ai de doigts ?

— Est-ce que je pourrais avoir mes… ?

Quel était le mot, déjà ? Il porta la main à ses yeux.

— Il a besoin de ses lunettes, intervint Gabrielle. Tiens, chéri, dit-elle en lui glissant les lunettes sur le nez avant de lui embrasser le front. Calme-toi, d'accord ?

— Vous voyez mes doigts, maintenant ? insista l'infirmier.

Hoffmann compta soigneusement.

— Trois.

— Nous devons prendre votre tension, monsieur.

Placide, Hoffmann le laissa remonter la manche de son pyjama, fixer un brassard autour de son biceps et le gonfler. Son esprit semblait se remettre peu à peu en mode actif, section par section. Il prit méthodiquement note du contenu de la pièce : le Bechstein demi-queue, la pendule Louis XV posée sur la cheminée avec, au-dessus, un paysage d'Auerbach au fusain. Devant lui, sur la table basse, il y avait l'un des autoportraits de Gabrielle : un cube d'une cinquantaine de centimètres constitué d'une centaine de feuilles de verre Mirogard sur lesquelles elle avait tracé à l'encre noire les sections d'une IRM de son propre corps. Cela donnait une créature étrange et vulnérable suspendue dans les airs. Hoffmann l'examina comme s'il le voyait pour la première fois. Il y avait là quelque chose dont il devait se souvenir. De quoi s'agissait-il ? C'était nouveau pour lui, de ne pas pouvoir accéder immédiatement à une information dont il avait besoin. Lorsque l'infirmier en eut terminé, Hoffmann demanda à Gabrielle :

— Tu n'as pas quelque chose de spécial, aujourd'hui ? (Un pli de concentration lui creusa le front.) Je sais, ajouta-t-il, soulagé. Ton expo.

— Oui, mais nous allons l'annuler.

— Non, on ne peut pas faire ça, pas ta première expo.

— C'est bien, commenta Leclerc, qui observait Hoffmann depuis son fauteuil. C'est très bien.

Hoffmann se tourna lentement vers lui.

— Bien ?

— C'est bien que les souvenirs vous reviennent, précisa l'inspecteur en levant le pouce en signe d'encouragement. Par exemple, quelle est la dernière chose que vous vous rappelez de cette nuit ?

Hoffmann étudia la question avec attention, comme s'il s'agissait d'un problème mathématique.

— Je suppose que ça venait de la porte d'entrée. Il devait m'attendre derrière.

— Il ? Il n'y avait qu'un seul homme ?

Leclerc ouvrit son coupe-vent, sortit non sans peine un calepin enfoui dans une poche intérieure, puis se tortilla sur son siège et extirpa un stylo.

— Oui, pour autant que je sache. Un seul.

Hoffmann porta la main à sa nuque. Ses doigts sentirent un bandage, bien serré.

— Avec quoi m'a-t-il frappé ?

— Vraisemblablement un extincteur.

— Et combien de temps suis-je resté inconscient ?

— Vingt-cinq minutes.

— Pas plus ?

Hoffmann avait l'impression que cela avait duré des heures, mais un coup d'œil vers la fenêtre lui indiqua qu'il faisait encore nuit.

— Et je criais pour te prévenir, dit-il à Gabrielle. Je m'en souviens très bien.

— C'est vrai, je t'ai entendu. Je suis descendue tout de suite. Et tu étais là, couché par terre. La porte d'entrée était grande ouverte. L'instant d'après, la police arrivait.

— Vous l'avez arrêté ? demanda Hoffmann en regardant Leclerc.

— Malheureusement, il avait filé quand notre patrouille a débarqué. C'est étrange, ajouta Leclerc. On dirait qu'il est tout simplement entré et ressorti par la grille. J'imagine qu'il faut pourtant deux codes séparés pour le portail et la porte d'entrée. Je me demande… Ne connaîtriez-vous pas cet homme, par hasard ?

— Je ne l'avais jamais vu de ma vie.

— Ah ! fit Leclerc en prenant des notes. Vous l'avez donc bien regardé ?

— Il se trouvait dans la cuisine. Je l'ai vu de dehors, par la fenêtre.

De façon entrecoupée au début, puis avec plus d'assurance à mesure que sa mémoire lui revenait, Hoffmann reconstitua les événements : comment il avait entendu du bruit, était descendu, avait découvert que l'alarme était débranchée, avait ouvert la porte d'entrée, vu les grosses chaussures, remarqué la lumière émanant d'une fenêtre du rez-de-chaussée, s'était glissé le long de la maison et avait observé l'intrus par la fenêtre.

— Pouvez-vous le décrire ?

— Alex a besoin de repos, intervint Gabrielle.

— Ça va, Gaby, assura Hoffmann. Il faut qu'on les aide à attraper cette ordure. (Il ferma les yeux.) Il était de taille moyenne. Le genre brutal. La cinquantaine. Visage hâve. Crâne dégarni. Des cheveux gris, longs et fins, attachés en queue-de-cheval. Il portait un manteau de cuir, à moins que ce ne soit une veste – je n'arrive pas à me souvenir.

Un doute s'insinua dans son esprit. Hoffmann s'interrompit.

— J'ai dit que je ne l'avais jamais vu, mais, en y réfléchissant, je me demande si c'est bien vrai. J'ai pu le croiser quelque part, l'entre-voir dans la rue peut-être...

Sa voix se perdit.

— Continuez, le pria Leclerc.

Hoffmann réfléchit un instant, puis secoua très légèrement la tête.

— Non, je n'arrive pas à me souvenir. Désolé. Mais, pour être franc, j'ai depuis un moment la sensation curieuse d'être observé.

— Tu ne m'en as jamais parlé, intervint Gabrielle, étonnée.

— Je ne voulais pas t'inquiéter. Et puis je n'ai jamais pu en être tout à fait sûr.

— Il a pu vous suivre, avança Leclerc. Vous avez pu le voir dans la rue sans en avoir conscience. Qu'est-ce qu'il faisait dans la cuisine ?

Hoffmann jeta un coup d'œil en direction de Gabrielle.

— Il... aiguisait des couteaux.

— Mon Dieu ! s'écria-t-elle en portant la main à sa bouche.

— Vous pourriez l'identifier si vous le voyiez ?

— Oh, oui, assura farouchement Hoffmann. Comptez là-dessus.

Leclerc tapota son calepin avec son stylo.

— Nous devons faire circuler cette description, dit-il en se levant. Excusez-moi un instant.

Il sortit dans le vestibule.

Hoffmann se sentit soudain trop fatigué pour continuer. Il ferma les yeux et appuya la tête contre le dossier du canapé avant de se rap-peler soudain sa blessure.

— Pardon. Je suis en train de bousiller les meubles.

— On s'en fout, des meubles.

Il dévisagea Gabrielle. Elle paraissait plus âgée sans maquillage, plus fragile et – une expression qu'il ne lui connaissait pas – effrayée. Cela lui transperça le cœur.

Leclerc revint dans le salon avec deux sachets en plastique trans-parents contenant des pièces à conviction.

— Nous avons trouvé ça dans la cuisine, annonça-t-il.

Il brandit les sachets. L'un d'eux contenait une paire de menottes, l'autre ce qui ressemblait à un collier de cuir noir muni d'une balle de golf noire.

— Qu'est-ce que c'est ? demanda Gabrielle.

— Un bâillon, répondit Leclerc. Il est neuf. Il provient sans doute d'un sex-shop. C'est pas mal utilisé par les adeptes du SM.

— Oh, mon Dieu! s'exclama Gabrielle en regardant Hoffmann d'un air horrifié. Qu'est-ce qu'il allait nous faire?

Hoffmann ressentit une nouvelle faiblesse.

— Nous enlever?

— C'est certainement une possibilité, admit Leclerc, qui regarda autour de lui. Vous êtes riches, et c'est une raison suffisante. Mais je dois dire qu'on n'a jamais entendu parler d'enlèvement à Genève. On est très respectueux des lois, ici. (Il ressortit son stylo.) Puis-je vous demander votre profession?

— Je suis physicien.

— Physicien, répéta Leclerc, qui le nota. Anglais?

— Américain.

— Et Mme Hoffmann?

— Je suis anglaise.

— Et vous vivez en Suisse depuis combien de temps, docteur Hoffmann?

— Quatorze ans. Je suis arrivé dans les années 1990 pour travailler au Cern, sur l'accélérateur de particules LHC. J'y suis resté environ six ans.

— Et maintenant?

— Je dirige une société, Hoffmann Investment Technologies.

— Et qui produit quoi?

— Qui produit quoi? Qui produit de l'argent. C'est un *hedge fund*, un fonds spéculatif, si vous préférez.

— D'accord, ça « produit de l'argent ». Vous êtes dans cette maison depuis combien de temps?

— Un mois seulement, dit Gabrielle.

— Un mois? Avez-vous modifié les codes d'entrée quand vous avez emménagé?

— Bien sûr.

— Et, à part vous deux, qui connaît la combinaison de l'alarme antivol et tout le reste?

— La gouvernante, répondit Gabrielle. La femme de ménage. Le jardinier.

— Quelqu'un connaît-il les codes à votre bureau, docteur Hoffmann?

— Mon assistante.

Hoffmann fronça les sourcils. Son cerveau fonctionnait avec une lenteur désespérante, comme un ordinateur qui aurait été infecté par un virus.

— Oh, et puis notre responsable de la sécurité : il a tout vérifié avant qu'on achète la maison.

— Vous vous souvenez de son nom ?

— Genoud. Maurice Genoud, ajouta-t-il après réflexion.

Leclerc leva les yeux.

— Il y avait un Maurice Genoud dans la police de Genève. Je crois me rappeler qu'il est entré dans une boîte de surveillance privée. Bien, bien, fit-il, sa figure de chien battu prenant une expression pensive.

Il se remit à prendre des notes.

Une sonnerie se fit entendre dans le vestibule. Hoffmann sursauta.

— C'est sûrement l'ambulance, dit Gabrielle. Je vais leur ouvrir la grille.

Dès qu'elle fut sortie, Hoffmann demanda :

— Je suppose que la presse va avoir vent de tout ça ?

— Nous nous efforcerons d'être discrets. Avez-vous des ennemis, docteur Hoffmann ? Un riche investisseur – un Russe, peut-être – qui aurait perdu de l'argent ?

— Nous ne perdons pas d'argent, répliqua Hoffmann. Vous pensez que c'est sans danger de rester ici ?

— On aura des hommes sur place la majeure partie de la journée, et on peut placer des voitures en surveillance devant la maison cette nuit. Mais la plupart du temps, les personnes qui se retrouvent dans votre situation préfèrent prendre leurs propres précautions.

— Engager des gardes du corps, vous voulez dire ? dit Hoffmann en faisant la moue.

— Malheureusement, une maison comme celle-ci vous vaudra toujours des attentions dont vous vous passeriez bien.

Gabrielle passa la tête par la porte.

— L'ambulance est arrivée. Je vais te chercher des vêtements.

Hoffmann voulut se lever. Leclerc s'approcha pour l'aider, mais Hoffmann l'écarta d'un geste. Il dut s'y reprendre à trois fois afin d'avoir assez d'élan pour décoller du canapé et, lorsque, enfin, il y parvint, il vacilla un instant sur le tapis d'Aubusson.

Hoffmann et Leclerc sortirent ensemble dans le vestibule, et Hoffmann se concentra de façon exagérée sur chaque pas, un peu comme un ivrogne qui voudrait donner l'impression d'être sobre. La maison grouillait d'employés des services d'urgence. D'autres *gendarmes** étaient arrivés, ainsi que deux ambulanciers, un homme et une femme, qui poussaient un brancard. Hoffmann fut soulagé de voir Gabrielle descendre l'escalier avec son imperméable. Leclerc le prit et le lui posa sur les épaules.

Hoffmann remarqua un extincteur enveloppé dans un plastique, près de la porte d'entrée. Cette simple vision provoqua en lui un élancement douloureux.

— Allez-vous établir un portrait-robot de cet homme?

— C'est possible.

— Alors je crois qu'il y a quelque chose que vous devriez voir.

Ignorant les protestations des ambulanciers, il fit demi-tour et gagna son bureau. L'écran de son ordinateur affichait toujours la page d'accueil Bloomberg. Pratiquement tous les cours sur les marchés asiatiques étaient à la baisse. Il alluma la lumière et chercha dans la bibliothèque *L'Expression des émotions chez l'homme et les animaux.* Ses mains tremblaient d'excitation. Il le feuilleta rapidement.

— Voilà, dit-il en se retournant pour montrer sa découverte à Leclerc et à Gabrielle. C'est l'homme qui m'a attaqué.

C'était la photo qui illustrait l'émotion de la terreur: un vieillard aux yeux écarquillés et à la bouche édentée grande ouverte. Duchenne, le grand médecin français, était en train de fixer des électrodes sur ses muscles faciaux dans le but de stimuler l'émotion requise.

Hoffmann perçut la consternation de ses compagnons.

— Pardon, fit Leclerc, perplexe. Vous nous dites que c'est l'homme qui s'est introduit chez vous cette nuit?

— Oh, Alex, soupira Gabrielle.

— Évidemment, je ne dis pas que c'est lui *littéralement* – il est mort depuis plus d'un siècle –, mais je dis qu'il lui *ressemble.*

Ils l'examinaient tous les deux avec attention. Ils me croient fou, pensa-t-il avant de prendre une profonde inspiration.

— Ce livre, expliqua-t-il à l'intention de Leclerc, est arrivé hier. Je ne sais pas qui me l'a envoyé. Ce n'est peut-être qu'une coïncidence. Mais vous devez convenir que c'est tout de même curieux que, quelques heures seulement après que je l'ai reçu, un homme, qui semble être sorti des pages de ce livre, cherche à nous agresser. Bref, ce que je dis, c'est que si vous voulez faire établir un portrait-robot de ce type, vous pouvez commencer avec ça.

— Merci, répliqua Leclerc. J'y penserai.

— Bon, intervint vivement Gabrielle. On t'emmène à l'hôpital.

Leclerc les raccompagna à la porte d'entrée. La lune avait disparu derrière les nuages. Il n'y avait guère de lumière dans le ciel bien que l'aube fût proche. L'un des ambulanciers aida le physicien américain, avec sa tête bandée, son imperméable noir et son pyjama coûteux, à monter à l'arrière du véhicule. Sa femme le suivait, un sac de vêtements à la main. Les portières claquèrent et l'ambulance démarra, suivie par une voiture de police.

Leclerc regarda les deux véhicules disparaître dans le virage de l'allée, puis il retourna dans la maison.

— Ça fait grand pour deux personnes, marmonna l'un des *gendarmes** qui se tenaient à l'entrée.

— Ça fait grand pour dix, grogna Leclerc.

Il partit en expédition solitaire pour tenter d'appréhender ce à quoi il avait affaire. Six… non, sept chambres à coucher à l'étage, chacune équipée d'une salle de bains attenante ; la chambre principale, immense et flanquée d'un dressing avec portes miroirs ; télé plasma dans la salle de bains ; cabine de douche futuriste. De l'autre côté du palier, une salle de gym avec vélo d'appartement, rameur, elliptique, poids, un autre écran géant. Pas de jouets. Aucune trace d'enfants nulle part.

Leclerc regagna le rez-de-chaussée. Il évita les taches de sang et pénétra dans le bureau. Un mur entier était voué aux livres. Il en choisit un au hasard : *Die Traumdeutung, L'Interprétation des rêves*, de Sigmund Freud. Une première édition. Il en sortit un autre. *Psychologie des foules,* de Gustave Le Bon, Paris, 1895. Leclerc n'y connaissait pas grand-chose en livres rares, mais il en savait assez pour estimer que cette collection devait valoir des millions. Les sujets abordés étaient essentiellement d'ordre scientifique : sociologie, psychologie, biologie, anthropologie… Rien concernant l'argent.

Il s'approcha du bureau et s'assit sur le fauteuil capitaine ancien d'Hoffmann. De temps en temps, le grand écran posé en face de lui frémissait alors que des séquences de chiffres lumineux défilaient : – 1.06, – 78, – 4.03 %, – 0,95 \$. C'était pour lui aussi obscur que la pierre de Rosette. Ses propres investissements, qu'un « conseiller financier » boutonneux l'avait persuadé de faire quelques années plus tôt pour s'assurer une vieillesse confortable, ne valaient plus à présent que la moitié de ce qu'ils lui avaient coûté.

Dans la cuisine, il se planta devant l'îlot de granit et examina les couteaux. Suivant ses instructions, on les avait mis dans des sachets scellés dans l'espoir d'y trouver des empreintes. Il ne comprenait pas cette partie du récit d'Hoffmann. Si l'intrus était entré dans l'intention de les enlever, il n'aurait pas manqué de s'armer avant d'arriver sur place, non ? S'agissait-il alors d'un simple cambriolage ? Mais un cambrioleur serait reparti au plus vite en emportant avec lui le plus gros butin possible. Tout désignait donc un criminel souffrant de troubles mentaux. Mais comment un psychopathe violent aurait-il pu connaître les codes d'entrée ? Peut-être y avait-il un autre accès qui n'avait pas été verrouillé ?

Leclerc retourna dans le couloir et tourna à gauche. L'arrière de la maison donnait sur une grande serre de style victorien qui servait d'atelier d'artiste, même s'il ne s'agissait pas exactement d'art au sens où l'inspecteur l'entendait. On aurait plutôt dit un service de radiographie, ou éventuellement un atelier de vitrier. Sur ce qui avait été le mur extérieur de la maison était affiché un gigantesque collage d'images électroniques du corps humain – numériques, infrarouges, radios –, ainsi que des planches anatomiques de muscles, membres et organes divers.

Des plaques de verre antireflet et de Plexiglas de dimensions et épaisseurs variées étaient stockées sur des supports en bois. Une cantine contenait des dizaines de dossiers débordant d'images informatiques soigneusement étiquetées : « Scans crâne IRM, 1-14 sagittales, axiales, coronales » ; « Homme, coupes, Hôpital virtuel, sagittales et coronales ». Il y avait encore, sur un établi, une table lumineuse, un petit étau et un tas d'encriers et de pointes à graver. Il remarqua une pile de catalogues sur papier glacé pour une exposition intitulée « Profils humains » qui devait commencer le jour même dans une galerie de la Plaine de Plainpalais.

Près de l'établi, une œuvre était montée sur des tréteaux : un scanner en 3D d'un fœtus composé d'une vingtaine de coupes tracées sur des feuilles de verre très transparent. Leclerc se pencha pour l'examiner. Sa tête était disproportionnée et ses jambes grêles remontées juste en dessous. Vu de côté, l'ensemble avait une profondeur, mais à mesure qu'on se déplaçait pour venir en face, l'image s'amenuisait et finissait par disparaître complètement. Il n'aurait su dire si l'œuvre était achevée ou non.

La serre disposait d'une porte d'accès au jardin. Elle était fermée et verrouillée.

Leclerc quitta la serre et revint dans le couloir. Il y avait encore deux portes fermées. L'une donnait sur des toilettes et l'autre sur une réserve remplie, semblait-il, des résidus du précédent domicile des Hoffmann : des tapis roulés et attachés avec de la ficelle, des transats, un jeu de croquet et, tout au bout, en parfait état, un berceau, une table à langer et un mobile musical avec des lunes et des étoiles.

2

D'APRÈS les fichiers transmis ultérieurement par les services médicaux de Genève, l'ambulance signala qu'elle quittait le domicile des Hoffmann à 5 h 22. À cette heure-ci, la traversée du centre de Genève ne leur prit pas plus de cinq minutes.

À l'arrière de l'ambulance, Hoffmann s'entêta à rester assis, jambes pendantes, maussade et récalcitrant. C'était un homme brillant, fortuné, habitué à ce qu'on l'écoute avec respect. Et voilà qu'il se retrouvait soudain propulsé en territoire nettement moins favorisé : au royaume des malades. Le souvenir du regard que lui avaient adressé Gabrielle et Leclerc lorsqu'il leur avait montré *L'Expression des émotions chez l'homme et les animaux* l'irritait, comme si le lien évident entre l'agression et le livre n'était qu'un fantasme de son cerveau déréglé. Il avait emporté le livre et le tenait sur ses genoux, le martelant nerveusement du bout des doigts.

L'ambulance prit un virage, et l'infirmière tendit la main pour le retenir. Hoffmann la foudroya du regard et chercha son portable dans la poche de son peignoir.

Gabrielle, qui l'observait depuis le siège d'en face, demanda :

— Qu'est-ce que tu fais ?

— J'appelle Hugo.

— Mais enfin, Alex…

— Quoi ? Il faut qu'il sache ce qui s'est passé.

Hoffmann se pencha pour prendre la main de sa femme en signe d'apaisement.

Quarry finit par décrocher.

— Alex? Mais qu'est-ce qui se passe? questionna-t-il.

— Pardon de t'appeler à cette heure-ci, Hugo. Quelqu'un s'est introduit chez nous.

— Oh mince, je suis désolé. Ça va?

— Gabrielle va bien. J'ai pris un coup sur la tête. On est dans l'ambulance qui me conduit à l'hôpital universitaire.

— J'arrive.

Deux minutes plus tard, l'ambulance remontait l'allée du grand centre de formation médicale. Hoffmann entrevit brièvement l'immensité du site à travers les vitres fumées: dix étages de lumière, éclairés comme un grand aéroport en pleine nuit. L'ambulance s'engagea dans un passage souterrain qui tournait légèrement, puis elle s'immobilisa. Les portières arrière s'ouvrirent.

On demanda à Hoffmann de s'allonger et, cette fois, il choisit de ne pas discuter. Avec un horrible sentiment d'impuissance, il se laissa emporter le long d'interminables couloirs qui évoquaient des allées d'usine, jusqu'au service des admissions, où on le « gara » un instant. Un gendarme qui les accompagnait se chargea des formalités. On déplaça à nouveau Hoffmann et on lui fit emprunter un petit couloir pour pénétrer dans un box libre.

Gabrielle s'assit sur une chaise en plastique moulée, prit son poudrier et entreprit d'appliquer à petits coups nerveux du rouge sur ses joues. Hoffmann l'observa comme s'il ne la connaissait pas: si sombre, impeccable et indépendante, pareille à un chat faisant sa toilette. Un jeune médecin turc fatigué entra avec un bloc-notes. Le badge en plastique fixé à sa blouse indiquait DR MUHAMMET CELIK. Il consulta la fiche d'Hoffmann, puis il lui projeta une lumière dans les yeux, lui frappa le genou avec un petit marteau et lui demanda de compter à rebours de cent à quatre-vingts.

Hoffmann répondit sans difficulté. Satisfait, le médecin retira le bandage autour de sa tête, lui écarta les cheveux et examina sa blessure, la palpant doucement du bout des doigts.

— Il a perdu beaucoup de sang, indiqua Gabrielle.

— Les blessures à la tête saignent toujours abondamment. Je crois qu'il va avoir besoin de quelques points de suture. Il a été frappé avec un gros objet?

— Un extincteur.

— D'accord, je note. Il va falloir lui faire un scanner.

Celik se baissa pour venir au niveau d'Hoffmann. Il sourit et parla avec une extrême lenteur.

— Monsieur Hoffmann, nous allons vous descendre à l'imagerie médicale pour prendre des photos de l'intérieur de votre crâne. Nous utiliserons un CAT-scan. Vous savez ce qu'est un CAT-scan, monsieur Hoffmann ?

— La tomodensitométrie axiale calculée par ordinateur et qui utilise des rayons X en mouvement rotatoire et une couronne de détecteurs pour obtenir des images en coupes fines. C'est de la technologie des années 1970, rien de très compliqué. Et, au fait, ce n'est pas monsieur Hoffmann, mais docteur Hoffmann.

Pendant qu'elle le poussait jusqu'à l'ascenseur, Gabrielle protesta :

— Ce n'était pas la peine de te montrer si grossier. Il essayait seulement de t'aider.

— Il me parlait comme à un gosse.

— Alors arrête de te conduire comme tel. Tiens, tu peux tenir ça, ajouta-t-elle en laissant tomber le sac de vêtements sur ses genoux pour aller appeler l'ascenseur.

Gabrielle savait visiblement comment se rendre à l'imagerie médicale, et Hoffmann trouva cela curieusement irritant. Il y avait deux ans que les membres de ce service aidaient sa femme dans son travail artistique, lui donnant accès aux scanners lorsqu'ils étaient libres, restant après leurs heures de service pour produire les images dont elle avait besoin. Les portes s'ouvrirent sur un sous-sol sombre. Un jeune homme aux longs cheveux noirs et bouclés s'avança vers eux.

— Gabrielle ! s'exclama-t-il en lui prenant la main pour la baiser avant de se tourner vers Hoffmann. Alors, tu m'amènes un vrai patient, pour changer ?

— Mon mari, Alexander Hoffmann. Alex, voilà Fabian Tallon, le manipulateur radio.

Tallon avait de grands yeux foncés et le regard direct, des dents très blanches et une barbe de deux jours. Sa chemise était plus déboutonnée que nécessaire et attirait l'attention sur son torse de joueur de rugby. Hoffmann se demanda soudain si cet homme avait une liaison avec Gabrielle. Il s'efforça de repousser cette idée. Il regarda l'un, puis l'autre, et déclara :

— Merci pour tout ce que vous avez fait pour Gabrielle.

— Ce fut un plaisir, Alex. Voyons maintenant ce que nous pouvons faire pour vous.

Il poussa le lit et le fit entrer dans la salle de scan.

— Levez-vous, je vous prie.

Cette fois encore, Hoffmann se soumit sans discuter. On lui prit son pardessus et ses lunettes. Puis on lui demanda de s'allonger sur le dos, tête vers le scanner. Tallon régla le cale-nuque.

— Ça prendra moins d'une minute, assura-t-il avant de disparaître.

La porte se referma derrière lui avec un soupir. Hoffmann souleva la tête. De l'autre côté de la vitre épaisse au fond de la pièce, il vit Gabrielle qui l'observait. Tallon la rejoignit. Il y eut un crépitement, puis la voix de Tallon retentit avec force dans un haut-parleur.

— Gardez la position, Alex. Essayez de rester aussi immobile que possible.

Hoffmann obéit. Il y eut un bourdonnement, et la table se mit à avancer à travers le grand anneau du scanner. Une première fois brièvement, pour les réglages, puis une seconde fois plus lentement, pour réaliser les images. Il examina le boîtier de plastique blanc pendant qu'il passait dessous. C'était un peu comme d'être soumis à un lavage automobile radioactif. La table s'arrêta, puis repartit en arrière, et Hoffmann imagina que son cerveau était aspergé par une lumière brillante et purifiante, une lumière qui traquait et éliminait toutes les impuretés avec un grésillement.

Le haut-parleur se remit en marche.

— Merci, Alex, c'est terminé. Ne bougez pas.

Hoffmann resta allongé ce qui lui sembla un long moment : largement le temps, en tout cas, de constater qu'il aurait été très facile pour Gabrielle d'avoir une liaison au cours de ces derniers mois. Il y avait toutes ces heures qu'elle avait passées à l'hôpital pour récupérer les images dont elle avait besoin pour son travail ; et surtout toutes ces nuits où il était resté au bureau pour mettre au point le VIXAL. Que restait-il à un couple pour sécuriser son mariage après plus de sept ans de vie commune quand il n'y avait pas d'enfant pour exercer une force d'attraction ?

— Ça va, Alex ? demanda le visage de Tallon, beau, compatissant, insupportable.

— Impeccable.

Hoffmann chaussa ses lunettes. Il refusa de se rallonger sur le lit roulant. Il posa les pieds par terre, prit quelques profondes inspirations et regagna l'autre salle, derrière la vitre.

— Alex, annonça Gabrielle, voici la radiologue, le Dr Dufort.

Elle désigna une toute petite femme aux cheveux gris coupés en brosse, installée devant un écran d'ordinateur. Dufort se tourna pour lui adresser un salut indifférent du haut de ses épaules étroites, puis reprit son examen des résultats du scanner.

— C'est moi? s'enquit Hoffmann en regardant l'écran.

— Oui, *monsieur**, dit-elle sans se retourner.

Hoffmann contempla son cerveau avec détachement, voire une certaine déception. Son caractère désordonné, son manque de forme et de beauté le déprimèrent. « On peut sûrement mieux faire », songea-t-il. Il ne doit s'agir que d'une étape dans l'évolution, et notre tâche à nous, humains, est de préparer le chemin pour ce qui viendra juste après. L'intelligence artificielle, ou les mécanismes de raisonnement autonomes, les MRA, comme il préférait les appeler, étaient au centre de ses préoccupations depuis plus de quinze ans. Les imbéciles pensaient que le but était de reproduire l'esprit humain et d'arriver à une version numérique de nous-mêmes. Alors que, en fait, à quoi rimerait d'imiter quelque chose d'aussi vulnérable, faillible, et voué à une obsolescence intrinsèque : une unité centrale qui pourrait être entièrement détruite par la défaillance temporaire d'une de ses composantes mécaniques, disons le cœur ou le foie?

La radiologue fit basculer le cerveau sur son axe.

— Aucun signe de fracture, annonça-t-elle, et pas de gonflement non plus, ce qui est le plus important. Mais qu'est-ce que c'est que ça, je me le demande?

La boîte crânienne ressemblait à l'image inversée d'une coquille de noix. Un trait blanc d'épaisseur variable renfermait la matière grise et spongieuse du cerveau. Le Dr Dufort fit un zoom. L'image grossit, se brouilla et finit par se dissoudre en une supernova grisâtre. Hoffmann se pencha pour mieux voir.

— Là, dit le médecin en touchant l'écran. Vous voyez ces pointillés blancs? Ce sont de minuscules hémorragies dans la matière cervicale.

— C'est grave? questionna Gabrielle.

— Non, pas nécessairement. Ce n'est sans doute pas étonnant avec une blessure de ce genre. Vous voyez, quand la tête est frappée avec assez de force, le cerveau ricoche contre la paroi et ça peut saigner un peu. (Elle souleva ses lunettes.) On dirait que ça s'est arrêté. Quoi qu'il en soit, j'aimerais bien procéder à un autre examen.

Hoffmann avait si souvent imaginé cette scène – l'hôpital immense et impersonnel, les résultats d'analyse suspects, le verdict médical froidement assené – qu'il lui fallut un moment pour comprendre qu'il ne s'agissait pas d'une de ses visions hypocondriaques coutumières.

— Quel genre d'examen ? demanda-t-il.

— Je voudrais vérifier avec une IRM. Ça devrait nous dire s'il y a un problème médical ou non.

Un problème médical…

— Ça prendra combien de temps ?

— L'examen en lui-même est assez rapide. Le tout est d'avoir une machine de libre. (Elle ouvrit un fichier et le parcourut.) On devrait pouvoir avoir une machine à midi, s'il n'y a pas d'urgences.

— Je préfère ne pas le faire, déclara Hoffmann.

— Ne sois pas bête, dit Gabrielle. Fais cet examen.

— *J'ai dit que je ne voulais pas de ce putain d'examen !*

Il y eut un instant de silence pétrifié.

Hoffmann porta la main à son front. Il avait les doigts glacés, la gorge sèche. Il fallait qu'il quitte cet hôpital au plus vite. Il déglutit avant de reprendre la parole.

— Je suis désolé, mais j'ai des choses importantes à faire aujourd'hui.

— Quelles choses importantes ? s'enquit Gabrielle, incrédule.

— Je dois aller au bureau. Et toi, à la galerie pour ton vernissage…

— Alex…

— Mais si. Tu bosses là-dessus depuis des mois. Et ce soir, nous irons dîner dehors pour fêter ton succès. (Il se força à parler plus calmement.) Ce n'est pas parce que ce type s'est introduit chez nous qu'il doit s'immiscer dans notre vie. Regarde-moi. Je vais bien. Tu viens de voir le scanner – pas de fracture ni de gonflement.

— Et pas une once de bon sens, fit une voix à l'accent anglais derrière eux.

— Hugo, dit Gabrielle sans se retourner, tu veux bien expliquer à ton associé qu'il est fait de chair et de sang, comme le commun des mortels ?

— Ah, mais est-ce bien le cas ?

Quarry se tenait près de la porte, pardessus ouvert, une écharpe de laine rouge cerise enroulée autour du cou et les mains dans les poches.

— « Ton associé » ? répéta le Dr Celik, qui s'était laissé persuader d'amener Quarry des urgences. Je croyais que vous étiez son frère ?

— Fais-toi donc faire ce fichu examen, Al, dit Quarry. On peut repousser la présentation.

— Je ferai cet examen, assura Hoffmann d'une voix égale. Mais pas aujourd'hui, c'est tout. Est-ce que ça vous va, docteur ?

— Monsieur, dit la radiologue grisonnante, qui était de service depuis l'après-midi précédent et commençait à perdre patience, c'est vous qui décidez ce que vous faites ou ne faites pas. Selon moi, cette blessure a absolument besoin de suture et, si vous partez, il faudra signer un formulaire pour décharger l'hôpital de toute responsabilité. Le reste vous regarde.

— Parfait. Je vais donc me faire recoudre et je signerai ce formulaire. Et je reviendrai une autre fois passer cette IRM, à un moment plus pratique. Tu es contente ? demanda-t-il à Gabrielle.

Avant qu'elle ne puisse répondre, une sonnerie familière de réveil électronique retentit. C'était le réveil de son portable, qu'il avait réglé sur 6 h 30, dans ce qu'il considérait déjà comme une autre vie.

HOFFMANN laissa sa femme avec Quarry pendant qu'il retournait dans le box pour se faire recoudre. Une fois la suture terminée, le Dr Celik prit un miroir pour montrer son ouvrage à son patient. L'entaille ne faisait pas plus de cinq centimètres et, une fois suturée, elle évoquait, là où l'on avait rasé les cheveux, une bouche tordue aux épaisses lèvres blanches.

— Vous ne faites pas de pansement ?

— Non, ça cicatrisera plus vite si on laisse la blessure à l'air libre.

— Parfait. Dans ce cas, je peux partir maintenant.

— C'est votre droit, répondit Celik en haussant les épaules. Mais vous devez d'abord signer une décharge.

Lorsqu'il eut signé la petite note, Hoffmann prit son sac de vêtements et suivit Celik jusqu'à une petite cabine de douche. Le médecin alluma la lumière et ferma la porte.

C'était la première fois qu'il se retrouvait seul depuis qu'il avait repris conscience, et il savoura un moment cette solitude. Il s'habilla lentement et méthodiquement – caleçon, tee-shirt, chaussettes, jean, chemise blanche à manches longues, veste sport, chaussures montantes – et chaque vêtement le rendit un peu moins vulnérable. Gabrielle avait glissé son portefeuille dans la poche de sa veste. Il en vérifia le contenu : 3 000 francs suisses en billets neufs. Il se regarda dans le miroir. Sa tenue ne trahissait rien de lui, et c'est ce qui lui plaisait. Le patron d'un fonds spéculatif disposant de 10 milliards d'actifs gérés pouvait de nos jours passer pour le livreur.

On frappa à la porte, et il entendit la radiologue, le Dr Dufort :

— Monsieur Hoffmann ? Je quitte mon service maintenant, et j'ai quelque chose pour vous.

Il ouvrit la porte. Elle avait enfilé un imperméable et des bottes en caoutchouc.

— Tenez, voici les résultats de votre CAT-scan. Si vous voulez un conseil, apportez-les à votre médecin le plus rapidement possible.

— Je n'y manquerai pas, bien sûr. Merci. Vous pensez qu'il y a quelque chose qui cloche ?

Il détesta le son de sa propre voix – tremblotante, pathétique.

— Je n'en sais rien. Il faudrait une IRM pour le déterminer.

— Qu'est-ce que ça pourrait être, d'après vous ? Une tumeur ?

— Non, je ne crois pas. Ce n'est probablement rien du tout. Mais il pourrait y avoir d'autres explications, comme une sclérose en plaques ou une éventuelle démence. (Elle lui tapota la main.) Allez voir votre médecin, monsieur. Vraiment, vous pouvez me croire : le plus effrayant est toujours ce qu'on ne sait pas.

3

DANS le secret du cercle très fermé des super riches, on se demandait parfois pourquoi Hoffmann avait fait de Quarry son associé à parts égales dans Hoffmann Investment Technologies : après tout, c'étaient les algorithmes du physicien qui produisaient les dividendes. Mais le fait de pouvoir se cacher derrière quelqu'un de plus extraverti convenait parfaitement à Hoffmann. Ce n'était pas seulement que, contrairement à lui, Quarry s'intéressait au système bancaire et possédait l'expérience nécessaire ; l'Anglais avait un don auquel Hoffmann n'accéderait jamais, quels que soient ses efforts : le don de savoir s'y prendre avec les gens.

Il y avait une part de charme, bien sûr. Mais c'était plus que ça.

C'était la capacité de pousser les autres vers des objectifs plus vastes. En cas de guerre, Quarry aurait fait l'aide de camp idéal d'un maréchal – poste qu'avaient occupé dans l'armée britannique son arrière-grand-père et son arrière-arrière-grand-père –, s'assurant que les ordres étaient bien transmis, apaisant les rancœurs, réunissant des rivaux jaloux autour d'un dîner dont il aurait lui-même sélectionné les vins. Il était diplômé d'Oxford en philosophie, politique et économie, avait une ex-femme et trois enfants gardés à l'abri dans un lugubre manoir du Surrey, et un chalet de ski à Chamonix où il se rendait en hiver avec sa petite amie du moment. Gabrielle ne pouvait pas le supporter.

Néanmoins, la situation de crise les rendait momentanément alliés. Pendant qu'Hoffmann se faisait recoudre, Quarry s'installa avec elle dans la salle d'attente étriquée. Il l'écouta raconter ce qui s'était passé et, lorsqu'elle lui énuméra les bizarreries de comportement de son mari, il la rassura :

— Inutile de se voiler la face, Gabs : même quand tout va bien, il n'est jamais à proprement parler normal, si ? Ne t'inquiète pas, on va régler tout ça.

Il appela son assistante et lui dit qu'il avait besoin tout de suite, à l'hôpital, d'une voiture avec chauffeur. Il réveilla le responsable de la sécurité de la société, Maurice Genoud, et lui ordonna sur un ton brusque de se rendre à une réunion d'urgence au bureau moins d'une heure plus tard, et d'envoyer quelqu'un chez les Hoffmann.

Gabrielle observait malgré elle Quarry avec admiration. Il était tellement à l'opposé d'Alex. Il était beau et il le savait. Son comportement si typique des Anglais méridionaux portait sur ses nerfs de presbytérienne du Nord.

— Hugo, dit-elle d'une voix grave lorsqu'il eut enfin rangé son portable. Je voudrais que tu me rendes un service. Je voudrais que tu lui ordonnes de ne pas aller au bureau aujourd'hui.

— Ma chérie, répliqua-t-il en lui prenant la main, si je pensais que ça pourrait y changer quoi que ce soit, je le lui dirais.

— C'est vraiment si important que ça, ce qui est prévu aujourd'hui ?

— Oui. Enfin, rien qui ne puisse être reporté s'il y allait de sa santé. Mais, pour être franc avec toi, il serait nettement préférable qu'il soit là. Des gens sont venus de très loin pour le voir.

Elle retira sa main.

— Prends garde de ne pas tuer la poule aux œufs d'or, commenta-t-elle avec amertume.

— Ne crois pas que je n'en aie pas conscience, assura Quarry. (Son sourire fit naître de petites rides autour de ses yeux d'un bleu profond.) Écoute, si j'ai, ne serait-ce qu'un instant, l'impression qu'il joue avec sa santé, je te le renvoie à la maison dans le quart d'heure qui suit pour que maman le mette au lit. Je t'en fais la promesse. Tiens, dit-il en regardant par-dessus l'épaule de Gabrielle, voici venir notre bonne vieille poule, à moitié plumée et ébouriffée. (Il fut aussitôt debout.) Mon cher Al, comment te sens-tu? Tu es blême.

— J'irai beaucoup mieux dès que je serai sorti d'ici.

Hoffmann glissa le CD dans la poche de son pardessus pour que Gabrielle ne puisse pas le voir. Puis il embrassa sa femme sur la joue.

— Ça va aller, maintenant.

Ils traversèrent le grand hall des admissions. Il était près de 7 h 30 et dehors le jour s'était enfin levé, froid et couvert. Les épais rouleaux de nuages suspendus au-dessus de l'hôpital étaient du même gris que la matière grise cervicale, ou c'est du moins ce qu'il parut à Hoffmann, qui voyait à présent le scanner où qu'il posât les yeux.

Quarry repéra leur voiture, une grosse Mercedes. Le chauffeur quitta le siège conducteur en les voyant arriver et leur ouvrit la portière arrière – un type costaud et moustachu: il a déjà conduit pour moi, songea Hoffmann, qui chercha à se rappeler son prénom alors qu'ils se rapprochaient.

— Georges! le salua-t-il avec soulagement. Bonjour.

— Bonjour, monsieur, répondit le chauffeur, qui porta la main à sa casquette en guise de salut tandis que Gabrielle se glissait sur la banquette arrière, suivie par Quarry. Et, monsieur, chuchota-t-il en aparté à Hoffmann, pardonnez-moi mais je m'appelle Claude.

— Bon, les enfants, dit Quarry, assis entre les Hoffmann, où on va?

— Au bureau, indiqua Hoffmann au moment même où Gabrielle indiquait:

— À la maison.

— Au bureau, insista Hoffmann, et ensuite à la maison, pour ma femme.

Lorsque la Mercedes prit le boulevard de la Cluse, Hoffmann sombra dans son silence habituel. Il se demanda si les autres avaient entendu son erreur. Ce n'était pas comme s'il était du genre à remarquer qui était son chauffeur et encore moins à lui parler : les trajets en voiture s'effectuaient généralement en compagnie de son iPad, à chercher des infos sur Internet ou plus simplement à lire l'édition en ligne du *Financial Times* ou du *Wall Street Journal*. Il lui arrivait même rarement de regarder par la vitre. Il trouvait d'ailleurs bizarre de contempler le paysage qui défilait à présent, puisqu'il n'y avait rien d'autre à faire.

La limousine ralentit pour tourner à gauche. Une cloche retentit et un tram arriva à leur hauteur. Hoffmann leva distraitement les yeux sur les visages encadrés par les fenêtres éclairées. Pendant un instant, ils parurent suspendus, immobiles, puis ils commencèrent à le dépasser, et dans l'encadrement de la dernière fenêtre, le profil d'un homme d'une cinquantaine d'années au front haut et aux cheveux gris ramenés grossièrement en queue-de-cheval.

Tout fut tellement rapide et irréel qu'Hoffmann n'était pas certain de ne pas l'avoir rêvé. Quarry dut le sentir sursauter.

— Ça va, vieux ? s'enquit-il en se tournant vers lui.

Mais Hoffmann était trop saisi pour lui répondre.

— Qu'est-ce qui se passe ? demanda Gabrielle en cherchant à voir son mari derrière la tête de Quarry.

— Rien, assura Hoffmann, qui s'efforçait de retrouver sa voix. L'anesthésie doit se dissiper.

Hoffmann essayait de déterminer s'il était ou non victime d'une hallucination. Et s'il s'imaginait des choses ? Cela impliquerait qu'il ne pourrait plus se fier aux signaux que lui envoyait son propre cerveau. Il était prêt à tout supporter à part la démence. Plutôt mourir que de suivre à nouveau ce chemin.

Les bureaux d'Hoffmann Investment Technologies se présentaient au visiteur comme les étapes parfaitement orchestrées d'un tour de magie. Tout d'abord, de grosses portes de verre fumé s'ouvraient automatiquement sur une réception étroite, cernée de murs de granit brun à peine éclairés. Il fallait ensuite présenter son visage à une caméra de reconnaissance faciale en 3D. En moins d'une seconde, l'algorithme de géométrie métrique comparait vos traits avec ceux enregistrés dans la banque de données ; le visiteur devait décliner son identité au garde impassible posté à l'entrée. Cette procédure accomplie, on franchissait un tourniquet tubulaire métallique, remontait un court couloir et tournait à gauche pour se retrouver devant un immense espace ouvert inondé de lumière naturelle. Ce qui frappait alors, c'était qu'il s'agissait en fait de trois bâtiments réunis en un seul. La paroi du fond avait été démolie et remplacée par une sorte d'à-pic en verre sur huit niveaux, qui surplombait une cour intérieure centrée sur un jet d'eau et des fougères géantes. Deux ascenseurs jumeaux se déplaçaient sans bruit dans leur gangue de verre insonorisée.

Quarry, passé maître dans l'art de la mise en scène et le commercial, avait été stupéfié par le concept à l'instant même où il avait visité les lieux, neuf mois plus tôt. Hoffmann avait pour sa part été séduit par les systèmes informatisés – l'éclairage qui s'ajustait à la lumière du dehors, les fenêtres qui s'ouvraient automatiquement pour réguler la température. L'immeuble était présenté comme « une entité holistique entièrement numérisée avec un impact carbone réduit ». Et, surtout, l'immeuble était relié au très haut débit par fibre optique GV1, le réseau le plus rapide d'Europe. L'affaire était réglée : ils louèrent tout le cinquième étage.

Cet étage constituait un royaume à l'intérieur du royaume. Une paroi de verre opaque de couleur turquoise masquait l'accès aux ascenseurs. Comme en bas, il fallait pour entrer présenter un visage détendu à une caméra reliée à un scanner. La reconnaissance faciale déclenchait l'ouverture d'un panneau coulissant, le verre vibrant à peine tandis qu'il s'écartait pour révéler la réception d'Hoffmann Investment : des cubes de cuir gris et noir empilés et disposés comme des briques de jeu de construction pour former des sièges et des canapés, une table basse en verre et chrome et des pupitres réglables équipés d'ordinateurs à écran tactile sur lesquels les visiteurs pouvaient consulter Internet. Chaque terminal affichait un écran de veille énonçant le mot d'ordre de la société en lettres rouges sur fond blanc :

L'ENTREPRISE DE L'AVENIR N'UTILISE PAS DE PAPIER
L'ENTREPRISE DE L'AVENIR NE FAIT PAS DE STOCKS
L'ENTREPRISE DE L'AVENIR EST ENTIÈREMENT NUMÉRIQUE
L'ENTREPRISE DE L'AVENIR EST LÀ

Il n'y avait pas de magazines dans la salle d'attente : la politique de l'entreprise était d'éviter autant que possible que tout document imprimé ou papier ne franchisse le seuil de ses bureaux. La règle ne s'appliquait évidemment pas aux invités, mais les employés comme les patrons de la société devaient s'acquitter d'une amende de 10 francs suisses chaque fois qu'ils étaient surpris en possession d'encre et de pulpe de bois au lieu de silicone et de plastique.

C'était donc très embarrassant pour Hoffmann de devoir traverser la réception avec sa première édition de *L'Expression des émotions chez l'homme et les animaux*. S'il avait surpris n'importe qui d'autre avec ce livre, il lui aurait fait remarquer qu'on pouvait consulter ce texte en ligne sur darwin-online.org et lui aurait demandé sur un ton sarcastique s'il croyait pouvoir lire plus vite que l'algorithme du VIXAL-4. Il ne trouvait nullement paradoxal de mettre autant de zèle à bannir les livres du bureau qu'à collectionner les premières éditions rares chez lui. Les livres étaient des antiquités, au même titre que n'importe quel objet du passé. Il glissa néanmoins le volume sous son pardessus et lança un coup d'œil coupable vers l'une des caméras de sécurité miniatures qui surveillaient l'étage.

— On viole ses propres règles, professeur ? se moqua Quarry en desserrant son écharpe.

— J'avais oublié que je l'avais avec moi.

— Tu parles ! Ton bureau ou le mien ?

— Je ne sais pas. Ça a une importance ? D'accord, le tien.

Pour arriver au bureau de Quarry, il était nécessaire de traverser la salle des marchés. La Bourse japonaise allait fermer dans un quart d'heure, les marchés européens ouvriraient à 9 heures, et déjà près d'une cinquantaine d'analystes quantitatifs – ou quants, dans le jargon méprisant de la finance – étaient sur le pont. Nul n'élevait la voix au-dessus d'un chuchotement, et la plupart scrutaient leur batterie de six écrans en silence. Des téléviseurs plasma géants retransmettaient CNBC et Bloomberg avec le son coupé, cependant qu'en dessous une bande lumineuse rouge d'horloges numériques égrenait silencieusement le passage du temps à Tokyo, Pékin, Moscou, Genève, Londres et New York. Le tapotement étouffé des doigts sur les claviers était la seule indication d'une présence humaine.

Pour des raisons qu'il ne s'expliquait pas vraiment, l'équipe de quants d'Hoffmann était aux neuf dixièmes masculine. Ce n'était pas délibéré. Il semblait simplement que les hommes étaient les seuls à postuler – le plus souvent des réfugiés des deux plaies jumelles de l'université : bas salaires et haut niveau de compétences. Une demi-douzaine d'entre eux venaient du grand collisionneur de particules LHC. Hoffmann n'aurait même pas envisagé d'engager quelqu'un qui ne serait pas au moins titulaire d'un doctorat de mathématiques ou de sciences physiques. La nationalité, comme l'aptitude sociale, importait peu, si bien que le registre du personnel d'Hoffmann Invest-ment faisait parfois penser à une conférence des Nations unies sur le syndrome d'Asperger. Quarry appelait ça « le monde des nerds », ces fondus d'informatique complètement asociaux. L'année précédente, les bonus avaient porté la rémunération moyenne à près d'un demi-million de dollars.

Seuls les cinq cadres supérieurs disposaient d'un bureau person-nel : le directeur financier, le directeur des risques et le directeur des opérations, ainsi qu'Hoffmann, qui occupait le poste de président de la société, et Quarry, qui en était le directeur général. Les bureaux en question étaient des cubes de verre insonorisé standard avec stores vénitiens blancs, moquette beige et mobilier scandinave en bois clair et chrome. Les fenêtres de Quarry donnaient sur la rue et, juste en face, sur une banque privée allemande protégée des regards par des voilages impénétrables. L'Anglais se faisait construire un méga yacht de soixante-cinq mètres par Benetti, à Viareggio. Ses murs étaient tapissés d'esquisses et de plans encadrés, et il y avait une maquette du bateau posée sur son bureau. Hoffmann, qui se contentait de balades en Hobie Cat, avait craint que leurs clients ne puissent voir dans une telle ostentation la preuve qu'ils gagnaient trop d'argent. Mais Quarry connaissait mieux que lui la psychologie humaine :

— Non, non, ils vont adorer ça. Ils diront à tout le monde : « Vous n'avez pas idée du fric que se font ces types… » Et, crois-moi, ça leur donnera encore plus envie de faire partie du club.

Il était à présent installé derrière sa maquette de bateau et regar-dait par-dessus l'une de ses trois piscines miniatures pour proposer :

— Café ? Petit déj ?

— Juste un café, répondit Hoffmann, qui s'approcha de la fenêtre.

Quarry appela son assistante.

— Deux cafés noirs. Tout de suite. Et puis je prendrai une banane et un yaourt. Et envoie-moi Genoud dès qu'il sera là.

Hoffmann avait les mains posées sur le rebord de la fenêtre. Il contemplait la rue. Un groupe de piétons attendait pour traverser que le feu passe au vert alors qu'il n'y avait pas de circulation. Hoffmann grommela :

— Putains de Suisses complètement coincés…

— Oui, mais pense aux 8,8 % d'impôts que ces putains de Suisses complètement coincés nous demandent, et tu te sentiras mieux.

Une jeune femme athlétique et couverte de taches de rousseur, en pull décolleté et coiffée d'une cascade de cheveux roux foncé, entra sans frapper : l'assistante d'Hugo, une Australienne – Hoffmann ne se souvenait pas de son prénom : Amber ? Il la soupçonnait d'être une ex de son associé qui avait dépassé l'âge réglementaire de la retraite pour ce rôle, trente et un ans. Elle portait un plateau. Un homme attendait derrière elle, en complet sombre et cravate noire, un imperméable fauve plié sur le bras.

— M. Genoud est là, annonça-t-elle.

Hoffmann leva la main en guise de remerciement. Il prit son café sur le plateau et retourna près de la fenêtre. Les piétons avaient traversé. Un tram s'arrêta en bringuebalant et ouvrit ses portes, déversant ses passagers.

Hoffmann s'efforça de distinguer les visages, mais ils se dispersaient trop rapidement. Il but son café. Quand il se retourna, Genoud se trouvait dans le bureau. On lui avait parlé, et il ne s'en était pas rendu compte. Il prit conscience du silence soudain.

— Pardon ?

— Docteur Hoffmann, reprit patiemment Genoud, je disais à M. Quarry que j'ai parlé avec plusieurs de mes anciens collègues de la police de Genève. Ils ont diffusé le signalement de l'homme.

— L'inspecteur chargé de l'affaire s'appelle Leclerc.

— Oui, je le connais. Il est sur le point d'être mis sur la touche, malheureusement. Je voudrais vous demander, monsieur Hoffmann, poursuivit Genoud avec hésitation, vous êtes sûr de lui avoir tout dit ?

— Évidemment. Pourquoi ne lui aurais-je pas tout dit ?

— Je me fiche de ce que pense l'inspecteur Clouseau, intervint Quarry. Ce qui importe, c'est de savoir comment ce dingue a pu franchir le système de sécurité d'Alex. Et s'il l'a franchi chez lui, est-ce qu'il peut entrer ici, dans nos bureaux ? C'est pour ça qu'on vous paie, non, Maurice ? La sécurité ?

Les joues cireuses de Genoud s'empourprèrent.

— Cet immeuble est l'un des mieux protégés de Genève. Quant

au domicile du Dr Hoffmann, la police dit que l'intrus semblait connaître les codes. Aucun système de sécurité au monde ne peut vous protéger contre ça.

— Je vais changer les codes ce soir, annonça Hoffmann. Et, à partir de maintenant, c'est *moi* qui décide qui les connaîtra.

— Je vous certifie, docteur Hoffmann, que nous ne sommes que deux dans la société à connaître ces combinaisons – moi-même et l'un de mes techniciens. La fuite ne peut pas venir de chez nous.

— C'est ce que vous dites. Mais il a bien fallu qu'il les trouve quelque part.

— D'accord, laissons les codes pour le moment, proposa Quarry. Jusqu'à ce qu'on arrête ce type, je veux qu'Alex soit protégé comme il faut. Qu'est-ce que ça suppose ?

— Un garde en permanence dans la maison, certainement. J'ai déjà un homme sur place. Au moins deux autres hommes pour assurer la garde cette nuit : un pour patrouiller dans le jardin, l'autre pour rester en bas, dans la maison. Et quand le Dr Hoffmann doit se déplacer en ville, je propose un chauffeur formé au contre-terrorisme et un garde du corps.

Une heure plus tôt, Hoffmann aurait décrété que toutes ces précautions étaient absurdes. Mais l'apparition dans le tram l'avait secoué. De petits éclairs de panique ne cessaient de se déclencher dans sa tête.

— Je veux une protection pour Gabrielle aussi. Nous n'arrêtons pas de supposer que ce maniaque en avait après moi, mais si c'était après elle qu'il en avait ?

Genoud prenait des notes sur un agenda personnel.

— Oui, nous pouvons arranger ça. Et vous, monsieur Quarry ? Faut-il que nous prenions des mesures de précaution pour vous aussi ?

Quarry se mit à rire.

— La seule chose qui m'empêche de dormir, c'est l'idée de faire l'objet d'une recherche en paternité.

— Bon, fit Quarry dès que Genoud fut sorti, parlons de cette présentation – si tu crois toujours pouvoir la faire.

— Je suis prêt.

— D'accord, et je remercie le ciel pour ça. Neuf investisseurs, tous des clients, comme convenu. Quatre institutions, trois très grosses fortunes, deux *family offices*. Les règles de base sont : primo, qu'ils doivent signer une clause de confidentialité concernant nos logiciels, et secundo, qu'ils sont autorisés à se faire accompagner par un conseiller attitré chacun. Ils doivent débarquer dans une heure et demie. Je suggère que tu prennes une douche et que tu te rases avant qu'ils arrivent : il faut que tu aies l'air génial, pas complètement dingo. Tu leur exposes les principes généraux. On leur montre le matériel. C'est moi qui fais le boniment. Et puis on les emmène déjeuner au Beau Rivage.

— On cherche à obtenir combien ?

— J'aimerais bien 1 milliard. Mais je pourrais me contenter de 75 millions.

— Et la commission ? Est-ce qu'on en reste à deux et vingt ?

— Si on demande plus que le taux en vigueur, on aura l'air trop gourmands. Si on demande moins, on perd leur respect. Avec nos résultats, on a un avantage, mais, même comme ça, je propose qu'on s'en tienne à deux et vingt. (Quarry recula son fauteuil et balança d'un mouvement fluide ses pieds sur le bureau.) Ça fait un an qu'on attend de leur montrer ça. Eux sont chauds comme les braises.

Des frais de gestion annuels de 2 % sur 1 milliard de dollars, ça rapportait 20 millions de dollars. Une commission de performance de 20 % sur un investissement de 1 milliard de dollars, en partant d'un rapport de 20 % – modeste selon les standards actuels d'Hoffmann Investment –, produisait encore 40 millions de dollars. Autrement dit, un revenu annuel de 60 millions de dollars pour une demi-matinée de travail et deux heures de bla-bla dans un restaurant chic. Hoffmann lui-même était prêt à endurer les pires imbéciles pour ça.

— Qui on a, exactement, ce matin ?

— Oh, tu sais, la faune habituelle. Mais tu n'as pas à t'en faire avec ça. C'est moi qui m'occuperai d'eux. Contente-toi de parler de tes précieux algorithmes. Et maintenant, va donc te reposer un peu.

4

LE bureau d'Hoffmann était identique à celui de Quarry, mais il n'y avait pour tout décor que trois photos encadrées. L'une était de Gabrielle, prise deux ans plus tôt à Saint-Tropez : elle riait, le soleil sur le visage. Il n'avait jamais vu une telle vitalité, et se sentait ragaillardi chaque fois qu'il la regardait. Il y avait un portrait d'Hoffmann lui-même, pris en 2001, coiffé d'un casque jaune et se tenant à cent soixante-quinze mètres sous la surface du sol, dans le tunnel qui allait abriter le synchrotron de l'accélérateur de particules LHC. La troisième photo montrait Quarry en tenue de soirée, à Londres, recevant le prix du meilleur gestionnaire de *hedge fund* algorithmique de l'année des mains d'un ministre du gouvernement travailliste : inutile de préciser qu'Hoffmann avait, lui, refusé d'assister à la cérémonie, ce que Quarry avait approuvé, décrétant que cela ajouterait encore à la mystique de leur société.

Hoffmann longea les parois en double vitrage de son bureau afin d'abaisser tous les stores vénitiens. Il suspendit son imperméable, prit le CD de son CAT-scan dans sa poche en se demandant ce qu'il allait en faire. Il n'y avait sur son bureau que la batterie inévitable de six écrans Bloomberg, un clavier, une souris et un téléphone. Il ouvrit le tiroir du bas et y fourra le CD tout au fond. Puis il alluma son terminal. À Tokyo, l'indice Nikkei des deux cent vingt-cinq sociétés à plus forte capitalisation boursière avait fini en baisse de 3,3 %. Mitsubishi Corporation avait perdu 5,4 %, Japan Petroleum Exploration Company 4 %. Hoffmann songea que ça tournait à la débâcle.

Soudain, avant même qu'il comprenne ce qui se passait, les écrans se brouillèrent et il se mit à pleurer. Ses mains tremblaient. Puis tout son buste fut secoué de spasmes. « Je craque », pensa-t-il, et il posa son front contre le bureau. Mais, en même temps, il se sentait curieusement détaché de son effondrement, comme s'il s'observait depuis un point situé au plafond de la pièce. Au bout de quelques minutes, lorsque les tremblements se furent calmés, il se redressa et retira ses lunettes pour s'essuyer les yeux de ses doigts tremblants et le nez sur le revers de sa main. Puis il expira longuement.

Après avoir récupéré, il se leva et alla chercher le Darwin dans son imperméable. Il posa l'ouvrage devant lui. La reliure de toile verte vieille de cent trente-huit ans au dos légèrement élimé paraissait totalement incongrue dans le cadre de ce bureau, où rien ne datait de plus de six mois. Hoffmann l'ouvrit avec hésitation à l'endroit où il s'était arrêté de lire, peu après minuit. Il prit la fiche du bouquiniste néerlandais, la déplia et la lissa. « Rosengaarden & Nijenhuise, livres anciens à caractère médical et scientifique. » Il tendit le bras vers le téléphone et composa le numéro.

Le téléphone sonna longtemps sans que personne décroche, ce qui n'était guère surprenant vu qu'il n'était que 8 h 30. Mais puisque Hoffmann se trouvait à son bureau, il supposait qu'il devait en aller de même pour tout un chacun. Il laissa donc sonner interminablement en se remémorant Amsterdam. Il s'y était rendu à deux reprises. Il aimait son élégance et son sens de l'histoire ; c'était une ville dotée d'intelligence. Il fallait absolument qu'il y emmène Gabrielle quand toute cette affaire serait réglée. Il imagina la boutique poussiéreuse du bouquiniste ; un vieux bibliophile chauve et voûté qui se précipitait sur son bureau, juste à temps pour décrocher le combiné…

— *Goedemorgen. Rosengaarden en Nijenhuise.*

La voix était jeune et féminine.

— Vous parlez anglais ? demanda-t-il.

— Oui. Que puis-je faire pour vous ?

Il s'éclaircit la gorge.

— Je crois que vous m'avez envoyé un livre avant-hier. Je m'appelle Alexander Hoffmann et j'habite Genève.

— Oui, docteur Hoffmann. Bien sûr que je m'en souviens. La première édition de Darwin. Un bel ouvrage. Vous l'avez reçu ?

— Oui, je l'ai reçu. Mais il n'y avait pas de mot avec, et je ne peux pas remercier celui qui me l'a offert. Vous pourriez me donner cette information ?

Il y eut un silence.

— Vous avez bien dit que vous vous appelez Alexander Hoffmann ?

— Oui, c'est ça.

Le silence qui suivit se prolongea et, lorsque la fille reprit la parole, elle semblait troublée.

— Vous l'avez acheté vous-même, docteur Hoffmann.

Hoffmann ferma les yeux. Quand il les rouvrit, il lui sembla que la pièce s'était légèrement déplacée sur son axe.

— Ce n'est pas moi qui l'ai acheté. Il doit s'agir de quelqu'un qui s'est fait passer pour moi.

— Mais c'est vous qui avez réglé, par virement bancaire.

— Qui se montait à combien ?

— 10 000 euros.

De sa main libre, Hoffmann se raccrocha au bord de son bureau.

— Est-ce que quelqu'un est venu au magasin en se faisant passer pour moi ?

— Il n'y a plus de magasin. Plus depuis cinq ans. Nous travaillons à présent dans un entrepôt de la banlieue de Rotterdam. Les commandes nous arrivent par courrier électronique.

Hoffmann alluma son terminal et ouvrit sa messagerie. Il fit défiler les messages envoyés.

— Quand suis-je censé vous avoir envoyé ce mail?

— Le 3 mai.

— Eh bien, je suis en train de vérifier les messages que j'ai envoyés ce jour-là, et je peux vous assurer que je ne vous ai rien envoyé le 3 mai. Quelle adresse électronique figure sur la commande?

— A point Hoffmann arobase Hoffmann Investment Technologies point com.

— Oui, c'est bien mon adresse. Mais je ne vois aucun message envoyé à un bouquiniste ici.

— Vous l'avez peut-être envoyé d'un autre ordinateur?

— Non, je suis sûr que non.

Alors qu'il prononçait ces mots, sa voix perdit de son assurance et il eut l'impression qu'un gouffre venait de s'ouvrir à ses pieds. La radiologue avait suggéré que les petits points blancs sur son scanner pouvaient être un signe de démence. Peut-être s'était-il servi de son téléphone portable, ou de son ordinateur portable, et avait-il tout oublié.

— Qu'y avait-il exactement dans le message que je vous ai envoyé? Pouvez-vous me le lire?

— Il n'y a pas eu de message. Le client clique sur le titre de notre catalogue en ligne et remplit le bulletin de commande électronique: nom, adresse, mode de paiement. (Une certaine prudence teintait à présent sa voix.) J'espère que vous ne souhaitez pas annuler la commande.

— Non. Il faut juste que je tire ça au clair. Vous dites que l'argent a été versé par virement? Quel est le numéro du compte débiteur?

— Je ne peux pas vous livrer cette information.

Hoffmann rassembla toutes les forces qui lui restaient.

— Écoutez-moi, maintenant. J'ai de toute évidence été victime d'une usurpation d'identité. Et je vais très certainement annuler cette commande et mettre toute cette histoire entre les mains de la police si vous ne me donnez pas ce numéro de compte afin que je puisse comprendre ce qui s'est passé.

Il y eut un silence à l'autre bout de la ligne. Puis la femme répondit d'un ton glacial :

— Je ne peux pas vous donner cette information par téléphone, mais je peux vous l'envoyer à l'adresse mail qui figure sur le bon de commande. Cela vous satisferait-il ?

— Ce serait parfait. Merci.

Hoffmann raccrocha et poussa un soupir. Il posa les coudes sur le bureau, laissa reposer sa tête sur le bout de ses doigts et regarda fixement son écran d'ordinateur. Une vingtaine de secondes plus tard, sa boîte mail afficha un nouveau message. Il l'ouvrit. Il provenait du bouquiniste. Il ne contenait pas de formule de politesse, juste une ligne de vingt chiffres et lettres, et le nom du titulaire du compte : A. J. Hoffmann. Il le fixa d'un regard incrédule, puis appela son assistante par l'interphone.

— Marie-Claude, pourriez-vous m'envoyer par mail la liste de tous mes comptes en banque personnels ? Tout de suite, s'il vous plaît.

— Bien sûr.

— Et vous gardez les codes de sécurité de chez moi quelque part, je crois ?

— Oui, docteur Hoffmann.

Marie-Claude Durade était une Suissesse vive d'une bonne cinquantaine d'années qui travaillait pour Hoffmann depuis cinq ans.

— Où les conservez-vous ?

— Dans votre fichier personnel, sur mon ordinateur.

— Vous n'en avez pas parlé à quelqu'un ? Pas même à votre mari ?

— Mon mari est mort l'année dernière.

— Vraiment ? Oh. Bon. Désolé. En fait, quelqu'un s'est introduit chez moi cette nuit. La police voudra peut-être vous poser quelques questions.

— Oui, docteur Hoffmann.

Tout en attendant qu'elle lui envoie le détail de ses comptes, il se leva et se mit à arpenter son bureau. Qui avait jamais entendu parler d'un cas d'usurpation d'identité où l'usurpateur achetait un cadeau à la victime ? Quelqu'un essayait de le rendre dingue.

Il écarta les lames d'un store et jeta un coup d'œil sur la salle des marchés. Avait-il un ennemi dissimulé là, parmi ses soixante quants ? Hoffmann avait engagé lui-même chacun d'eux, mais il ne les connaissait pas très bien.

Il laissa retomber la lame de store et retourna à son ordinateur. La liste de ses comptes en banque attendait dans sa boîte mail. Il en avait huit – francs suisses, dollars, livres sterling, euros, compte courant, compte d'épargne, offshore et compte joint. Il les compara à celui qui avait été utilisé pour acheter le livre. Aucun ne correspondait. Il martela son bureau du bout des doigts pendant quelques secondes, puis décrocha son téléphone et appela le directeur financier de la société, Lin Ju-Long.

— LJ? C'est Alex. Soyez gentil : vous voulez bien vérifier un numéro de compte pour moi? Il est à mon nom, mais il ne me dit rien. Je voudrais savoir s'il apparaît quelque part dans notre système. (Il fit suivre le mail du bouquiniste.) Je vous l'envoie. Vous l'avez?

Il y eut un instant d'attente.

—Oui, Alex, je l'ai. Je peux déjà vous dire que KYD, c'est le préfixe de tous les IBAN des comptes en dollars américains des îles Caïmans.

— Est-ce que ça pourrait être un compte de société?

— Je vais le faire passer dans le système. Au fait, avez-vous parlé à Gana?

Il s'agissait en réalité de Ganapathi Rajamani, le directeur des risques de la société.

— Non, pourquoi? rétorqua Hoffmann.

—Vous avez autorisé une grosse VAD sur Procter & Gamble, hier soir? Deux millions à 62 la part? Il dit qu'on a franchi la limite de sécurité. Il demande une réunion du comité des risques.

— Eh bien, dites-lui d'aller en parler à Hugo. Et n'oubliez pas de me rappeler au sujet de ce compte, d'accord?

Hoffmann se sentait trop las pour faire davantage. Il rappela Marie-Claude et lui demanda qu'on ne le dérange pas pendant une heure. Il s'allongea sur le canapé et essaya de se représenter qui avait bien pu prendre la peine d'usurper son identité pour lui offrir un livre rare d'histoire naturelle datant du XIXe siècle, en se servant d'un compte en dollars aux îles Caïmans qu'il serait censé détenir. Mais lui-même était dépassé par l'étrangeté de l'énigme, et il ne tarda pas à sombrer dans le sommeil.

L'INSPECTEUR Leclerc savait que le chef de la police de Genève, maniaque de la ponctualité, arrivait au commissariat à 9 heures précises, et qu'il commençait immanquablement sa journée par lire le compte rendu de ce qui s'était produit dans le canton pendant la nuit. Aussi, lorsque le téléphone sonna dans son bureau à 9 h 8, se doutait-il fortement de qui pouvait l'appeler.

— Jean-Philippe ? fit une voix sèche.

— Bonjour, chef.

— Cette agression du banquier américain, Hoffmann.

— Oui, chef ?

— J'ai déjà eu un coup de fil du ministère des Finances pour savoir ce qui se passait. Rendez-moi service et restez un peu plus, d'accord ? Ce serait bien que vous puissiez régler cette affaire au plus vite.

— Le ministère des Finances ? répéta Leclerc, éberlué. En quoi ça les intéresse ?

— Oh, toujours la même histoire, j'imagine. Une loi pour les riches et une pour les pauvres. Tenez-moi au courant, d'accord ?

Après avoir raccroché, Leclerc proféra dans sa barbe un chapelet de jurons. Il remonta le couloir d'un pas lourd jusqu'à la machine à café et se servit une tasse d'un expresso très noir. Il avait les yeux irrités et les sinus douloureux. « Je suis trop vieux pour tout ça », pensa-t-il. Il retourna dans son bureau et appela sa femme pour lui annoncer qu'il ne pourrait pas rentrer avant le déjeuner, puis se connecta à Internet pour voir s'il pouvait trouver quelque chose sur le Dr Alexander Hoffmann, physicien et patron d'un *hedge fund*. Mais il fut surpris de ne trouver presque rien. Pas d'article dans Wikipedia ni dans aucun journal, pas de photo disponible en ligne. Pourtant, le ministre des Finances lui-même s'intéressait personnellement à l'affaire.

« Et puis, c'était quoi, en fait, un *hedge fund* ? » se demanda-t-il. Il chercha une définition : « Un *hedge fund* est une association privée d'investissement utilisant un large éventail de stratégies d'investissement pour préserver un portefeuille de couverture visant à minimiser le risque directionnel du marché, tout en maximisant les performances des marchés à la hausse. »

Pas vraiment avancé pour autant, il parcourut ses notes. Lors de leur entretien, Hoffmann avait dit qu'il était dans le secteur financier depuis huit ans. Et il avait auparavant travaillé à l'élaboration du collisionneur de particules LHC. Il se trouvait que Leclerc connaissait un ancien inspecteur de police qui était à présent employé du service de sécurité du Cern. Il lui passa un coup de fil et, un quart d'heure plus tard, il était au volant de sa petite Renault et avançait au pas dans les encombrements matinaux de la route de Meyrin en direction du nord-ouest, dans la morne zone industrielle de Zimeysa.

Les invités de Quarry commencèrent à se présenter juste après 10 heures. Le premier couple – un Genevois de cinquante-six ans, Étienne Mussard, et sa sœur cadette, Clarisse – arriva en bus. Quarry avait prévenu Hoffmann :

— Ils arriveront en avance. Ils sont toujours en avance pour tout.

Habillés sans recherche, ils vivaient ensemble dans un petit quatre-pièces de la banlieue de Lancy qu'ils avaient hérité de leurs parents. Ils ne conduisaient pas. Ils ne prenaient jamais de vacances. Ils dînaient rarement au restaurant. Quarry estimait la fortune personnelle de M. Mussard à environ 700 millions d'euros, et celle de Mme Mussard à 550 millions. Leur grand-père maternel, Robert Fazy, avait été propriétaire d'une banque privée vendue dans les années 1980 à la suite d'un scandale concernant des avoirs juifs saisis par les nazis et déposés chez Fazy et Cie pendant la Seconde Guerre mondiale.

Ce couple terne fut aussitôt suivi par celle qui était sans doute la plus exotique des clientes d'Hoffmann Investment, Elmira Gulzhan, la fille de trente-huit ans du président de l'Azakhstan. Elmira, qui habitait à Paris, gérait l'administration des biens de la famille Gulzhan à l'étranger, estimés par la CIA aux alentours de 19 milliards de dollars en 2009. Quarry s'était arrangé pour la rencontrer lors d'un week-end de ski à Val-d'Isère. Les Gulzhan avaient déjà investi 120 millions de dollars dans le *hedge fund*, mise que Quarry espérait la persuader de doubler, au minimum. Elle descendit de sa Mercedes blindée revêtue d'une redingote de soie vert émeraude et d'un foulard assorti drapé sur son épaisse chevelure noire et brillante. Quarry l'attendait dans le hall.

— Ne sois pas dupe, avait-il prévenu Hoffmann. Elle aura peut-être l'air d'aller au champ de courses, mais elle aurait sans problème sa place chez Goldman Sachs. Et elle peut s'arranger pour que son père te fasse arracher les ongles.

Arrivèrent ensuite, à bord d'une limousine de l'hôtel Président Wilson, situé de l'autre côté du lac, deux Américains venus de New York exprès pour la présentation. Ezra Klein, analyste en chef du Winter Bay Trust, un fonds de 14 milliards de dollars, avait la réputation d'être extrêmement brillant, réputation renforcée par son habitude de débiter six mots par seconde (il avait un jour été chronométré en douce par des employés incrédules).

Au côté de Klein et ne feignant même pas d'écouter son bavardage inintelligible, venait une forte carrure, revêtue de l'uniforme de Wall Street : costume trois pièces noir et cravate à fines rayures rouges et blanches. Il s'agissait de Bill Easterbrook, du conglomérat bancaire américain AmCor.

— Tu as déjà rencontré Bill, avait dit Quarry à Hoffmann. Tu t'en souviens ? C'est le dinosaure qui a l'air de débarquer d'un film d'Oliver Stone.

Quarry avait lui-même travaillé chez AmCor à Londres pendant dix ans, et, entre lui et Easterbrook, ça remontait « très, très loin ». Quand Quarry avait quitté AmCor pour monter le fonds avec Hoffmann, Easterbrook leur avait envoyé leurs premiers clients moyennant une commission. AmCor était à présent le plus gros investisseur d'Hoffmann Investment Technologies avec près de 1 milliard de dollars en gestion.

Puis le reste de la troupe arriva : Amschel Herxheimer, vingt-sept ans, issu de la dynastie Herxheimer – qui officiait dans le secteur bancaire et commercial – et dont la sœur avait étudié à Oxford avec Quarry ; le morne Iain Mould, de Fife, qui avait été une entreprise du bâtiment plus morne encore jusqu'au début de ce siècle, où elle avait décidé de s'introduire en Bourse et, en l'espace de trois ans, avait contracté des dettes obligeant le gouvernement britannique à la racheter ; le milliardaire Mieczyslaw Łukasinski, ancien professeur de mathématiques et dirigeant de l'Union des jeunesses communistes polonaises, qui possédait à présent la troisième compagnie d'assurances la plus importante d'Europe de l'Est ; et enfin deux entrepreneurs chinois, Liwei Xu et Qi Zhang, qui représentaient une banque d'investissement de Shanghai et arrivèrent avec pas moins de six associés en costume sombre qu'ils présentèrent comme des juristes, mais dont Quarry était presque certain qu'il s'agissait d'informaticiens venus inspecter la cyber-sécurité du système de la société.

Aucun des investisseurs conviés par Quarry n'avait décliné l'invitation.

— Ils viennent pour deux raisons, avait-il expliqué à Hoffmann. D'abord parce que, au bout de trois ans, et alors même que les marchés financiers faisaient le plongeon, on leur a versé des bénéfices de

83 %, tout en refusant de toucher un centime supplémentaire pour l'investissement.

— Et quelle est la seconde raison de leur venue ?

— Oh, ne sois pas si modeste. C'est *toi*. Ils veulent savoir à quoi tu ressembles. Tu es en train de devenir une légende, et ils veulent toucher le bord de ton vêtement, juste pour voir si leurs doigts ne se transforment pas en or.

HOFFMANN fut réveillé par Marie-Claude.

— Docteur Hoffmann ? appela-t-elle en lui secouant doucement l'épaule. Docteur Hoffmann, M. Quarry me dit de vous dire qu'ils vous attendent dans la salle de conférences.

— Merci, dit-il en se redressant. Dites-lui que j'arrive dans une minute. (Puis, sur une impulsion, il ajouta :) Je suis désolé pour votre mari. Je suis… perturbé.

— Il n'y a pas de souci. Je vous remercie.

Il y avait un cabinet de toilette de l'autre côté du couloir, en face de son bureau. Il fit couler l'eau froide et mit ses mains en coupe sous le jet. Il s'aspergea le visage, encore et encore, se fouettant les joues à l'eau glacée. Il n'avait pas le temps de se raser. Sur son menton et autour de sa bouche, la peau d'habitude pâle et lisse avait pris la texture rêche de celle d'un animal. C'était très curieux – sans doute un changement d'humeur irrationnel dû sa blessure –, mais il commençait à éprouver une certaine exubérance. Il avait survécu à une rencontre avec la mort – ce qui était déjà grisant en soi – et voilà que toute une assemblée de fidèles n'attendaient que de toucher le bord de son vêtement dans l'espoir que son génie à produire de l'argent déteindrait un peu sur eux. Les riches de la Terre avaient quitté leurs yachts, leurs courses de chevaux, leurs salles des marchés à Manhattan et leurs comptabilités à Shanghai et se retrouvaient en Suisse pour écouter le Dr Alexander Hoffmann, le créateur légendaire (selon les termes d'Hugo) d'Hoffmann Investment Technologies, prôner sa vision de l'avenir.

Focalisé sur ces pensées, Hoffmann se sécha le visage, redressa les épaules et se dirigea vers la salle de conférences. Alors qu'il traversait la salle des marchés, la silhouette leste de Ganapathi Rajamani, le directeur des risques de la société, s'avança pour l'intercepter, mais Hoffmann l'écarta d'un geste : quel que soit le problème, il devrait attendre.

5

L A salle de conférences affichait le même caractère impersonnel et
professionnel – mêmes parois de verre insonorisées, mêmes stores
vénitiens du sol au plafond – que les bureaux. Un écran géant
destiné aux téléconférences occupait la plus grande partie du mur du
fond et dominait la grande table ovale scandinave en bois clair. Quand
Hoffmann pénétra dans la pièce, tous les sièges, à l'exception d'un
seul, étaient occupés par les clients eux-mêmes ou par leurs conseillers ;
l'unique place encore libre se trouvait en tête de table, à côté de Quarry.

— Le voilà enfin, annonça-t-il avec un soulagement évident. Mesdames et messieurs, le Dr Alexander Hoffmann, président d'Hoffmann
Investment Technologies. Il s'est pris, hélas, un coup sur la tête, d'où
les points de suture, mais il va bien maintenant, n'est-ce pas ?

Tous le dévisagèrent. Ceux qui se trouvaient le plus près de lui se
penchèrent pour mieux le voir. Mais Hoffmann, rouge de confusion,
évita d'affronter leur regard. Il prit place à côté de Quarry, croisa les
mains devant lui sur la table et contempla fixement ses doigts entre-
lacés. Il sentit la main de Quarry se poser sur son épaule, et la pression s'intensifia lorsque l'Anglais se leva.

— Bien, nous pouvons enfin commencer. Bienvenue, donc, mes
amis, à Genève. Il y a près de huit ans qu'Alex et moi avons lancé la
boîte, en nous servant de son intelligence et de mon physique, pour
créer ce fonds d'investissement d'un genre très particulier, qui s'appuie
exclusivement sur du trading algorithmique. Nous avons commencé
avec un tout petit peu plus de 100 millions de dollars d'actifs gérés,
dont nous devions une bonne partie à mon vieil ami ici présent, Bill
Easterbrook, d'AmCor. Nous avons fait des bénéfices dès la première
année, et nous n'avons jamais cessé d'en faire depuis, ce qui explique
que nous soyons aujourd'hui cent fois plus gros qu'à nos débuts, avec
10 milliards de dollars d'actifs gérés.

» Je ne vais pas me vanter de nos résultats. Vous avez tous les relevés trimestriels, et vous savez ce que nous avons accompli ensemble.
Je me contenterai de vous donner une statistique. Le 9 octobre 2007,
le Dow Jones Industrial Average clôturait à 14 164 points. Hier soir,
le Dow Jones a clôturé à 10 866. Cela représente une perte de près d'un

quart en plus de deux ans et demi. Vous imaginez ! Tous ces pauvres naïfs avec leurs plans de retraite et leurs obligations indexées ont perdu 25 % de leurs investissements. Mais vous, en nous faisant confiance pendant la même période, vous avez vu la valeur de votre investissement grimper de 83 %. Mesdames et messieurs, je crois que vous serez d'accord pour admettre que vous n'avez pas à regretter de nous avoir confié votre argent.

Pour la première fois, Hoffmann risqua un rapide coup d'œil autour de la table. L'auditoire de Quarry l'écoutait avec attention. Mieczyslaw Łukasinski n'arrivait tout simplement pas à effacer le sourire de sa grosse figure de paysan.

— Je peux vous assurer, poursuivit Quarry, que ces performances ne doivent rien à la chance. Hoffmann Investment Technologies consacre 32 millions de dollars par an à la recherche. Nous employons soixante analystes qui comptent parmi les esprits scientifiques les plus brillants de ce monde. Enfin, on m'assure qu'ils sont brillants : moi, je ne comprends pas un traître mot de ce qu'ils font.

Quarry laissa les petits rires s'apaiser et se pencha en avant, l'air soudain sérieux.

— Il y a dix-huit mois, Alex et son équipe sont parvenus à une avancée technologique importante. Nous avons dû en conséquence nous résoudre à prendre la décision difficile de fermer le fonds aux souscriptions, c'est-à-dire de refuser tout investissement supplémentaire, même de la part de nos clients existants. Or je sais que chacun d'entre vous dans cette pièce – parce que c'est pour cela que nous vous avons invités ici – a été très déçu par cette décision et que certains en ont même été très fâchés.

Il coula un regard en direction d'Elmira Gulzhan, à l'autre extrémité de la table. Hoffmann savait qu'elle avait passé un savon à Quarry au téléphone lorsqu'il lui avait appris la nouvelle, et qu'elle avait même menacé de retirer du fonds l'argent de sa famille.

— Eh bien, nous nous en excusons, reprit Quarry. Mais nous devions nous concentrer sur la mise en œuvre de cette nouvelle stratégie d'investissement en conservant notre volume d'actifs. Comme vous le savez sans doute déjà, tout fonds, quelle que soit sa forme, présente un risque, et en modifier la taille se traduit forcément par une perte de performance. Nous voulions donc avoir toutes les garanties que cela n'arriverait pas.

» Nous pensons désormais que ce nouveau système, le VIXAL-4, est assez solide pour supporter un élargissement de portefeuille. À partir d'aujourd'hui, je peux donc annoncer qu'Hoffmann Investment passe d'une position de fermeture rigoureuse à une position de fermeture limitée, et est prêt à accepter de nouveaux investissements, mais uniquement de la part de nos anciens clients. (Il s'interrompit et but une gorgée d'eau pour laisser à ses paroles le temps de produire leur effet.) Réjouissez-vous, braves gens, reprit-il sur un ton enjoué. C'est censé être une bonne nouvelle.

Le rire relâcha la tension et, pour la première fois depuis qu'Hoffmann était entré dans la salle, les clients se regardèrent franchement. Des sourires complices furent échangés autour de la table. Le plaisir d'appartenir au cercle des élus.

— Et maintenant, déclara Quarry d'un air satisfait, je crois que le mieux est de passer la main à Alex, ici présent, qui pourra vous mettre au courant de l'aspect technique des choses. Avec un peu de chance, j'arriverai peut-être à comprendre, moi aussi.

D'autres rires se firent entendre, puis Hoffmann prit la parole.

Il avait toujours eu du mal à s'exprimer en public. Les quelques cours qu'il avait donnés à Princeton avaient été une vraie torture tant pour les étudiants que pour leur professeur. Mais il se sentait maintenant mû par une clarté d'esprit et une énergie étranges. Il respira à fond et se leva.

— Mesdames et messieurs, afin d'éviter de nous faire voler nos idées par nos concurrents, nous ne pouvons trop entrer dans les détails de ce que nous faisons dans cette société, mais le principe général n'a rien de mystérieux. Nous prenons dans les deux cents titres et valeurs, et nous pratiquons un trading sur un cycle de vingt-quatre heures. Les algorithmes programmés sur nos ordinateurs sélectionnent nos positions en s'appuyant sur une analyse détaillée de l'historique des tendances, disons le Dow Jones ou le S&P 500 et les matières premières courantes : pétrole brut Brent, gaz naturel, or, argent, cuivre, blé. Nous pratiquons aussi le *high frequency trading*, où nous ne tenons parfois nos positions que pendant quelques secondes. Même la moyenne des mouvements du S&P sur deux cents jours peut être un bon prédicateur du marché : si l'indice en cours est supérieur à la moyenne précédente, on a toutes les chances d'avoir un marché haussier ; s'il est inférieur, un marché baissier. Ou bien nous pouvons faire une prévision en nous appuyant sur vingt ans de données : par exemple, si le cours de l'étain est à tant, et le yen à tant, il y a alors toutes les chances pour que le DAX affiche tant. Le principe se résume à un axiome très simple : le meilleur guide de l'avenir est le passé. Et il suffit que nos prévisions se vérifient dans 55 % des cas pour faire des bénéfices.

» Hugo a fait remarquer qu'à une époque où le Dow Jones perdait près de 25 %, nous avons progressé de 83 %. Comment y sommes-nous parvenus ? C'est très simple. Les marchés ont connu deux années de panique, et nos algorithmes adorent la panique parce que les êtres humains se comportent toujours de manière très prévisible quand ils ont peur. (Il se tut. Il avait la bouche sèche.) Hugo, je pourrais avoir de l'eau ? »

Quarry se pencha pour lui tendre une bouteille d'Évian et un verre. Hoffmann but à même le goulot et s'essuya les lèvres d'un revers de main.

— Vers 350 avant J.-C., Aristote a défini l'être humain comme étant un *zôon logon échon*, « un animal possédant la parole ». Pendant peut-être quarante mille ans, les humains ont été les seuls *zôon logon échon*, les seuls animaux dotés de la parole. Mais maintenant, nous partageons notre monde avec l'ordinateur.

» L'ordinateur…, répéta Hoffmann, qui désigna la salle des marchés d'un mouvement de bouteille. Il fut un temps où l'on imaginait que les ordinateurs – les robots – se chargeraient des basses tâches. En fait, les humains que les ordinateurs remplacent sont ceux qui occupent les postes les plus spécialisés : traducteurs, techniciens de laboratoire, juristes, opérateurs de marché.

» Les ordinateurs deviennent de plus en plus efficaces dans le domaine de la traduction commerciale et technique. En médecine, ils peuvent enregistrer les symptômes d'un patient, diagnostiquer une maladie et même prescrire un traitement. Dans le secteur juridique, ils sont capables d'examiner en détail et d'évaluer d'énormes quantités de documents complexes. La reconnaissance de la parole permet aux algorithmes d'extraire le sens du discours oral aussi bien que des textes écrits. Les bulletins d'information peuvent être analysés en temps réel.

» Bientôt, toutes les informations de la Terre – la moindre parcelle de connaissance détenue par les humains – deviendront numériquement disponibles. Chaque route de cette planète a été cartographiée, chaque bâtiment photographié. Où que nous allions, quoi que nous achetions, quelque site que nous consultions, nous laissons derrière nous une trace numérique aussi visible qu'une traînée de bave d'escargot. Et ces données sont susceptibles d'être lues, triées et analysées par des ordinateurs selon des méthodes que nous ne commençons même pas encore à concevoir.

» Google finira par numériser tous les livres qui ont été publiés. Il n'y aura plus besoin de bibliothèque. Il vous suffira d'avoir un écran qui tiendra dans votre main. Mais voilà, un étudiant très brillant peut arriver à lire huit cents mots à la minute. Or, l'année dernière, la société IBM a annoncé qu'elle construisait pour le gouvernement américain un nouvel ordinateur capable d'effectuer vingt mille milliards de calculs par seconde. Il y a une limite à la quantité d'informations que nous, êtres humains, pouvons absorber, et nous l'avons atteinte. Mais il n'y a pas de limites à ce qu'un ordinateur peut absorber.

» Et le langage – le remplacement de l'objet par des symboles – présente un autre inconvénient de taille pour les humains. Le langage ouvre les portes de l'imaginaire, et avec lui viennent la rumeur, la panique, la peur. Les algorithmes, eux, sont dépourvus d'imagination. Ils ne paniquent pas. Et c'est pour cela qu'ils conviennent si parfaitement aux opérations sur les marchés financiers.

» Ce que nous avons essayé de faire, avec notre nouvelle génération d'algorithmes VIXAL, c'est d'isoler, mesurer et intégrer dans nos calculs de marché l'élément de la cote qui dépend directement de schémas prévisibles du comportement humain. Pourquoi, par exemple, un cours qui grimpe dans l'attente d'un résultat positif chute-t-il presque toujours en dessous de son cours de départ si les résultats se révèlent décevants ? Pourquoi, en certaines occasions, les traders s'accrochent-ils à des titres même si ceux-ci perdent de leur valeur et accumulent-ils les pertes alors qu'en d'autres occasions ils vendent des actions très saines, simplement parce que le marché est dans son ensemble à la baisse ? L'algorithme capable d'ajuster sa stratégie en fonction de tous ces mystères aura un énorme avantage compétitif.

Ezra Klein, qui se balançait d'avant en arrière, ne put se contenir davantage :

— Mais ce n'est rien de plus que de la *finance comportementale* ! explosa-t-il comme s'il s'agissait d'une hérésie. Comment arrivez-vous à faire le tri pour vous en servir ?

— Quand on retire l'estimation d'un actif qui fluctue dans le temps, il reste, s'il y a lieu, le biais comportemental.

— Peut-être, mais comment calculez-vous ce qui a déclenché le biais comportemental? Ça revient carrément à rejouer l'histoire de tout l'Univers, là!

— Ezra, je suis d'accord avec vous, répliqua Hoffmann sans se départir de son calme. Quelles que soient les données numériques disponibles, nous ne pouvons pas analyser tous les aspects du comportement humain et ce qui l'a déclenché durant les vingt dernières années. Nous avions compris dès le début qu'il nous faudrait resserrer l'objectif. Nous avons choisi de nous concentrer sur une émotion en particulier, pour laquelle nous savions que nous disposions de données substantielles.

— Et vous avez opté pour quoi?

— La peur.

Il y eut un mouvement dans la salle. Hoffmann avait senti une certaine confusion s'emparer de son auditoire. Mais il était parvenu à capter leur attention. Il poursuivit:

— D'un point de vue historique, la peur est l'émotion la plus influente dans l'histoire de l'économie. Vous vous rappelez Roosevelt pendant la crise de 29? C'est la citation la plus célèbre de l'histoire financière: « La seule chose dont nous devons avoir peur, c'est de la peur elle-même. » La peur est tellement forte qu'il a été relativement facile d'éliminer les parasites produits par les autres données émotionnelles pour se concentrer sur ce seul signal. Nous avons pu établir des corrélations entre les récentes fluctuations du marché et le taux de fréquence des termes liés à la peur employés pas les médias: terreur, inquiétude, panique, désarroi, crainte, anthrax, nucléaire. Et nous sommes arrivés à la conclusion que la peur gouvernait le monde comme jamais auparavant.

— C'est Al-Qaida, commenta Elmira Gulzhan.

— En partie. Mais pourquoi Al-Qaida susciterait-il plus de peur que la menace de destruction mutuelle que constituait la guerre froide dans les années 1950 et 1960, qui ont été des années de grande stabilité du marché? L'augmentation de la volatilité du marché est selon nous un corollaire de la numérisation, qui exagère les changements d'humeur humains par la dissémination sans précédent de l'information via Internet.

— Et nous avons trouvé un moyen d'en tirer de l'argent ! lança joyeusement Quarry avant de faire signe à Hoffmann de continuer.

— Comme vous le savez déjà, la Chicago Board Option Exchange a développé un indicateur de volatilité du S&P 500, le VIX. Sous une forme ou sous une autre, cela fait dix-sept ans que cet indice existe. C'est un baromètre fondé sur la moyenne des volatilités des options d'achat et des options de vente sur l'indice S&P 500. Il exprime la volatilité implicite du marché pour le mois à venir et varie à la hausse ou à la baisse de minute en minute. Plus l'indice est élevé, plus le marché est incertain. C'est pour cela que les traders l'ont surnommé l'« indice de la peur ». Et, bien sûr, c'est également un produit financier ; il y a des contrats à terme et des options VIX négociés en Bourse, et nous les négocions.

» Le VIX constituait donc notre base de départ. Il nous a fourni tout un tas de données utiles remontant à 1993. Dès le début, le VIX nous a aussi donné le nom de notre prototype de calcul, le VIXAL-1, que nous avons gardé tout au long de nos travaux. Nous en sommes aujourd'hui à la quatrième itération, que nous avons appelée, avec un manque d'imagination certain, le VIXAL-4.

Klein s'empressa d'intervenir à nouveau :

— La volatilité implicite du VIX peut partir à la hausse aussi bien qu'à la baisse.

— Nous en tenons compte, rétorqua Hoffmann. La peur ne signifie pas seulement une panique générale du marché et la fuite vers des valeurs refuges. Il y a aussi ce qu'on appelle un effet « crampon » quand on s'accroche à un titre contre toute logique, et un effet « adrénaline » quand un titre décolle fortement. Nous sommes encore en train d'étudier toutes ces diverses catégories pour affiner nos modèles.

Easterbrook leva la main.

— Oui, Bill ?

— Cet algorithme est-il déjà opérationnel ?

— Dans la mesure où il s'agit d'une question d'ordre pratique plus que théorique, pourquoi ne pas laisser Hugo vous répondre ?

Quarry s'exécuta :

— Nous avons commencé les back tests sur le VIXAL-1 il y a presque deux ans, mais il ne s'agissait que de simulations, sans véritable contact avec le marché. Nous avons mis le VIXAL-2 en service en mai 2009, avec 100 millions de dollars en argent virtuel. Nous sommes passés au VIXAL-3 en novembre, en lui donnant accès à 1 milliard de dollars. La réussite a été telle que nous avons décidé, il y a une semaine, de laisser le VIXAL-4 prendre le contrôle de l'ensemble du fonds. Hier soir, le VIXAL-4 était en hausse à 79,7 millions.

Easterbrook plissa le front :

— Je croyais que vous disiez l'avoir mis en route il y a une semaine ?

— Effectivement.

— Mais ça veut dire…

— Ça veut dire, dit Ezra Klein en faisant le calcul dans sa tête, que sur un fonds de placement de 10 milliards de dollars, vous comptez engranger un bénéfice de 4,14 milliards par an.

— Et plus le VIXAL-4 aura de données à rassembler et à analyser, plus il est censé devenir efficace, précisa Hoffmann.

Des sifflements et des murmures firent le tour de la table. Les deux Chinois se mirent à chuchoter entre eux.

— Vous comprenez maintenant pourquoi nous avons décidé d'élargir les investissements, commenta Quarry avec un sourire satisfait. Il faut qu'on tire tout ce qu'on peut de ce truc avant que quelqu'un ne mette au point une stratégie concurrente. Et maintenant, mesdames et messieurs, il me semble que le moment est venu de vous proposer de jeter un coup d'œil sur le VIXAL à l'œuvre.

À TROIS kilomètres de là, à Cologny, les experts avaient fini d'examiner le domicile des Hoffmann. Gabrielle se trouvait dans son atelier et démontait la représentation du fœtus, soulevant chaque plaque de verre de sa rainure, dans le socle de bois, pour l'envelopper dans du papier absorbant puis dans du film à bulles avant de la coucher dans un carton. Elle se surprit à penser à quel point il était étrange que tant d'énergie créatrice ait pu surgir du trou noir de cette tragédie. Elle avait perdu le bébé deux ans plus tôt, à cinq mois et demi. Ce n'était pas sa première grossesse qui se terminait par un avortement, mais c'était de loin celle qui l'avait le plus anéantie. L'hôpital lui avait fait passer une IRM lorsqu'ils avaient commencé à s'inquiéter, ce qui était inhabituel. Après la fausse couche, plutôt que de rester seule en Suisse, elle avait accompagné Alex en voyage d'affaires à Oxford. Pendant qu'il faisait passer des entretiens à des titulaires de doctorats au Randolph Hotel, elle était entrée dans un musée et était tombée sur un modèle en 3D de la structure de la pénicilline réalisé sur des plaques de Plexiglas. Une idée avait alors germé dans son esprit et, de retour à Genève, elle avait essayé la même technique avec les IRM de son ventre, qui étaient tout ce qui lui restait de son enfant.

Il lui avait fallu une semaine de tâtonnements pour déterminer quelles images imprimer parmi les deux cents coupes transversales dont elle disposait, comment les retracer sur le verre, quelle encre utiliser et comment l'empêcher de baver. Elle n'avait cessé de se couper sur les bords acérés des plaques de verre. Mais l'après-midi où elle les avait disposées pour la première fois les unes contre les autres, faisant apparaître une silhouette – les doigts serrés, les orteils recroquevillés –, cela avait été un miracle qu'elle n'oublierait jamais. Quand Alex était rentré du travail et avait découvert le portrait, il était resté assis, stupéfait, pendant dix minutes.

Elle s'était ensuite totalement absorbée dans la possibilité de marier art et science pour produire des images de formes vivantes. Elle s'était surtout servie d'elle-même comme modèle et avait convaincu les radiologues de l'hôpital de prendre des scanners d'elle, de la tête aux pieds. La simplicité de la forme était ce qui l'attirait le plus, et les paradoxes que cela impliquait – la clarté et le mystère, l'impersonnel et l'intime, le générique et l'absolument unique. En regardant Alex passer son CAT-scan, elle avait eu envie de faire un portrait de lui. Elle se demanda si les médecins lui laisseraient récupérer les images, et s'il lui permettrait de le faire.

Elle enveloppa tendrement les dernières plaques de verre, puis referma le carton avec de l'adhésif. Elle avait eu du mal à se décider à exposer cette œuvre, en particulier : si quelqu'un l'achetait, elle savait qu'elle ne la reverrait probablement jamais. Pourtant, c'était l'objet même de la création : donner à l'œuvre une existence propre, la laisser prendre son envol.

Elle prit le carton et le porta dans le couloir, comme un paquet-cadeau. Dans le vestibule, elle sentit sa peau se hérisser lorsqu'elle franchit l'endroit où elle avait trouvé Alex gisant par terre. La silhouette trapue d'un homme surgit soudain à l'entrée du bureau, et elle poussa un petit cri, manquant lâcher le carton. Mais ce n'était qu'un employé du service de sécurité du *hedge fund*, que Quarry avait envoyé pour veiller sur elle. Il lui montra sa carte et lui prit le carton des mains pour le porter jusqu'à la Mercedes, qui attendait dehors.

Elle protesta qu'elle voulait prendre sa voiture pour aller jusqu'à la galerie. Mais il fit preuve d'une telle intransigeance professionnelle qu'elle finit par capituler.

— Tu as été brillant, murmura Quarry en attrapant Hoffmann par le coude alors qu'ils sortaient de la salle de conférences.

— Tu trouves? J'ai eu l'impression de les perdre à un moment.

— Ils s'en fichent d'être largués, du moment que tu les ramènes à ce qu'ils sont venus voir, soit le résultat financier, dit-il en faisant passer Hoffmann devant lui.

Les clients attendaient sur le seuil de la salle des marchés.

— Par ici, s'il vous plaît, appela Quarry, qui, le doigt levé façon guide de voyage organisé, les fit avancer deux par deux dans la grande salle.

Ils se rassemblèrent autour d'un écran. L'un des quants leur laissa son bureau afin qu'ils aient une meilleure vue.

— Voici donc le VIXAL-4 en action, annonça Hoffmann. L'algorithme sélectionne les opérations. Vous les voyez s'afficher à gauche de l'écran, dans le fichier des ordres en instance. À droite, il y a les ordres déjà exécutés. Ici, par exemple, nous avons… (Il s'interrompit, surpris par l'ampleur de l'opération.) Ici, reprit-il, vous voyez, nous avons 1 million et demi d'options à la vente sur des Accenture à 52 dollars la part.

— Ouah! s'exclama Easterbrook. C'est un sacré pari sur la baisse. Vous savez quelque chose de spécial sur Accenture?

— Bénéfices de l'exercice au deuxième trimestre, moins 3 %, récita Klein de mémoire, gain de 60 cents l'action: pas énorme, mais je ne saisis pas la logique de la position.

— Eh bien, il y a forcément une logique à tout ça, ou le VIXAL n'aurait pas pris ces options, intervint Quarry. Alex, pourquoi ne leur montrerais-tu pas d'autres opérations?

Hoffmann changea l'écran.

— D'accord. Tenez. Vous voyez? Une autre vente à découvert que nous avons organisée ce matin. Douze millions et demi d'options sur Vista Airways à 7,28 euros la part.

Vista Airways était une compagnie aérienne européenne low cost prospère, et aucune des personnes présentes n'aurait imaginé la voir dans cette situation.

— *Douze millions et demi?* répéta Easterbrook. Ça doit faire une sacrée part de marché. Votre machine n'a pas froid aux yeux, il faut lui reconnaître ça.

— Vista Airways a enregistré une croissance de 12 % en nombre de passagers au cours du dernier trimestre, et les prévisions de bénéfices ont été revues à 9 % de hausse, déclara Klein. Je ne comprends pas non plus le sens de cette opération.

— Wynn Resorts, lut Hoffmann en faisant apparaître l'écran suivant. 1,2 million en vente à découvert à 124.

Il fronça les sourcils, perplexe. Ces paris énormes sur la baisse ne ressemblaient pas aux schémas complexes habituels des opérations de couverture du VIXAL-4.

— Là, ça m'épate vraiment, reprit Klein, parce qu'ils sont passés au premier trimestre d'une croissance de 7,40 millions à 9,09 millions, avec un dividende de 25 cents la part, et ils viennent de construire ce nouvel hôtel-casino à Macao, qui n'est rien d'autre qu'un permis à faire tourner la planche à billets. Je peux ? (Sans attendre l'autorisation, il s'empara de la souris et se mit à cliquer sur l'historique des opérations.) Procter & Gamble, vente à découvert de 6 millions à 62… Exelon, vente à découvert de 3 millions à 41,50… Bon sang, il y a une météorite qui va s'écraser sur la Terre ou quoi ? Dites-moi, Hoffmann, pour des ventes à découvert aussi importantes que celles-ci, l'algorithme les met en œuvre tout seul ou bien faut-il une intervention humaine pour les exécuter ?

— C'est un système indépendant, répondit Hoffmann en effaçant de l'écran le détail des opérations. D'abord, l'algorithme détermine les titres qu'il veut traiter. Puis il étudie l'historique de ces titres sur les vingt jours précédents. Il exécute alors les ordres lui-même en faisant en sorte d'éviter d'alerter le marché ou d'affecter les prix. Notre système s'adresse directement au système du courtier chargé de l'exécution, et puis nous utilisons leur infrastructure pour régler la transaction. Ici, personne n'appelle plus le courtier par téléphone.

— Il doit bien y avoir un contrôle humain à un moment, j'espère ? s'enquit Iain Mould.

— Oui, il y a un contrôle constant, mais, habituellement, pas d'intervention, à moins que quelque chose n'aille de travers. Si l'un de nos quants voit passer un ordre qui l'inquiète, il peut naturellement l'interrompre.

— C'est déjà arrivé ?

— Non. Pas avec le VIXAL-4. Pas jusqu'à présent.

— Vu les liens qui vous unissent depuis longtemps, je suppose qu'AmCor est votre *prime broker*?

— Nous avons plusieurs *prime brokers* maintenant. Nous voulons éviter qu'une société de courtage ne puisse connaître toutes nos stratégies. Et maintenant, jetons un coup d'œil sur le matériel, voulez-vous?

Pendant que le groupe avançait, Quarry prit Hoffmann à part.

— Il y a quelque chose qui m'échappe ou bien ces prises de position sont vraiment hors norme? demanda-t-il à voix basse.

— Ça paraît un peu plus risqué que la normale, mais il n'y a pas de quoi s'inquiéter. LJ m'a dit que Gana voulait une réunion du comité des risques. Je lui ai répondu de t'en parler.

— Bon Dieu, c'était *ça* qu'il voulait? Je n'ai pas eu le temps de prendre son appel. Merde. (Quarry consulta sa montre.) Bon, on n'a qu'à prendre cinq minutes pendant qu'ils sirotent leur café. Je vais dire à Gana de nous retrouver dans mon bureau. Va donc les distraire un peu.

Les ordinateurs étaient situés dans une grande pièce dépourvue de fenêtre, à l'autre bout de la salle des marchés et, cette fois, c'était Hoffmann qui jouait le guide. Il se plaça devant la caméra de reconnaissance faciale – ils n'étaient que très peu à avoir accès au saint des saints – et attendit que les verrous s'ouvrent pour pousser la porte. Il s'agissait d'un panneau robuste, ignifugé, constitué d'une épaisseur de verre armé entourée d'un joint à soufflet en caoutchouc qui produisit un léger bruissement lorsque la porte s'ouvrit.

Hoffmann entra le premier. Comparé au silence relatif qui régnait dans la salle des marchés, le vacarme des ordinateurs paraissait digne d'une usine. Les serveurs étaient empilés sur des rayonnages d'entrepôt. Au bout de la pièce, insérées dans de grands boîtiers en Plexiglas, deux bandothèques patrouillaient sur des monorails et tiraient à la vitesse d'un serpent-minute en direction des rangées de serveurs pour stocker ou extraire des données suivant les instructions du VIXAL-4. Le bruit des puissants climatiseurs nécessaires pour empêcher la surchauffe des processeurs, combiné au ronronnement des ventilateurs intégrés, rendait l'ensemble difficile à supporter. Lorsque tout le monde fut entré, Hoffmann dut élever la voix.

— Au cas où tout cela vous paraîtrait impressionnant, je vous ferai remarquer qu'il n'y a là que 4 % de la capacité de la ferme de processeurs du Cern, où j'ai longtemps travaillé. Mais le principe est le même. Nous disposons de près d'un millier de processeurs standard, chacun composé de deux à quatre cœurs, exactement comme ceux que vous utilisez chez vous, sauf qu'ils n'ont pas le même boîtier et sont reconditionnés pour nous par un fabricant de boîtes blanches. Dans les années 1990, au Cern, nous avions un superordinateur qui avait coûté 15 millions de dollars et était moitié moins puissant qu'une Xbox Microsoft actuelle, qui coûte dans les 200 dollars. Vous imaginez ce que ça signifie pour l'avenir.

— Que se passe-t-il en cas de coupure d'électricité ? demanda Étienne Mussard.

— Pour les coupures brèves, nous nous branchons sur des batteries de voiture. Mais au-delà de dix minutes, des groupes électrogènes diesels prennent le relais au sous-sol.

— Que se passerait-il s'il y avait un incendie ? demanda Łukasinski. Ou en cas d'attaque terroriste ?

— Nous disposons d'une sauvegarde complète. Mais cela n'arrivera pas, ne vous inquiétez pas. Nous n'avons pas lésiné sur la sécurité : système de sprinklers, pare-feu, vidéosurveillance, détecteurs de fumée, gardiens, cyberprotection. Et puis rappelez-vous que, ici, c'est la Suisse.

La plupart esquissèrent un sourire, sauf Łukasinski.

— Votre système de sécurité se trouve-t-il sur place ou bien est-il externalisé ?

— Externalisé, répondit Hoffmann en se demandant pourquoi le Polonais semblait si obsédé par la sécurité. Tout est externalisé – la sécurité, les services juridiques, la comptabilité, les transports, la restauration, les services de nettoyage. Ces bureaux sont en location. Même le mobilier est loué. Notre but est d'être une entreprise qui, en plus de tirer ses bénéfices de l'ère du numérique, soit elle-même complètement numérique.

— Et qu'en est-il de votre sécurité personnelle ? insista Łukasinski. Vous avez été agressé chez vous la nuit dernière, si j'ai bien compris ?

Hoffmann ressentit une gêne mêlée de culpabilité.

— Comment l'avez-vous appris ?

— On me l'a dit, répondit le Polonais avec désinvolture.

— Si vous me permettez, intervint Quarry, qui les avait rejoints sans se faire remarquer, ce qui est arrivé à Alex n'a absolument rien à voir avec les affaires de la société. Il s'agit d'un dingue qui ne tardera pas à se faire arrêter, j'en suis sûr. Maintenant, quelqu'un a-t-il d'autres questions concernant le matériel informatique ? (Il y eut un silence.) Non ? Alors vous trouverez du café dans la salle de conférences. Allez-y, nous vous rejoignons tout de suite. J'ai besoin de dire un mot à Alex.

Ils arrivaient au milieu de la salle des marchés et tournaient le dos aux écrans de télévision géants quand l'un des quants poussa une exclamation. Dans une salle où nul ne se permettait plus qu'un chuchotement, ce cri étouffé fit l'effet d'un coup de feu dans une bibliothèque. Hoffmann se figea puis se retourna pour voir la moitié de ses employés se lever, attirés par les images de Bloomberg et de CBNC.

Les deux chaînes satellite passaient la même séquence, visiblement prise avec un portable, montrant un avion de ligne qui s'apprêtait à atterrir sur un aéroport. L'appareil était en mauvaise posture et de la fumée sortait de son flanc.

Quelqu'un prit une télécommande et monta le son.

Le jet disparut derrière une tour de contrôle puis réapparut, effleurant le toit de bâtiments bas couleur de sable – des hangars, peut-être. L'avion toucha visiblement l'un des bâtiments avec son ventre, puis explosa brusquement en une énorme boule de feu jaune en expansion, qui roulait sur elle-même. L'image bougea, puis passa à une séquence ultérieure, plus stable, montrant une colonne de fumée noire et épaisse, striée de flammes orange et jaune.

Sur les images, la voix de la présentatrice américaine annonçait, essoufflée : « Voilà donc la scène qui s'est déroulée il y a quelques minutes à peine à Moscou, alors qu'un avion de ligne de Vista Airways s'écrasait avec ses quatre-vingt-dix-huit passagers à son atterrissage sur l'aéroport de Domodedovo... »

— Vista Airways ? prononça Quarry en se retournant pour faire face à Hoffmann. Elle a bien dit Vista Airways ?

Une dizaine de conversations étouffées s'élevèrent simultanément dans la salle des marchés :

— Bon Dieu, on n'a pas arrêté de vendre ces actions à découvert toute la matinée, fit une voix.

— Ça fait flipper, non ? commenta une autre.

— Vous allez couper le son, oui ? lança Hoffmann.

Comme personne ne bougeait, il s'avança entre les bureaux et arracha la télécommande des mains du malheureux analyste.

— Bien, dit-il, ça suffit. Retournons travailler.

Il lança la télécommande sur le bureau et revint vers ses clients. Easterbrook et Klein s'étaient déjà précipités sur le terminal le plus proche et vérifiaient les cours.

— Bon sang, commenta Easterbrook en quittant l'écran des yeux, ça s'est passé il y a moins de cinq minutes, et Vista Airways perd déjà 15 %. Ça s'effondre.

Klein avait les yeux rivés sur les cours du marché.

— Ouah, murmura-t-il avec admiration. Votre petite boîte noire va rapporter un sacré paquet, Alex.

Hoffmann regarda par-dessus l'épaule de Klein. Les chiffres changeaient rapidement à mesure que le VIXAL exerçait son option de vente des actions Vista Airways au prix d'avant le crash.

— Je me demande combien vous allez tirer de cette opération, hasarda Easterbrook. 20 millions, 30 millions ? Putain, Hugo, les régulateurs vont se précipiter là-dessus comme des fourmis sur un pique-nique.

Hoffmann, incapable de détacher les yeux des chiffres qui défilaient sur l'écran, n'écoutait pas. La tension était extrême à l'intérieur de son crâne. Il posa les doigts sur sa blessure et suivit les points de suture du bout des doigts. Il avait l'impression qu'ils étaient si tendus qu'ils allaient céder.

6

À EN croire une note rédigée plus tard par Ganapathi Rajamani, le directeur des risques de la société, le comité des risques d'Hoffmann Investment Technologies se réunit brièvement à 11 h 57. Les cinq membres de la direction figuraient sur la liste des personnes présentes : le Dr Alexander Hoffmann, président de la compagnie ; l'honorable Hugo Quarry, directeur général ; Lin Ju-Long, directeur financier ; Pieter Van der Zyl, directeur des opérations ; et Rajamani lui-même.

Ils étaient restés debout dans le bureau de Quarry, tous sauf Quarry lui-même, qui s'était perché sur le bord de la table pour garder un œil sur son terminal. Hoffmann se posta près de la fenêtre. Il écartait de temps à autre les lames des stores pour observer la rue.

— Bon, commença Quarry. Ne perdons pas de temps. J'ai 100 milliards de dollars sur pied qui attendent dans la salle de conférences, et il faut que j'y retourne. Nous avons tous vu ce qui vient de se passer. La première question est de savoir si, en pariant autant sur la baisse de Vista Airways juste avant que les cours s'effondrent, nous risquons de déclencher une enquête officielle. Gana ?

— Pour faire court, la réponse est oui, c'est presque sûr.

Rajamani était un jeune homme soigné et précis, imbu de sa propre importance. Son travail était de surveiller les niveaux de risque du fonds et de s'assurer de la légalité des opérations. Quarry l'avait débauché de la Financial Services Authority de Londres.

— Oui ? répéta Quarry. Même s'il était impossible que nous sachions ce qui allait se produire ?

— La procédure est automatique. Les algorithmes des régulateurs auront détecté toute activité anormale autour des titres de la compagnie aérienne juste avant l'effondrement des cours. Ça les conduira directement à nous.

— Mais nous n'avons rien fait d'illégal.

— Non, à moins d'avoir saboté cet avion. Mais ce qu'ils vont *vouloir* savoir, néanmoins, reprit Rajamani, c'est pourquoi nous avons vendu à découvert douze millions et demi de titres à ce moment précis. Je sais que ça paraît complètement absurde, Alex, mais le VIXAL a-t-il eu un moyen quelconque d'être informé du crash avant le reste du marché ?

Hoffmann laissa à contrecœur retomber les lamelles du store, puis se retourna vers ses collègues.

— On ne pourrait pas passer à autre chose ? fit-il avec irritation. Il ne nous faudra même pas cinq minutes pour montrer au plus borné des régulateurs que la vente de ces titres à découvert faisait partie de tout un ensemble de paris sur la baisse. Ça n'avait rien de particulier. C'était une coïncidence. Point.

— Bon, en me plaçant du point de vue du régulateur borné, dit Rajamani, je dois dire que je suis d'accord avec vous, Alex. C'est l'ensemble qui importe, et c'est bien pour ça que je voulais vous parler, plus tôt dans la matinée.

— Oui, je suis désolé, mais j'étais en retard pour la présentation.

« Quarry n'aurait jamais dû engager ce type », songea Hoffmann. Régulateur un jour, régulateur toujours : on n'arrive jamais à dissimuler complètement d'où on vient.

— Ce sur quoi nous devons vraiment nous concentrer, poursuivit Rajamani, c'est notre niveau de risque si les cours reprennent. Procter & Gamble, Accenture, Exelon, il y en a des dizaines : des dizaines de millions d'options prises depuis mardi soir. Et chaque fois, on se retrouve avec des mises gigantesques. Je suis sérieusement inquiet. Franchement. On est longs en or. On est longs en dollars. On est short sur tous les indices de contrats à terme.

Hoffmann sentit la colère monter. Il demanda :

— Alors, Gana, qu'est-ce que vous proposez ?

— Je crois qu'on devrait commencer à liquider certaines de ces positions.

— C'est bien la pire connerie que j'aie jamais entendue, répliqua Hoffmann, qui, dans son emportement, frappa d'un revers de main les lamelles de store contre la vitre. On a fait près de 80 millions de dollars la semaine dernière. On en a engrangé 40 millions rien que ce matin. Et vous voudriez qu'on ne tienne pas compte de l'analyse du VIXAL ?

— Il ne s'agit pas de ne pas en tenir compte, Alex. Je n'ai jamais dit ça.

— Laisse-le tranquille, Alex, intervint Quarry. Ce n'était qu'une suggestion.

— Non, il n'est pas question que je le laisse tranquille. Il voudrait qu'on renonce à une stratégie qui présente un alpha considérable, et c'est exactement ce genre de réaction illogique, fondée sur la peur, que le VIXAL sait exploiter ! Et si Gana ne croit pas à la supériorité des algorithmes sur le cerveau humain quand il s'agit de jouer en Bourse, c'est qu'il n'est pas à sa place ici.

Rajamani ne se laissa pas démonter par la tirade de son patron.

— Je dois vous rappeler, Alex, que dans la brochure de la société, on promet au client une exposition à la volatilité annuelle n'excédant pas 20 %. Si je vois que les limites de risque contractuelles sont sur le point d'être dépassées, je suis obligé d'intervenir.

— Ce qui signifie ?

— Ce qui signifie que si on ne diminue pas notre niveau d'exposition, je devrai en avertir les investisseurs. Ce qui signifie que je dois absolument en référer au conseil d'administration.

— Mais c'est *ma* boîte.

— Et c'est l'argent des investisseurs. En grande partie.

Dans le silence qui suivit, Hoffmann se massa vigoureusement les tempes du bout des doigts. Il avait à nouveau très mal à la tête et il lui fallait un antalgique.

— Le conseil d'administration? marmonna-t-il. Je ne suis même pas sûr de savoir qui le compose.

C'était en fait une entité juridique purement technique, enregistrée aux îles Caïmans pour raisons fiscales, qui contrôlait l'argent des clients et réglait au fonds de placement ses frais de gestion et ses primes.

— D'accord, dit Quarry, je ne crois pas qu'on en soit encore là. Comme on dit à l'armée, du calme et on avance, ajouta-t-il avant de gratifier l'assemblée d'un de ses sourires les plus conquérants.

— Pour des raisons légales, je dois demander que mes réserves soient consignées, dit Rajamani.

— Très bien. Faites un mémo de cette réunion et je le signerai. Mais si Alex a confiance dans le VIXAL, nous devons avoir confiance aussi. Néanmoins, je suis d'accord. Il ne faut pas perdre de vue le niveau de risque. Alex, tu es prêt à accepter ça? Donc, étant donné que la plupart des actions concernées sont américaines, je propose qu'on reprenne ici même à 15 h 30, à l'ouverture des marchés américains, et qu'on fasse le point à ce moment-là.

— Dans ce cas, fit Rajamani d'un ton sinistre, je crois qu'il serait plus prudent de faire venir un juriste.

— Parfait. Je demanderai à Max Gallant de rester après déjeuner. Ça te va, Alex?

Hoffmann signifia son accord par un geste las.

D'après le compte rendu, la réunion se termina à 12 h 08.

— OH, au fait, Alex, dit Ju-Long en se retournant sur le seuil alors qu'ils sortaient tous. J'ai failli oublier: ce numéro de compte que vous m'avez demandé de vérifier, il figure bien dans notre système.

— De quel compte s'agit-il? s'enquit Quarry.

— Oh, rien, éluda Hoffmann. Juste une question que je me posais. Je vous rejoins dans une minute, LJ.

Rajamani en tête, les trois hommes repartirent vers leurs bureaux respectifs. Alors que Quarry les regardait s'éloigner, l'expression de suave conciliation qu'il avait prise pour les congédier se mua en grimace de mépris.

— Quel petit merdeux imbu de lui-même, cracha-t-il avant d'imiter l'anglais précis et impeccable de l'Indien : « Il serait plus prudent de faire venir un juriste. »

Il fit mine de le viser avec un pistolet imaginaire.

— C'est toi qui l'as engagé, rétorqua Hoffmann.

— Oui, c'est vrai, un point pour toi, et ce sera moi qui le virerai, ne t'en fais pas. (Il pressa la détente fictive juste avant que le trio disparaisse hors de vue et baissa la voix :) On n'a pas de problème, n'est-ce pas, Alexi ? Il ne faut pas que je m'inquiète ?

Hoffmann le dévisagea avec surprise. En huit ans, il n'avait jamais entendu Quarry exprimer la moindre inquiétude, et il trouva cela presque aussi choquant que les autres événements qui s'étaient produits dans la matinée.

— Écoute, Hugo, dit-il, on peut procéder à l'annulation du VIXAL cet après-midi, si c'est ce que tu veux. On peut reprendre toutes les positions et rembourser les investisseurs. Si je suis là, c'est en grande partie à cause de toi, tu te souviens ?

— Mais *toi*, Alexi ? le pressa Quarry. Est-ce que tu veux arrêter ? Enfin, on pourrait, tu sais – on a déjà gagné plus qu'il ne nous en faut pour vivre dans l'opulence jusqu'à la fin de nos jours. On n'est pas obligés de continuer à harponner le client.

— Non, je n'ai pas envie d'arrêter. On a les ressources pour faire ici des expériences techniques que personne n'a encore tentées. Mais si tu veux arrêter, je te rachète tes parts.

Ce fut le tour de Quarry d'être pris de court, mais il se fendit aussitôt d'un grand sourire.

— Compte là-dessus ! Tu ne te débarrasseras pas de moi aussi facilement, lança-t-il, son sang-froid lui revenant aussi vite qu'il l'avait quitté. Non, non, je suis là tant que ça dure. Si ça va pour toi, ça va pour moi. Bon, on retourne vers cette bande de psychopathes et criminels estimés qu'on est fiers d'appeler nos clients ?

— Vas-y. Je n'ai plus rien à leur dire.

— Mais tu viendras au moins au déjeuner ? demanda Quarry, la mine catastrophée.

— Hugo, je ne peux vraiment pas supporter ces gens… Bon, si c'est vraiment si important, je viendrai à ce foutu repas.

— Beau Rivage, 13 heures. (Quarry regarda sa montre et poussa un juron :) Merde ! Ils sont tout seuls depuis un quart d'heure. 13 heures, lança-t-il en se retournant et marchant à reculons.

Hoffmann tourna les talons et partit dans la direction opposée. Le bureau de Ju-Long était fermé, et son assistante n'était pas à son poste. Hoffmann frappa à la porte et la poussa.

C'était comme s'il avait dérangé un groupe d'adolescents branché sur un site pornographique. Ju-Long, Van der Zyl et Rajamani s'écartèrent précipitamment de l'écran, et Ju-Long cliqua sur la souris pour fermer la fenêtre.

— Nous étions en train de vérifier les marchés monétaires, déclara Van der Zyl. L'euro baisse face au dollar.

— C'est bien ce que nous avions anticipé, il me semble. Je ne voudrais pas vous retarder, ajouta Hoffmann en ouvrant davantage la porte. C'est à LJ que je voulais parler… en privé.

Lorsque Ju-Long et lui furent seuls, il demanda :

— Donc ce compte figurerait dans notre système ?

— Il apparaît deux fois, dit Ju-Long, la perplexité creusant son front lisse. J'ai pensé qu'il servait à votre usage personnel.

— Pourquoi ?

— Parce que vous avez demandé à la logistique de transférer 42 millions de dollars dessus.

Hoffmann étudia attentivement son expression pour voir s'il plaisantait. Mais, comme Quarry le faisait souvent remarquer, même si Ju-Long était bourré de qualités admirables, il n'avait aucun sens de l'humour.

— Quand ai-je demandé ce transfert ?

— Il y a onze mois. Je vous ai transféré le mail original pour mémoire.

— D'accord, merci. Vous parliez de deux transactions ?

— Effectivement. L'argent a été intégralement restitué le mois dernier, avec les intérêts.

— Et vous n'en avez jamais discuté avec moi ?

— Non, Alex, répondit tranquillement le Chinois. Comme vous l'avez dit, c'est votre boîte.

— Oui, évidemment. Merci, LJ. (Hoffmann se retourna sur le seuil de la porte.) C'est pas de ça que vous parliez avec Gana et Pieter ?

— Non.

Hoffmann se dépêcha de regagner son bureau. 42 millions de dollars ? Il n'aurait pas pu oublier. Ce ne pouvait être qu'un détournement de fonds. Il se rendit directement à son terminal. Il se connecta et ouvrit sa boîte de réception. Il y trouva effectivement sa demande de transférer 42 032 127,88 dollars vers la Royal Grand Cayman Bank datée du 17 juin de l'année précédente. Et, juste en dessous, une notification de la banque concernant un remboursement de 43 188 037,09 dollars daté du 3 avril.

Il effectua un rapide calcul dans sa tête. Quel fraudeur remboursait le capital qu'il avait détourné en y ajoutant très exactement 2,75 % d'intérêt ?

Il revint en arrière et examina ce qui était censé être son mail d'origine. Il ne portait ni formule de politesse ni signature, mais simplement l'instruction standard habituelle de transférer le montant X sur le compte Y. LJ avait dû la faire exécuter sans la moindre hésitation, sans douter un instant de la sécurité de leur intranet protégé par les meilleurs pare-feu disponibles sur le marché. Il vérifia l'heure à laquelle il était censé avoir envoyé le mail ordonnant le virement : minuit pile.

Il se renversa en arrière sur son siège et contempla le détecteur de fumée au plafond. Il lui arrivait souvent de travailler tard au bureau, mais jamais jusqu'à minuit. Ce message, s'il était authentique, devait donc forcément provenir de son ordinateur personnel. Souffrait-il d'une sorte de syndrome à la Jekyll et Hyde qui voulait que la moitié de son cerveau agisse à l'insu de l'autre moitié ?

Pris d'une impulsion soudaine, il ouvrit le tiroir de son bureau, en sortit le CD et l'inséra dans son ordinateur. L'écran se remplit d'un catalogue de deux cents images monochromes de l'intérieur de son crâne. Il les fit défiler rapidement, cherchant à trouver celle qui avait attiré l'attention de la radiologue, mais c'était sans espoir.

Il appela son assistante sur l'interphone.

— Marie-Claude, si vous voulez bien chercher dans mon agenda personnel, vous trouverez les coordonnées du Dr Jeanne Polidori. Pourriez-vous me prendre un rendez-vous avec elle pour demain ? Dites-lui que c'est urgent.

— Oui, docteur Hoffmann, pour quelle heure ?

— N'importe quelle heure. Et puis je voudrais aller à la galerie où ma femme fait son exposition. Vous pouvez m'avoir une voiture ?

— Vous avez un chauffeur à disposition à n'importe quelle heure de la journée, maintenant. C'est M. Genoud qui s'en est occupé.

— C'est vrai, j'avais oublié. Bon, dites-lui que je descends.

Il éjecta le CD et le rangea dans le tiroir avec le volume de Darwin, puis il prit son imperméable. En traversant la salle des marchés, il jeta un coup d'œil vers la salle de conférences. Sur le mur d'en face, Bloomberg et CNBC affichaient des colonnes de flèches rouges, toutes en baisse. Les marchés européens avaient déjà perdu leurs gains d'ouverture et commençaient à dévisser. Cela affecterait très certainement l'ouverture des cotations américaines, ce qui aurait pour effet de rendre les positions du *hedge fund* beaucoup moins exposées dès le milieu de l'après-midi. Hoffmann éprouva une bouffée d'orgueil. Une fois de plus, le VIXAL se montrait plus malin que les humains qui l'entouraient.

Sa bonne humeur persista jusque dans le hall, où une silhouette trapue en costume sombre bas de gamme se leva pour l'accueillir. L'homme lui montra sa carte en se présentant comme étant Olivier Paccard, *l'homme de la sécurité**.

— Si vous voulez bien attendre un instant, docteur Hoffmann, demanda Paccard. (Il avait un fil relié à l'oreille.) C'est bon, dit-il. On peut y aller.

Il s'avança rapidement vers l'entrée et appuya sur le bouton d'ouverture à l'instant même où une longue Mercedes sombre se garait contre le trottoir, conduite par le chauffeur qui était venu chercher Hoffmann à l'hôpital. Paccard sortit le premier, ouvrit la portière arrière et fit monter Hoffmann. Avant même qu'il fût complètement installé sur la banquette, Paccard s'était déjà assis à l'avant, toutes portières refermées et verrouillées, et la voiture se glissait dans la circulation de midi. Tout cela n'avait pas dû prendre plus de dix secondes.

7

« CONTOURS de l'homme : une exposition de l'œuvre de Gabrielle Hoffmann » ne devait durer qu'une semaine à la Galerie d'art contemporain Guy Bertrand.

Cinq mois plus tôt, Gabrielle s'était retrouvée assise à côté du propriétaire, M. Bertrand, lors d'une vente de charité organisée pour Noël à l'hôtel Mandarin Oriental – événement auquel Alex avait catégoriquement refusé de participer – et, le lendemain, le galeriste avait réussi à se faire inviter à son atelier pour voir sur quoi elle travaillait. Après dix minutes de flatterie éhontée, il lui avait proposé de monter une exposition moyennant la moitié des recettes et la prise en charge par l'artiste de la totalité des frais. Elle avait bien sûr compris tout de suite qu'il avait été davantage attiré par l'argent d'Alex que par son talent. Mais elle voulait une exposition. Elle réalisa qu'elle la voulait plus qu'elle n'avait désiré quoi que ce fût de toute sa vie, mis à part un enfant.

Lorsque, à 11 heures pile, les portes de la galerie s'ouvrirent, deux jeunes serveuses en chemisier blanc et minijupe noire se tenaient à l'entrée et offraient une flûte de Pol Roger et des assiettes de canapés à quiconque franchissait le seuil. Gabrielle avait craint que personne ne vienne, mais il y avait du monde : les habitués de la galerie ; des passants attirés par la vue d'un verre gratuit ; et des amis et connaissances de Gabrielle, qu'elle rameutait depuis des semaines – des noms tirés de vieux carnets d'adresses, des gens qu'elle n'avait pas vus depuis des années. Tous étaient venus. Le résultat fut qu'à midi une réception de plus d'une centaine de personnes battait son plein et se déversait sur le trottoir, où se rassemblaient les fumeurs.

Gabrielle en était à sa seconde flûte de champagne quand elle s'aperçut qu'en fait elle s'amusait bien. Son œuvre* consistait en vingt-sept pièces. Une fois l'ensemble bien présenté et convenablement éclairé, cela donnait une collection solide et professionnelle. Les gens avaient regardé attentivement les œuvres et fait des commentaires, la plupart du temps élogieux. La seule inquiétude qui étreignait Gabrielle était qu'elle n'avait encore rien vendu, et elle en attribuait la faute à Bertrand, qui avait insisté pour afficher des prix très élevés : de 4 500 francs suisses, soit environ 4 000 euros, pour les CAT-scans des plus petites têtes animales jusqu'à 18 000 pour le grand portrait en IRM, *The Invisible Man*. Si rien n'était parti d'ici la fin de la journée, ce serait une humiliation.

Elle s'efforça de ne pas y penser et de se concentrer sur ce que disait l'homme en face d'elle. C'était difficile d'entendre dans le brouhaha. Elle dut l'interrompre et lui posa la main sur le bras.

— Pardon, mais vous pouvez me répéter votre nom ?

— Bob Walton. Je travaillais avec Alex, au Cern. Je disais que je crois bien que vous vous êtes rencontrés chez moi, à une soirée.

— Oh, souffla-t-elle, c'est tout à fait exact. Comment allez-vous ?

Elle lui serra la main et le regarda vraiment pour la première fois : grand, mince, soigné, gris. Ascétique, conclut-elle. Il aurait pu être un moine… Non, plus haut placé que ça : un père supérieur.

— C'est drôle, dit-elle, j'avais simplement accompagné des amis à cette fête. Je ne crois pas que nous ayons été vraiment présentés, si ?

— Je ne crois pas, non.

— Eh bien, avec un peu de retard, merci. Vous avez changé ma vie.

Il ne sourit pas.

— Je n'ai pas vu Alex depuis des années. Il doit venir, je suppose ?

— Je l'espère. (Une fois de plus, elle coula un bref regard vers la porte dans l'espoir de voir Alex apparaître.) Vous êtes un habitué de la galerie ou bien vous avez vu de la lumière ?

— Ni l'un ni l'autre. C'est Alex qui m'a invité.

— Alex ? Pardon, ajouta-t-elle pour se corriger. Je ne savais pas qu'Alex avait envoyé la moindre invitation. Ce n'est pas son genre.

— J'ai été moi-même un peu surpris. Surtout que nous sommes restés sur un petit différend la dernière fois que nous nous sommes vus. Je suis donc venu faire amende honorable, et il n'est pas là. Ce n'est pas grave. Votre travail me plaît.

— Merci, dit-elle, cherchant encore à assimiler l'idée qu'Alex avait pu inviter quelqu'un sans même lui en parler. Peut-être achèterez-vous quelque chose ?

— Je crains que les prix ne soient pas dans les moyens d'un salarié du Cern.

Pour la première fois, il lui adressa un sourire, d'autant plus chaleureux qu'il était si rare, comme un rayon de soleil dans un paysage gris. Il porta la main à la poche intérieure de sa veste.

— Si jamais l'envie vous prend de faire de l'art avec de la physique des particules, appelez-moi, dit-il en lui donnant sa carte.

Elle lut : « Professeur Robert Walton, chef du service informatique, Cern, Organisation européenne pour la recherche nucléaire, 1211 Genève 23, Suisse. »

— C'est tentant, répondit-elle en glissant la carte dans sa poche. Merci. Je pourrais bien vous prendre au mot. Alors, parlez-moi de vous et d'Alex…

Par-dessus l'épaule de son interlocuteur, Gabrielle vit une silhouette incongrue, bizarre mais familière, entrer dans la galerie.

— Vous voulez bien m'excuser une seconde? (Elle s'écarta et se dirigea vers la porte.) Inspecteur Leclerc?

— Madame Hoffmann, dit Leclerc, qui lui serra poliment la main.

Elle remarqua qu'il portait les mêmes vêtements qu'à 4 heures du matin : coupe-vent sombre, une chemise blanche devenue distinctement grisâtre au col et une cravate noire. Il ne s'était pas rasé, et la barbe formait sur ses joues une tache sombre qui remontait presque jusqu'aux poches qu'il avait sous les yeux.

L'une des serveuses s'approcha avec un plateau de coupes de champagne, et Gabrielle pensa qu'il allait refuser, mais son visage s'éclaira et, avec un « Parfait, merci », Leclerc prit précautionneusement un verre.

— Il est très bon, commenta-t-il après en avoir bu une gorgée et en faisant claquer ses lèvres. Qu'est-ce que c'est?

— Je ne saurais vous dire. C'est le bureau de mon mari qui s'en est occupé.

Un photographe de la *Tribune de Genève* s'approcha et les prit en photo, côte à côte. L'inspecteur attendit que le photographe se soit éloigné pour annoncer :

— Nos experts ont trouvé de belles empreintes sur les couteaux de cuisine. Malheureusement, elles ne figurent pas dans nos fichiers. Votre intrus n'a pas de casier, du moins en Suisse. (Il saisit un canapé au passage d'un plateau et l'engloutit.) Et votre mari? Il est ici? Je ne le vois nulle part.

— Pas encore. Vous vouliez lui parler?

— Non, je suis venu découvrir votre travail.

Guy Bertrand s'approcha, visiblement curieux. Elle lui avait parlé de l'incident de la nuit.

— Tout va bien? s'enquit-il, et Gabrielle fut obligée de présenter le policier au propriétaire de la galerie.

— Un inspecteur de police, répéta Bertrand sur le ton de l'émerveillement. *The Invisible Man* ne manquera pas de vous intéresser, je pense.

— *The Invisible Man?*

— Permettez-moi de vous montrer, proposa Gabrielle, soulagée d'avoir une occasion de les séparer.

Elle conduisit Leclerc vers un boîtier de verre éclairé par en dessous, dans lequel un homme nu en taille réelle et qui semblait composé de gaze bleu pâle paraissait flotter juste au-dessus du sol. Cela donnait un aspect spectral, dérangeant.

— Voici Jim, l'homme invisible.

— Et qui est Jim ?

— C'était un meurtrier. (Leclerc se retourna brusquement pour la dévisager.) James Duke Johnson, poursuivit-elle, exécuté en Floride en 1994. Le chapelain de la prison l'avait persuadé avant sa mort de faire don de son corps à la recherche scientifique.

— Et aussi à des expositions artistiques ?

— J'en doute. Ça vous choque ?

— Oui, je l'avoue.

— Bien. C'était l'effet recherché.

Leclerc grogna et posa sa flûte de champagne.

— Et comment vous faites pour donner l'impression qu'il flotte ?

— Je prends les coupes d'une IRM et je les reproduis à travers des plaques de verre extrêmement transparent. Mais, au lieu d'utiliser une plume et de l'encre, je trace mes traits avec une roulette de dentiste. Quand on projette une lumière artificielle dessus, sous le bon angle, eh bien, voilà ce qu'on obtient.

— Et qu'en pense votre mari ?

— Il trouve que ça commence à m'obséder un peu trop. Mais comme il a lui aussi ses obsessions…

Elle vida sa flûte de champagne. Tout lui paraissait agréablement accentué : les couleurs, les sons, les sensations.

Leclerc tourna vers elle ses yeux injectés de sang.

— Ça vous dérange si je vous pose une ou deux questions ?

— Allez-y.

— Quand avez-vous rencontré le Dr Hoffmann ?

— C'est drôle, j'y repensais justement.

Elle revoyait Alex comme si c'était hier. Il parlait avec Hugo Quarry – il y avait toujours eu cette saleté de Quarry dans le tableau, dès le premier jour –, et c'est elle qui avait dû faire le premier pas, mais elle avait bu suffisamment pour que ça ne la gêne pas.

— C'était il y a huit ans, lors d'une réception à Saint-Genis-Pouilly.

— Saint-Genis-Pouilly, répéta Leclerc. Beaucoup de scientifiques du Cern habitent par là, il me semble.

— À l'époque, certainement. Vous voyez le grand type grisonnant là-bas ? Il s'appelle Walton. Ça se passait chez lui.

— Vous-même, vous travailliez au Cern ?

— Non. J'étais secrétaire à l'ONU – ex-étudiante des Beaux-Arts sans perspective d'avenir et avec de bonnes bases en français : vous voyez le topo.

Elle prit conscience qu'elle parlait trop vite et souriait trop.

— Mais le Dr Hoffmann était encore au Cern quand vous avez fait sa connaissance ?

— Il était sur le point de partir pour monter sa propre affaire avec son associé, un homme appelé Hugo Quarry. Curieusement, je les ai tous deux rencontrés pour la première fois ce soir-là. Est-ce que c'est important ?

— Et pourquoi exactement a-t-il fait ça, vous le savez, quitter le Cern ?

— Il faudra lui poser la question. Ou à Hugo.

— Je n'y manquerai pas. Il est américain, ce M. Quarry ?

— Pas du tout, répondit-elle avec un éclat de rire. Il est anglais. Très anglais.

— J'imagine que l'une des raisons qui ont poussé le Dr Hoffmann à quitter le Cern, c'est qu'il voulait gagner plus ?

— Pas vraiment, non. Il disait qu'il lui serait plus facile de poursuivre ses recherches s'il avait sa propre société.

— Et de quoi s'agissait-il ?

— D'intelligence artificielle. Mais, là encore, si vous voulez des détails, il faudra vous adresser à lui.

Leclerc réfléchit.

— Savez-vous s'il a consulté un psychiatre ?

La question la désarçonna.

— Pas à ma connaissance. Pourquoi ?

— J'ai cru comprendre qu'il avait fait une dépression quand il était au Cern, et on m'a dit que c'était la principale raison de son départ. Alors je me demandais s'il y avait eu la moindre récidive.

Elle se rendit compte qu'elle le regardait bouche bée, et s'empressa de contracter la mâchoire.

Il l'examinait attentivement.

— Excusez-moi, dit-il. Vous n'étiez pas au courant ?

Elle se ressaisit juste assez pour mentir :

— Si, j'étais au courant, enfin, *en partie*.

Elle savait qu'elle n'était pas très convaincante. Mais quel autre choix avait-elle ? Admettre qu'une immense partie de ce qui occupait quotidiennement l'esprit de son mari avait toujours été pour elle un territoire inaccessible, et que ce côté mystérieux était ce qui l'avait attirée chez lui au début ?

— Vous vous êtes donc renseigné sur Alex ? fit-elle d'une voix cassante. Ne devriez-vous pas plutôt retrouver l'homme qui l'a agressé ?

— Je dois examiner tous les faits, *madame**, répliqua Leclerc avec raideur. Il est possible que l'agresseur ait connu votre mari dans le passé. J'ai simplement demandé à quelqu'un que je connais au Cern – de façon totalement confidentielle, je vous assure – pourquoi il en était parti.

— Et cette personne vous a dit qu'il avait fait une dépression, alors vous en avez déduit qu'Alex avait peut-être inventé toute cette histoire de mystérieux agresseur ?

— Non, j'essaie simplement de comprendre toutes les circonstances, corrigea-t-il avant de vider son verre d'un trait. Pardonnez-moi, je dois y aller. Ça a été vraiment très intéressant de voir votre travail, ajouta-t-il avant de s'arrêter pour contempler à nouveau le meurtrier exécuté dans son boîtier de verre. Et qu'est-ce qu'il a fait exactement, ce pauvre bougre ?

— Il a tué un vieux monsieur qui l'avait surpris en train de voler sa couverture électrique. Il est resté douze ans dans les couloirs de la mort. Et quand son dernier appel à la clémence a été rejeté, il a été exécuté par injection létale.

— Barbare, marmonna Leclerc.

Elle ne sut pas très bien s'il parlait du crime, du châtiment ou de ce qu'elle en avait fait.

LECLERC s'assit dans sa voiture, de l'autre côté de la rue, son calepin sur les genoux, et il nota tout ce qu'il pouvait se rappeler de la conversation. À travers la vitrine de la galerie, il voyait des gens tourner autour de Gabrielle, sa petite silhouette sombre prenant parfois une pose glamour pour le flash d'un appareil photo.

Il termina d'écrire et parcourut ses notes en tous sens, comme s'il pouvait trouver un indice qui lui avait échappé jusque-là. Son ami du Cern avait jeté un rapide coup d'œil au dossier personnel d'Hoffmann, et Leclerc en avait noté les grandes lignes : qu'Hoffmann avait rejoint l'équipe qui faisait tourner le grand collisionneur électron-positon à l'âge de vingt-sept ans, et qu'il était l'un des rares Américains affectés à ce projet à l'époque ; que son patron direct l'avait considéré comme l'un des mathématiciens les plus brillants sur place ; qu'il était passé de la construction du grand collisionneur de hadrons à la conception des systèmes informatiques nécessaires pour analyser les milliards de données produites par les expériences ; qu'après une période prolongée de surmenage, son comportement était devenu suffisamment imprévisible pour que ses collègues se plaignent et que les services de sécurité le prient de quitter les lieux ; enfin, qu'il s'était décidé à prendre un congé maladie prolongé, au terme duquel son contrat n'avait pas été renouvelé.

Leclerc était convaincu que Gabrielle Hoffmann n'avait rien su de la dépression nerveuse de son mari. Hoffmann semblait donc être un mystère pour tous : ses collègues scientifiques, le monde de la finance et même sa femme.

Ses réflexions furent interrompues par le bruit d'un moteur puissant. Il regarda de l'autre côté de la chaussée et vit une grosse Mercedes anthracite se garer devant la galerie. Avant même qu'elle se soit immobilisée, une silhouette massive en costume sombre jaillit de la place passager, à l'avant, contrôla rapidement la rue devant et derrière eux, puis ouvrit la portière arrière. Les gens éparpillés sur le trottoir avec leur verre et leur cigarette se retournèrent pour voir qui descendait de voiture, puis se détournèrent avec indifférence tandis qu'on faisait franchir les portes au nouveau venu.

8

SI Hoffmann n'était pas devenu un personnage public, c'était au prix de certains efforts. Un jour, tout au début de l'aventure Hoffmann Investment Technologies et alors que la société ne disposait que de 2 milliards de dollars d'actifs en gestion, il avait invité les associés de la plus ancienne agence de communication de Suisse à un petit déjeuner à l'hôtel Président Wilson et leur avait proposé un marché : une rente annuelle de 200 000 francs suisses contre l'assurance que son nom ne serait jamais mentionné nulle part. Hoffmann ne soutenait aucune organisation caritative, n'assistait à aucun dîner de gala ni à aucune cérémonie de remise de prix professionnels, n'adhérait à aucun parti politique, ne finançait aucune institution académique, ne prononçait jamais le moindre discours ni ne donnait la moindre conférence.

C'était donc pour lui une expérience inhabituelle et une véritable épreuve que d'assister au vernissage de la première exposition de sa femme. Dès l'instant où il descendit de voiture et pénétra dans la galerie bruyante, il regretta de ne pouvoir faire demi-tour et disparaître. Des gens qu'il supposait avoir déjà rencontrés, des amis de Gabrielle, se dressaient devant lui et lui parlaient, mais il avait beau être doté d'un cerveau capable de calculer mentalement des nombres à cinq décimales, il n'avait aucune mémoire des visages. Il entendait ce que les autres disaient, les banalités de rigueur et les remarques creuses, mais il avait conscience de bredouiller des réponses inappropriées, voire complètement bizarres. On lui proposa une flûte de champagne, mais il prit de l'eau, et c'est alors qu'il repéra Bob Walton, qui le fixait à l'autre bout de la salle.

Walton ! S'il s'attendait à ça !

Avant qu'il ne puisse trouver une échappatoire, son ancien collègue fendait la foule pour le rejoindre, la main tendue.

— Alex, dit-il. Ça fait un bout de temps.

— Bob, répondit Hoffmann en lui serrant froidement la main. Je ne crois pas t'avoir revu depuis que je t'ai proposé un poste et que tu m'as renvoyé à la figure que j'étais le diable venu te voler ton âme.

— Je ne crois pas avoir formulé les choses comme ça.

— Non ? Il me semble me rappeler que tu as été assez clair sur ce que tu pensais des scientifiques qui passaient du côté obscur de la force en devenant des quants.

— Vraiment ? Je regrette. Quoi qu'il en soit, reprit Walton en embrassant la salle d'un geste large, je suis content que ça ait si bien tourné pour toi, Alex.

Il dit cela avec une telle chaleur qu'Hoffmann regretta son hostilité. Lorsqu'il était arrivé de Princeton, ne connaissant personne et sans rien d'autre que ses deux valises et un dictionnaire anglais-français, Walton avait été son chef de service au Cern. Sa femme et lui l'avaient pris sous leur aile – déjeuners dominicaux, recherche d'appartement, covoiturage pour aller au travail.

— Alors, reprit Hoffmann en faisant un effort pour paraître amical, où en est la recherche de la particule de Dieu ?

— Oh, on se rapproche. Et toi ? Où en es-tu avec le Saint-Graal toujours plus fuyant de la cybernétique ?

— Pareil. On s'en rapproche.

— Vraiment ? s'étonna Walton en haussant les sourcils. Tu continues donc tes recherches ? C'est courageux. Qu'est-ce qui t'est arrivé à la tête ?

— Rien. Un accident bête. (Il jeta un coup d'œil en direction de Gabrielle.) Je crois que je devrais peut-être aller saluer ma femme…

— Bien sûr, pardonne-moi, dit Walton en lui tendant à nouveau la main. Eh bien, ça m'a fait plaisir de te parler, Alex. On devrait se voir vraiment un de ces jours. Tu as mon adresse mail.

— En fait, non, je ne l'ai pas, lança Hoffmann.

— Mais si. Tu m'as envoyé une invitation.

— Je n'ai pas envoyé la moindre invitation.

— Je crois pourtant que si. Une seconde…

Hoffmann songea que c'était tout à fait typique de Walton, avec son côté universitaire pointilleux et borné, d'insister sur un détail aussi mineur alors qu'il avait tort. Mais Walton lui montra alors son BlackBerry, et Hoffmann eut la surprise d'y découvrir l'invitation, envoyée depuis sa boîte mail.

— Oh, d'accord, pardon, fit-il à contrecœur car lui aussi détestait reconnaître une erreur. J'ai dû oublier.

Il tourna vivement le dos à Walton pour dissimuler son désarroi et partit à la recherche de Gabrielle. Quand il réussit à s'en approcher, elle lui dit :

— Je commençais à croire que tu ne viendrais pas…

— Je suis parti dès que j'ai pu.

Il l'embrassa sur la bouche et sentit l'aigreur du champagne dans son haleine. Un homme appela :

— Par ici, docteur Hoffmann !

Et le flash d'un photographe se déclencha à moins d'un mètre.

Hoffmann eut un mouvement de recul. Il se força à sourire en demandant :

— Qu'est-ce que Bob Walton peut bien foutre ici ?

— Comment veux-tu que je sache ? C'est toi qui l'as invité.

— Oui, il vient de me montrer. Mais je suis certain de n'avoir rien fait de tel. Pourquoi l'aurais-je invité ? C'est le type qui a arrêté mes recherches au Cern.

Il découvrit soudain le propriétaire de la galerie à côté de lui.

— Vous devez être fier d'elle, docteur Hoffmann, commenta Bertrand.

— Quoi? fit Hoffmann, qui n'arrivait pas à détacher son regard de son ancien collègue, de l'autre côté de la salle. Oh oui. Oui, je suis… très fier. (Il se concentra pour essayer de faire abstraction de Walton et s'adressa à Gabrielle.) Est-ce que tu as vendu quelque chose?

— L'argent n'est pas le seul but, tu sais, Alex.

— Oui, bien sûr, je sais bien. C'était juste une question.

— Nous avons tout le temps devant nous, intervint Bertrand.

Son portable émit alors deux mesures de Mozart pour annoncer un message. Le galeriste le consulta et eut une expression de surprise.

— Veuillez m'excuser, dit-il en s'éloignant aussitôt.

Hoffmann était encore à moitié aveuglé par le flash. Lorsqu'il voulut regarder les œuvres, les cubes ne semblaient rien contenir. Il s'efforça néanmoins de faire des commentaires élogieux.

— C'est formidable de tout voir rassemblé ici, non? C'est vraiment une autre façon de regarder le monde.

— Comment va ta tête? s'enquit Gabrielle.

— Bien. Je n'y pensais même plus. J'aime beaucoup celui-ci, dit-il en désignant un cube tout proche. C'est un portrait de toi, n'est-ce pas?

Il se rappelait qu'elle avait dû poser toute une journée pour avoir les clichés, ramassée dans le scanner, les genoux au menton, les mains plaquées sur sa tête et la bouche grande ouverte, comme figée en plein cri. La première fois qu'elle lui avait montré cette œuvre, il avait éprouvé pratiquement le même choc qu'en voyant la représentation du fœtus, dont elle était un écho conscient.

— Leclerc est venu, tout à l'heure, annonça-t-elle. Tu l'as raté de peu.

Le ton qu'elle avait pris mit Hoffmann sur ses gardes.

— Qu'est-ce qu'il voulait?

— Il voulait m'interroger sur la dépression nerveuse que tu as apparemment faite quand tu travaillais au Cern.

Hoffmann ne fut pas certain d'avoir bien entendu. Le brouhaha des conversations lui rappelait le vacarme de la salle des ordinateurs.

— Il est allé au Cern?

— Oui, ils ont discuté de ta dépression nerveuse, répéta-t-elle plus fort, celle dont tu ne m'as jamais parlé.

Il en eut la respiration coupée, comme s'il venait de prendre un coup de poing.

— Je n'appellerais pas ça à proprement parler une dépression nerveuse.

— Et comment tu appellerais ça?

— Il faut vraiment qu'on en parle maintenant?

L'expression de sa femme indiquait clairement que oui. Il se demanda combien de verres de champagne elle avait bus.

— J'ai fait une petite déprime. J'ai dû faire un break. J'ai vu un psy. Je me suis senti mieux.

— Tu as vu un psychiatre? Tu as été soigné pour une dépression? Et en *huit ans*, tu ne m'en as jamais parlé?

Un couple se retourna.

— Tu fais une montagne de rien, lui reprocha-t-il avec irritation. C'est ridicule. C'était avant que je te connaisse. Allez, Gaby, ajouta-t-il plus doucement. On ne va pas gâcher ce moment.

Il y eut alors un bruit cristallin de métal contre du verre.

— Mesdames et messieurs, appela Bertrand qui brandissait une flûte à champagne et la frappait avec une fourchette. Mesdames et messieurs!

Ce fut étonnamment efficace. Le silence se fit dans la salle bondée.

Bertrand tenait quelque chose dans sa main. Il s'avança jusqu'à l'autoportrait, décolla un rond rouge du rouleau d'adhésif qu'il dissimulait dans sa paume et l'appliqua d'un geste ferme sur l'étiquette. Un murmure ravi et appréciateur parcourut la galerie.

— Gabrielle, reprit-il en se tournant vers elle avec un sourire. Permettez-moi de vous féliciter. Vous êtes désormais, officiellement, une artiste professionnelle.

Il y eut une salve d'applaudissements, et chacun leva son verre. Toute tension abandonna le visage de Gabrielle, et Hoffmann profita de ce moment pour lui prendre le poignet et le lever au-dessus de sa tête, comme si elle était un champion de boxe. De nouvelles acclamations retentirent. Le flash crépita de nouveau.

— Bravo, Gaby, souffla-t-il. Tu le mérites.

— Merci, dit-elle en lui souriant joyeusement. (Elle leva son verre en direction de la salle.) Merci à tous. Et merci tout particulièrement à celui qui l'a acheté.

— Attendez, dit Bertrand, je n'ai pas fini.

À côté de l'autoportrait figurait la tête d'un tigre de Sibérie mort au zoo de Servion l'année précédente. Une lumière rouge sang éclairait la gravure sur verre par en dessous. Bertrand apposa également une gommette sur cette œuvre. Elle s'était vendue à 4 500 francs.

— Encore un peu et tu vas gagner plus que moi, chuchota Hoffmann.

— Oh, Alex, arrête avec le fric.

Mais il voyait qu'elle était heureuse, et quand Bertrand alla coller un autre point rouge, cette fois sur L'*Homme invisible*, elle battit des mains.

Si seulement tout avait pu s'arrêter là, se dirait par la suite Alex avec amertume. L'exposition aurait été un triomphe. Mais Bertrand fit méthodiquement le tour de la galerie en laissant une éruption de points rouges sur son passage – une rougeole, une variole, une épidémie de pustules qui apparurent sur les murs blancs – et il ne s'arrêta que lorsque toutes les œuvres furent estampillées comme vendues.

L'effet produit sur les spectateurs fut étrange. Au début, ils applaudissaient à l'apposition de chaque nouvelle gommette rouge. Mais au bout d'un moment, un sentiment de gêne palpable s'installa dans toute la galerie. C'était comme s'ils assistaient à une plaisanterie, assez drôle au départ, mais qui s'éternisait et devenait cruelle. Hoffmann avait peine à regarder l'expression de Gabrielle, qui passa du bonheur à la stupéfaction, puis à l'incompréhension et enfin à la suspicion.

— On dirait bien que tu as un admirateur, se força-t-il à remarquer.

Elle ne parut pas l'entendre.

— Est-ce qu'il n'y a qu'un seul acheteur ?

— Oui, c'est bien ça, répondit Bertrand.

Il rayonnait et se frottait les mains. Un murmure de conversations étouffées se propagea. Les gens parlaient à voix basse.

— Mais qui ça peut bien être ? interrogea Gabrielle, incrédule.

— Malheureusement, je ne peux pas vous le dire, répondit Bertrand en coulant un regard vers Hoffmann. Tout ce qu'il m'est permis de dévoiler, c'est qu'il s'agit d'un « collectionneur anonyme ».

Gabrielle suivit son regard en direction d'Hoffmann et déglutit avant de demander, à voix très basse :

— Est-ce que c'est toi ?

— Bien sûr que non.

— Parce que, si c'est le cas…

— Mais pas du tout !

La porte s'ouvrit en carillonnant. Hoffmann regarda par-dessus son épaule. Les invités commençaient à partir ; Walton se trouvait dans la première vague et boutonnait sa veste pour se protéger du vent glacial. Bertrand comprit ce qui se passait et fit signe aux serveuses de ne plus verser de champagne. Le vernissage ne servait plus à rien, et personne ne voulait être le dernier à partir. Deux femmes s'approchèrent de Gabrielle pour la remercier, et elle dut faire comme si elle croyait à leurs félicitations sincères.

— J'aurais bien acheté quelque chose, dit l'une, mais je n'en ai pas eu l'occasion.

Lorsqu'elles se furent éloignées, Hoffmann demanda à Bertrand :

— Mais pour l'amour du ciel, dites-lui au moins que je ne suis pas l'acheteur.

— Je ne peux pas dire qui c'est parce que, pour être honnête, je n'en sais rien. C'est aussi simple que ça. Ma banque vient de m'envoyer un mail pour m'informer que j'ai reçu un virement électronique concernant cette exposition. Je dois avouer que j'ai moi-même été surpris par le montant. Quand j'ai pris ma calculette et additionné le prix de toutes les œuvres exposées, j'ai vu qu'on arrivait à 192 000 francs. Ce qui est très exactement la somme qui a été virée.

— Un virement électronique ? répéta Hoffmann.

— C'est bien ça.

— Je veux que vous le remboursiez, intervint Gabrielle. Je ne veux pas qu'on traite mon travail de cette façon.

— Ma chère Gabrielle, dit Bertrand, la mine réjouie, vous n'avez pas l'air de comprendre. Nous sommes dans une situation juridique. Lorsqu'une œuvre d'art est achetée, elle s'en va. Quand on ne veut pas vendre, on ne fait pas d'exposition.

— Je vous en offre le double, proposa Hoffmann, désespéré. Vous êtes à 50 % de commission, et vous venez donc de gagner près de 100 000 francs, c'est ça ? Je vous en donne 200 000 pour que vous rendiez son travail à Gabrielle.

— C'est tout simplement impossible, docteur Hoffmann.

— D'accord, je double encore la mise. 400 000.

Bertrand vacilla dans ses chaussons de soie zen, l'éthique et l'avarice se disputant sur les contours lisses de son visage.

— Eh bien, je ne sais tout simplement pas quoi dire…

— Arrêtez ça ! cria Gabrielle. Ça suffit, Alex ! Tous les deux ! Je n'en peux plus d'entendre ce…

— Gaby…

Mais elle laissa de côté les mains tendues d'Hoffmann et fonça vers la porte, se frayant un chemin entre les invités qui s'éloignaient. Hoffmann la suivit et joua des coudes pour fendre la petite troupe. Puis il émergea dans la rue et dut encore parcourir une dizaine de mètres avant de pouvoir l'attraper par le bras. Il l'attira vers lui, dans l'encoignure d'une porte.

— Gaby, écoute…

— Non, le coupa-t-elle en le repoussant de sa main libre.

— Écoute ! (Il la secoua jusqu'à ce qu'elle cesse de vouloir s'échapper.) Calme-toi. Il se passe un truc très bizarre. Je suis sûr que celui qui a racheté toute ton expo ne fait qu'un avec celui qui a acheté le Darwin. Quelqu'un essaie de me déstabiliser mentalement.

— Oh, Alex, ça suffit ! C'est toi qui as tout acheté, je le sais.

Elle chercha à se dégager.

— Non, écoute-moi.

Il la secoua à nouveau. Il sentait confusément que la peur le rendait agressif, et il s'efforça de se calmer.

— Le Darwin a été acheté exactement de la même façon, un virement par Internet. Je te parie que si on retourne à la galerie pour demander à M. Bertrand de nous donner le numéro de compte de l'acheteur, ça correspondra. Je voudrais que tu comprennes que si ce compte est peut-être à mon nom, il n'est pas à moi. Mais je vais trouver le fin mot de l'histoire, je te le promets. Voilà, conclut-il en la lâchant. C'est tout ce que je voulais dire.

Elle le dévisagea et commença à se masser le bras. Elle pleurait en silence. Il prit conscience qu'il avait dû lui faire mal.

— Je te demande pardon.

Elle leva les yeux vers le ciel, et sa gorge se serra. Puis elle finit par reprendre la maîtrise de ses émotions.

— Tu n'as vraiment pas la moindre idée de ce que représentait cette exposition pour moi ? demanda-t-elle.

— Bien sûr que si…

— Et maintenant, tout est fichu. Et c'est ta faute.

— Allons, Gabrielle, comment peux-tu dire une chose pareille ?

— Mais c'est le cas, Alex, tu comprends. Parce que soit c'est toi qui as tout acheté en croyant par je ne sais quelle logique masculine primaire me faire une faveur. Soit c'est cette autre personne qui, selon toi, essaie de te déstabiliser mentalement. Mais, dans un cas comme dans l'autre, c'est toi… toujours. (Elle avait les yeux secs à présent.) Mais qu'est-ce que tu es devenu, Alex ? Leclerc voulait savoir si c'était pour le fric que tu avais quitté le Cern, et je lui ai répondu que non. Mais est-ce que tu t'écoutes parler en ce moment ? 200 000 francs… 400 000 francs… 60 millions de dollars pour une maison dont on n'a même pas besoin…

— Tu ne t'es pas plainte quand on l'a achetée, si je me souviens bien. Tu disais que tu aimais l'atelier.

— Oui, mais c'était seulement pour te faire plaisir ! Juste pour savoir, ajouta-t-elle, comme si elle pensait soudain à quelque chose, combien tu as maintenant ?

— Laisse tomber, Gabrielle.

— Non, dis-moi. Je veux savoir. Donne-moi un chiffre.

— En dollars ? En gros ? Je ne sais vraiment pas. 1 milliard, 1,2 milliard peut-être.

— 1 milliard de dollars ? *En gros* ? Oublie ça. C'est fini. Pour moi, tout ce qui importe, maintenant, c'est de me barrer de cette putain de ville où la seule chose qui compte, visiblement, c'est le *fric*.

Elle fit volte-face.

— Qu'est-ce qui est fini ?

Il lui reprit le bras, mais sans conviction, et, cette fois, elle se retourna et lui assena une gifle. Il la lâcha aussitôt.

— Ne t'avise plus jamais, cracha-t-elle en brandissant l'index vers lui, *plus jamais*, de m'attraper de cette façon.

Et voilà. Elle était partie. Elle marcha jusqu'au bout de la rue et tourna au coin, laissant Hoffmann la main pressée contre sa joue, incapable de comprendre la catastrophe qui s'était abattue si rapidement sur lui.

Leclerc avait assisté à toute la scène depuis sa voiture. Elle s'était déroulée devant lui comme s'il était dans un *drive-in*. Toujours sous ses yeux, Hoffmann repartit lentement vers la galerie et y entra. Leclerc avait une vue parfaite : la devanture était en grande partie vitrée, et la galerie était presque vide à présent. Hoffmann s'avança vers le propriétaire et se mit à l'accabler de reproches. Il sortit son téléphone portable et l'agita devant la figure du galeriste. Bertrand leva les mains et Hoffmann l'attrapa par les revers de sa veste pour le pousser contre le mur.

Leclerc grommela un juron, ouvrit sa portière à la volée et sortit avec raideur sur le trottoir.

Le temps qu'il les rejoigne, le garde du corps d'Hoffmann s'était interposé fermement entre son client et le propriétaire de la galerie, qui lissait les pans de sa veste et lançait des insultes à Hoffmann, lequel n'était pas en reste.

— Messieurs, messieurs, dit Leclerc. Veuillez cesser, je vous prie. Merci. (Il montra sa carte au garde du corps.) Docteur Hoffmann, ça me peinerait de devoir vous arrêter après tout ce que vous avez subi aujourd'hui, mais je le ferai si c'est nécessaire. Qu'est-ce qui se passe ?

— Ma femme est absolument bouleversée, et tout ça parce que cet homme a agi de la façon la plus stupide possible…

— C'est ça, l'interrompit Bertrand, « la plus stupide possible » ! Je lui ai vendu toutes ses œuvres dès le premier jour de sa première expo.

— Tout ce que je veux, répliqua Hoffmann d'une voix que Leclerc trouva proche de l'hystérie, c'est le numéro de compte en banque de l'acheteur.

— Et je lui ai répondu que c'était une information confidentielle.

Leclerc se retourna vers Hoffmann.

— Pourquoi est-ce si important ?

— Quelqu'un, dit Hoffmann en s'efforçant de contrôler sa voix, fait clairement tout ce qu'il peut pour m'anéantir. J'ai obtenu le numéro de compte utilisé pour commander le livre que j'ai reçu hier soir, visiblement pour me faire peur. Je l'ai là, sur mon portable. Et maintenant, je crois que c'est le même compte, censément à mon nom, qui a été utilisé pour saboter l'exposition de ma femme.

— Saboter ! railla Bertrand. Nous, on appelle ça une vente !

— Mais ce n'était pas *une* vente, si ? Tout a été vendu en bloc. Est-ce que c'est déjà arrivé avant ?

Bertrand balaya l'argument d'un geste. Leclerc poussa un soupir.

— Montrez-moi le numéro de compte, monsieur Bertrand, s'il vous plaît.

— Je ne peux pas faire ça. Et puis, pourquoi le ferais-je ?

— Parce que si vous n'obtempérez pas, je vous ferai arrêter pour obstruction à une enquête criminelle.

— Vous n'oseriez pas !

Leclerc le toisa. Malgré son âge, il pouvait encore se charger de tous les Guy Bertrand de la Terre.

— C'est bon, finit par bredouiller le galeriste. Il est dans mon bureau.

— Docteur Hoffmann, votre téléphone, je vous prie.

Hoffmann lui montra sa page mail sur l'écran.

— Voici le message que m'a envoyé le bouquiniste, avec le numéro de compte.

Leclerc saisit le portable.

— Veuillez rester ici, s'il vous plaît.

Et il suivit Bertrand dans le petit bureau en arrière-boutique où régnait une odeur âcre de café et de colle mêlés. Un ordinateur trônait sur un vieux bureau à cylindre éraflé et branlant. Bertrand déplaça le pointeur sur l'écran et cliqua sur une fenêtre.

— Voici le message que j'ai reçu de ma banque, annonça-t-il en s'écartant avec une moue boudeuse.

Leclerc s'assit devant l'ordinateur et étudia l'écran avec attention. Il en approcha ensuite le téléphone portable d'Hoffmann et compara les deux numéros de compte. C'était le même mélange de lettres et de chiffres. Le nom du titulaire du compte apparaissait comme étant A. J. Hoffmann. Il sortit son calepin et recopia la suite complète.

— Avez-vous reçu un autre message que celui-ci ?

— Non.

De retour dans la salle, il rendit à Hoffmann son portable.

— Vous aviez raison. Les numéros correspondent. Mais je dois avouer que je ne comprends pas ce que tout cela a à voir avec votre agression.

— Oh, c'est lié, assura Hoffmann. J'ai essayé de vous le dire, ce matin. Et qu'est-ce que vous foutez à aller poser des questions sur moi au Cern ? Vous êtes censé trouver ce type, pas enquêter sur moi.

Il avait le visage hagard, les yeux rouges et irrités, comme s'il venait de les frotter. Et, avec sa barbe d'un jour, il avait l'air d'un fugitif.

— Je vais transmettre le numéro de compte à notre brigade financière et leur demander d'enquêter dessus, dit Leclerc. Les comptes en banque, ça, au moins, ça nous connaît, en Suisse, et l'usurpation d'identité est un crime. Entre-temps, je vous encourage vivement à rentrer chez vous, à voir votre médecin et à dormir.

HOFFMANN, assis à l'arrière de la Mercedes, essaya de joindre Gabrielle, mais il tomba sur sa messagerie. La voix enjouée et familière le prit à la gorge : « Salut, c'est Gaby, vous n'avez pas intérêt à raccrocher sans me laisser de message ! »

Il eut la terrible prémonition qu'elle était irrémédiablement partie. Même si les choses s'arrangeaient entre eux, la Gaby qu'elle avait été avant ce jour n'existerait plus.

Il y eut un bip. Après une longue pause, il finit par articuler :

— Appelle-moi, d'accord ? Il faut qu'on discute.

Il raccrocha et se pencha vers le garde du corps.

— Savez-vous si votre collègue est avec ma femme ?

Sans quitter la route des yeux, l'homme répondit par-dessus son épaule :

— Non, monsieur. Le temps qu'il arrive au bout de la rue, elle n'y était déjà plus.

Hoffmann laissa échapper un grognement.

— Il n'y a donc personne, dans cette putain de ville, qui sache faire son boulot ?

Il s'adossa brusquement à son siège, croisa les bras et regarda par la vitre.

Il n'aimait pas savoir Gabrielle seule dans la rue. L'impulsivité de sa femme l'inquiétait. Elle était capable de tout quand elle était en colère. Elle pouvait disparaître pendant des jours, retourner auprès de sa mère en Angleterre. « Oublie ça. C'est fini. » Qu'avait-elle entendu par là ? Qu'est-ce qui était fini ? L'expo ? Sa carrière d'artiste ? Leur conversation ? Leur mariage ? La panique se mit à monter. La vie sans Gaby serait un vide complet, insupportable.

Ils prirent le quai du Mont-Blanc. La ville, tapie autour de la tache obscure du lac, paraissait basse et sombre, taillée dans la même pierre grise que le Jura lointain. Il n'y avait rien de l'exubérance animale vulgaire du verre et de l'acier propre à Manhattan ou à la City de Londres : leurs gratte-ciel s'élèveraient puis s'abattraient, les booms et les krachs se succéderaient, mais Genève la rusée, avec son profil bas, durerait l'éternité. L'hôtel Beau Rivage, situé vers le milieu de la large avenue boisée, incarnait parfaitement ces valeurs de brique et de pierre.

La Mercedes se gara de l'autre côté de la route et le garde du corps, levant impérieusement la main pour arrêter la circulation, escorta Hoffmann le long du passage piéton, en haut de l'escalier puis dans le faste faux Habsbourg de l'intérieur des lieux. Si le concierge éprouva la moindre inquiétude en remarquant l'aspect d'Hoffmann, il n'en laissa rien paraître sur son visage souriant lorsqu'il relaya Paccard pour conduire le *cher docteur** à la salle à manger en étage.

Derrière ses hautes portes, l'atmosphère était celle d'un salon du XIXe siècle : tableaux, meubles anciens, chaises dorées, rideaux à embrasses d'or. Quarry avait réservé une longue table près des portes-fenêtres et était installé dos au lac, pour garder un œil sur l'entrée. Dès qu'Hoffmann apparut, il se leva pour aller à la rencontre de son associé.

— Professeur ! s'exclama-t-il joyeusement à l'intention de l'assemblée. Putain, où étais-tu passé ? ajouta-t-il à mi-voix en l'attirant à part.

Hoffmann commença à répondre, mais Quarry l'interrompit sans l'écouter. Il était très excité, les yeux brillants.

— Bon, tant pis, ce n'est pas grave. Le principal, c'est qu'ils ont l'air partants – la plupart en tout cas –, et j'ai dans l'idée qu'on est plus près du milliard que des 750 millions. Alors tout ce que j'attends de toi, maintenant, s'il te plaît, c'est soixante minutes d'assurance technique. De préférence avec le minimum d'agressivité. Viens te joindre à nous, ajouta-t-il en désignant la table. Tu as manqué la *grenouille de Vallorbe**, mais le *filet mignon de veau** devrait être divin.

Hoffmann ne fit pas un geste.

— Est-ce que c'est toi qui viens d'acheter toutes les œuvres de Gabrielle ? demanda-t-il sur un ton soupçonneux.

— Quoi ? fit Quarry en se retournant pour l'examiner, perplexe.

— Quelqu'un vient d'acheter toute la collection en se servant d'un compte ouvert à mon nom.

— Mais je n'ai même pas vu son expo ! Et puis pourquoi aurais-je un compte à ton nom ? C'est parfaitement illégal. (Il semblait tomber des nues.) On peut parler de ça plus tard ?

Hoffmann parcourut la salle d'un regard affolé : les clients, les serveurs, les deux entrées, les hautes fenêtres et la terrasse derrière.

— Quelqu'un m'en veut, Hugo, et cherche à me détruire petit à petit. Ça commence à me porter sur les nerfs.

— Oui, je vois ça, Alexi. Comment va ta tête ?

Hoffmann prit soudain conscience d'une migraine lancinante.

— Ça recommence à faire mal.

— Qu'est-ce que ça veut dire, alors ? Tu crois qu'il faut que tu retournes à l'hôpital ?

— Non, je vais juste m'asseoir.

— Et peut-être manger quelque chose ? avança Quarry, plein d'espoir. Tu n'as rien avalé de toute la journée ? Pas étonnant que tu te sentes patraque. (Il prit Hoffmann par le bras et le conduisit à la table.) Tu vas t'asseoir là, en face de moi pour que je puisse te surveiller, et peut-être qu'on pourra changer de place plus tard.

Hoffmann se vit offrir un siège par un serveur, entre Étienne et Clarisse Mussard. On avait laissé les Chinois se débrouiller tout seuls à un bout de la table ; les banquiers américains, Klein et Easterbrook, occupaient l'autre. Herxheimer, Mould, Łukasinski, Elmira Gulzhan et divers juristes et conseillers se répartissaient les autres places. On étendit une épaisse serviette de table sur les genoux d'Hoffmann, puis un sommelier lui proposa du vin, mais il réclama de l'eau plate.

— Alex, nous étions juste en train de discuter des taux d'imposition, dit Herxheimer en arrachant un fragment de petit pain rond qu'il glissa dans sa bouche. Nous disions que l'Europe semble vouloir marcher sur les traces de l'ancienne Union soviétique. 40 % en France, 45 % en Allemagne, 50 % au Royaume Uni…

— 50 % ! l'interrompit Quarry. Enfin, ne vous méprenez pas, je suis aussi patriote que n'importe qui, mais est-ce que j'ai envie de conclure un partenariat à cinquante-cinquante avec le gouvernement de Sa Majesté ? Je ne crois pas, non.

— Il n'existe plus de démocratie, intervint Elmira Gulzhan. L'État est plus interventionniste que jamais. Nos libertés disparaissent, et personne ne semble s'en soucier. C'est ce que je trouve de plus déprimant dans ce siècle.

Hoffmann gardait les yeux rivés sur la nappe et laissait la discussion dériver autour de lui. Il se rappelait à présent pourquoi il n'aimait pas les riches : ils ne cessaient de s'apitoyer sur leur sort. La persécution constituait la base commune de leurs conversations.

— Je vous méprise, lâcha-t-il.

Mais ils étaient tous si accaparés par l'inégalité des taux d'imposition que personne ne lui prêta attention. Il pensa : « Peut-être que je suis devenu l'un d'entre eux ; est-ce pour ça que je suis paranoïaque ? »

À cet instant, les portes s'ouvrirent brusquement sur une file de huit serveurs en queue-de-pie portant chacun deux assiettes. Ils se postèrent entre les deux convives dont ils avaient la charge et posèrent les assiettes devant eux. Le veau aux morilles et aux asperges était servi en plat principal à tout le monde sauf à Elmira Gulzhan, qui avait du poisson grillé.

— Je ne peux pas manger de veau, souffla Elmira sur le ton de la confidence en se penchant vers Hoffmann. Ces pauvres bêtes souffrent tellement.

— Moi, j'ai toujours eu un faible pour les aliments qui ont souffert, déclara joyeusement Quarry en brandissant son couteau et sa fourchette. Sans douleur, pas de saveur.

Elmira lui assena un petit coup de serviette.

— Hugo, vous êtes méchant. N'est-ce pas qu'il est méchant, Alex?

— Il est méchant, confirma Hoffmann.

Il repoussa du bout de sa fourchette la nourriture vers le bord de son assiette. Il n'avait pas faim du tout.

Łukasinski se mit à lancer à travers la table des questions techniques concernant le nouveau fonds d'investissement, et Quarry dut poser ses couverts pour y répondre. La structure du fonds serait la même que précédemment : les investisseurs seraient actionnaires d'une société à responsabilité limitée enregistrée aux îles Caïmans pour raisons fiscales, société qui confierait la gestion de ses actifs à Hoffmann Investment Technologies.

— Dans combien de temps attendez-vous une réponse de notre part? demanda Herxheimer.

— Nous pensons à une nouvelle pré-clôture du fonds dans trois semaines, à la fin du mois, répondit Quarry.

L'atmosphère autour de la table prit soudain un tour sérieux. Les bavardages se turent. Tout le monde écoutait.

— Eh bien, vous pouvez avoir ma réponse tout de suite, annonça Easterbrook avant d'agiter sa fourchette en direction d'Hoffmann. Vous savez ce qui me plaît chez vous, Hoffmann?

— Non, Bill, je ne sais pas.

— Vous ne faites pas l'article. Vous laissez les chiffres parler d'eux-mêmes. Je vais recommander à AmCor de doubler ses investissements.

— Bill, c'est extrêmement généreux de ta part, fit Quarry d'une voix rauque. Alex et moi te sommes très reconnaissants.

— Très reconnaissants, répéta Hoffmann.

— Winter Bay en sera aussi, déclara Klein. Je ne peux pas m'avancer dès à présent sur le montant, mais ce sera substantiel.

— Ça vaut pour moi aussi, fit Łukasinski.

— Si j'ai bien saisi le mouvement général, vous voulez tous investir, c'est ça ? demanda Quarry. (Des murmures d'assentiment parcoururent la tablée.) Bon, ça me paraît prometteur. Puis-je poser la question autrement : quelqu'un prévoit-il de ne *pas* augmenter ses investissements ?

Les convives se regardèrent, certains haussèrent les épaules.

— Même vous, Étienne ?

Mussard prit un air grognon pour lever les yeux de son assiette.

— Oui, oui, je suppose. Mais je préfère ne pas parler de ça en public. Je préfère faire les choses à la suisse.

— Vous voulez dire tout habillé et la lumière éteinte ? lança Quarry, qui se leva au milieu des rires. Mes amis, je sais que nous en sommes encore au milieu du repas, mais je crois que le moment est venu de trinquer. Je crois sincèrement que nous assistons à la naissance d'une puissance nouvelle dans la gestion globale des actifs, produit de l'union entre la recherche de pointe et une politique d'investissement offensive, ou, si vous préférez, entre Dieu et Mamon. (Rires.) Et pour saluer cet heureux événement, il n'est, me semble-t-il, que justice de se mettre debout et de lever nos verres au génie qui l'a rendu possible. Au père du VIXAL-4… À Alex !

Avec un « À Alex ! » repris en chœur et dans le tintement perlé du cristal qui s'entrechoquait, les investisseurs se levèrent et portèrent un toast à Hoffmann. Ils le contemplaient avec affection, et lorsqu'ils se furent tous rassis, il se rendit compte avec consternation qu'ils attendaient une réponse.

— Oh, non, dit-il. Je ne peux pas, vraiment.

Mais ses mots furent accueillis par une salve de « Non ! » et de « Quel dommage ! » si sincères qu'Hoffmann se leva malgré lui. Il posa une main sur la table pour reprendre son équilibre et trouver quoi dire. Sans y penser, il regarda par la fenêtre, sa vue englobant la rive opposée mais aussi la promenade juste devant l'hôtel. Ses yeux se posèrent sur une silhouette émaciée vêtue d'un manteau de cuir brun. L'homme avait des yeux enfoncés dans des orbites violacées sous un front proéminent, ses cheveux étaient tirés en arrière en un catogan gris. Il regardait directement la fenêtre d'où le contemplait Hoffmann.

Celui-ci sentit ses muscles se tétaniser. Pendant plusieurs secondes, il fut incapable de bouger. Puis il recula instinctivement d'un pas, renversant sa chaise. Quarry voulut se précipiter, mais Hoffmann leva la main pour l'arrêter. Il s'éloigna d'un autre pas de la table et se prit les pieds dans la chaise retournée. Il trébucha et faillit tomber, mais il sembla alors à ceux qui l'observaient que cela neutralisait la force qui le paralysait car il écarta soudain le siège d'un coup de pied, fit volte-face et courut vers la porte.

Hoffmann eut à peine conscience des exclamations étonnées qui fusaient de toutes parts et de Quarry qui l'appelait par son nom. Il remonta au pas de course le couloir et dévala l'escalier. Il franchit les dernières marches d'un bond, dépassa son garde du corps, qui parlait avec la réceptionniste, et déboucha sur la promenade.

9

DE l'autre côté des voies de circulation, il n'y avait plus personne sous le tilleul. Hoffmann s'arrêta, regarda à droite et à gauche et jura. Le portier lui demanda s'il voulait un taxi. Hoffmann ne prit pas la peine de lui répondre et continua de marcher jusqu'au coin de la rue. Sur sa gauche, parallèle au côté du Beau Rivage, il y avait une petite rue à sens unique. Faute d'une meilleure idée, il s'y engagea et parcourut une cinquantaine de mètres, passant devant une rangée de motos garées et une petite église. Il tomba ensuite sur un carrefour et s'immobilisa à nouveau.

À un pâté de maisons de là, une silhouette en manteau brun traversait la rue. L'homme s'arrêta une fois de l'autre côté et se retourna vers Hoffmann. C'était lui, aucun doute. Une camionnette blanche passa entre eux, et il disparut dans une petite rue latérale.

Hoffmann courait à présent. Un regain d'énergie justicière l'envahissait tout entier, propulsant ses jambes à grandes foulées rapides. Il se précipita vers l'endroit où il avait vu l'apparition pour la dernière fois. C'était encore une petite rue, et l'homme s'était à nouveau évanoui. Hoffmann courut jusqu'au carrefour suivant. Il s'agissait de rues étroites et tranquilles, bordées de voitures garées. Les petits commerces se multipliaient soudain – un coiffeur, une pharmacie, un bar –, et les gens faisaient des courses pendant leur pause-déjeuner. Il se retourna, éperdu, partit en courant vers la droite dans un labyrinthe de petites rues à sens unique, peu désireux de renoncer mais presque certain d'avoir perdu la partie. Le quartier changea autour de lui. Les immeubles devinrent plus miteux, certains, couverts de graffitis, paraissaient même insalubres. Une jeune Noire en pull moulant et minijupe de vinyle blanc lui cria quelque chose depuis le trottoir d'en face. Elle était plantée devant une boutique affichant une enseigne au néon violette, VIDÉO CLUB XXX.

Hoffmann ralentit le pas et essaya de se repérer. Il avait dû courir jusqu'à la gare de Cornavin et pénétrer dans le quartier chaud de Genève. Il finit par s'arrêter devant une boîte de nuit à la porte condamnée, recouverte d'affichettes déchirées. Les yeux plissés, les mains sur les hanches, une douleur vive au côté, il se pencha au-dessus du caniveau pour essayer de reprendre son souffle. À trois mètres, une prostituée asiatique l'observait d'un salon en vitrine.

Il se redressa et battit en retraite, scrutant de part et d'autre les allées et les cours, au cas où l'homme s'y serait dissimulé. Il passa devant un sex-shop, Je Vous Aime*, et revint sur ses pas. La vitrine présentait un choix plutôt timide de perruques et de sous-vêtements érotiques. La porte était ouverte, mais un rideau de bandes de plastique empêchait de voir à l'intérieur. Il pensa aux menottes et au bâillon que l'intrus avait laissés derrière lui. Leclerc avait dit qu'ils pouvaient provenir de ce genre d'endroit.

Tout à coup, son portable signala l'arrivée d'un SMS : « 91 rue de berne chambre 68. »

Il le contempla pendant plusieurs secondes. Il venait de passer devant la rue de Berne, non ? Il se retourna et, en effet, elle se trouvait juste derrière lui, assez près pour qu'il puisse déchiffrer la plaque bleue. L'expéditeur était anonyme, son numéro inaccessible. Il jeta un coup d'œil alentour pour s'assurer que personne ne l'observait, puis remonta jusqu'à la rue de Berne. Elle était miteuse et interminable, mais, au moins, il y avait du monde – deux rangées de trams s'y croisaient –, et cette idée le rassura. Au carrefour, une boutique de fruits et légumes proposait un étalage extérieur, juste à côté d'un bureau de tabac annonçant : « Cartes téléphoniques, vidéos X, DVD X, revues X made in USA. » Il vérifia les numéros de la rue. Ils montaient vers la gauche. Il avança en les décomptant et, au bout de trente secondes, il avait émigré d'Europe du Nord vers les pays méditerranéens : restaurants marocains et libanais, arabesques de caractères arabes sur les devantures, musique arabe s'échappant de haut-parleurs minuscules.

Il trouva le numéro 91 au nord de la rue de Berne, en face d'une boutique de vêtements africains. C'était un immeuble délabré de sept étages à la façade jaune écaillée. Le bâtiment s'étirait sur quatre fenêtres, et une enseigne constituée de grandes lettres individuelles avançait sur la rue pour annoncer HÔTEL DIODATI sur presque toute sa hauteur. La plupart des volets roulants étaient baissés, mais quelques-uns étaient mi-clos, pareils à des paupières tombantes. L'immeuble ouvrait sur la rue par une vieille porte en bois massif ornée de ce qui ressemblait à des symboles maçonniques sculptés. Pendant qu'il regardait, elle s'ouvrit vers l'intérieur, et un homme en jean et baskets émergea de la pénombre, le visage dissimulé par une capuche. Il fourra les mains dans ses poches, voûta les épaules et s'éloigna. Une bonne minute plus tard, la porte se rouvrit. Cette fois, il s'agissait d'une femme, jeune et mince, cheveux courts, mousseux et teints en orange, vêtue d'une jupe courte. Elle resta longtemps devant l'entrée avant de partir dans la direction opposée de son prédécesseur.

Il n'y eut pas à proprement parler un moment où Hoffmann prit la décision d'entrer. Il finit par traverser la rue et attendit devant la porte. Enfin, il la poussa et coula un regard à l'intérieur, sur un petit hall avec un comptoir, désert, et un coin salon constitué d'un canapé noir et rouge. Un aquarium brillait vivement dans la pénombre, mais il ne semblait pas y avoir de poissons dedans.

Hoffmann franchit le seuil. La lourde porte se referma derrière lui et étouffa les bruits de la rue. Il s'avança dans la réception vide, sur un lino gondolé, et s'engagea dans un étroit couloir qui menait à un petit ascenseur. Il appuya sur le bouton d'appel et les portes s'ouvrirent immédiatement, comme s'il était attendu.

La cabine d'ascenseur était minuscule. Il y avait tout juste assez de place pour deux personnes et, à peine les portes se furent-elles refermées qu'Hoffmann se sentit submergé par la claustrophobie. Les boutons lui présentaient un choix de sept niveaux. Il appuya sur le numéro 6. L'ascenseur s'ébranla et monta très lentement. Plus qu'un sentiment de danger, Hoffmann éprouvait une impression d'irréalité, comme s'il se retrouvait plongé dans un rêve d'enfance récurrent dont il ne se souvenait plus très bien et que la seule façon de se réveiller était de continuer d'avancer jusqu'à ce qu'il trouve la sortie.

L'ascenseur s'immobilisa enfin et les portes s'ouvrirent en bringuebalant au sixième étage. Le palier était désert. Hoffmann hésitait
à sortir, mais les portes commencèrent à se refermer et il dut projeter
sa jambe au-dehors pour ne pas être à nouveau emprisonné. Il s'aven-
tura prudemment sur le palier. Il y faisait plus sombre que dans le
hall, et ses yeux durent s'adapter. Les murs étaient nus. Il respira une
odeur fétide d'atmosphère confinée, respirée des milliers de fois sans
jamais avoir été aérée par une porte ou une fenêtre ouverte. Il faisait
chaud. Une pancarte bricolée indiquait que la chambre 68 se trouvait
à droite. Le fracas du redémarrage de l'ascenseur le fit sursauter. Il
écouta la cabine descendre jusqu'en bas. Puis le silence retomba.

Il fit deux pas vers la droite et scruta longuement le couloir, derrière l'angle. La chambre 68 se trouvait tout au bout, porte close. Un
bruit métallique, répétitif et rythmé, se faisait entendre quelque part.
Il s'agissait des ressorts d'un lit. Un homme poussa un gémissement.

Hoffmann sortit son portable dans l'intention d'appeler la police,
mais il n'avait pas de réseau. Il le rangea dans sa poche et gagna le bout
du couloir. Ses yeux arrivaient pile au niveau du judas optique. Il prêta
l'oreille. Il n'entendait rien. Il frappa à la porte. Rien.

Il essaya la poignée de plastique noir. La porte ne s'ouvrit pas. Mais
elle n'était retenue que par une petite serrure à cylindre, et il s'aperçut que le chambranle était pourri. Il recula d'un pas et donna une
bourrade dans la porte. Elle s'ouvrit dans un grand fracas.

Il faisait sombre à l'intérieur, un simple rai grisâtre s'infiltrait au
bas de la fenêtre, là où le volet n'avait pas été convenablement baissé.
Il s'avança à petits pas sur la moquette, puis chercha à tâtons la commande électrique à travers le voilage. Il la trouva et appuya dessus. Le
volet se releva bruyamment. La fenêtre donnait sur un escalier de
secours et, cinquante mètres plus loin, sur l'arrière d'une rangée
d'immeubles. Dans la lumière blafarde, Hoffmann découvrit la
chambre telle qu'elle était : un lit à roulettes pour une personne, défait,
dont les draps malpropres pendaient sur la moquette rouge et noir,
une petite commode avec un sac à dos posé dessus, une chaise en bois
au siège de cuir marron râpé. Le radiateur sous la fenêtre était brûlant. Le papier peint avait bruni autour des ampoules nues des
appliques. La pièce empestait la cigarette refroidie, la sueur masculine et le savon bon marché. Dans la salle de bains minuscule, il y avait
une baignoire sabot entourée d'un rideau de douche en plastique, un

lavabo strié de traînées vertes tirant sur le noir à l'endroit où les robinets coulaient, et des W-C qui présentaient le même genre de traces.

Hoffmann retourna dans la chambre. Il porta le sac à dos jusqu'au lit et en vida le contenu. Il s'agissait principalement de linge sale – une chemise écossaise, des maillots de corps, des slips, des chaussettes – mais, enfoui au milieu, il y avait un vieil appareil photo Zeiss équipé d'un téléobjectif puissant et un ordinateur portable.

Hoffmann le posa et retourna à la porte ouverte. Le chambranle avait cédé au niveau de la serrure mais il n'était pas cassé. Il put donc remettre la serrure en place et refermer doucement la porte. De loin, elle donnerait l'illusion d'être intacte. Il remarqua une paire de grosses chaussures posées derrière le panneau. Il les saisit entre le pouce et l'index. Elles étaient identiques à celles qu'il avait trouvées devant chez lui. Il les reposa puis alla s'asseoir au bord du lit pour ouvrir l'ordinateur, mais il entendit alors un fracas métallique retentir des entrailles de la bâtisse : l'ascenseur se remettait en marche.

Hoffmann reposa l'ordinateur. Il traversa vivement la chambre et colla son œil contre le judas à l'instant où l'homme apparaissait à l'angle du couloir. L'inconnu arriva à la porte et sortit sa clé. La lentille déformante du judas rendit son visage plus squelettique encore qu'auparavant, et Hoffmann sentit ses cheveux se dresser sur sa tête.

Il recula, jeta un regard éperdu autour de lui et battit en retraite dans la salle de bains. Un instant plus tard, il entendit la clé s'insérer dans la serrure, suivie par un grognement de surprise lorsque la porte s'ouvrit sans qu'il soit besoin de la déverrouiller. Hoffmann avait une vue directe du milieu de la pièce par l'interstice entre la porte de la salle de bains et le chambranle. Il retint sa respiration. Pendant un instant, rien ne se produisit. Il pria pour que l'homme ait fait demi-tour et soit redescendu à la réception pour signaler l'effraction. Mais une ombre passa fugitivement dans sa ligne de mire, se dirigeant vers la fenêtre. Hoffmann s'apprêtait à tenter de fuir quand, avec une rapidité hallucinante, l'homme revint sur ses pas et donna un grand coup de pied dans la porte de la salle de bains.

Il y avait quelque chose du scorpion dans la façon dont il se tenait tapi, jambes écartées, armé d'un long couteau qu'il brandissait à hauteur de sa tête. Il était plus grand que dans le souvenir d'Hoffmann, impression renforcée par le manteau de cuir. Il n'y avait pas d'échappatoire possible. Les deux hommes se regardèrent pendant de longues secondes, puis l'homme déclara, d'une voix curieusement calme et posée :

— *Zurück. In die Badewanne.*

De la pointe du couteau, il désigna la baignoire, et Hoffmann secoua la tête sans comprendre.

— *In die Badewanne,* répéta l'homme, pointant le couteau d'abord sur Hoffmann, puis sur la baignoire.

Au bout d'un autre silence interminable, Hoffmann s'aperçut que ses membres obéissaient à l'injonction. Sa main écarta le rideau de douche et ses jambes franchirent en tremblant le rebord de la baignoire, ses chaussures montantes écrasant le plastique. L'homme pénétra plus avant dans le réduit, tira le cordon de la lumière et un néon clignota au-dessus du lavabo. Il ferma la porte.

— *Ausziehen,* ordonna-t-il. Déshabillez-vous.

— *Nein,* répondit Hoffmann en secouant la tête et en levant les paumes comme pour calmer les choses. Non, pas question.

L'homme cracha quelques jurons qu'Hoffmann ne comprit pas, et abattit son couteau, la lame passant si près qu'elle entama le devant de son imperméable et en rabattit le pan inférieur sur ses genoux. Pendant un instant horrible, Hoffmann crut qu'il s'agissait de sa chair et s'empressa de dire :

— *Ja, ja,* d'accord. Je vais le faire.

Il fit rapidement glisser l'imperméable de son épaule gauche, puis de la droite. Il n'avait guère la place de dégager ses bras des manches et, pendant quelques secondes, l'imperméable resta coincé contre son dos, le contraignant à se débattre comme pour se dégager d'une camisole de force.

Il essaya d'établir le contact avec son assaillant.

— Vous êtes allemand ? demanda-t-il. *Sie sind Deutscher ?*

Il n'y eut pas de réponse.

Au moins finit-il par retirer son imperméable bousillé. Il le laissa tomber à ses pieds. Il retira ensuite sa veste et la tendit à son ravisseur, qui lui fit signe avec son couteau de la lancer sur le sol. Il commença à déboutonner sa chemise. Il continuerait de se déshabiller jusqu'à ce qu'il soit complètement nu si nécessaire, mais si l'inconnu essayait de l'attacher, il décida qu'il se battrait… Non, il ne se laisserait pas faire. Il préférait mourir plutôt que de se mettre totalement à la merci de ce type.

— Pourquoi faites-vous ça ? questionna-t-il.

L'homme fronça les sourcils comme s'il avait affaire à un enfant quelque peu déconcertant, puis répondit en anglais :

— Parce que vous m'avez invité.

— Je ne vous ai jamais *invité* à quoi que ce soit…, protesta Hoffmann, atterré.

Le couteau tournoya de nouveau.

— Continuez, je vous prie.

Hoffmann finit de déboutonner sa chemise et la lança sur sa veste. Il réfléchissait intensément, évaluant ses risques et ses chances. Il saisit le bas de son tee-shirt, le passa par-dessus sa tête et, lorsque son visage émergea par en dessous, surprit le regard plein de convoitise de son ravisseur. Il en eut la chair de poule. Mais il voyait là une faiblesse, il voyait une occasion. Il se força malgré tout à rouler le tee-shirt de coton blanc en boule et à le lui tendre.

— Tenez, dit-il.

Au moment où l'homme s'avançait pour le prendre, il appuya un pied contre l'arrière de la baignoire pour se donner de l'élan et atterrit sur son assaillant avec assez de force pour le renverser. Le couteau s'envola et ils s'écroulèrent ensemble, si étroitement enlacés qu'il leur était impossible à l'un comme à l'autre d'assener un coup. Hoffmann chercha à se relever en saisissant le lavabo d'une main, et de l'autre le cordon du néon, mais les deux cédèrent tout de suite. La pièce fut plongée dans l'obscurité, et il sentit quelque chose lui enserrer la cheville pour le faire tomber. Il s'y attaqua avec l'autre pied et l'écrasa d'un coup de talon. L'homme poussa un hurlement de douleur. Hoffmann chercha la poignée de porte à tâtons tout en donnant des coups de pied. Il sentait l'os à présent – il souhaita qu'il s'agît du crâne à queue-de-cheval. Sa victime gémit et se recroquevilla en position fœtale. Lorsqu'elle ne sembla plus constituer une menace, Hoffmann ouvrit la porte de la salle de bains et sortit en chancelant dans la chambre.

Il s'assit lourdement sur la chaise en bois. Il grelottait malgré la chaleur étouffante de la pièce. Il fallait qu'il récupère ses affaires. Il revint prudemment vers la salle de bains et poussa la porte. L'homme avait rampé vers les W.-C. Hoffmann l'enjamba pour ramasser ses vêtements, ainsi que le couteau. Puis il retourna dans la chambre et s'habilla rapidement. *Je l'aurais invité ?* pensa-t-il, furieux. Il vérifia à nouveau son portable, mais il n'avait toujours pas de réseau.

Dans la salle de bains, l'homme avait la tête au-dessus de la cuvette des toilettes. Il leva les yeux à son entrée. Hoffmann pointa le couteau en baissant sur lui un regard impitoyable.

— Comment vous appelez-vous ? interrogea-t-il.

L'homme se détourna et cracha du sang. Hoffmann se rapprocha avec lassitude, s'accroupit et l'examina. L'inconnu devait avoir une soixantaine d'années, mais c'était difficile à dire avec tout le sang qui lui maculait le visage ; il avait une entaille au-dessus de l'œil. Surmontant sa répulsion, Hoffmann prit le couteau dans sa main gauche, se pencha et ouvrit le manteau de cuir. L'homme le laissa le fouiller jusqu'à ce qu'il trouve une poche intérieure d'où il tira d'abord un portefeuille puis un passeport rouge foncé. Un passeport allemand. Hoffmann l'ouvrit. Il appartenait à un certain Johannes Karp, né le 14.4.52 à Offenbach am Main.

— Et vous me dites sérieusement que vous êtes venu d'Allemagne parce que je vous ai invité ? demanda Hoffmann.

— *Ja.*

Hoffmann eut un mouvement de recul.

— Vous êtes fou.

— Non, c'est vous qui êtes fou, rétorqua l'Allemand avec une lueur d'esprit. Vous m'avez donné les codes de chez vous.

Il cracha une dent dans sa main.

— Où est cette invitation ?

L'homme désigna l'autre pièce d'un signe de tête las.

— L'ordinateur.

Hoffmann se releva et le menaça de son couteau.

— Vous ne bougez pas, c'est compris ?

Dans la chambre, il s'assit sur la chaise et ouvrit le portable. Celui-ci s'alluma instantanément et lui présenta en plein écran une image de lui-même : apparemment un agrandissement d'une capture d'une caméra de surveillance. Il avait été pris en train de lever les yeux vers la caméra. Le portrait était si étroitement centré qu'il était impossible de savoir d'où il provenait.

Hoffmann pressa deux touches et pénétra dans la mémoire du disque dur. Les programmes portaient tous des noms allemands. Il fit apparaître l'historique des fichiers. Le dernier dossier à avoir été ouvert, la veille, juste après 18 heures, s'intitulait *Der Rotenburg Cannibal*. Il contenait quantité d'articles de presse sur l'affaire Armin

Meiwes, un cannibale qui avait rencontré sa victime consentante sur Internet et qui purgeait une peine de prison à perpétuité en Allemagne. Puis il trouva un dossier intitulé *Das Opfer*, et il savait que cela signifiait « La victime ». C'était en anglais et ça ressemblait à des transcriptions d'un forum de discussion sur Internet, un dialogue entre un intervenant qui fantasmait sur le meurtre et un autre qui délirait sur ce que ce devait être de mourir. Il y avait quelque chose de vaguement familier dans cette deuxième voix, des fragments de rêves qui s'étaient autrefois accrochés à son esprit, telles des toiles d'araignées répugnantes jusqu'au jour où il s'en était débarrassé, ou croyait s'en être débarrassé.

Il était tellement absorbé par ce qu'il découvrait sur l'écran que ce fut presque un miracle qu'une légère altération de la lumière lui fasse lever la tête au moment où un couteau fonçait vers lui. Il écarta brusquement la tête, et la pointe manqua son œil de justesse – un couteau à cran d'arrêt avec une lame d'une quinzaine de centimètres que l'Allemand avait dû dissimuler dans la poche de son manteau. Karp lui balança alors un coup de pied qui le cueillit en bas de la cage thoracique, puis se jeta sur lui pour tenter de le poignarder à nouveau. Hoffmann poussa un cri de douleur et d'angoisse, la chaise bascula en arrière et l'Allemand fut sur lui. La lame brilla dans la lumière blafarde. Par réflexe, Hoffmann saisit le poignet de son assaillant de sa main gauche, la plus faible. Le couteau vibra un instant tout près de son visage.

— *Es ist, was Sie sich wünschen*, murmura Karp d'une voix apaisante. C'est ce que vous désirez.

Hoffmann sentit alors la pointe du couteau lui entailler la peau. Grimaçant sous l'effort, il repoussa l'arme, millimètre par millimètre, jusqu'à ce que le bras de son assaillant cède brusquement vers l'arrière. Saisi par une soudaine exaltation devant sa propre force, Hoffmann repoussa l'homme contre le cadre du lit métallique. Sa main gauche étreignant toujours le poignet de l'homme, il plaqua la droite sur son visage, le talon de sa main appuyé sur sa gorge. Karp hurla de douleur et agrippa les doigts d'Hoffmann de sa main libre. L'Américain réagit en déplaçant la sienne de façon à enserrer complètement la trachée décharnée et en pressant pour étouffer le bruit. Il s'appuyait maintenant entièrement sur son adversaire, plaquant l'homme contre le montant du lit. Il perdit totalement la notion du temps, mais il lui sembla que quelques secondes à peine s'étaient écoulées quand les doigts cessèrent peu à peu de s'accrocher à sa main et que le couteau tomba sur la moquette. Le corps de l'Allemand devint inerte sous lui et, dès qu'il eut desserré ses mains, bascula de côté.

Il prit conscience qu'on cognait contre le mur et qu'une voix masculine demandait dans un français avec un fort accent « ce que c'était que ce bordel ». Il se leva avec peine pour aller fermer la porte, puis tira par mesure de précaution la chaise de bois jusqu'au pêne et coinça en l'inclinant le dossier sous la poignée. Le mouvement déclencha des protestations douloureuses dans divers avant-postes meurtris de son corps – sa tête, ses articulations, ses doigts, la base de sa cage thoracique surtout, et même ses orteils, avec lesquels il avait frappé la tête de l'homme. Il porta les doigts à son crâne et les retira ensanglantés. Sa suture avait dû en partie se rouvrir. Ses mains n'étaient plus qu'une masse d'égratignures minuscules, comme s'il venait de traverser des buissons de ronces. Il suça son poing écorché et remarqua le goût métallique et salé du sang sur sa langue. Les coups contre le mur s'étaient arrêtés.

Hoffmann tremblait à présent ; il eut la nausée. Il fila dans la salle de bains et vomit dans les toilettes. Le lavabo s'était décroché du mur, mais le robinet fonctionnait encore. Il s'aspergea les joues d'eau froide puis retourna dans la chambre.

L'Allemand gisait par terre. Ses yeux ouverts fixaient un point derrière l'épaule d'Hoffmann. L'Américain s'agenouilla et lui prit le poignet pour vérifier son pouls. Il le gifla. Puis il le secoua, espérant que cela suffirait à le réanimer.

— Allez, supplia-t-il, je n'ai pas besoin de ça.

La tête pendait comme celle d'un oiseau au bout d'un cou brisé.

Il y eut un coup sec à la porte. Un homme appela :

— *Ça va là-dedans ? Qu'est-ce qui se passe* ?*

C'était la même voix avec un fort accent qui avait crié depuis la chambre voisine. La poignée tourna à plusieurs reprises.

— *Allez, mec, ouvre cette porte* !*

Hoffmann se releva douloureusement. La poignée tourna à nouveau, et celui qui était dehors se mit à pousser contre la porte. La chaise recula de quelques centimètres, mais tint bon. L'homme cessa de pousser. Hoffmann attendit un instant, puis s'approcha tout doucement de la porte et regarda par le judas. Le couloir était désert.

La peur animale était revenue, calme et rusée, contrôlant ses réflexes et ses membres. Il rangea les affaires de Karp dans le sac à dos, glissa le téléphone de l'Allemand dans sa poche, referma l'ordinateur portable et le prit avec lui. Il écarta le voilage, et la fenêtre s'ouvrit sans peine : elle était visiblement souvent utilisée. Sur l'escalier de secours, parmi les spirales desséchées des fientes de pigeon, il y avait des centaines de vieux mégots de cigarettes, et des monceaux de canettes de bière. Il se hissa sur la structure métallique, passa le bras par la fenêtre et appuya sur le bouton. Le volet se referma derrière lui.

La descente fut longue, six étages, et, à chacun de ses pas sonores, Hoffmann eut terriblement conscience qu'il risquait de se faire remarquer. Mais, à son grand soulagement, les volets étaient baissés devant la plupart des fenêtres qu'il dépassa. Du haut des marches, il vit que l'escalier donnait sur une petite cour bétonnée. Il y avait des meubles de jardin en bois et deux parasols d'un vert délavé qui faisaient la publicité d'une bière blonde. Il estima que le moyen le plus simple de gagner la rue serait de passer par l'hôtel, mais quand il atteignit la cour et vit la porte coulissante qui menait à la réception, il décida qu'il ne pouvait pas prendre le risque de tomber sur l'occupant de la chambre voisine. Il traîna l'une des chaises de jardin jusqu'au mur du fond et monta dessus.

Le mur donnait deux mètres plus bas sur une cour adjacente, un fouillis de végétation urbaine étiolée où s'enfouissaient à demi des bouts d'appareils ménagers rouillés et une vieille carcasse de vélo ; de l'autre côté, il y avait de gros conteneurs à ordures. La cour appartenait visiblement à un restaurant. Il posa le portable sur le mur puis se hissa à cheval à côté. Une sirène de police se mit à hurler au loin. Il saisit l'ordinateur, passa sa jambe par-dessus la paroi de brique et se laissa tomber, atterrissant lourdement dans un massif d'orties. Il jura. Un jeune homme sortit entre les poubelles pour voir ce qui se passait. Il tenait un seau à ordures vide à la main et fumait une cigarette. Il fixa Hoffmann d'un regard étonné.

— *Où est la rue**? s'enquit l'Américain d'un ton mal assuré.

Et il tapota l'ordinateur d'un geste lourd de sens, comme si cela suffisait à expliquer sa présence.

Le jeune homme le regarda, fronça les sourcils, puis retira lentement la cigarette d'entre ses lèvres et indiqua un point derrière lui.

— *Merci**.

Hoffmann s'engouffra dans un passage étroit, franchit un portail de bois et sortit dans la rue.

GABRIELLE Hoffmann avait passé plus d'une heure à arpenter furieusement les jardins publics du parc des Bastions en se répétant mentalement tout ce qu'elle aurait voulu dire à Alex sur ce trottoir. Puis elle se rendit compte, lors de son troisième tour, qu'elle marmonnait toute seule comme une vieille dame qui n'aurait plus toute sa tête et que les passants la dévisageaient. Elle héla donc un taxi et rentra chez elle. Derrière le portail, le malheureux chauffeur-garde du corps qu'Alex avait envoyé pour veiller sur elle parlait dans son portable. Il raccrocha et la regarda avec une expression de reproche.

— Vous avez une voiture ? lui demanda-t-elle.

— Oui, madame.

— Allez la chercher, s'il vous plaît. Nous allons à l'aéroport.

Dans la chambre, sans cesser de se repasser mentalement la scène de son humiliation à la galerie, elle fourra des vêtements dans une valise. Comment avait-il pu lui faire une chose pareille ? Elle ne doutait pas un instant que ce fût Alex qui avait saboté son expo, même si elle était prête à croire qu'il l'avait fait avec les meilleures intentions du monde. Non, ce qui la mettait en fureur, c'était qu'il puisse avoir une conception tellement à côté de la plaque et désespérante d'un geste romantique.

Elle pénétra dans la salle de bains et s'immobilisa, contemplant avec une soudaine confusion les parfums et produits cosmétiques disposés sur les étagères de verre. Comment savoir ce qu'il fallait emporter quand on ne savait pas pour combien de temps on partait, ni même si on partait vraiment ? Elle se regarda dans la glace, dans la tenue lamentable qu'elle avait mis des heures à choisir pour le lancement de sa carrière d'artiste, et se mit à pleurer. Moins parce qu'elle s'apitoyait sur son sort – ce qu'elle aurait méprisé – que parce qu'elle avait peur. « Ne le laissez pas tomber malade, supplia-t-elle. Mon Dieu, je vous en prie, ne me le prenez pas de cette façon. »

Au bout d'un moment, elle mit la main dans la poche de sa veste pour y prendre un mouchoir, mais trouva à la place les bords rigides d'une carte de visite : Professeur Robert Walton, chef du service informatique, Cern, Organisation européenne pour la recherche nucléaire, 1211 Genève 23, Suisse.

10

I L était plus de 15 heures quand Hugo Quarry rentra au siège du *hedge fund*. Il avait laissé plusieurs messages restés sans réponse sur le portable d'Hoffmann, et il se demandait avec un certain malaise où son associé avait bien pu passer : il avait trouvé son prétendu garde du corps en train de faire du plat à une fille de la réception, inconscient du fait que l'homme dont il avait la charge avait quitté l'hôtel. Quarry l'avait viré sur-le-champ.

Malgré tout, l'Anglais se sentait de très bonne humeur. Il estimait qu'ils allaient pouvoir engranger le double des nouveaux investissements prévus, soit 2 milliards de dollars, ce qui signifiait 40 millions de dollars supplémentaires à gagner par an en simples frais de gestion. Et il avait bu plusieurs verres d'un vin excellent.

Il souriait tellement que le scanner de reconnaissance faciale ne parvint pas à faire correspondre ses traits avec la base de données, et il dut recommencer une fois qu'il eut repris son sérieux. Il passa sous l'œil impassible mais vigilant des caméras de sécurité placées dans le hall, entra dans l'ascenseur et fredonna tout le temps de la montée dans le tube de verre. Il avait même réussi à garder son sourire quand la cloison de verre d'Hoffmann Investment Technologies s'était écartée pour révéler l'inspecteur Jean-Philippe Leclerc, de la police de Genève, qui l'attendait à la réception. Il examina la carte de son visiteur, puis la compara au personnage hirsute qu'il avait devant lui. Les marchés américains ouvraient dans dix minutes. Ce n'était vraiment pas le moment.

— Ne serait-il pas possible, inspecteur, de reporter cette petite conversation ? C'est un peu la folie aujourd'hui.

— Je suis tout à fait désolé de vous déranger, monsieur. J'avais espéré échanger un mot avec le Dr Hoffmann, mais, comme il est absent, j'aimerais discuter de certaines choses avec vous. Cela ne prendra pas plus de dix minutes.

Il y avait quelque chose dans la posture du policier, pieds légèrement écartés, qui avertit Quarry de faire profil bas.

— Bien sûr, dit l'Anglais, affichant son sourire de commande, prenez tout le temps qu'il faudra. Allons dans mon bureau, ajouta-t-il en tendant la main pour faire passer le policier devant lui. Continuez tout droit jusqu'au bout.

Leclerc traversa lentement la salle des marchés, posant un regard intéressé sur tout ce qui l'entourait. Ce grand espace ouvert peuplé d'écrans et d'horloges multifuseaux horaires correspondait à peu près à ce qu'il s'attendait à trouver dans une société financière. Mais il fut surpris par les employés – tous jeunes, aucun ne portant un costume – et par le silence ambiant, chacun se trouvant à son poste dans une atmosphère de concentration presque palpable. L'endroit lui rappela une salle d'examen dans une faculté de garçons. Ou un séminaire, peut-être : oui, un séminaire dédié à Mamon. L'image lui plut.

Quarry ouvrit la porte de son bureau et s'effaça pour laisser passer Leclerc, puis alla directement à son terminal.

— Je vous en prie, asseyez-vous, inspecteur. Veuillez m'excuser, je suis à vous dans une minute.

Il consulta son écran. Les marchés européens dévissaient assez rapidement. Le DAX avait perdu 1 %, le CAC 2 % et le FTSE 1,5 %. L'euro avait perdu plus d'un centime par rapport au dollar. Quarry n'avait pas le temps de vérifier toutes leurs positions, mais le compte de résultats montrait que le VIXAL-4 avait déjà pris 68 millions de dollars dans la journée. Malgré sa bonne humeur, il ne pouvait s'empêcher de trouver tout cela vaguement inquiétant ; il avait le sentiment qu'une tempête allait éclater.

— Bon, tout va bien, dit-il en s'asseyant avec entrain derrière son bureau. Alors, vous l'avez coincé, ce maniaque ?

— Pas encore. Le Dr Hoffmann et vous travaillez ensemble depuis huit ans, si je ne me trompe ?

— C'est ça. On a créé la boîte en 2002.

Leclerc sortit son calepin et son stylo, et les montra.

— Ça ne vous dérange pas si je… ?

— Moi, non, c'est Alex qui râle. Nous n'avons pas le droit d'utiliser de systèmes d'extraction de données à forte empreinte carbone – vous et moi, on appellerait ça des bloc-notes et des journaux. Notre entreprise est censée être entièrement numérique. Mais Alex n'est pas là, alors il n'y a pas à s'inquiéter. Allez-y.

— Ça a l'air un peu excentrique, commenta Leclerc.

— Excentrique, on peut dire ça comme ça. On pourrait aussi dire que c'est complètement taré. Mais voilà, c'est Alex. C'est un génie, et les génies ont tendance à ne pas voir le monde comme le commun des mortels. Et une assez grande partie de ma vie consiste à expliquer son comportement aux simples mortels.

Il pensait à leur déjeuner au Beau Rivage, durant lequel il avait dû justifier par deux fois l'attitude d'Hoffmann à de simples Terriens – la première alors que l'Américain avait une demi-heure de retard (« Il s'excuse, il travaille sur un théorème très complexe »), puis lorsqu'il avait quitté la table abruptement en plein repas (« Ça, c'est du Alex tout craché ! J'imagine qu'il a encore eu une de ses illuminations »). Mais Hoffmann pouvait bien se balancer au plafond à poil en jouant du ukulélé, du moment qu'il leur assurait un bénéfice de 83 %, ils étaient prêts à tout avaler.

— Vous pouvez me dire comment vous vous êtes rencontrés ?

— Vous voulez toute la genèse ?

Quarry croisa les mains derrière la tête et se carra dans sa position favorite, les pieds sur la table, toujours heureux de répéter une histoire qu'il avait bien racontée cent fois, mille fois peut-être, la fourbissant au point d'en faire une légende digne des plus grandes entreprises.

— C'était vers Noël 2001. J'étais à Londres et je travaillais dans une grande banque américaine. Je voulais me lancer et créer mon propre fonds spéculatif. Je savais que je pourrais trouver l'argent – j'avais les contacts, ce n'était pas le problème –, mais je n'avais pas de stratégie qui puisse tenir sur le long terme. Et puis un type de nos bureaux de Genève a parlé de ce fondu de science au Cern qui avait apparemment des idées intéressantes sur le côté algorithmique des choses. On a cru qu'on pourrait l'embaucher comme analyste quantitatif, mais il n'a rien voulu savoir. Il ne voulait ni nous rencontrer ni écouter de quoi il s'agissait : un vrai givré, apparemment, un reclus complet. Mais il y avait chez lui un petit quelque chose qui a attiré mon attention : je ne sais pas, comme une prémonition. Il se trouve que je prévoyais d'aller skier à Chamonix pendant les vacances, alors je me suis dit que j'allais passer le voir…

IL décida de prendre contact au réveillon du jour de l'an. Il avait pensé que même un reclus ne pourrait pas refuser de voir quelqu'un pour le réveillon. Il s'était rendu à Genève en voiture de location. Pour aller à Saint-Genis-Pouilly, c'était tout droit, juste après le Cern, au milieu d'immenses champs labourés qui brillaient dans le gel. Une petite ville française, un centre-ville pavé avec son café et des rangées de maisons proprettes à toit rouge.

Quarry avait sonné longtemps à la porte d'Hoffmann sans obtenir de réponse. Un voisin avait fini par sortir pour lui indiquer que *tous les gens du Cern** se trouvaient à une soirée dans une maison près du stade. Il s'était arrêté en chemin dans un bar, avait pris une bouteille de cognac et avait sillonné les rues sombres jusqu'à ce qu'il la trouve.

Plus de huit ans plus tard, il se souvenait encore de son excitation lorsque la voiture s'était verrouillée avec un petit gloussement électronique joyeux et qu'il s'était dirigé à pied vers les illuminations multicolores de Noël et la musique pulsée. D'autres personnes, seules ou en couples réjouis, avançaient dans l'obscurité vers le même objectif, et il sentait ce qui allait se passer, à savoir que les étoiles qui brillaient au-dessus de cette morne petite ville européenne formaient un alignement et qu'il allait se produire un événement exceptionnel. L'hôte et l'hôtesse se tenaient près de la porte pour accueillir leurs invités : Bob et Maggie Walton, un couple d'Anglais, plus âgés que leurs invités, assommants. Ils eurent l'air très surpris de le voir, d'autant plus quand il leur eut dit qu'il était un ami d'Alex Hoffmann. Il avait eu l'impression que personne n'avait jamais prononcé ces mots auparavant. Walton avait refusé la bouteille de cognac. Pas très amical, mais c'est vrai qu'il s'incrustait à leur fête. Il avait demandé où il pourrait trouver Hoffmann, et Walton avait répliqué avec un regard entendu que Quarry ne manquerait sûrement pas de le reconnaître, « puisqu'ils étaient si bons amis ».

— Et alors ? demanda Leclerc. Vous l'avez reconnu ?

— Oh oui. On repère toujours un Américain, vous ne trouvez pas ? Il était au milieu d'une pièce du rez-de-chaussée, et on aurait dit que la fête tournait autour de lui – il était beau mec et on le remarquait, même dans une foule –, mais on voyait à sa figure qu'il était complètement ailleurs. Pas hostile, vous comprenez, juste pas là. Je m'y suis habitué depuis.

— Et c'était la première fois que vous lui parliez ?

— Oui.

— Que lui avez-vous dit ?

— Docteur Hoffmann, je présume ?

Il avait fait apparaître la bouteille de cognac, mais Hoffmann avait répondu qu'il ne buvait pas. « Mais alors, pourquoi venir à un réveillon du jour de l'an ? », s'était étonné Quarry, à quoi Hoffmann lui avait répondu que plusieurs collègues surprotecteurs avaient trouvé qu'on ne devait pas rester tout seul un soir de réveillon. Mais ils se trompaient, avait-il ajouté, il était parfaitement heureux quand il était seul. Tout en disant cela, il était passé dans la pièce voisine, obligeant Quarry à le suivre. C'était son premier aperçu du charme légendaire d'Hoffmann.

— J'ai fait cent bornes pour vous voir, avait-il dit. Le moins que vous puissiez faire, c'est quand même de me parler.

— Pourquoi vous intéressez-vous tellement à moi ?

— Parce que j'ai appris que vous travailliez sur un programme très intéressant. Un de mes collègues à AmCor m'a dit qu'il vous avait parlé.

— Oui, et je lui ai expliqué que ça ne m'intéressait pas de travailler pour une banque.

— Moi non plus.

Pour la première fois, Hoffmann l'avait regardé avec une lueur d'intérêt.

— Alors vous voulez faire quoi à la place ?

— Je veux monter un *hedge fund*, un fonds de couverture.

— C'est quoi, un fonds de couverture ?

Assis en face de Leclerc, Quarry rejeta la tête en arrière et éclata de rire. Ils se retrouvaient aujourd'hui avec 10 milliards de dollars d'actifs sous gestion, alors que, huit ans seulement auparavant, Hoffmann ne savait même pas ce qu'était un fonds de couverture ! Et même si un réveillon du jour de l'an bruyant n'était probablement pas l'endroit idéal pour tenter une explication, Quarry lui avait crié la définition à l'oreille :

— C'est une façon d'optimiser les bénéfices tout en minimisant les risques. Il faut tout un tas de maths pour que ça fonctionne. Des ordinateurs.

Hoffmann avait hoché la tête.

— D'accord. Continuez.

— Bon, avait fait Quarry en regardant autour de lui pour trouver l'inspiration. Vous voyez cette fille aux cheveux noirs, courts, là-bas, avec ce groupe, là, qui n'arrête pas de vous regarder ? (Il avait levé la bouteille de cognac en direction de la fille et lui avait souri.) Bon, disons que je suis convaincu qu'elle porte une culotte noire. J'en suis même tellement convaincu que je suis prêt à parier 1 million de dollars dessus. Le problème, c'est que si je me trompe, je suis sur la paille. Alors je vais parier aussi qu'elle porte une culotte qui n'est pas noire, mais de n'importe quelle autre couleur, disons que je mise 950 000 dollars sur cette possibilité. Ça, c'est le reste du marché, c'est la couverture. C'est un exemple assez grossier, c'est vrai, dans tous les sens du terme, mais écoutez-moi quand même. Donc, si j'ai raison, je me fais 50 000 dollars. Mais, même si je me plante, je ne perds que 50 000 dollars, parce que je suis couvert. Et comme 95 % de mon million de dollars restent disponibles – on ne me demandera jamais de le montrer et, le seul risque, c'est la dispersion –, je peux faire d'autres paris similaires avec d'autres personnes. Et le plus beau dans tout ça, c'est que si j'arrive à trouver la bonne couleur de sous-vêtements ne serait-ce que dans 55 % des cas, je peux devenir très riche. Elle vous regarde vraiment, vous savez.

Elle les avait interpellés depuis l'autre bout de la salle.

— Hé, les mecs, vous parlez de moi? (Puis, sans attendre de réponse, elle avait laissé ses amis et s'était approchée en souriant.) Gaby, annonça-t-elle en tendant la main à Hoffmann.

— Alex.

— Et moi, c'est Hugo.

— Oui, vous avez bien une tête d'Hugo.

La présence de la jeune femme avait irrité Quarry, et pas seulement parce qu'elle n'avait d'yeux que pour Hoffmann. Il n'en était encore qu'à la moitié de sa démonstration et il n'avait vu en elle qu'une illustration de son propos, pas une intervenante.

— Nous étions juste en train de parier, dit-il d'un ton doucereux, sur la couleur de votre culotte.

Quarry n'avait commis que très peu de bourdes d'ordre social au cours de sa vie, mais cette fois, comme il le reconnaissait volontiers, il avait fait très fort.

— Depuis, elle me déteste.

Leclerc sourit et prit note.

À minuit, les invités étaient sortis dans le jardin et avaient allumé des petites bougies qu'ils avaient mises dans des ballons en papier de soie. Des dizaines de lanternes qui brillaient doucement s'étaient alors élevées rapidement dans l'air froid telles de petites lunes jaunes.

Quarry avait ensuite proposé à Hoffmann de le raccompagner, mais Gabrielle, hélas, s'était incrustée et, assise à l'arrière, leur avait raconté sa vie sans y être invitée. Mais elle avait fini par se taire quand ils avaient pénétré dans l'appartement d'Hoffmann.

Ce dernier ne voulait pas les faire entrer, mais Quarry avait prétendu avoir besoin d'aller aux toilettes – « Franchement, j'avais l'impression d'essayer d'emballer une fille à la fin d'une mauvaise soirée » – et, à contrecœur, Hoffmann avait fini par les faire entrer dans un vivarium de bruit et de chaleur tropicale : des cartes mères bourdonnant partout – avec de petits yeux rouges et verts qui clignotaient sous le canapé, derrière la table, dans la bibliothèque –, des faisceaux de câbles qui couraient sur les murs comme du lierre. En revenant de la salle de bains, Quarry avait jeté un coup d'œil dans la chambre : d'autres ordinateurs occupaient la moitié du lit.

De retour dans le séjour, il avait vu que Gabrielle s'était fait une place sur le canapé et avait retiré ses chaussures.

— Alors, avait-il questionné, qu'est-ce qui se passe ici, Alex ? On se croirait dans une salle de contrôle de la Nasa.

Au début, Hoffmann n'avait pas voulu en parler, puis, peu à peu, il avait fini par s'ouvrir. Le sujet, avait-il expliqué, c'était l'apprentissage autonome de la machine : créer un algorithme qui, lorsqu'il aurait reçu une mission, serait capable d'opérer en toute indépendance et d'apprendre à un rythme dépassant de loin la capacité d'assimilation des êtres humains. Hoffmann quittait le Cern afin de poursuivre seul ses recherches, ce qui signifiait qu'il ne pourrait plus avoir accès aux données expérimentales qui émanaient du grand collisionneur de hadrons. Durant les six derniers mois, il s'était donc servi à la place de flots de données issues des marchés financiers. Quarry avait lancé que tout ça devait lui coûter cher. Hoffmann l'avait reconnu, même si le poste principal n'était pas les microprocesseurs mais l'électricité : il lui fallait trouver 2 000 francs par semaine pour obtenir la puissance suffisante.

— Je pourrais t'aider à financer tout ça, si tu veux.

Ils étaient passés au tutoiement au cours de la soirée.

— Pas besoin. Je me sers de l'algorithme pour qu'il s'autofinance.

Quarry avait eu du mal à réprimer une exclamation d'excitation.

— C'est vrai ? C'est super, comme concept. Et ça marche ?

— Mais oui. (Hoffmann lui avait montré l'écran.) Là, ce sont les actions suggérées depuis le 1er décembre, en se basant sur une simple comparaison des cours sur les données des cinq dernières années. À partir de ça, j'envoie un mail à un courtier pour lui demander d'acheter ou de vendre.

Quarry avait examiné les transactions. Elles étaient fructueuses mais limitées : rien que de la petite monnaie.

— Est-ce que ça pourrait donner plus que la couverture des frais ? Est-ce que ça pourrait produire des bénéfices ?

— Oui, en théorie, mais ça impliquerait un investissement très important.

— Je pourrais peut-être t'obtenir les investissements.

— Ça ne m'intéresse pas vraiment de gagner de l'argent. Ne le prends pas mal, mais je ne vois pas l'intérêt.

Quarry n'en croyait pas ses oreilles. Il n'en voyait pas l'intérêt !

— Mais si tu gagnes de l'argent, insista-t-il, tu pourrais t'en servir pour financer d'autres recherches, non ? Ce serait la même chose que ce que tu fais maintenant, mais à une bien plus grande échelle. Je ne voudrais pas me montrer grossier, mais regarde autour de toi. Tu as besoin de locaux convenables, d'un matériel plus fiable, de câbles en fibre optique…

— Et peut-être d'une femme de ménage ? avait ajouté Gabrielle.

— Elle a raison, tu sais, une femme de ménage ne ferait pas de mal. Écoute, Alex, voici ma carte. Je serai dans le coin pendant encore à peu près une semaine. Pourquoi ne pas se retrouver pour parler de tout ça ?

Hoffmann avait pris la carte et l'avait glissée dans sa poche sans même y jeter un coup d'œil.

— Peut-être.

À la porte, Quarry s'était penché pour chuchoter à l'oreille de Gabrielle :

— Tu veux que je te ramène ?

— Ça ira, merci, avait-elle répondu avec un sourire au vitriol. Je me suis dit que j'allais rester un peu, histoire de régler ce pari entre vous deux.

QUARRY avait avancé lui-même la mise de fonds initiale et s'était servi de son bonus annuel pour faire déménager Hoffmann et ses ordinateurs dans un bureau à Genève, où il pourrait inviter des clients potentiels et les impressionner avec le matériel. Il avait ensuite fait le tour des conférences d'investisseurs, sillonnant l'Europe et les États-Unis, traînant sa valise à roulettes dans une bonne cinquantaine d'aéroports. Il avait adoré faire le représentant de commerce, celui qui se déplace seul, qui débarque « à froid » dans la salle de conférences d'un hôtel inconnu et emballe une assistance sceptique. Sa méthode consistait à leur montrer par un backtest indépendant ce qu'auraient pu produire les algorithmes d'Hoffmann par le passé, et de leur donner, projections à l'appui, un avant-goût des bénéfices qu'ils pourraient en tirer à l'avenir, puis de leur indiquer que le fonds était déjà clôturé. Il ne leur avait présenté les choses que pour s'acquitter de ses engagements, mais, désolé, ils n'avaient plus besoin d'argent. Les investisseurs venaient le voir après, au bar de l'hôtel. Ça marchait presque à tous les coups.

Quarry interrompit son récit pour permettre au stylo-bille bon marché de Leclerc de rattraper son flot de paroles.

Et pour répondre à ses autres questions : non, il ne se souvenait pas exactement de la date à laquelle Gabrielle avait emménagé avec Hoffmann, Alex et lui ne s'étaient jamais beaucoup vus en dehors du travail. Non, il n'avait pas assisté à leur mariage : c'était une de ces cérémonies nombrilistes organisées au coucher du soleil, sur une plage du Pacifique, avec deux employés de l'hôtel comme témoins. Et non, on ne lui avait jamais dit qu'Hoffmann avait fait une dépression quand il travaillait au Cern, mais il s'en était douté : cette première nuit, quand il était allé aux toilettes chez Hoffmann, il avait fouillé dans le placard de sa salle de bains (comme l'aurait fait n'importe qui) et avait découvert toute une pharmacie d'antidépresseurs.

— Ça ne vous a pas découragé de vous lancer dans une affaire avec lui ?

— Quoi ? Le fait qu'il ne soit pas « normal » ? Bon Dieu, non. Pour citer Bill Clinton, qui n'est pas toujours un puits de sagesse, je vous l'accorde, mais qui en l'occurrence a tout à fait raison : « La plupart des gens normaux sont des cons. »

— Quand avez-vous vu le Dr Hoffmann pour la dernière fois ?

— Au déjeuner. Au Beau Rivage. Il est parti sans explication.

— Avait-il l'air agité ?

— Pas spécialement. (Il retira ses pieds du bureau et appela son assistante.) On sait si Alex est rentré ?

— Non, Hugo, désolée. Au fait, Gana vient d'appeler. Le comité des risques t'attend dans son bureau. Il essaie de joindre Alex de toute urgence. Il y a un problème, apparemment. Il m'a dit de te dire que « le VIXAL pousse la couverture delta ». Il a dit que tu comprendrais ce que ça signifie.

— D'accord, merci. Dis-leur que j'arrive. (Il relâcha le bouton.) Je regrette, mais je vais devoir vous laisser.

Pour la première fois, Quarry ressentit une pointe d'inquiétude au creux de l'estomac. Il jeta un coup d'œil de l'autre côté du bureau, en direction de Leclerc, et il réalisa soudain qu'il en avait sans doute beaucoup trop dit. Ce flic ne semblait pas tant enquêter sur l'agression que sur Hoffmann lui-même.

— C'est important ? questionna Leclerc en désignant l'interphone d'un signe de tête. La couverture delta ?

— Assez, oui. Vous voudrez bien m'excuser ? Mon assistante va vous raccompagner.

Il partit abruptement, sans même serrer la main de Leclerc, lequel se retrouva peu après en train de suivre à travers la salle des marchés la superbe sentinelle rousse de Quarry. Il remarqua que l'atmosphère de la salle avait changé. Çà et là, plusieurs groupes de trois ou quatre analystes s'étaient rassemblés autour d'un écran ; l'un d'eux était assis et cliquait sur la souris pendant que les autres étaient penchés par-dessus son épaule. Plutôt qu'à un séminaire, Leclerc pensa à présent davantage à des médecins réunis au chevet d'un patient montrant des symptômes graves et déroutants. Sous l'écran géant de télé qui diffusait les images d'un accident d'avion se tenait un homme en costume sombre et cravate. Il semblait préoccupé et envoyait un texto sur son portable.

— Genoud, marmonna Leclerc pour lui-même.

Leclerc s'était méfié de ce bleu dès l'instant où il l'avait eu sous ses ordres. Il croyait son ancien collègue capable de renier ses principes et ses engagements, de fermer les yeux sur des irrégularités, pour peu qu'il y trouve son compte sans enfreindre la loi.

LE comité des risques d'Hoffmann Investment Technologies se réunit pour la seconde fois ce jour-là à 16 h 25, cinquante-cinq minutes après l'ouverture des marchés américains. Y assistaient l'honorable Hugo Quarry, directeur général ; Lin Ju-Long, directeur financier ;

Pieter Van der Zyl, directeur des opérations ; et Ganapathi Rajamani, directeur des risques, qui se chargeait du compte rendu et dans le bureau duquel se tenait la réunion.

Rajamani était assis derrière sa table de travail, comme un instituteur. Suivant les termes de son contrat, il n'avait aucune part sur le bonus annuel. Cela était censé le rendre plus objectif concernant les risques, mais, de l'avis de Quarry, cela ne servait qu'à en faire un donneur de leçons patenté qui pouvait se permettre de considérer les grands profits avec mépris. Le Néerlandais et le Chinois occupaient les deux sièges. Quarry s'étala sur le canapé.

Le premier article concernait l'absence, sans explication, du Dr Alexander Hoffmann, président de l'entreprise, et le fait que Rajamani veuille que ce manquement au devoir soit dûment enregistré fut, pour Quarry, la première indication que leur directeur de la sainte-nitoucherie se préparait à employer la manière forte. Rajamani sembla en effet prendre un malin plaisir à exposer à quel point leur situation était devenue dangereuse. Il annonça que, depuis leur dernière réunion, le niveau d'exposition au risque du fonds avait considérablement augmenté. Il fallait prendre des décisions au plus vite.

Il entreprit d'énumérer les données affichées sur son ordinateur. Le VIXAL avait pratiquement abandonné la position longue de la société sur les futures S&P, leur principale couverture pour faire face à une hausse du marché. Il était également en train d'annuler tous les achats à long terme correspondant aux quatre-vingts et quelques titres vendus à découvert.

— Je n'ai jamais rien vu de pareil de toute ma vie, conclut Rajamani. Le fait est que la compagnie n'a plus de couverture delta.

Quarry resta impassible, mais il n'en était pas moins saisi. Si on enlevait la couverture, si on se passait de toute la formule mathématique incroyablement compliquée qui était censée couvrir les risques, on pouvait tout aussi bien prendre l'argenterie familiale et engager le tout sur une course de chevaux.

Il leva les mains.

— C'est bon, Gana. Merci. On a compris.

Il avait conscience qu'on les observait de la salle des marchés. Les quants savaient tous que la couverture avait sauté. Il hissa ses pieds sur la table basse et croisa les mains derrière la nuque, feignant la nonchalance.

— D'accord, Gana, qu'est-ce que vous préconisez?

— Il n'y a qu'une seule option : ne pas tenir compte du VIXAL et remettre la couverture en place.

— Vous voulez qu'on squeeze l'algorithme sans même consulter Alex? demanda Ju-Long.

— Je le consulterais volontiers si je pouvais mettre la main sur lui, rétorqua Rajamani. Mais il ne répond pas au téléphone.

— Je croyais qu'il déjeunait avec vous, Hugo, intervint Van der Zyl.

— Oui. Mais il a filé sans un mot en plein milieu du repas.

— C'est d'une irresponsabilité confondante, commenta Rajamani. Il savait qu'il y avait un problème et que nous devions nous voir à nouveau cet après-midi.

— D'après moi, dit Ju-Long, et je ne le dis que parce que nous sommes entre nous, Alex fait une sorte de dépression.

— Je consigne ça? demanda Rajamani.

— Vous n'avez pas intérêt, répondit Quarry en pointant par-dessus la table un pied élégamment chaussé en direction de l'ordinateur de Rajamani. Et maintenant, Gana, une fois pour toutes, écoutez-moi bien : s'il y a la moindre allusion dans ce compte rendu à un problème mental quelconque dont souffrirait Alex, ce sera la fin de cette entreprise. Pas d'Alex, pas de société.

Pendant plusieurs secondes, Rajamani soutint son regard, puis finit par froncer les sourcils et éloigner ses mains du clavier.

— Bon, reprit Quarry, en l'absence d'Alex, essayons de prendre les choses autrement. Si nous laissons faire le VIXAL sans remettre la couverture delta en place, comment vont réagir les brokers?

— Ils sont plus que sourcilleux sur les nantissements en ce moment, répondit Ju-Long, après tout ce qui s'est passé avec Lehman. Ils ne nous laisseront pas trader sans couverture.

— Quand faudra-t-il commencer à leur montrer de l'argent?

— Je m'attends à des premiers appels de marge demain avant la fermeture des marchés.

— Et combien vont-ils vouloir qu'on mette?

— Je ne sais pas trop, dit Ju-Long en agitant la tête. Peut-être un demi-milliard.

— Un demi-milliard en tout?

— Non, un demi-milliard pour chaque.

Quarry ferma brièvement les yeux. Cinq prime brokers – Goldman,

Morgan Stanley, Citi, AmCor et Crédit Suisse –, un demi-milliard à déposer pour chaque, soit 2,5 milliards de dollars. Pas des billets à ordre ni des obligations à long terme, mais du liquide qui devrait leur être versé avant 16 heures le lendemain. Le problème n'était pas qu'Hoffmann Investment Technologies n'avait pas cet argent. Ils n'utilisaient pour leurs opérations que 25 % des sommes que leur confiaient leurs investisseurs. La dernière fois qu'il avait vérifié, ils avaient au moins 4 milliards de dollars uniquement en bons du Trésor américain. Mais ce serait un sacré coup porté à leurs réserves, un pas de plus vers le précipice...

Rajamani interrompit le cours de ses pensées.

— Excusez-moi, mais c'est de la folie, Hugo. Si les marchés devaient repartir brusquement à la hausse, on perdrait des milliards. On pourrait même se retrouver en faillite.

— Et même si nous poursuivons les opérations, ajouta Ju-Long, ce serait bien malheureux d'avoir à informer nos investisseurs de la flambée de notre niveau de risque alors qu'on vient juste de leur demander de mettre un autre milliard de dollars dans le VIXAL-4.

Quarry ne pouvait plus rester tranquille. Il se leva d'un bond. Comment cela pouvait-il arriver maintenant, après tout son baratin à 2 milliards de dollars? Incapable de supporter plus longtemps l'expression de supériorité morale affichée par Rajamani, il tourna le dos à ses collègues et s'appuya, mains écartées, contre la cloison de verre pour contempler la salle des marchés, sans tenir compte de qui regardait. Il essaya un instant de se représenter un fonds d'investissement sans couverture totalement à la merci des marchés mondiaux : l'océan de centaines et de centaines de milliards de dollars d'actions et de valeurs, d'obligations et de monnaies qui ne cessaient de se soulever et de s'abaisser les uns contre les autres, jour après jour, fouettés par les courants, les marées et les tempêtes pour suivre de vastes mouvements absolument imprévisibles.

Il se retourna vers les autres.

— Il faut impérativement qu'on parle à Alex avant de passer en mode manuel. Enfin, à quand remonte la dernière fois que l'un d'entre nous a réellement effectué une opération?

— Avec tout le respect que je vous dois, répliqua Rajamani, ce n'est pas le problème, Hugo.

— Bien sûr que si, c'est le problème. Nous dirigeons un fonds spéculatif algorithmique, nous n'avons pas le personnel qualifié pour gérer des paris à 10 milliards de dollars. Il me faudrait là-dedans au moins une vingtaine de traders de très haut niveau avec une excellente connaissance des marchés ; tout ce que j'ai, ce sont des quants boutonneux qui n'osent même pas vous regarder en face.

— La vérité, c'est qu'on aurait dû parler de ça plus tôt, intervint Van der Zyl de sa voix timbrée, sombre et profonde, marinée dans les cigares et le café. Le VIXAL donne de si bons résultats que ça nous a tous étourdis. Nous n'avons jamais mis en place de procédures adéquates à suivre au cas où il y aurait des ratés.

Quarry savait que c'était la vérité. Il avait laissé la technologie l'affaiblir. Cependant, il ne put s'empêcher de défendre le VIXAL.

— Puis-je simplement rappeler qu'il n'y a pas eu de raté ? Enfin, la dernière fois que j'ai vérifié, nous en étions à un bénéfice de 68 millions pour la journée. Tout de suite, qu'est-ce que donne le compte de résultats, Gana ?

Rajamani consulta son écran.

— En hausse de 77, concéda-t-il.

— Bien, merci. C'est une définition assez curieuse d'un raté, non ? Un système qui rapporte 9 millions de dollars dans le temps qu'il me faut pour bouger mon cul d'un bout à l'autre de ces bureaux ?

— Oui, reconnut patiemment Rajamani, mais c'est un bénéfice purement théorique qui pourrait disparaître à l'instant où le marché remonte.

— Et est-ce que le marché remonte ?

— Non, je reconnais que, pour le moment, le Dow est en baisse.

— Eh bien, messieurs, voilà le dilemme. Nous sommes tous d'accord sur le fait que le fonds doit être couvert, mais nous devons aussi reconnaître que le VIXAL a jusqu'à présent mieux évalué que nous les places financières.

— Oh, allons, Hugo ! Le VIXAL est censé opérer dans les limites de certains paramètres de risques, et ce n'est pas ce qu'il fait. Donc, il y a dysfonctionnement.

— Je ne suis pas d'accord. Il a eu raison pour Vista Airways, non ?

— C'était une coïncidence. Même Alex en est convenu. (Rajamani se tourna vers Ju-Long et Van der Zyl.) Allons, les gars, soutenez-moi, là. Pour que ces positions soient défendables, il faudrait que ce soit le monde entier qui s'écrase dans les flammes.

Ju-Long leva la main, comme un écolier.

— Puisqu'on en parle, Hugo, je pourrais vous poser une question sur la vente à découvert de Vista Airways ? Quelqu'un a vu les dernières infos ?

Quarry se laissa retomber lourdement sur le canapé.

— Non, pas moi. Qu'est-ce qu'ils disent ?

— Que le crash n'était pas dû à une défaillance technique mais à un genre de bombe terroriste.

— D'accord. Et ?

— Il semble qu'il y ait eu un avertissement posté sur un site djihadiste alors que l'avion était encore en vol. Les services de renseignements n'ont rien vu. Ça s'est passé à 9 heures ce matin.

— En quoi ça nous concerne ?

— C'est à 9 heures exactement que nous avons commencé à shorter les titres Vista Airways.

Il fallut une seconde ou deux à Quarry pour réagir.

— Vous voulez dire que nous sommes branchés sur les sites Internet djihadistes ?

— C'est ce qu'il semble.

— En fait, ce serait tout à fait logique, commenta Van der Zyl. Le VIXAL est programmé pour chercher sur le Web les occurrences de termes liés à la peur et en tirer les corrélations avec les marchés. Que trouver de mieux ?

— Mais il y a un saut quantique, n'est-ce pas ? demanda Quarry. Entre voir l'avertissement, en tirer les déductions et vendre le titre à découvert ?

— Je ne sais pas. Il faudra demander à Alex. Mais c'est un algorithme d'intelligence artificielle. Théoriquement, il ne cesse de se développer.

Quarry appuya la tête contre le dossier du canapé.

— Nom de Dieu. Je n'arrive pas à y croire.

— Bien sûr, tempéra Ju-Long, il pourrait s'agir d'une simple coïncidence. Alex a fait remarquer lui-même ce matin que la vente des titres de la compagnie s'inscrivait dans un schéma bien plus vaste de paris sur la baisse.

— Oui, mais, même comme ça, c'est la seule VAD où on a effectivement vendu les titres et encaissé les bénéfices. Pour les autres, on s'accroche encore. Ce qui soulève une question : pourquoi est-ce qu'on

s'accroche? (Quarry sentit un frisson lui parcourir l'échine et ajouta:)
Je me demande ce qu'il pense qu'il va se passer.

— Il ne pense rien, décréta Rajamani avec impatience. C'est un
algorithme, Hugo – un outil. Il n'est pas plus vivant qu'une clé à
molette ou un cric. Et notre problème, c'est que c'est un outil qui n'est
plus assez fiable pour qu'on puisse compter dessus. Je dois absolument demander à ce comité d'autoriser la mise à l'écart du VIXAL
pour reconstituer immédiatement la couverture du fonds.

Quarry regarda les autres. Il détecta un léger changement
d'atmosphère. Ju-Long regardait droit devant lui, le visage impassible,
et Van der Zyl examinait une peluche sur la manche de son veston.
C'étaient des types bien, pensa Quarry, et intelligents, mais ils étaient
faibles. Et ils tenaient à leurs bonus. C'était très facile pour Rajamani
d'ordonner l'arrêt du VIXAL, cela ne lui coûterait rien. Eux avaient
reçu 4 millions de dollars chacun l'année précédente. Il pesa le pour
et le contre. Et il estima qu'ils ne feraient rien.

— Gana, commença-t-il d'un ton aimable, je regrette, mais je crois
bien que nous allons devoir nous séparer de vous.

— Quoi? fit Rajamani. Allons, Hugo…

— Si cela peut vous consoler, je vous aurais viré la semaine prochaine de toute façon. Mais je crois qu'il vaut mieux le faire tout de
suite. Consignez-le dans votre compte rendu. « Après une brève discussion, Ganapathi Rajamani a accepté de renoncer à ses fonctions
de directeur des risques, la décision prenant effet immédiatement. »
Maintenant, prenez vos affaires et rentrez chez vous. Et ne vous en
faites pas pour l'argent: je serai plus qu'heureux de vous verser un an
de salaire pour le simple plaisir de ne plus vous revoir.

Rajamani récupérait vite. Quarry fut forcé de lui reconnaître au
moins une bonne capacité à encaisser les coups.

— Soyons clairs, dit-il. Vous me fichez à la porte parce que je fais
mon travail?

— C'est en partie à cause de votre travail, mais c'est surtout parce
que vous êtes un emmerdeur fini quand vous le faites.

— Je vous remercie, répliqua Rajamani non sans dignité. Je m'en
souviendrai, ajouta-t-il en se tournant vers ses collègues. Piet? LJ?
Est-ce que vous allez intervenir?

Ni l'un ni l'autre ne bougea. Il ajouta, sur un ton légèrement plus
pressant:

— Je croyais que nous avions un accord…

Quarry se leva et débrancha le cordon d'alimentation de l'ordinateur de Rajamani. L'appareil s'éteignit avec un cliquetis.

— Ne faites aucune copie de vos dossiers. Le système nous préviendra si vous essayez. Ne parlez à aucun employé de cette entreprise. Vous devrez avoir quitté les lieux dans moins d'un quart d'heure. Votre indemnité de compensation est liée à votre respect de nos accords de confidentialité. Messieurs, dit-il aux deux autres, et si nous le laissions prendre ses affaires ?…

— Quand cette histoire se saura, c'en sera fini de cette société. J'y veillerai ! lança Rajamani dans son dos.

Quarry prit Ju-Long et Van der Zyl par les épaules et leur fit quitter le bureau devant lui. Puis il referma la porte sans un regard en arrière. Il savait que la scène s'était déroulée devant tout un public d'analystes quantitatifs, mais il n'y pouvait rien. Il se sentait plein d'allégresse. Cela lui faisait toujours du bien de virer quelqu'un : c'était libérateur.

— Je regrette, dit-il à Ju-Long et à Van der Zyl, mais, au bout du compte, on est quand même des innovateurs dans le métier. Et Gana est le genre de type qui se serait pointé sur le quai de départ en 1492 pour dire à Colomb qu'il ne pouvait pas prendre la mer parce que le niveau de risque était trop élevé.

— La gestion du risque était sa responsabilité, Hugo, dit Ju-Long avec une rudesse qui surprit Quarry. Vous vous êtes peut-être débarrassé de lui, mais vous n'avez pas réglé le problème.

— J'en suis conscient, LJ, et je sais que vous étiez amis. (Il posa la main sur son épaule.) Mais n'oubliez pas que, à cette heure précise, cette société s'est enrichie d'environ 80 millions de dollars depuis que nous sommes arrivés au travail, ce matin.

Ils avancèrent le long de la salle des marchés, Quarry en tête. Les analystes avaient regagné leur place et tout semblait redevenu normal.

— Le VIXAL doit avoir extrapolé un effondrement général du marché, dit Van der Zyl. Si vous regardez les titres qui sont shortés, ils ne relèvent absolument pas d'un secteur spécifique.

— Mais il y a la VAD sur les futures S&P, intervint Ju-Long.

— Et l'indice de la peur, ajouta Van der Zyl. Vous savez, le milliard de dollars d'options sur l'indice de la peur… Bon Dieu !

Quarry s'immobilisa. Dans le tourbillon général de données qui affluaient de partout, il n'avait pas vraiment saisi l'ampleur de cette position. Il se dirigea vers un terminal libre et fit apparaître rapidement la courbe du VIX. Ju-Long et Van der Zyl le rejoignirent. La valeur de l'indice de volatilité suivait sur le graphique une légère vague montrant ses fluctuations sur les deux derniers jours de cotation : la ligne montait et descendait à l'intérieur d'une bande étroite. Cependant, depuis quatre-vingt-dix minutes, la courbe affichait une pente nettement ascendante. Il était encore trop tôt pour déterminer s'il s'agissait d'une escalade significative du niveau de peur sur le marché lui-même. Néanmoins, même si ce n'était pas le cas, sur un pari à 1 milliard de dollars, ils assistaient à une prise de bénéfices de près de 100 millions de dollars.

Quarry appuya sur une touche et se brancha sur la retransmission en direct du parquet du S&P 500, à Chicago. « Alors, faisait une voix américaine, le seul acheteur que j'aie sur ma feuille depuis 9 h 26 exactement est un acheteur Goldman à cinquante et un tout rond pour un volume de deux cent cinquante. Sinon, tous les mouvements que j'ai sous les yeux sont à la vente… »

Quarry coupa le son.

— LJ, dit-il, qu'est-ce que vous diriez de commencer à liquider ces 2,5 milliards de bons du Trésor, juste au cas où on aurait besoin de faire face à des appels de marge demain ?

— Absolument, Hugo.

Il croisa le regard de Quarry. Il avait compris la signification de la hausse du VIX ; Van der Zyl aussi.

— Nous devons essayer de communiquer au moins toutes les demi-heures, décida Quarry.

— Et Alex ? s'enquit Ju-Long. Il faut qu'il voie ça.

— Je connais Alex. Il reviendra, ne vous en faites pas.

11

HOFFMANN avait réussi à trouver un taxi dans la rue de Lausanne, à une rue de l'hôtel Diodati. Il avait demandé au chauffeur de le conduire à une adresse dans la banlieue de Vernier, à côté d'un parc. Le taxi avait donc dû effectuer un demi-tour interdit sur la route à plusieurs voies. Quand ils avaient croisé une voiture de police,

Hoffmann s'était enfoncé dans son siège tout en dissimulant ses yeux derrière sa main. Le chauffeur l'avait observé dans le rétroviseur. Son client serrait un ordinateur portable contre lui. Son téléphone sonna une fois, mais il ne décrocha pas. Il finit même par l'éteindre.

Il était plus de 16 heures quand le taxi était arrivé dans le centre de Vernier et qu'Hoffmann s'était penché en avant en disant :

— Laissez-moi ici.

L'Américain avait donné un billet de 100 francs et s'était éloigné sans attendre la monnaie.

Vernier se dresse sur une colline qui surplombe la rive droite du Rhône. Hoffmann l'associait dans son esprit à des après-midi d'automne mélancoliques. L'immeuble où il était censé avoir été guéri se dressait devant lui. Sa main tremblait lorsqu'il pressa le bouton de l'interphone. Aurait-il la force de traverser tout ça de nouveau ? La première fois, il ne savait pas ce qui l'attendait ; cette fois, il serait privé de la protection vitale de l'ignorance.

— Bonjour, fit une voix jeune et masculine.

Hoffmann lui donna son nom.

— J'étais un patient du Dr Polidori. Ma secrétaire m'a pris rendez-vous pour demain, mais je dois la voir tout de suite.

— Patientez, je vous prie.

La porte se déverrouilla avec un bourdonnement bref. À l'intérieur, c'était plus confortable qu'autrefois – un canapé et deux fauteuils. Tout à côté du réceptionniste était affiché le diplôme de praticien du médecin : docteur Jeanne Polidori, titulaire d'un master de psychiatrie et de psychothérapie de l'université de Genève. Le jeune homme de l'accueil l'étudiait attentivement.

— Vous montez. C'est la porte juste devant vous.

— Oui, dit Hoffmann. Je m'en souviens.

Le craquement familier des marches suffit à réveiller d'anciennes sensations. Parfois il lui avait semblé presque impossible de se traîner jusqu'en haut. À la pire période, il avait eu l'impression de gravir l'Everest en étant privé d'oxygène. Le mot dépression n'était pas le terme qui convenait, c'était plutôt un ensevelissement. Il était certain de ne pas pouvoir revivre ça. Mieux valait se tuer.

Le Dr Polidori se trouvait dans son cabinet, assise devant son ordinateur, et elle se leva à son entrée. Elle ne perdit pas de temps en salutations.

— Docteur Hoffmann, vous m'excuserez, mais j'ai indiqué au téléphone à votre assistante que je ne pouvais pas vous traiter sans une ordonnance de l'hôpital.

— Je ne veux pas de traitement, dit-il en ouvrant l'ordinateur portable. Je voudrais juste que vous regardiez quelque chose. Pourriez-vous au moins faire ça?

— Ça dépend de ce que c'est, répondit-elle en l'examinant attentivement. Qu'est-ce que vous avez à la tête?

— Quelqu'un s'est introduit chez nous. Il m'a frappé par-derrière. Hoffmann se baissa pour lui montrer les points de suture.

— C'est arrivé quand?

— La nuit dernière. Ce matin. Je suis allé à l'hôpital universitaire.

— On vous a fait un CAT-scan?

Il hocha la tête.

— Ils ont vu des taches blanches. Ça peut provenir du coup que j'ai pris, ou ça peut être autre chose, qui était là avant.

— Docteur Hoffmann, reprit-elle d'une voix plus douce, j'ai quand même l'impression que vous me demandez de vous traiter.

— Non, pas du tout, assura-t-il en posant l'ordinateur devant elle. Je voudrais juste avoir votre avis là-dessus.

Elle le contempla d'un air dubitatif, puis attrapa ses lunettes. Elle les chaussa et regarda l'écran. Il étudia son expression pendant qu'elle faisait défiler le document.

— Eh bien, fit-elle avec un haussement d'épaules, il s'agit de toute évidence d'une conversation entre deux hommes, dont l'un fantasme sur l'acte de tuer et l'autre rêve de mourir et de connaître l'expérience de la mort. Ça ressemble à un chat sur Internet, un site Web… quelque chose de ce genre. Celui qui veut tuer ne parle pas couramment anglais; la victime potentielle, si. Je ne vois rien dans ce que je vous dis que vous n'auriez pu trouver par vous-même.

— Ce genre de chose est-il courant?

— Oui. C'est l'un des aspects les plus sombres du Web auxquels nous soyons confrontés. Internet rassemble des gens qui, autrefois, n'auraient même pas su qu'ils avaient ce genre de tendances dangereuses. La police s'est déjà adressée à moi plusieurs fois à ce sujet. Il y a des sites qui encouragent les actes suicidaires, surtout parmi les jeunes.

Hoffmann s'assit et mit la tête entre ses mains.

— Celui qui fantasme sur la mort… c'est moi, n'est-ce pas ?

— Eh bien, vous connaissez le Dr Hoffmann mieux que moi. Vous rappelez-vous avoir écrit ça ?

— Non, pas du tout. Et pourtant il y a là des pensées que je reconnais avoir eues, des rêves que je faisais quand j'étais malade. Et il semblerait que j'aie fait d'autres choses dont je ne me souviens absolument pas, ces derniers temps. Se pourrait-il que j'aie quelque chose au cerveau qui puisse provoquer ça, d'après vous ?

— C'est possible. (Elle poussa le portable de côté et se tourna vers l'écran de son ordinateur.) Je vois que vous avez interrompu votre traitement avec moi en novembre 2001 sans aucune explication. Pourquoi cela ?

— J'étais guéri.

— Vous ne pensez pas que cela aurait plutôt dû être à moi et non à vous d'en décider ?

— Non, en fait, non. Je sais quand je vais bien. Je n'ai eu aucun problème pendant des années. Je me suis marié. J'ai créé une société. Tout allait très bien. Jusqu'à cette histoire.

— Vous pouvez vous sentir bien, mais vous n'êtes pas à l'abri d'une dépression aussi grave que celle que vous avez faite. (Elle fit défiler ses notes.) Vous voulez bien me rappeler ce qui a déclenché votre maladie ?

Hoffmann avait enfoui cela depuis si longtemps au fond de sa mémoire qu'il eut du mal à s'en souvenir.

— Je rencontrais de graves difficultés dans mes recherches au Cern. Il y a eu une enquête interne extrêmement stressante. Et ils ont fini par interrompre le projet sur lequel je travaillais.

— Quel était ce projet ?

— Le raisonnement de la machine, l'intelligence artificielle.

— Avez-vous subi un stress similaire, ces derniers temps ?

— Un peu, admit-il.

— Quelle sorte de symptômes dépressifs avez-vous ressentis ?

— Aucun. C'est ça qui est bizarre.

— Avez-vous encore des idées suicidaires ? Elles étaient très vives, très précises. Sont-elles revenues ?

— Non.

— Cet homme qui vous a agressé, je suppose que c'est l'autre participant de la conversation en ligne.

Hoffmann acquiesça d'un signe de tête.

— Où est-il maintenant ?

— Je préfère ne pas en parler.

— Docteur Hoffmann, montrez-moi vos mains, s'il vous plaît.

Il tendit les mains à contrecœur.

— Vous vous êtes battu ?

Il mit du temps à répondre.

— Oui. C'était de la légitime défense.

— D'accord. Rasseyez-vous, je vous prie.

Il obéit.

— Je crois que vous devriez voir un spécialiste au plus vite. Certaines psychoses – la schizophrénie, la paranoïa – peuvent pousser à commettre des actes inhabituels, que l'on peut ensuite totalement occulter. Ce n'est peut-être pas votre cas, mais je ne crois pas que nous devrions prendre le risque, surtout si le scanner de votre cerveau présente des anomalies. Alors ce que j'aimerais que vous fassiez maintenant, c'est aller vous asseoir en bas pendant que j'en parle à mon collègue. Cela vous convient-il ?

— Oui, absolument.

Il attendit qu'elle le raccompagne, mais elle resta prudemment derrière son bureau. Il finit par se lever et récupéra l'ordinateur.

— Merci, dit-il. Je descends à l'accueil.

Arrivé à la porte, il se retourna. Une pensée venait de lui traverser l'esprit.

— C'était mon dossier que vous regardiez. Qu'est-ce qu'il contient, exactement ?

— Mes notes. Un suivi du traitement : les médicaments prescrits, les séances de psychothérapie, etc.

— Vous enregistrez les séances avec vos patients ?

— Oui, répondit-elle avec une hésitation.

— Qu'en faites-vous ensuite ?

— Mon assistant les transcrit.

— Et vous gardez les transcriptions sur ordinateur ?

— Oui.

— Je peux regarder ?

Il avait regagné le bureau en deux enjambées.

Elle porta rapidement la main à la souris pour fermer le document, mais il lui saisit le poignet.

— Je vous en prie, laissez-moi juste regarder mon dossier.

Il dut lui arracher la souris.

— Je ne vais pas vous faire de mal, assura-t-il. Je veux simplement vérifier ce que je viens de vous dire.

Il détesta lire la peur dans les yeux du médecin, mais il ne voulut pas céder et elle finit par capituler. Elle repoussa sa chaise en arrière et se leva. Il prit sa place devant l'écran avec le portable de Karp à ses côtés. Elle s'éloigna à distance respectueuse et l'observa.

— Où avez-vous pris cet ordinateur portable ? demanda-t-elle.

Mais il n'écoutait pas. Il comparait les deux écrans, faisant défiler l'un, puis l'autre. Sur l'un et sur l'autre, les mots étaient identiques. Tout ce qu'il avait confié au médecin neuf ans plus tôt se retrouvait en copié-collé sur le site où l'Allemand l'avait lu.

Sans lever les yeux, il demanda :

— Est-ce que cet ordinateur est connecté à Internet ?

Puis il vit que c'était le cas. Il entra dans la base de registre et ne mit pas longtemps à découvrir des traces de logiciels malveillants – d'étranges fichiers d'un type qu'il n'avait jamais vu auparavant, au nombre de quatre.

— Quelqu'un a piraté votre système. On a copié mon dossier.

Il jeta un coup d'œil vers l'entrée. Le cabinet était vide et la porte entrouverte. Il entendit le son de la voix du médecin quelque part. Il semblait qu'elle téléphonait. Il saisit l'ordinateur portable et s'engouffra dans l'escalier tapissé. Le réceptionniste quitta son comptoir et tenta de bloquer la sortie, mais Hoffmann n'eut aucun mal à l'écarter.

Dehors, il partit à gauche et parcourut rapidement la rue bordée d'arbres. Il ne savait pas où il allait. En temps normal, l'exercice l'aidait à se concentrer. Pas maintenant. Il était dans la plus totale confusion.

Au bout d'un moment, la chaussée fut coupée net par le pilier d'une autoroute surélevée, et se réduisit ensuite à un sentier qui filait à gauche, au pied des voies, et traversait un petit bois qui débouchait sur la rive du fleuve. Le Rhône était large et tranquille à cet endroit, d'un vert opaque, s'enfonçant en un méandre paresseux dans la campagne boisée qui remontait abruptement sur la rive opposée. Il était enjambé par la passerelle de Chèvres. Arrivé à son milieu, Hoffmann s'arrêta et grimpa sur la rambarde métallique. Il lui suffirait de deux secondes pour dévaler les cinq ou six mètres jusqu'à l'onde lente et se laisser emporter.

Et il était tenté. Il ne se faisait pas d'illusions : il y aurait pléthore de traces ADN et d'empreintes dans la chambre d'hôtel qui le trahiraient. Son arrestation n'était qu'une question de temps. Il pensa à ce qui l'attendait : un long parcours du combattant entre la police, les avocats, les journalistes, les flashes des appareils photo. Il pensa à Quarry, à Gabrielle, surtout à Gabrielle.

« Mais je ne suis pas fou, se dit-il. J'ai tué un homme, *mais je ne suis pas fou*. Soit je suis victime d'un plan très élaboré conçu pour me faire *croire* que je suis fou, soit quelqu'un essaie de me piéger, pour me faire chanter, pour me détruire. » Pouvait-il se fier davantage aux autorités qu'à lui-même pour trouver le fin mot d'un piège aussi machiavélique ? La réponse allait de soi.

Il prit dans sa poche le téléphone portable de l'Allemand. L'appareil sombra sans faire une éclaboussure, laissant à peine une brève cicatrice blanche sur la surface boueuse.

L'ASSISTANTE du Pr Walton avait laissé Gabrielle dans le hall du centre de calcul du Cern pour aller le chercher. Maintenant qu'elle était seule, elle était très tentée de fuir. Ce qui avait semblé une bonne idée dans la salle de bains de Cologny lorsqu'elle avait trouvé sa carte – l'appeler, ne pas prêter attention à son étonnement, lui demander si elle pouvait venir tout de suite – lui apparaissait à présent comme une réaction névrotique très embarrassante. Alors qu'elle se retournait pour chercher la sortie, elle remarqua un vieil ordinateur dans une vitrine. Elle s'en approcha et lut qu'il s'agissait du NeXT, le premier processeur sur lequel avait été testé le World Wide Web, la Toile mondiale, au Cern, en 1991. « C'est extraordinaire, pensa-t-elle, que tout ait commencé avec quelque chose d'aussi banal. »

— La boîte de Pandore, fit une voix derrière elle.

Elle fit volte-face et se retrouva nez à nez avec Walton.

— Ou la loi des conséquences imprévues. On cherchait à recréer les origines de l'Univers et, au bout du compte, on a créé eBay. Venez dans mon bureau. Je n'ai pas beaucoup de temps, malheureusement.

Il la guida dans un couloir. C'était assez minable, mais fonctionnel : portes en verre opaque, lumière trop crue des néons, lino de l'Administration, peinture grise, pas du tout ce qu'elle s'attendait à trouver pour abriter le grand accélérateur de particules.

— C'est ici que dormait Alex, indiqua Walton en ouvrant à la volée la porte d'une cellule spartiate comprenant deux bureaux, deux terminaux et une vue sur le parking.

— Dormait?

— Où il travaillait aussi, pour être juste. Vingt heures de travail par jour, quatre heures de sommeil. Il avait l'habitude de rouler son matelas dans ce coin, là. (Il sourit vaguement à ce souvenir et posa sur elle ses yeux gris.) J'imagine qu'il y a un problème.

— Oui, effectivement.

Il hocha la tête, comme s'il s'y attendait.

— Venez vous asseoir.

Il remonta le couloir jusqu'à son propre bureau. Posée sur un classeur à tiroirs, une radio diffusait doucement de la musique classique, un quatuor à cordes. Il l'éteignit.

— Que puis-je faire pour vous?

— Dites-moi ce qu'il faisait ici, ce qui s'est mal passé. Je crois qu'il a fait une dépression, et j'ai comme l'impression que ça revient.

Walton avait pris place derrière son bureau. Il l'examina un moment. Puis il finit par demander:

— Avez-vous déjà entendu parler du Desertron?

Le Desertron, dit Walton, était censé être le super collisionneur supraconducteur américain – quatre-vingt-sept kilomètres de tunnel creusés dans la roche à Waxahachie, au Texas. Mais, en 1993, le Congrès américain a décidé de voter l'abandon du projet. Cela a fait économiser environ 10 milliards de dollars aux contribuables américains. Cela a aussi anéanti les projets de toute une génération de physiciens universitaires américains, dont le jeune et brillant Alex Hoffmann, qui terminait alors son doctorat à Princeton.

Au bout du compte, Alex a fait partie des heureux élus – il n'avait guère plus de vingt-cinq ans mais comme sa réputation était faite, il s'est vu attribuer l'une des très rares bourses non européennes pour travailler au Cern sur le grand collisionneur électron-positon, précurseur du grand collisionneur de hadrons.

Alex était arrivé à Genève deux ans seulement après que les scientifiques du Cern avaient inventé la Toile mondiale. Curieusement, c'était cela qui avait enflammé son imagination : ni chercher à recréer le big bang, ni trouver la particule de Dieu, ni fabriquer de l'antimatière, mais les possibilités offertes par la puissance du traitement en série, l'émergence d'un raisonnement par la machine, d'un cerveau global.

— Il avait une approche romantique du sujet, et c'est toujours dangereux. J'étais son chef de service au centre de calcul. Maggie et moi, on l'a pris sous notre aile. Il gardait nos garçons quand ils étaient petits. Il n'était vraiment pas doué pour ça.

— Ça ne m'étonne pas.

Gabrielle se mordit la lèvre en pensant à Alex avec des enfants.

— Complètement *nul*. Quand on rentrait, on le retrouvait endormi dans leur lit au premier, et les enfants en bas, en train de regarder la télé. Il exigeait toujours beaucoup trop de lui-même, et il s'épuisait. Il était obsédé par l'intelligence artificielle, qu'il préférait appeler RAM, raisonnement autonome de la machine. Vous vous y connaissez en sciences ?

— Non, pas du tout.

— Eh bien, sans trop entrer dans les détails, l'un des gros défis auxquels nous devons faire face ici est tout simplement d'analyser les quantités faramineuses de données que nous produisons. Nous arrivons actuellement en gros à vingt-sept milliards d'octets traités par jour. La solution proposée par Alex était d'inventer un algorithme capable, d'une certaine façon, d'apprendre quoi chercher, puis de savoir quoi chercher ensuite. Cela lui aurait permis de travailler infiniment plus vite qu'un être humain. En théorie, c'était brillant, mais, dans la pratique, ça s'est révélé désastreux.

— Ça n'a donc pas fonctionné ?

— Oh, si. C'est justement ça qui a été désastreux. Ça a commencé à se répandre dans tout le système comme du chiendent. Nous avons fini par devoir le mettre en quarantaine, ce qui impliquait de pratiquement tout fermer. J'ai malheureusement été contraint de dire à Alex que ses recherches étaient trop instables pour être poursuivies. Il faudrait confiner l'algorithme comme une technologie nucléaire, faute de quoi cela équivaudrait à lâcher un virus. Il n'a pas voulu en entendre parler. Les choses ont dégénéré. Il a fallu à un moment l'expulser de force.

— Et c'est à ce moment-là qu'il a fait sa dépression ?

Walton hocha tristement la tête.

— Je n'ai jamais vu quelqu'un d'aussi désespéré. On aurait dit que j'avais assassiné son enfant.

12

LORSQUE Hoffmann arriva devant l'immeuble du fonds de placement, c'était la sortie des bureaux : 18 heures à Genève, midi à New York. Les gens quittaient le bâtiment pour rentrer chez eux, aller prendre un verre ou filer à leur cours de gym. Il se posta dans une encoignure de porte, juste en face, et vérifia qu'il n'y avait pas de policier en vue. Comme il n'en voyait aucun, il traversa la rue à vive allure, regarda la caméra de reconnaissance faciale d'un air morne, franchit l'entrée et prit l'un des ascenseurs. La salle des marchés était encore pleine ; la plupart des employés ne partaient pas avant 20 heures. Il baissa la tête et fonça vers son bureau. Assise à sa place, Marie-Claude le regarda arriver. Elle ouvrit la bouche pour dire quelque chose, mais Hoffmann leva les mains.

— Je sais, dit-il. J'ai besoin de dix minutes tout seul, et ensuite je m'occuperai de tout ça. Ne laissez entrer personne, d'accord ?

Il entra et referma la porte derrière lui. Il s'assit sur son coûteux fauteuil ergonomique inclinable et ouvrit l'ordinateur portable de l'Allemand. Qui avait piraté son dossier médical ? C'était la question. Celui qui avait fait ça devait être derrière tout le reste.

Il avait de nouveau mal à la tête et se passa les doigts sur la partie rasée de son crâne ; on aurait dit les coutures d'un ballon de football. La tension avait raidi ses épaules. Il commença par se masser la nuque, s'allongeant sur son siège et regardant le détecteur de fumée au plafond comme il l'avait fait des milliers de fois pour essayer de se concentrer. Il contempla le minuscule point rouge, identique à celui qu'ils avaient à Cologny au-dessus de leur lit et qui lui faisait toujours penser à Mars quand il s'endormait. Il interrompit lentement son mouvement de massage.

— Merde, murmura-t-il.

Il se redressa et regarda l'écran de veille sur l'ordinateur portable : c'était lui, levant les yeux avec une expression vide, le regard dans le vague. Il monta sur son siège pour grimper sur le bureau. Le détecteur de fumée était constitué d'un boîtier blanc carré comportant une grille qui recouvrait vraisemblablement l'alarme proprement dite. Hoffmann en tâta les bords. Le boîtier semblait collé au plafond. Il tira dessus et exerça un mouvement de torsion puis, mû par la peur et la frustration, il l'attrapa à pleines mains et l'arracha d'un coup.

L'alarme poussa un cri de protestation perçant d'une intensité tangible. Le boîtier était toujours relié au plafond par un cordon ombilical de fils électriques. Quand Hoffmann glissa ses doigts derrière pour tenter de l'arrêter, il reçut une décharge électrique qui se propagea jusqu'à son cœur. Il poussa un cri, lâcha l'appareil et le laissa pendre en secouant vigoureusement les doigts. Le bruit l'agressait physiquement : il avait l'impression que ses oreilles allaient saigner s'il ne le faisait pas cesser au plus vite. Il saisit le détecteur par le boîtier cette fois et tira de toutes ses forces, s'y accrochant presque, et le dispositif céda, emportant avec lui un morceau de plafond. Le silence soudain qui s'ensuivit fut presque aussi brutal que le vacarme.

BIEN plus tard, lorsque Quarry se remémorerait les deux heures qui suivirent et qu'on lui demanderait ce qui avait été pour lui le plus effrayant, il répondrait que, curieusement, cela avait été cet instant : celui où il avait entendu l'alarme et avait traversé la salle des marchés au pas de course pour trouver Hoffmann maculé de sang et de poussière, debout sur un bureau sous un faux plafond éventré, en train de marmonner qu'on l'espionnait partout où il allait.

Quarry ne fut pas le premier à arriver sur les lieux. La porte était déjà ouverte, et Marie-Claude était dans le bureau avec un certain nombre de quants. Quarry joua des coudes pour passer et leur ordonna à tous de retourner travailler. Il comprit tout de suite qu'Hoffmann avait subi un choc.

— Alexi, dit-il aussi calmement qu'il put, qu'est-ce qui se passe là-haut ?

— Regarde par toi-même, s'écria Hoffmann.

Il sauta du bureau et ouvrit la main. Les composants du détecteur de fumée démonté se trouvaient au creux de sa paume. Il sélectionna une petite lentille fixée à un bout de fil électrique.

— Tu sais ce que c'est ?

— Pas vraiment, non.

— C'est une webcam. (Il laissa les pièces filtrer entre ses doigts sur le bureau.) Regarde ça, dit-il en remettant le portable à Quarry. D'après toi, d'où a été prise cette photo ?

Il se rassit et inclina son fauteuil en arrière. Quarry le regarda, puis examina l'écran et le regarda de nouveau. Il leva ensuite les yeux au plafond.

— Putain de merde. Tu as eu ça où ?

— Ça appartenait au type qui m'a agressé la nuit dernière.

Même sur le moment, Quarry enregistra l'imparfait – *apparte-nait ?* – et se demanda comment ce portable avait pu se retrouver entre les mains de son associé. Mais Hoffmann se releva d'un bond, et il n'eut pas le temps de lui poser la question.

— Viens, dit Hoffmann en lui faisant signe. Suis-moi.

Il prit Quarry par le coude, le fit sortir de son bureau et lui mon-tra le plafond au-dessus du bureau de Marie-Claude, où il y avait un détecteur identique. Puis il porta un doigt à ses lèvres. Il le conduisit ensuite à l'entrée de la salle des marchés et les lui montra : un, deux, trois, quatre détecteurs. Il y en avait un dans la salle de conférences aussi. Il y en avait même un dans les toilettes. Il grimpa sur les lava-bos et l'arracha d'un coup sec sous une pluie de plâtre. Puis il sauta à terre et montra sa prise à Quarry. Une autre webcam.

— Ces détecteurs sont partout. Il y a des mois que je les remarque sans vraiment les voir. Il y en a un dans ton bureau. J'en ai un dans toutes les pièces de ma maison. Bon Dieu, même dans la *salle de bains*. (Il porta la main à son front, réalisant seulement maintenant l'impor-tance de sa découverte :) C'est incroyable.

Quarry n'avait jamais pu s'empêcher de redouter que leurs concurrents cherchent à les espionner. C'était la raison pour laquelle il avait engagé les services du cabinet conseil en sécurité de Genoud. Consterné, il retourna le détecteur de fumée entre ses mains.

— Tu crois qu'il y a une caméra dans *chacun* d'eux ?

— Eh bien, on peut les vérifier tous, mais oui, je crois.

— Bon Dieu, et dire qu'on paie Genoud une fortune.

— Mais c'est là où c'est très fort : ce doit être lui qui les a posés, tu comprends ? C'est lui aussi qui a vérifié ma baraque quand je l'ai ache-tée. Il nous surveille vingt-quatre heures sur vingt-quatre.

Il était tellement certain d'avoir raison que Quarry se sentit gagné par sa paranoïa. Il examina son propre téléphone avec précaution, comme s'il s'agissait d'une grenade prête à exploser, puis s'en servit pour appeler son assistante :

— Amber, tu veux bien me trouver Maurice Genoud et lui dire de laisser tomber ce qu'il est en train de faire et de venir dans le bureau d'Alex. (Il raccrocha.) On va voir ce que ce salopard a à dire. Je ne lui ai jamais fait confiance, je me demande quel jeu il joue.

— C'est plutôt évident, non? On est un *hedge fund* qui fait 83 % de bénéfices. Si quelqu'un arrive à lancer un clone de notre boîte et à copier toutes nos transactions, il en tirera une fortune. Ce que je ne comprends pas, c'est tout le reste.

— Quel reste?

— Le fait d'ouvrir un compte offshore aux îles Caïmans, d'y déposer de l'argent avant de le revirer, d'envoyer des mails signés de mon nom, de m'acheter un livre où il est question de peur et de terreur, de saboter l'expo de Gaby, de pirater mon dossier médical et de me brancher avec un psychopathe. C'est comme si on le payait pour me rendre dingue.

En l'écoutant, Quarry ressentit un nouveau malaise, mais avant qu'il puisse faire le moindre commentaire, son portable sonna. C'était Amber.

— M. Genoud était juste en bas. Il monte tout de suite.

— Merci. Apparemment, dit-il à l'adresse d'Hoffmann, il était déjà sur place. Peut-être qu'il sait qu'on est sur sa piste.

— C'est possible.

Soudain, Hoffmann s'était remis en branle. Il sortit des toilettes, traversa le couloir et entra dans son bureau. Il venait d'avoir une autre idée. Il ouvrit son tiroir à la volée et en sortit l'ouvrage de Darwin.

— Regarde ça, dit-il en le tenant ouvert à la photo d'un vieil homme. Qu'est-ce que tu vois?

— Je vois une espèce de taré d'un autre âge qui a l'air d'avoir chié dans son froc.

— Oui, mais regarde de plus près. Tu vois ces électrodes?

Quarry regarda. Deux mains, de chaque côté du visage, appliquaient de minces tiges de métal sur le front du sujet. La tête de la victime semblait soutenue par une sorte de support en acier.

— C'est un médecin français, Guillaume Benjamin Amand Duchenne de Boulogne, qui tient les électrodes. Il croyait que les expressions du visage humain étaient la porte de l'âme. C'est une expérience destinée à produire les symptômes faciaux de la peur dans le seul but de les photographier.

— D'accord, fit prudemment Quarry, je saisis.

Hoffmann agita le livre avec exaspération.

— Oui, eh bien, n'est-ce pas exactement ce qui est en train de m'arriver? Je suis le sujet d'une expérience destinée à me faire éprouver de la peur, et mes réactions sont constamment filmées.

— Oh, je suis désolé d'apprendre ça, Alexi. Ce doit être une impression horrible, lâcha platement Quarry.

— La question est: qui fait ça, et pourquoi? De toute évidence, l'idée ne vient pas de Genoud. Il n'est que l'instrument…

Mais c'était au tour de Quarry d'être distrait. Il réfléchissait à sa responsabilité en tant que directeur général, vis-à-vis de leurs investisseurs, de leurs employés, et (il n'aurait aucun mal à le reconnaître par la suite) de lui-même. Il se remémorait l'armoire à pharmacie d'Hoffmann, des années auparavant, contenant suffisamment de psychotropes pour permettre à un drogué de tenir pendant six mois.

— Asseyons-nous, suggéra-t-il. Il faut qu'on parle de certaines choses.

— C'est vraiment urgent? s'enquit Hoffmann, irrité d'avoir été interrompu au milieu de sa démonstration.

— Oui, plutôt, répondit Quarry, qui prit place sur le canapé.

Hoffmann alla s'asseoir derrière son bureau. Il en balaya la surface d'un revers de bras, faisant disparaître le détecteur de fumée.

— Bon, vas-y.

— On a un problème avec le VIXAL-4, annonça l'Anglais. Il a dépassé la couverture delta.

Hoffmann le dévisagea.

— Ne dis pas n'importe quoi.

Il se connecta sur son terminal et entreprit de parcourir leurs positions – par secteurs, volumes, genres et dates. Chaque nouvelle fenêtre lui paraissait plus surprenante que la précédente.

— Mais ça ne correspond pas du tout à ce qui est programmé.

— Ça s'est passé principalement entre le déjeuner et l'ouverture des marchés américains. On n'arrivait pas à te joindre. La bonne nouvelle, c'est que, pour l'instant, il ne s'est pas planté. Le Dow a perdu une centaine de points et, si tu vérifies le compte de résultats, on a gagné plus de 200 millions dans la journée.

— *Mais ce n'est pas ce qu'il est censé faire.*

Il devait y avoir une explication rationnelle. Il y en avait toujours une. Il finirait par la trouver. Ça devait avoir un lien avec tout ce qui lui arrivait.

— Bon, d'abord, est-ce qu'on est sûrs que ces données sont exactes ? Ou est-ce qu'il pourrait s'agir d'un sabotage ? D'un virus ? (Il repensa au logiciel malveillant sur l'ordinateur de sa psy.) Il est possible que toute la boîte fasse l'objet d'une cyber-attaque d'une personne isolée ou de tout un groupe. Est-ce qu'on a envisagé cette possibilité ?

— Peut-être, mais ça n'explique pas la VAD sur Vista Airways, et, crois-moi, ça commence à faire trop pour être une coïncidence.

— Oui, ça n'en est sûrement pas une. Mais on en a déjà parlé…

— Je sais qu'on en a parlé, l'interrompit Quarry avec impatience, mais il semble bien maintenant que le crash n'était pas dû à une défaillance mécanique. Apparemment, il y a eu une alerte à la bombe sur un site Web de terroristes islamistes pendant que l'avion était encore en vol. Le FBI ne l'a pas captée, mais nous, oui.

— Mais ça dépasse de loin les paramètres du VIXAL. Ça constituerait un point d'altération extraordinaire… un saut quantique.

Marie-Claude frappa à la porte et l'ouvrit.

— M. Genoud est là.

— Laisse-moi m'occuper de ça, glissa Quarry à Hoffmann.

Marie-Claude s'écarta pour laisser entrer l'ex-policier. Celui-ci porta immédiatement son regard vers le trou dans le plafond.

— Entrez, Maurice, dit Quarry. Fermez la porte. Comme vous le voyez, nous avons fait un peu de bricolage, et nous nous demandions si vous pourriez nous expliquer pourquoi.

— Je ne crois pas, répliqua Genoud en fermant la porte. Comment voulez-vous que je le sache ?

— Bon Dieu, intervint Hoffmann, il ne se laisse pas impressionner, Hugo, on peut lui reconnaître ça.

Quarry leva la main.

— C'est bon, Alex, je t'en prie, attends un peu, tu veux bien ? D'accord, Maurice. Il faut qu'on sache depuis combien de temps ça dure. Il faut qu'on sache qui vous paie. Et il faut qu'on sache si vous avez introduit quoi que ce soit dans notre système informatique. C'est urgent parce que nous sommes dans une situation boursière extrêmement volatile. Nous ne voudrions pas appeler la police pour régler ça, mais, s'il faut en arriver là, nous le ferons. Donc je vous conseille de jouer la franchise.

Après un silence, Genoud regarda Hoffmann.

— Je peux lui dire ?

— Vous pouvez lui dire quoi ? demanda Hoffmann.

— Vous me mettez dans une position très inconfortable, docteur Hoffmann.

— Je ne vois pas de quoi il parle, glissa Hoffmann à Quarry.

— Très bien, vous ne pouvez espérer que je garde le silence dans ces conditions, dit Genoud en se tournant vers Quarry. C'est le Dr Hoffmann qui m'a donné pour instruction d'installer des caméras cachées quand vous avez emménagé dans ces bureaux. J'ai bien supposé qu'il ne vous en avait pas parlé. Mais c'est le patron de la boîte, alors j'ai estimé que je pouvais lui obéir.

Hoffmann sourit et secoua la tête.

— Hugo, c'est n'importe quoi. Je n'ai pas eu une seule conversation avec ce type.

— Je n'ai jamais dit que nous avions eu une conversation, rétorqua Genoud. Comme vous le savez pertinemment, docteur Hoffmann, je ne reçois mes instructions de vous que par mail.

— Encore des mails ! protesta Hoffmann. Vous me dites sérieusement que vous avez placé toutes ces caméras sans jamais, après tous ces mois, en parler directement avec moi ?

— Non, jamais.

Hoffmann émit un son qui exprimait à la fois son mépris et son incrédulité.

— On a du mal à y croire, intervint Quarry, à l'adresse de Genoud. Vous n'avez pas trouvé ça bizarre du tout ?

— Pas particulièrement. J'ai eu l'impression que ça se faisait en quelque sorte par en dessous. Qu'il ne voulait pas que ça se sache.

— Et comment suis-je censé vous avoir payé tout ça ?

— Par virement, répondit Genoud, depuis un compte aux îles Caïmans.

Hoffmann se figea soudain. Quarry le dévisageait avec attention.

— D'accord, concéda Hoffmann, supposons que vous avez bien reçu ces mails. Comment pouviez-vous être sûr que c'était moi qui vous les envoyais et pas quelqu'un qui se faisait passer pour moi ?

— Pourquoi aurais-je pensé une chose pareille ? C'était votre société, votre adresse mail et j'étais payé depuis un compte à vous. Et pour être honnête, docteur Hoffmann, vous n'avez pas la réputation de quelqu'un avec qui on parle facilement.

Hoffmann poussa un juron et, dans son énervement, frappa du poing sur son bureau.

— C'est reparti. Je suis censé avoir commandé un livre sur Internet. Je suis censé avoir acheté toute l'exposition de Gaby sur Internet. Je suis censé avoir demandé à un dingue de me tuer sur Internet… Qui peut me faire ça, Hugo ? fit-il, désespéré. Qui peut faire ça et tout filmer en même temps ? Il faut que tu m'aides à démêler cette histoire. J'ai l'impression d'être coincé dans un cauchemar.

Quarry se sentait près de disjoncter. Il lui fallut faire un effort pour garder le contrôle de sa voix.

— Bien sûr que je vais t'aider, Alex. Essayons déjà de régler cette affaire une fois pour toutes. Bien, Maurice, reprit-il en se tournant vers Genoud, je suppose que vous avez conservé ces mails. Vous pouvez y accéder tout de suite ?

— Oui, si c'est ce que vous voulez.

Genoud avait pris une attitude très raide et cérémonieuse durant ces derniers échanges, se tenant au garde-à-vous, comme si l'on remettait en question son honneur d'ancien policier.

— D'accord, alors vous allez nous montrer tout ça. Laisse-le utiliser ton ordinateur, Alex.

Hoffmann quitta son fauteuil comme en transe. Les fragments du détecteur de fumée crissèrent sous ses pieds. Il leva instinctivement les yeux vers le gâchis qu'il avait fait au-dessus de son bureau. Le trou, là où la plaque avait cédé, donnait sur un vide obscur. Des fils se touchaient à l'intérieur, ce qui provoquait, par intermittence, une étincelle bleutée. Le germe du soupçon s'insinua dans son esprit.

— Voilà ! s'écria triomphalement Genoud.

Il se redressa et s'écarta pour laisser Hoffmann et Quarry consulter les mails. Il avait trié les messages sauvegardés dans sa boîte afin qu'apparaissent seulement ceux d'Hoffmann, une multitude de courriers électroniques, qui s'étalaient sur près d'un an. Quarry prit la souris et cliqua dessus au hasard.

— On dirait bien que c'est ton adresse électronique qui apparaît sur tous, Alex, dit-il. Ça ne fait pas de doute.

— Oui, ça ne m'étonne pas. Mais ce n'est pas moi qui les ai envoyés pour autant.

— D'accord. Mais alors, qui c'est ?

Hoffmann était plongé dans de sombres pensées. Il ne s'agissait plus de simple piratage, ni d'un problème de sécurité, ni même d'un clonage de serveur. C'était plus grave que ça, comme si l'entreprise avait créé deux systèmes d'exploitation parallèles.

Quarry lisait toujours.

— Je n'arrive pas à le croire, lança-t-il. Tu as même fait espionner ta propre baraque…

— En fait, et au risque de me répéter, ce n'est pas moi…

— Eh bien, pardon, Alexi, mais c'est le cas. Écoute ça :

« À : Genoud. De : Hoffmann. Demande que caméras de surveillance vingt-quatre dissimulées immédiate Cologny… »

— Allez, je ne parle pas comme ça. Personne ne parle comme ça.

— Il faut bien que quelqu'un l'ait fait. C'est là, sur l'écran.

Hoffmann se tourna brusquement vers Genoud.

— Où vont toutes les données ? Que deviennent toutes les images, tous les enregistrements audio ?

— Comme vous le savez, tout est envoyé vers un serveur sécurisé.

— Mais ça doit faire des *milliers* d'heures ! s'exclama Hoffmann. Comment quelqu'un pourrait-il avoir le temps de visionner et d'écouter tout ? Il faudrait toute une équipe qui ne fasse que ça.

— Je ne sais pas, répondit Genoud. Je me suis contenté d'obéir aux ordres.

« Seule une machine peut traiter une telle quantité d'informations », pensa Hoffmann. Elle devrait utiliser la toute dernière technologie de reconnaissance faciale ; de reconnaissance vocale également ; des outils de recherche…

Sa réflexion fut interrompue par une nouvelle exclamation de Quarry :

— Depuis quand louons-nous des locaux industriels à Zimeysa ?

— Je peux vous le dire exactement, monsieur Quarry, répondit Genoud. Cela fait six mois. C'est un grand local, au 54, route de Clerval. Le Dr Hoffmann a ordonné qu'il soit équipé d'un nouveau système de surveillance et de sécurité.

— Qu'est-ce qu'il y a dans ce local ? demanda Hoffmann.

— Des ordinateurs.

— Qui les a installés ?

— Je ne sais pas. Une entreprise d'informatique.

— Je conclus donc aussi des opérations avec des sociétés entières par mails ?

— Je ne sais pas. Sans doute, oui.

Quarry continuait de cliquer sur des messages.

— C'est incroyable, dit-il à Hoffmann. D'après ce que je lis, tu possèdes aussi tout l'immeuble.

Mais Hoffmann ne l'écoutait plus. Il repensait à l'époque où il travaillait au Cern et au mémo que Bob Walton avait fait circuler pour préconiser l'abandon du projet de recherche d'Hoffmann, le RAM 1. Il y avait joint une mise en garde de Thomas S. Ray, ingénieur informaticien et professeur de zoologie à l'université de l'Oklahoma : « [...] *des entités artificielles autonomes évoluant librement devraient être considérées comme potentiellement dangereuses pour la vie organique, et devraient toujours rester confinées dans une sorte d'enceinte, du moins jusqu'à ce que l'on ait parfaitement compris leur véritable potentiel [...] l'Évolution reste un processus orienté vers l'intérêt personnel, et les intérêts d'organismes numériques confinés pourraient aller à l'encontre des nôtres* ».

Il reprit sa respiration, puis annonça :

— Hugo, il faut que je te parle, en privé.

— Bien sûr. Maurice, vous voulez bien sortir une seconde ?

— Non, je crois qu'il devrait rester ici pour commencer à régler tout ça. Je voudrais, dit-il à l'intention de Genoud, que vous me fassiez une copie du fichier de mails provenant de mon adresse électronique. Je veux aussi une liste de tout ce que vous avez fait censément selon mes ordres. Et je voudrais surtout la liste de tout ce qui a un rapport avec le local industriel de Zimeysa. Je veux ensuite que vous démontiez toutes les caméras et tous les micros de tous nos locaux, à commencer par ma maison. Et je veux que ce soit fait ce soir.

Une fois qu'ils furent sortis du bureau et la porte refermée, Quarry commença :

— J'espère vraiment que tu as une explication à tout ça, Alex, parce que je dois te dire...

Hoffmann lui indiqua du regard le détecteur de fumée au-dessus du bureau de Marie-Claude.

— Oh, c'est bon, je comprends, poursuivit Quarry en insistant lourdement. On va dans mon bureau.

— Non. Pas là. Ce n'est pas sûr. Ici...

Hoffmann le poussa dans les toilettes et ferma la porte derrière eux. Les fragments du détecteur de fumée étaient là où il les avait laissés, à côté du lavabo. Il reconnut à peine son reflet dans la glace. On aurait dit un évadé de l'aile sécurisée d'un hôpital psychiatrique.

— Hugo, demanda-t-il, est-ce que tu me crois fou ?

— Oui, maintenant que tu me poses la question, c'est exactement ce que je crois. Enfin, probablement. Je n'en sais rien.

— Non, ça va. Je ne te reproche pas de penser ça, et ce que je m'apprête à te dire ne va pas vraiment te rassurer. Je crois que le problème de fond que nous avons ici, c'est le VIXAL. Il a fait bien plus que ce que j'avais prévu.

Quarry plissa les yeux.

— Comment ça, bien plus que ce que tu avais prévu ?

— Le VIXAL, expliqua prudemment Hoffmann, prend peut-être des décisions qui ne sont pas compatibles avec notre intérêt.

— Tu veux parler de notre intérêt en tant qu'entreprise ?

— Non, je parle de *notre* intérêt, de l'intérêt humain.

— Et ce n'est pas la même chose ?

— Pas forcément, non.

— Pardon si je suis un peu bouché. Tu veux dire que tu penses que c'est lui qui ferait ça tout seul : la surveillance et tout le reste ?

Hoffmann se dit qu'il fallait au moins reconnaître à Hugo qu'il prenait la suggestion au sérieux.

— Je ne sais pas. Il faut qu'on procède par ordre, une étape à la fois, jusqu'à ce qu'on ait assez d'informations pour évaluer réellement le problème. Mais je crois qu'on doit commencer par revenir sur toutes les positions qu'il a prises sur le marché. Ça pourrait devenir risqué, et pas seulement pour nous.

— Même s'il gagne de l'argent ?

— Ce n'est plus simplement une question de fric… Tu ne peux pas oublier le pognon, pour une fois ? (Hoffmann avait de plus en plus de mal à garder son calme, mais il parvint à se ressaisir :) Nous avons dépassé ce stade depuis longtemps.

Quarry croisa les bras et réfléchit, les yeux baissés vers le sol.

— Tu es sûr que tu es en état de prendre ce genre de décision ?

— Absolument. Tu veux bien me faire confiance, ne serait-ce qu'au nom des huit années qu'on vient de passer ensemble ?

Ils se dévisagèrent un long moment, le physicien d'un côté, le financier de l'autre. Quarry ne savait pas quoi penser. Mais, ainsi qu'il le raconterait par la suite, c'était le génie d'Hoffmann qui avait attiré les clients, sa machine qui avait produit les bénéfices, c'était à lui de l'arrêter.

— C'est ton bébé, conclut-il en s'écartant de la porte.

Hoffmann sortit pour gagner la salle des marchés, Quarry sur les talons. Il frappa dans ses mains.

— Écoutez-moi, tout le monde ! (Il monta sur une chaise pour que tous les analystes puissent mieux le voir.) J'aimerais que vous vous rassembliez tous un instant.

À son commandement, ils quittèrent leurs écrans telle une armée fantôme de docteurs ès sciences. Il vit les regards qu'ils échangeaient ; certains chuchotaient. Avec tout ce qui se passait, ils étaient visiblement tous à cran. Van der Zyl sortit de son bureau, Ju-Long aussi ; Hoffmann ne vit pas trace de Rajamani. Il se racla la gorge.

— Bon, il faut de toute évidence qu'on règle quelques anomalies – c'est le moins qu'on puisse dire –, et je crois que, pour des raisons de sécurité, nous allons devoir commencer à défaire les positions que nous avons prises au cours de ces dernières heures.

Il se contrôlait. Il ne voulait pas déclencher de panique. Il n'oubliait pas non plus que les détecteurs de fumée constellaient le plafond. Tout ce qu'il disait était sans doute surveillé.

— Cela ne signifie pas nécessairement que nous ayons un problème avec le VIXAL, mais il faut que nous procédions à des vérifications pour découvrir pourquoi il a fait certaines choses. Je ne sais pas combien de temps ça va prendre, aussi, dans l'intervalle, nous devons remettre en place le delta, compenser avec des positions longues sur les autres marchés ; procéder à des liquidations si on ne peut pas faire autrement.

— Nous allons devoir agir avec précaution, intervint Quarry. Si on commence à liquider des positions de cette ampleur trop rapidement, on va faire bouger les cours.

Hoffmann acquiesça.

— C'est vrai, mais le VIXAL nous aidera à tout réaliser de façon optimale, même si on reprend le contrôle. (Il regarda la rangée d'horloges numériques sous les écrans de télévision géants.) Nous avons encore un tout petit peu plus de trois heures avant la fermeture des marchés américains.

— Si vous avez le moindre problème, précisa Quarry, Alex et moi serons ici pour vous aider. Et n'allez pas croire que c'est la fin des haricots. Nous avons engrangé 2 milliards d'investissements supplémentaires aujourd'hui même, ce qui veut dire que la boutique ne cesse de se développer. Compris ? Nous réajusterons au cours des prochaines vingt-quatre heures et passerons à des choses encore plus importantes et positives. Des questions ?

Quelqu'un leva la main.

— Est-ce que c'est vrai que vous venez de mettre Gana Rajamani à la porte ?

Hoffmann jeta un coup d'œil surpris en direction de Quarry.

Quarry ne broncha pas.

— Gana voulait rejoindre sa famille à Londres pendant quelques semaines.

Une exclamation de surprise jaillit de l'assistance.

— Je peux vous assurer qu'il approuve totalement ce que nous faisons. Et maintenant, y a-t-il d'autres questions ?

— En fait, reprit Hoffmann, il y a effectivement encore une dernière chose, Hugo. (En regardant les visages des quants tournés vers lui, il éprouva soudain pour la première fois un sentiment de camaraderie. Il avait recruté chacun d'eux. L'équipe… l'entreprise… sa création.) Ça a été, comme certains d'entre vous l'ont déjà deviné, une journée de merde. Et, quoi qu'il m'arrive, je voudrais juste que vous sachiez tous… (Il s'aperçut avec horreur qu'il était gagné par l'émotion, la gorge nouée, les yeux débordant de larmes. Il fallait qu'il fasse vite s'il ne voulait pas craquer complètement.) Je veux simplement que vous sachiez à quel point je suis fier de ce que nous avons accompli ici. Ce n'était pas simplement une question d'argent, pas pour moi, en tout cas, et certainement pas pour la majorité d'entre vous. Alors merci. Ça compte beaucoup pour moi.

Il n'y eut pas d'applaudissements, juste une grande perplexité. Hoffmann descendit de sa chaise. Il vit que Quarry le regardait curieusement, puis le directeur général se reprit aussitôt et lança :

— C'est bon. Retournez à vos galères, esclaves, et mettez-vous à ramer. On a une tempête droit devant nous.

Les quants se dispersèrent, et Quarry glissa à Hoffmann :

— On aurait dit un discours d'adieu.

— Ce n'était pas le but.

— Eh bien, ça y ressemblait. Qu'est-ce que tu entends par « quoi qu'il m'arrive » ?

Mais avant qu'Hoffmann puisse répondre, quelqu'un appela :

— Alex, vous avez une seconde ? Je crois qu'on a un problème, ici.

L'HOMME qui avait appelé Hoffmann devant sa batterie de six écrans était titulaire d'un doctorat d'Oxford et s'appelait Croker. Il avait essayé de passer outre à l'algorithme et de reprendre le contrôle manuel afin de commencer à liquider leur position excessive sur le VIX, mais le système lui avait refusé l'accès.

— Laissez-moi essayer, dit Hoffmann.

Il prit la place de Croker au clavier et entra son propre mot de passe, censé lui donner un accès illimité à tous les composants du VIXAL, mais le système rejeta aussi sa demande.

Pendant qu'Hoffmann tentait d'autres moyens d'entrer dans le système, Quarry vint regarder par-dessus son épaule, rejoint par Van der Zyl et Ju-Long. Il se sentait calme, résigné même. Une part de lui avait toujours su que cela arriverait. À partir du moment où l'on se soumettait à une machine pilotée par quelqu'un d'autre, on acceptait son destin. Au bout de quelques minutes, il lâcha :

— Je suppose que l'option radicale est de débrancher tout le bazar ?

— Mais si on fait ça, répondit Hoffmann sans se retourner, on arrête carrément les transactions, point final. On ne revient pas sur nos positions actuelles : on reste figés où elles sont.

Des exclamations de surprise et d'inquiétude se faisaient entendre dans toute la salle. Un par un, les quants abandonnaient leurs terminaux et venaient voir ce qu'Hoffmann faisait.

Sur les écrans géants, la retransmission de la séance de l'après-midi de Wall Street se poursuivait. Toute l'attention était concentrée sur les émeutes à Athènes contre les mesures d'austérité prises par le gouvernement grec, savoir si la Grèce allait être en cessation de paiement, si la contagion allait s'étendre et l'euro s'effondrer. Et pourtant, le *hedge fund* continuait de gagner de l'argent. Quarry se retourna un instant pour consulter le compte de résultats sur l'écran voisin : il avait pris près de 300 millions de dollars pendant cette seule journée. Il ne pouvait s'empêcher, dans un petit coin de sa tête, de se demander pourquoi ils cherchaient à tout prix à stopper le VIXAL. Ils avaient créé le roi Midas avec des puces électroniques. Comment sa rentabilité phénoménale pourrait-elle aller à l'encontre des intérêts humains ?

Soudain, Hoffmann leva théâtralement les mains de son clavier.

— Ça ne marche pas. Il n'y a pas de réaction. Il faut arrêter complètement tout le système et le mettre en quarantaine jusqu'à ce que nous trouvions ce qui ne va pas.

— Comment allons-nous nous y prendre ? questionna Ju-Long.

— Pourquoi ne pas le faire à l'ancienne ? proposa Quarry. On déconnecte le VIXAL et on demande par téléphone et par mail aux courtiers de ramener toutes nos positions.

— Il va falloir fournir une raison plausible pour expliquer pourquoi nous revenons au parquet au lieu d'utiliser l'algorithme.

— On dit qu'on a eu un problème catastrophique d'alimentation électrique dans la salle des ordinateurs. On doit donc se retirer du marché jusqu'à ce que ce soit réparé. En plus, comme tous les bons mensonges, ça a le mérite d'être presque vrai.

— En fait, commenta Van der Zyl, il faut seulement qu'on tienne encore deux heures et cinquante minutes, ensuite les marchés seront fermés de toute façon. D'ici lundi matin, le carnet d'ordres affichera neutre et on sera hors de danger, à condition que les marchés n'enregistrent pas une forte hausse entre-temps.

— Le Dow a déjà perdu 1 %, annonça Quarry. Pareil pour le S&P. Il est impossible que le marché puisse clore la journée à la hausse.

Les quatre cadres de la compagnie se consultèrent du regard.

— Alors on y va ? On est d'accord ?

Ils acquiescèrent tous.

— Je vais le faire, dit Hoffmann.

La traversée de la salle des marchés lui parut très longue jusqu'à la salle des ordinateurs. Il sentait les yeux de tous dans son dos. Lorsqu'il présenta son visage au scanner, les verrous s'écartèrent et la porte s'ouvrit. Dans l'obscurité froide et bruyante, la forêt d'yeux d'un millier d'unités centrales clignota à son approche. Il avait l'impression d'être sur le point de commettre un meurtre, comme des années plus tôt, au Cern, quand on l'avait obligé à tout arrêter. Il ouvrit néanmoins le boîtier métallique et saisit la manette du disjoncteur. Il se dit que ce n'était que la fin d'une phase : l'œuvre se poursuivrait. Il remonta la manette et, en moins de deux secondes, les voyants et les ronronnements cessèrent. Seul le bruit du climatiseur troublait encore le silence glacé. On se serait cru dans une morgue. Il se dirigea vers la lueur de la porte ouverte.

Lorsqu'il fut tout près du groupe de quants rassemblés autour de la batterie de six ordinateurs, tout le monde se tourna vers lui.

— Qu'est-ce qui s'est passé ? demanda Quarry. Tu n'as pas pu t'y résoudre ?

— Si, je l'ai éteint.

Il regarda derrière le visage dubitatif de Quarry. Sur les écrans, le VIXAL-4 poursuivait ses opérations.

— Allez vérifier, ordonna Quarry à voix basse à l'un des quants.

— Je ne suis quand même pas dingue au point de ne pas faire la différence entre marche et arrêt, Hugo. Bon Dieu… Regarde ça.

Le VIXAL poursuivait ses opérations sur tous les marchés. Il vendait les euros à la baisse, entassait les bons du Trésor et renforçait sa position sur les futures du VIX.

À l'entrée de la salle des ordinateurs, le quant cria :

— L'électricité est bien coupée !

Un murmure excité parcourut l'assemblée.

— Où est l'algorithme s'il n'est pas dans nos ordinateurs, alors ? interrogea Quarry.

Hoffmann ne répondit pas.

— Je crois que c'est une question que les régulateurs ne manqueront pas de poser, intervint Rajamani.

Personne ne saurait par la suite depuis combien de temps il les observait. Quelqu'un assura qu'il l'avait vu écarter les lames des stores de son bureau et observer Hoffmann pendant qu'il s'adressait aux quants. Quelqu'un d'autre, qu'il était tombé sur lui devant un terminal isolé, dans la salle de conférences, et qu'il copiait des données. Un autre analyste encore, indien comme lui, avoua même que Rajamani lui avait demandé s'il accepterait d'être son informateur à l'intérieur de l'entreprise. La seule chose sur laquelle tout le monde s'accorderait, c'est que Quarry avait commis une grave erreur en ne faisant pas reconduire le directeur des risques à la sortie par la sécurité, à l'instant même où il l'avait mis à la porte. Dans le chaos général, il l'avait tout simplement oublié.

Rajamani se tenait sur le seuil de la salle des marchés avec un petit carton contenant ses effets personnels : les photos de sa remise de diplôme, de son mariage et de ses enfants ; une boîte de thé Darjeeling qu'il conservait pour son usage personnel dans le frigo commun et auquel personne n'avait le droit de toucher.

— Je croyais vous avoir demandé de déguerpir, fit Quarry.

— Eh bien, je pars tout de suite, rétorqua Rajamani, et vous serez heureux d'apprendre que j'ai rendez-vous au ministère des Finances de Genève dès demain matin. Nous avons visiblement affaire à une technologie totalement incontrôlée, et je peux vous promettre, Alex et Hugo, que la SEC et la FSA vont vous interdire l'accès à tous les marchés américains et anglais en attendant qu'une enquête soit ouverte. Vous devriez avoir honte.

Rajamani balaya l'assemblée d'un regard plein de fureur et de mépris, et se dirigea d'un pas décidé vers la réception.

— Attendez! s'écria Hoffmann.

— Laisse-le, Alex, conseilla Quarry. Ne lui donne pas cette satisfaction.

— Mais il a raison, Hugo. Si le VIXAL a d'une façon ou d'une autre échappé à tout contrôle, ça présente un risque général. Il faut qu'on ait Gana avec nous jusqu'à ce qu'on ait compris ce qui se passe.

Il se lança à la poursuite de Rajamani et l'aperçut près des ascenseurs. Le couloir était désert.

— Gana! appela-t-il. S'il vous plaît. On peut discuter.

— Je n'ai rien à vous dire, Alex.

Rajamani serrait le carton contre lui, le dos tourné à la cabine d'ascenseur. Il appuya sur le bouton d'appel avec son coude.

— Je n'ai rien contre vous personnellement. Je regrette.

Les portes s'ouvrirent. Il s'avança entre les panneaux coulissants, puis disparut instantanément. Les portes se refermèrent.

Hoffmann resta une seconde immobile, doutant de ce qu'il venait de voir. Il appuya sur le bouton d'appel. Les portes s'ouvrirent sur le tube de verre vide de la cage d'ascenseur. Il se pencha et scruta une cinquantaine de mètres de colonne translucide qui s'enfonçaient ensuite dans l'obscurité et le silence du parking souterrain.

— Gana! appela-t-il désespérément.

Il n'obtint pas de réponse.

Il se précipita dans le couloir vers l'escalier de secours et, moitié courant, moitié sautant, dévala les volées de marches de béton jusqu'au sous-sol puis fit irruption dans le garage souterrain et fonça vers l'ascenseur. Il glissa les doigts dans l'interstice et s'efforça d'écarter les portes, mais elles ne cessaient de se refermer sur lui. Il recula et chercha du regard ce qu'il pourrait utiliser. Il repéra une porte métallique

portant le symbole d'un éclair. Elle ouvrait sur un réduit de rangement. Il y découvrit un grand pied-de-biche. Il introduisit une des
extrémités entre les deux portes de l'ascenseur et la poussa en faisant
des mouvements de va-et-vient. Les panneaux s'écartèrent juste assez
pour qu'il puisse glisser son pied. Un mécanisme automatique se
déclencha, et les portes s'ouvrirent complètement.

La lumière qui tombait des étages supérieurs éclairait Rajamani,
couché, face contre terre, au fond de la cage d'ascenseur. Les photos
gisaient, éparpillées autour de lui. Hoffmann sauta près de lui. Il
s'accroupit pour prendre la main de Rajamani, d'une douceur et d'une
chaleur perturbantes, et, pour la seconde fois de la journée, chercha
un pouls qu'il ne trouva pas. Dans son dos, juste au-dessus, les portes
se refermèrent avec fracas. Hoffmann jeta un regard affolé autour de
lui au moment où la cabine d'ascenseur entamait sa descente. Le tube
lumineux diminuait rapidement alors que la cabine dévalait les étages
– le cinquième, puis le quatrième. Hoffmann saisit le pied-de-biche
et essaya de le glisser à nouveau entre les portes, mais il perdit l'équilibre et tomba en arrière à côté du corps de Rajamani, les yeux rivés
sur le fond de la cabine qui se précipitait vers lui, maintenant la barre
de fer à deux mains dressée au-dessus de sa tête comme une lance
pour repousser une bête en train de charger. La lumière se voila puis
disparut, quelque chose de lourd heurta son épaule, et la barre de fer
eut un sursaut avant de se fixer aussi fermement qu'un étai. Pendant
plusieurs secondes, il sentit le pied-de-biche résister. Il hurlait de
toutes ses forces dans le noir absolu, contre le fond de la cabine qui
ne devait se trouver qu'à quelques centimètres de son visage, et s'arc-
boutait pour empêcher que la barre ne ploie ou ne dérape. Mais alors
le mécanisme s'inversa, la note tenue par le moteur se mua en vrombissement, le pied-de-biche lui retomba entre les mains et la cabine
se mit à monter, accélérant à mesure qu'elle s'élevait jusqu'en haut de
la cathédrale de verre.

Hoffmann se releva et fourra à nouveau la barre entre les portes,
forçant pour la faire entrer dans l'interstice et parvenant à écarter légèrement les deux panneaux. L'ascenseur venait d'arriver tout en haut
et s'immobilisait. Il y eut un bruit métallique et Hoffmann l'entendit
entamer une nouvelle descente. Il enfonça les doigts dans l'étroite
ouverture. Il s'accrocha, jambes écartées, muscles tendus, puis il rejeta
la tête en arrière et rugit sous l'effort. Les portes cédèrent de quelques

centimètres puis s'ouvrirent brusquement. Une ombre passa derrière son dos et, dans un grand souffle d'air et un vrombissement de machine, il se jeta en avant sur le sol du garage.

LECLERC se trouvait dans son bureau, au commissariat, et était sur le point de rentrer chez lui quand il reçut un appel l'informant qu'on avait trouvé un corps dans un hôtel de la rue de Berne. Il devina tout de suite, à sa description – visage hâve, catogan, manteau de cuir –, qu'il s'agissait de l'homme qui avait agressé Hoffmann. La cause de la mort était apparemment la strangulation. La victime était allemande : Johannes Karp, cinquante-huit ans. Leclerc téléphona pour la seconde fois ce jour-là à sa femme afin de la prévenir qu'il était retenu au travail. Il était en service depuis près de vingt heures et se sentait complètement claqué. Mais la perspective d'une mort suspecte, ce qui n'arrivait pas plus de huit fois par an à Genève, le requinquait toujours.

Dans la rue de Berne, il régnait presque une atmosphère de carnaval devant l'hôtel Diodati : quatre voitures de police au gyrophare bleu éblouissant dans la pénombre de ce début de soirée couvert ; une foule assez dense rassemblée de l'autre côté de la rue et comprenant plusieurs prostituées noires aux vêtements courts et criards, qui plaisantaient avec les gens du coin ; des lignes vibrantes d'adhésif rayé noir et jaune destinées à interdire l'accès du lieu du crime aux curieux. Leclerc songea en descendant de voiture qu'on aurait dit des fans attendant l'arrivée de la star. Un gendarme souleva l'adhésif, et Leclerc passa dessous.

Il pénétra dans le Diodati. L'allure du petit ascenseur ne lui plut pas et il préféra prendre l'escalier, s'arrêtant à chaque étage pour reprendre son souffle. Devant la chambre où l'on avait découvert le corps, il dut enfiler une combinaison blanche, des gants en latex et des chaussons en plastique transparents par-dessus ses chaussures.

Il ne connaissait pas le flic chargé du lieu du crime, un nouveau qui s'appelait Moynier. Il y avait aussi dans la chambre le médecin légiste et le photographe, deux anciens. Il examina le cadavre. Il y avait plusieurs coupures et des écorchures sur le visage. Un œil était très enflé. Il n'y avait pas d'interrupteur dans la salle de bains, mais on distinguait tout de même que la tringle du rideau de douche était à moitié arrachée, tout comme le lavabo.

— Un voisin jure qu'il a entendu des bruits de bagarre vers

15 heures, annonça Moynier. Est-ce que j'ai eu raison de vous appeler ? Pensez-vous que c'est celui qui a agressé le banquier américain ?

— Il me semble, oui.

Leclerc se demanda comment l'occupant de cette chambre minable avait pu croiser le propriétaire d'un manoir de 60 millions de francs à Cologny. Sur le lit, les affaires du mort avaient été réparties dans des sachets de plastique transparent : un appareil photo, deux couteaux, un imperméable dont le devant avait apparemment été taillade. Leclerc se rappela qu'Hoffmann en portait un semblable quand il s'était rendu à l'hôpital. Il s'empara d'un adaptateur secteur.

— C'est une prise d'ordinateur, non ? Où est-ce qu'il est ?

— Il n'y en avait pas ici, répondit Moynier.

Le téléphone portable de Leclerc se mit à sonner dans la poche de sa veste. Il baissa la fermeture à glissière de sa combinaison avec irritation et arracha ses gants. Moynier commença à protester à cause de la contamination, mais Leclerc lui tourna le dos. C'était son assistant qui l'appelait, le jeune Lullin, qui était encore au bureau. Il lui signala qu'il venait de vérifier les rapports de l'après-midi. Une psychiatre, le Dr Polidori, à Vernier, avait appelé deux heures plus tôt au sujet d'un de ses patients qui présentait des symptômes schizophréniques potentiellement dangereux. Elle disait qu'il s'était battu. Il s'appelait Alexander Hoffmann.

— A-t-elle précisé s'il avait un ordinateur avec lui ?

Il y eut un bruissement de feuilles de papier, et Lullin répondit :

— Comment le saviez-vous ?

Sans lâcher le pied-de-biche, Hoffmann monta rapidement l'escalier dans l'intention de donner l'alerte au sujet de Rajamani. Il s'arrêta à la porte de la réception. Par la vitre rectangulaire, il vit une escouade de six gendarmes en uniforme noir, gros brodequins et arme au poing, qui traversaient la réception au pas de course pour entrer dans le bâtiment ; ils étaient suivis par un Leclerc essoufflé. Dès qu'ils eurent franchi le tourniquet, la sortie fut bloquée, et deux autres policiers armés se postèrent de chaque côté.

Hoffmann fit demi-tour, redescendit l'escalier et retourna dans le parking. Il entendit bientôt derrière lui un doux crissement de pneus tournant sur le béton. Une grosse BMW noire sortit de son emplacement et arriva derrière lui, feux allumés. Sans prendre le temps de réfléchir, Hoffmann se jeta devant pour la forcer à s'arrêter, puis il courut vers la portière du conducteur et l'ouvrit à la volée.

Quel spectacle devait offrir le président d'Hoffmann Investment Technologies, couvert de sang, de cambouis et de saleté, une longue barre de fer à la main ! Le conducteur quitta sa voiture sans demander son reste. Hoffmann jeta le pied-de-biche sur le siège passager, enclencha la position de conduite automatique et écrasa l'accélérateur. Dans un sursaut, la grosse voiture s'engagea sur la rampe qui menait à la rue. La porte d'acier commençait tout juste à remonter et il dut piler pour attendre qu'elle s'ouvre entièrement. Il vit dans le rétroviseur le propriétaire de la voiture, dont l'adrénaline avait transformé la peur en fureur, remonter la rampe pour en découdre. La porte d'acier arriva en haut, et Hoffmann appuya sur l'accélérateur. La BMW franchit le trottoir en tressautant puis vira sur deux roues dans la rue à sens unique déserte.

Au cinquième étage, Leclerc et son escouade sortirent de l'ascenseur. L'inspecteur pressa le bouton de l'interphone et Marie-Claude les fit entrer. Effarée, elle porta la main à sa bouche en voyant les hommes armés la dépasser en courant.

— Je cherche le Dr Hoffmann, annonça Leclerc. Il est ici ?

— Oui, bien sûr.

— Vous voulez bien nous conduire à lui, s'il vous plaît ?

Elle les mena à la salle des marchés. Quarry se retourna en entendant l'agitation. Il avait supposé qu'Hoffmann se trouvait toujours avec Rajamani. Mais lorsqu'il vit arriver Leclerc et ses gendarmes, il sut que les carottes étaient cuites.

— Puis-je vous aider, messieurs ? demanda-t-il calmement.

— Nous devons parler au Dr Hoffmann, répondit Leclerc. Que personne ne bouge, s'il vous plaît.

— Vous avez dû le manquer de peu, dit Quarry. Il est sorti pour s'entretenir avec un de nos cadres.

— Il est sorti de l'immeuble ?

— Je pensais qu'il était juste dans le couloir…

Leclerc poussa un juron.

— Vous trois, dit-il aux gendarmes les plus proches, fouillez les locaux. Et vous trois, ordonna-t-il aux autres, venez avec moi. Personne ne doit quitter le bâtiment sans ma permission, lança-t-il à la cantonade. Personne ne donne de coup de fil. Nous nous efforcerons de faire aussi vite que possible. Merci de votre coopération.

Il retourna d'un pas vif vers la réception. Quarry se lança à sa poursuite.

— Pardon, inspecteur… Excusez-moi… Qu'est-ce qu'Alex a fait, exactement ?

— On a découvert un corps. Nous devons en parler avec lui…

Il quitta les bureaux et pénétra dans le couloir, qu'il trouva désert.

— Quelles sont les autres sociétés qui occupent cet étage ?

Le teint de Quarry avait viré au gris.

— Il n'y a que nous. On a loué l'ensemble. Quel corps ?

— Il va falloir commencer par le bas et remonter, lança Leclerc à ses hommes.

L'un des gendarmes appuya sur le bouton d'appel de l'ascenseur. Les portes s'ouvrirent, et ce fut l'inspecteur, le regard en alerte, qui vit le danger le premier et lui hurla de ne pas bouger.

— Bon Dieu, souffla Quarry en regardant le vide. Alex…

Les portes se refermèrent. Le gendarme remit son doigt sur le bouton pour les rouvrir. Leclerc s'agenouilla puis se traîna jusqu'au bord et scruta le fond. Il sentit une goutte lui tomber sur la nuque. Il y porta la main et toucha un liquide visqueux. Il leva alors la tête et découvrit le dessous de la cabine d'ascenseur, arrêtée à l'étage du dessus. Quelque chose y était accroché. Il recula précipitamment.

GABRIELLE avait terminé de faire ses bagages. Ses valises étaient dans l'entrée : une grande valise, une plus petite et un sac cabine. Le dernier vol pour Londres décollait à 21 h 25. Il fallait qu'elle parte maintenant si elle voulait être sûre de l'avoir. Elle s'installa dans son atelier pour écrire un mot à Alex, à l'ancienne, sur du papier d'un blanc immaculé, avec une plume d'acier et à l'encre de Chine.

Elle voulait avant tout lui dire qu'elle l'aimait et qu'elle ne partait pas pour toujours, mais qu'elle avait besoin de quitter Genève quelque temps. Elle était allée voir Bob Walton au Cern – « Ne te fâche pas, c'est un type bien, et il s'inquiète pour toi » – et cela l'avait aidée dans la mesure où, pour la première fois, elle commençait à comprendre quel travail extraordinaire il avait entrepris et quelle tension immense il devait subir.

D'après ce qu'elle avait saisi des propos de Walton, Alex avait voué sa vie à essayer de créer une machine capable de raisonner, d'apprendre et d'agir indépendamment des êtres humains. Or elle trouvait que cette idée même avait quelque chose de proprement effrayant, même si Walton lui avait assuré que ses intentions étaient des plus nobles. Mais avoir une ambition aussi démesurée et la placer entièrement au service de l'argent, cela ne revenait-il pas à marier le sacré et le profane?

Elle ne cessait d'écrire, inconsciente du temps qui s'écoulait, le stylo glissant sur le papier fait main, suivant le tracé complexe de sa calligraphie. La serre s'assombrit. De l'autre côté du lac, les lumières de la ville commencèrent à briller. La pensée d'Alex, seul dehors avec sa tête blessée, la tourmenta.

Il me répugne de partir alors que tu vas mal, mais si tu ne me laisses pas t'aider, il ne servirait pas à grand-chose que je reste, n'est-ce pas? Si tu as besoin de moi, appelle-moi. Je t'en prie. N'importe quand. C'est tout ce que je demande. Je t'aime. G.

Gabrielle glissa la lettre dans une enveloppe, la ferma et traça un grand A sur le devant. Puis elle la porta dans le bureau. Elle posa l'enveloppe sur le clavier de l'ordinateur de son mari. Elle dut presser une touche sans le faire exprès car l'écran s'anima, et elle se retrouva face à l'image d'une femme penchée au-dessus d'un bureau. Elle mit un moment à réaliser qu'il s'agissait d'elle-même. Elle regarda derrière elle et au-dessus, en direction de la lumière rouge du détecteur de fumée; la femme sur l'écran fit la même chose.

Elle frappa plusieurs touches au hasard. Rien ne se produisit. Elle pressa ESCAPE, et l'image se réduisit instantanément à une vignette dans le coin supérieur gauche de l'écran, une case dans une grille de vingt-quatre plans de caméras différentes. Quelque chose semblait remuer légèrement dans l'une des cases. Gabrielle fit bouger la souris et cliqua dessus. L'écran se remplit d'une image de vision nocturne la montrant allongée sur un lit, vêtue d'un peignoir court. Elle défit sa ceinture, laissa choir le peignoir et la tête d'un homme – la tête d'Alex – apparut dans la partie inférieure droite de l'image.

Une petite toux polie retentit.

— Madame Hoffmann? s'enquit une voix derrière elle.

Elle détourna son regard horrifié de l'écran et découvrit deux gendarmes dans l'encadrement de la porte.

13

ZIMEYSA, c'était nulle part – pas d'histoire, pas de géographie, pas d'habitants. Même son nom n'était qu'un acronyme : zone industrielle de Meyrin-Satigny. Hoffmann roulait entre des bâtiments bas qui ne ressemblaient ni à des immeubles de bureaux ni à des usines, mais à des hybrides des deux. Des grues déployaient leurs bras squelettiques au-dessus de chantiers de construction et d'aires de stationnement de poids lourds désertés pour la nuit. Ça aurait pu se trouver n'importe où dans le monde. L'aéroport était situé à moins d'un kilomètre vers l'est. Chaque fois qu'un avion de ligne traversait l'espace pour atterrir, l'air était secoué par un monstrueux bruit de vague déferlant sur la grève, qui portait sur les nerfs d'Hoffmann.

Il maniait la BMW avec un soin extrême, et conduisait le visage collé au pare-brise. Il y avait plein de travaux sur la chaussée, visiblement pour poser des câbles, ce qui bloquait une voie, puis l'autre, créant des chicanes. La route de Clerval se trouvait sur la droite, juste après un concessionnaire de pièces détachées automobiles. Il mit son clignotant. Un peu plus loin, sur la gauche, il y avait une station-service. Il s'arrêta aux pompes et se rendit dans la boutique. Les enregistrements des caméras de surveillance le montrent qui hésite dans les allées, puis se dirige d'un pas décidé vers le rayon des jerricanes : métalliques, rouges, de bonne qualité, 35 francs pièce. Il achète cinq bidons et règle en liquide. La caméra placée au-dessus de la caisse montre clairement la blessure sur le sommet de son crâne. Les vendeurs le décriront par la suite comme très agité. Il avait le visage et les vêtements maculés de cambouis et de saleté, et du sang séché dans les cheveux.

— Qu'est-ce que c'est que tous ces travaux ? demanda-t-il.

— Ça fait des mois que ça dure. Ils posent le câble à fibre optique.

Hoffmann sortit avec les jerricanes. Il lui fallut deux voyages pour les porter à la pompe la plus proche. Il entreprit alors de les remplir. Il n'y avait pas d'autre client et il se sentait terriblement exposé, seul sous les néons. Il voyait bien que les employés de la station l'observaient. Hoffmann acheva de remplir le dernier bidon, ouvrit la portière arrière de la BMW et le fourra tout au fond, le long de la banquette, avant de disposer les autres en rang, à sa suite. Il retourna à la boutique, paya

178 francs d'essence plus 25 francs pour une lampe de poche, deux bri-
quets et trois chiffons de nettoyage. Puis il quitta la station.

LECLERC avait procédé à une inspection rapide du corps dans la
cage d'ascenseur. Il n'y avait pas grand-chose à voir.

Au sous-sol, l'inspecteur s'entretint brièvement avec l'homme
d'affaires autrichien à qui Hoffmann avait volé la voiture. On avait
communiqué avec un caractère de priorité absolue le numéro
d'immatriculation et le signalement de l'Américain à tous les agents
de police de Genève. Les légistes étaient en route. On avait été chercher Mme Hoffmann chez elle, à Cologny, et on l'amenait ici pour
l'interroger. Leclerc ne voyait pas ce qu'il pouvait faire de plus.

Pour la seconde fois ce soir-là, il dut monter plusieurs étages à
pied et se sentit étourdi par l'effort. Il se demanda si Hoffmann avait
tué son collègue comme il avait tué l'Allemand dans la chambre
d'hôtel. Tout portait à croire que c'était impossible : le dispositif de
sécurité de l'ascenseur était de toute évidence en panne. Mais, en
même temps, il fallait reconnaître que c'était une coïncidence
incroyable qu'un homme puisse avoir été témoin de deux morts en
l'espace de quelques heures.

Arrivé au cinquième étage, il s'arrêta pour reprendre sa respiration. L'accès aux bureaux du fonds d'investissement était ouvert ; un
jeune gendarme montait la garde. Leclerc le salua en passant devant
lui. Dans la salle des marchés, l'ambiance n'était pas seulement à la
consternation – il s'y serait attendu, après la perte d'un collègue –,
mais frôlait l'hystérie. Les employés, jusque-là tellement silencieux,
s'étaient rassemblés en petits groupes et parlaient avec animation.
L'Anglais, Quarry, courut presque à sa rencontre.

— Des nouvelles d'Alex ? demanda Quarry.

— Il semble qu'il ait obligé un conducteur à descendre de voiture
pour la lui voler. Nous le recherchons. Pourrais-je voir le bureau du
Dr Hoffmann, je vous prie ?

Quarry semblait hésiter.

— Je ne suis pas sûr que cela soit possible. Peut-être faudrait-il
que j'appelle d'abord notre avocat…

— Je suis certain qu'il vous conseillerait de coopérer pleinement.

Leclerc se demandait ce que le financier essayait de dissimuler.
Quarry obtempéra immédiatement.

— Oui, bien entendu.

Dans le bureau d'Hoffmann, le sol était toujours jonché de débris. Le trou béait dans le faux plafond au-dessus du bureau. Leclerc leva un regard effaré vers les dégâts.

— C'est arrivé quand ?

Quarry, gêné, fit la grimace.

— Il y a une heure. Alex a arraché le détecteur de fumée. Il pensait qu'il y avait une caméra à l'intérieur.

— Et il y en avait une ?

— Oui.

— Qui l'avait installée ?

— Notre conseiller en sécurité, Maurice Genoud.

— Sur ordre de qui ?

— Eh bien…, fit Quarry qui ne trouva pas d'échappatoire. En fait, l'ordre venait d'Alex.

— Hoffmann s'espionnait lui-même ?

— Oui, apparemment. Mais il ne se souvenait pas de l'avoir fait.

— Où est Genoud maintenant ?

— Je crois qu'il est descendu parler à vos hommes quand on a découvert le corps de Gana. Il gère la sécurité de tout ce bâtiment.

Leclerc s'assit à la place d'Hoffmann et entreprit d'ouvrir les tiroirs de son bureau.

— Vous n'avez pas besoin d'un mandat pour faire ça ?

— Non.

Leclerc trouva le livre de Darwin et le CD du CAT-scan. Puis il remarqua un ordinateur portable posé sur le canapé. Il s'en approcha et l'ouvrit, examina le portrait d'Hoffmann et entra dans le fichier de ses échanges avec l'Allemand mort, Karp. Il était tellement absorbé qu'il leva à peine les yeux à l'arrivée de Ju-Long.

— Excusez-moi, Hugo, déclara celui-ci, je crois que vous devriez venir voir ce qui se passe sur les marchés.

Quarry fronça les sourcils, se pencha au-dessus de l'écran d'Alex et passa d'une fenêtre à une autre. La dégringolade commençait à devenir sérieuse. Le VIX trouait le plafond, l'euro plongeait, les investisseurs laissaient tomber les actions et couraient se réfugier dans l'or et les bons du Trésor à dix ans. Partout les liquidités faisaient défaut sur le marché : pour les seules futures S&P traitées électroniquement et en l'espace d'à peine plus de quatre-vingt-dix minutes, les liquidités côté acheteurs étaient tombées de 6 milliards de dollars à 2,5 milliards.

« C'est parti », pensa-t-il.

— Inspecteur, dit-il, si nous en avons fini, il faut absolument que je retourne travailler. Il y a une grosse vente en cours à New York.

Il y eut un coup bref contre la porte et un gendarme passa la tête dans la pièce.

— Nous avons une piste pour la voiture volée.

Leclerc se retourna vers lui.

— Où est-elle ?

— Un type d'une station d'essence de Zimeysa vient d'appeler. Quelqu'un correspondant à la description d'Hoffmann et conduisant une BMW noire vient de lui acheter cent litres de carburant.

— Cent litres ! Bon Dieu, jusqu'où il projette d'aller ?

— C'est pour ça que le type a appelé. Il dit qu'il ne les a pas mis dans le réservoir.

Le 54, route de Clerval se trouvait au bout d'une longue route qui comprenait des équipements de manutention et menait à un cul-de-sac près de la voie ferrée. Le bâtiment formait une tache pâle dans la pénombre, à travers un rideau d'arbres : structure d'acier rectangulaire, haute de deux ou trois étages – il était difficile d'évaluer la hauteur car il n'y avait pas de fenêtres –, équipée de spots de sécurité tout le long des bords du toit et de caméras de surveillance faisant saillie aux quatre coins. Elles pivotèrent pour suivre le passage d'Hoffmann. Une allée conduisait à un portail métallique. Il y avait un parking vide de l'autre côté. L'ensemble du site était entouré d'une clôture d'acier surmontée de trois rangs de fil de fer barbelé.

Hoffmann s'arrêta devant les grilles. Près de lui, à hauteur de la vitre, il y avait un clavier et un interphone. Il se pencha et appuya sur le bouton de l'interphone. Rien ne se passa. Il regarda en direction du bâtiment. Il paraissait en mauvais état. Hoffmann réfléchit à ce qui pourrait être logique, du point de vue de la machine, et il tapa le plus petit nombre décomposable en la somme de deux cubes par deux moyens différents. Les grilles s'écartèrent aussitôt.

Il traversa le parking au ralenti et longea le côté du bâtiment. Il tourna à l'angle et se rangea devant un grand rideau de fer, entrée de livraison prévue pour des camions. Une caméra de surveillance installée juste au-dessus était braquée sur lui. Il descendit de voiture et s'approcha de la porte. Comme dans les bureaux du *hedge fund*, l'ouverture était commandée par un système de reconnaissance faciale. Il se plaça devant la caméra. La réponse fut immédiate : le volet se leva sur une aire de chargement vide. Hoffmann se retourna pour regagner la voiture et remarqua au loin, de l'autre côté de la voie ferrée, des éclairs rouges et bleus qui filaient à toute allure. Il perçut aussi des fragments de sirène de police portés par le vent.

Il fit rapidement entrer la voiture, coupa le moteur et tendit l'oreille. Il n'entendait plus les sirènes. Cela n'avait sans doute rien à voir avec lui. Il appuya sur le bouton qui actionnait la fermeture du volet. Un signal d'avertissement retentit ; un voyant orange s'alluma. Il ne fallut pas dix secondes au volet pour heurter le sol en ciment, supprimant le dernier filet de lumière extérieure. Hoffmann se sentit très seul dans l'obscurité, et la proie de son imagination. Le silence n'était pas absolu : il percevait quelque chose. Il saisit le pied-de-biche et la lampe de poche sur le siège passager de la BMW. De la main gauche, il fit courir le faisceau de la lampe sur les murs nus et le plafond, repérant une nouvelle caméra de surveillance qui le fixait avec malveillance, c'est du moins ce qu'il lui sembla. Juste au-dessous, il y avait une porte métallique activée, cette fois encore, par un scanner de reconnaissance faciale. Il fourra la barre de fer sous son bras, éclaira son visage avec la torche et posa avec hésitation la main sur le capteur. Pendant plusieurs secondes, rien ne se produisit, puis – presque, lui sembla-t-il, à contrecœur – la porte s'ouvrit sur un petit escalier en bois qui conduisait à un couloir.

Sa torche lui indiqua une autre porte tout au bout. Il percevait maintenant clairement le ronronnement sourd des unités centrales. Le plafond était bas et l'air glacial. Comme dans la salle des ordinateurs du Cern. Il avança avec lassitude jusqu'au bout, pressa la paume contre le capteur, et la porte s'ouvrit sur le bruit et la lumière d'une ferme de processeurs. Dans le faisceau étroit de la lampe, les cartes mères étaient disposées sur des étagères en acier qui s'étendaient de tous côtés, exsudant une odeur familière et curieusement douceâtre de poussière brûlée. Il avança lentement, faisant courir la lumière à droite et à gauche le long des allées, le faisceau se dissolvant dans l'obscurité. Il se demanda qui d'autre avait un droit d'accès. La société responsable de la sécurité, certainement : l'équipe de Genoud, les services de maintenance ; les techniciens des fournisseurs de hardware.

Si chacun recevait instructions et paiements par mails, le site pouvait certainement fonctionner en s'appuyant uniquement sur du travail externalisé. Sans avoir besoin d'entretenir la moindre main-d'œuvre sur place.

Il arriva à la porte suivante et répéta la procédure avec sa torche et le capteur de reconnaissance. Lorsque les verrous se furent ouverts, il franchit la nouvelle porte, entendit un mouvement sur le côté et se retourna au moment où une bandothèque IBM TS3500 fonçait sur lui en glissant sur son monorail. Le robot s'arrêta, sortit une cartouche et repartit. Hoffmann l'observa sans bouger pendant un moment, le temps que les battements de son cœur se calment un peu. Alors qu'il reprenait son chemin, il avisa quatre autres bandothèques qui s'activaient pour accomplir leurs tâches.

La pièce adjacente était plus réduite et semblait être le centre d'arrivée des tubes de communication. Il promena sa lampe sur deux gros câbles noirs, épais comme le poing, qui sortaient d'un boîtier métallique fermé et s'enfonçaient telles des racines tubéreuses dans un boyau qui passait sous ses pieds pour se relier à une sorte de tableau de commutateurs. Les deux côtés de l'allée étaient protégés par de lourdes cages en métal. Hoffmann savait que les réseaux de fibre optique GVA-1 et GVA-2 passaient tous les deux près de l'aéroport de Genève sur leur parcours entre l'Allemagne et le site d'atterrage de Marseille. Grâce à ces réseaux, les données pouvaient circuler entre New York et Genève juste en dessous de la vitesse de la lumière. Le VIXAL disposait donc du moyen de communication le plus rapide d'Europe.

Le faisceau de la lampe suivit d'autres câbles le long du mur, à hauteur d'épaule, en partie protégés par du métal galvanisé et qui surgissaient à côté d'une petite porte. Celle-ci était cadenassée. Il inséra l'extrémité du pied-de-biche dans l'arceau et s'en servit comme levier pour le déboîter. Le métal céda avec un cri perçant et la porte s'ouvrit. Hoffmann éclaira une sorte de réduit de contrôle de l'alimentation électrique – plusieurs compteurs, une boîte à fusibles grosse comme un petit placard et plusieurs disjoncteurs. Une autre caméra de surveillance suivait chacun de ses mouvements. Il coupa rapidement tous les compteurs. Pendant un instant, cela ne changea rien. Puis, quelque part dans le grand bâtiment, un générateur diesel se mit en route et, curieusement, toutes les lumières s'allumèrent. Incapable de contenir sa fureur, le physicien se servit de sa barre de fer comme d'un club de golf, visa la caméra et atteignit son persécuteur en plein dans l'œil, le pulvérisant en mille morceaux avant de s'en prendre au panneau de fusibles et de bousiller le boîtier de plastique. Il finit par abandonner quand il fut évident que cela ne servait à rien.

Il éteignit la torche et retourna dans la salle des communications. Tout au bout, il présenta son visage à la caméra. Et la porte s'ouvrit sur un immense espace, doté d'un haut plafond, d'horloges numériques pour indiquer les fuseaux horaires, et d'écrans de télé géants qui reproduisaient la salle des marchés des Eaux-Vives. Il y avait une unité centrale de contrôle consistant en une batterie de six écrans complétés de moniteurs séparés. Devant chaque écran, au lieu de quants, il y avait des rangées de cartes mères, qui travaillaient à plein régime à en croire la vitesse à laquelle clignotaient leurs voyants lumineux.

« Ce doit être le cortex », songea Hoffmann. Il demeura immobile, émerveillé. Il y avait quelque chose dans la détermination concentrée et indépendante de cette scène qu'il trouva curieusement émouvant. Un peu, pensa-t-il, comme un parent est ému quand il voit pour la première fois un enfant se débrouiller seul. Que le VIXAL ne soit doué ni de conscience ni d'émotions ; qu'il ait pour seul but de continuer à survivre en accumulant de l'argent ; qu'une fois livré à lui-même, il ne cherche, conformément à la logique darwinienne, qu'à s'étendre au point de dominer la Terre entière... tout cela ne diminuait en rien pour Hoffmann le prodige même de son existence. Il lui pardonna même les épreuves subies : tout cela pour servir uniquement les objectifs de la science. Le VIXAL se comportait tout simplement comme un fonds spéculatif.

Hoffmann en oublia momentanément qu'il était venu ici pour le détruire et se pencha au-dessus des écrans pour examiner quelles opérations il effectuait. Tout se déroulait en ultra haute fréquence et sur des volumes gigantesques – des millions d'actions détenues pendant quelques fractions de seconde uniquement –, stratégie qui consiste à soumettre des ordres aussitôt annulés dans le simple but de sonder les marchés pour y découvrir des poches cachées de liquidités. Mais il ne l'avait jamais vue appliquer à une telle échelle. Cela ne pouvait dégager que des profits minimes, voire nuls, et il se demanda ce que visait en réalité le VIXAL. Puis un message d'alerte apparut sur l'écran, en même temps qu'il était diffusé dans toutes les salles des marchés du monde.

Le CBOE a déclenché le self-help contre la NYSE/ARCA à 13 h 30, HAC. La NYSE/ARCA n'entre plus dans le NBBO et les liaisons sont interrompues. Tous les systèmes du CBOE fonctionnent normalement.

Le jargon occultait l'ampleur du problème, pour éviter de semer la panique, et c'est bien à cela que sert le jargon. Mais Hoffmann savait exactement ce que le message signifiait. Le CBOE, c'est le Chicago Board Option Exchange, soit une Bourse où se négocie chaque année environ 1 milliard de contrats d'options sur des entreprises, des indices boursiers ou des fonds commercialisables, dont le VIX. Le « self-help », parfois traduit pas autoassistance, est un mécanisme permettant à une Bourse américaine de s'opposer à une autre si celle-ci met plus d'une seconde à répondre aux ordres. Le système est complètement automatisé et fonctionne à la milliseconde près. Pour un professionnel comme Hoffmann, le self-help du CBOE avertissait que la plate-forme électronique ARCA du marché de New York connaissait une sorte de panne de système.

Cela signifiait que Chicago devait intervenir pour apporter les liquidités proposées antérieurement par NYSE/ARCA, ce qui achevait de semer la panique dans un marché déjà très nerveux.

Quand Hoffmann découvrit l'alerte, il ne fit pas aussitôt le lien avec le VIXAL. Mais lorsqu'il leva les yeux avec stupéfaction de l'écran et contempla les lueurs clignotantes des unités centrales, lorsqu'il sentit, presque physiquement, la vitesse et le volume phénoménaux des ordres traités, et lorsqu'il repensa à l'immense pari que le VIXAL prenait sans couverture sur la chute du marché, il comprit ce que préparait l'algorithme.

Il retourna vers l'aire de chargement.

À CET instant, un cortège de huit voitures de la police de Genève s'engouffra sur la route de Clerval et s'immobilisa dans des crissements de freins le long de la clôture du centre informatique. Leclerc se trouvait dans le véhicule de tête avec Quarry, Genoud dans le deuxième. Gabrielle ne venait que quatre voitures plus loin.

Lorsqu'il mit pied à terre, Leclerc eut d'abord l'impression qu'il se trouvait devant une forteresse. Il embrassa du regard le solide rempart de métal, le barbelé acéré, les caméras de surveillance et les parois d'acier brut du bâtiment proprement dit, qui se dressait tel un donjon argenté dans la lumière déclinante. Derrière l'inspecteur, des policiers armés sortaient des voitures, gonflés à bloc, prêts à foncer. Leclerc songea que s'il ne se montrait pas très prudent, cela ne pourrait que mal finir.

— Il n'est pas armé, dit-il en passant parmi les hommes, un talkie-walkie à la main. Gardez ça en tête : il n'a pas d'arme.

— Cent litres d'essence, c'est une arme, rétorqua un gendarme.

— Non, pas du tout. Personne ne cherche à entrer sans mon ordre, et absolument personne ne tire. C'est compris ?

Leclerc arriva à la voiture où se trouvait Gabrielle. Elle se tenait sur la banquette arrière, visiblement en état de choc.

— Madame Hoffmann, commença-t-il, je sais que ce doit être très pénible pour vous, mais si vous voulez bien…

Il lui tendit la main. Elle le regarda un instant l'air absent, puis la saisit.

La nuit froide sembla la tirer de son état second, et la stupeur lui fit cligner des yeux lorsqu'elle découvrit les forces en présence.

— Tout ça juste pour Alex ? demanda-t-elle.

— Je suis désolé. C'est la procédure standard pour ce genre de cas. Il faut simplement s'assurer que tout se déroulera dans le calme. Vous voulez bien m'aider ?

— Oui, bien sûr. Tout ce que vous voudrez.

Il la conduisit à l'avant du cortège, où Quarry attendait avec Genoud. Le chef de la sécurité de l'entreprise se mit pratiquement au garde-à-vous en le voyant approcher. « Quel fourbe », pensa Leclerc. Il s'efforça néanmoins de se montrer poli ; c'était son style.

— Maurice, dit-il. Si j'ai bien compris, tu connais cet endroit. De quoi s'agit-il exactement ?

— Trois niveaux, séparés par des cloisons avec charpente en bois. C'est une structure modulaire, et chaque module est rempli de matériel informatique.

— Accès ?

— Trois entrées, dont une grande aire de chargement. Il y a un escalier de secours intérieur qui part du toit.

— Comment déverrouiller les portes ?

— Un code à quatre chiffres, ici, et reconnaissance faciale à l'intérieur.

— Et l'électricité ? On peut la couper ?

Genoud secoua la tête.

— Il y a des générateurs diesel au rez-de-chaussée, à l'arrière du bâtiment, avec assez de carburant pour tenir quarante-huit heures.

— Sécurité ?

— Un système d'alarme. Tout est automatisé. Pas de personnel sur place.

— Comment on ouvre les grilles ?

— Le même code que les portes.

— Parfait. Ouvre-les, s'il te plaît.

Il regarda Genoud taper le code. Les grilles ne bougèrent pas. Genoud, la mine sombre, réessaya plusieurs fois, sans résultat. Il paraissait incrédule.

— C'est le bon code, je te jure.

Leclerc saisit les barreaux. Pas le moindre frémissement de la grille. Un camion pourrait sans doute foncer dedans sans la faire céder.

— Alex n'a peut-être pas pu entrer non plus, commenta Quarry. Auquel cas il n'est pas ici.

— Peut-être. Mais il est plus probable qu'il ait modifié le code.

Un homme qui fantasmait sur la mort, enfermé dans un bâtiment avec cent litres d'essence ! Leclerc lança à son chauffeur :

— Dites aux pompiers d'apporter de quoi couper le métal. Madame Hoffmann, vous voulez bien essayer de parler à votre mari pour lui demander de ne pas faire de bêtise ?

— Je vais essayer. (Elle pressa le bouton de l'interphone.) Alex ? appela-t-elle doucement. Alex ?

Elle garda le doigt sur la touche, priant pour qu'il réponde.

HOFFMANN venait de terminer d'arroser d'essence la salle des unités centrales, les bandothèques et la tranchée de la fibre optique quand il entendit sonner l'interphone sur le pupitre de contrôle. Il tenait un jerricane dans chaque main, et le poids lui faisait mal aux bras. Il s'était renversé de l'essence sur les boots et sur le jean. L'atmosphère se réchauffait sensiblement – il avait quand même dû réussir à couper le système de ventilation – et il transpirait. Sur CNBC, on annonçait à présent : « LE DOW PERD PLUS DE 300 POINTS. » Il posa les bidons près du pupitre et inspecta les moniteurs du système de sécurité. En déplaçant la souris pour cliquer sur les plans individuels, il finit par obtenir l'ensemble de la scène devant les grilles : les gendarmes, Quarry, Leclerc, Genoud et Gabrielle. Elle paraissait effondrée. Il laissa un instant son doigt en suspens au-dessus de la touche.

— Gaby…

C'était étrange de voir la réaction de sa femme sur l'écran au son de sa voix, de voir son expression de soulagement.

— Dieu merci, Alex. Nous sommes tous tellement inquiets à ton sujet. Qu'est-ce qui se passe là-dedans ?

Il regarda autour de lui.

— C'est… incroyable.

— C'est vrai, Alex ? J'imagine. (Elle se tut, puis se mit à parler à voix basse, comme si elle lui chuchotait une confidence.) Écoute, j'aimerais bien entrer pour parler avec toi. J'aimerais voir, moi aussi. Les autres resteront ici, je te le promets.

Gabrielle disparut de l'écran. Il entendit une discussion s'engager, mais Gaby avait posé la main sur la grille du micro et ses mots étaient trop étouffés pour qu'il puisse comprendre l'échange. Il coula un regard vers les écrans de télé. Le titre de CBNC était à présent : « LE DOW PERD MAINTENANT 400 POINTS. »

— Je regrette, Gaby, mais je vais devoir y aller.

— Attends ! cria-t-elle.

Le visage de Leclerc apparut soudain à l'écran.

— Docteur Hoffmann, c'est moi, Leclerc. Ouvrez les grilles et laissez entrer votre épouse. Il faut que vous lui parliez. Mes hommes ne bougeront pas, je vous l'assure.

Hoffmann hésita. Il s'aperçut que, curieusement, le policier avait raison. Il avait besoin de parler à sa femme. Ou au moins de lui montrer, qu'elle voie tout avant que ce soit détruit. Ça expliquerait les choses bien mieux qu'il ne pourrait le faire.

Il appuya sur le bouton de l'interphone pour la laisser entrer.

14

Dès que l'ouverture fut assez large, Gabrielle se glissa de l'autre côté de la grille et traversa le parking. Elle n'avait fait que quelques pas quand elle entendit des cris derrière elle. Elle se retourna et vit Quarry qui se détachait du groupe et marchait vers elle.

— Je ne vais pas te laisser y aller seule, Gabs, dit-il en la rattrapant. Tout ça, c'est ma faute, pas la tienne. C'est moi qui l'ai attiré là-dedans.

— Mais ce n'est la faute de personne, Hugo, dit-elle sans même le regarder. Il est malade.

— Quand même… ça ne te dérange pas si je m'incruste ?

Elle grinça des dents. *Si je m'incruste…* Comme s'ils partaient en balade.

Mais quand ils franchirent le coin du bâtiment et qu'elle vit son mari qui attendait devant l'entrée ouverte de l'aire de chargement, elle fut heureuse d'avoir quelqu'un à ses côtés, même si c'était Quarry, parce qu'Alex tenait une barre de fer dans une main et un gros jerricane rouge dans l'autre, et qu'il avait l'air vraiment inquiétant : il se tenait parfaitement immobile, du sang et du cambouis sur le visage, où on lisait une expression figée et apeurée.

— Vite, dit-il, venez, ça a vraiment commencé.

Et il disparut à l'intérieur du bâtiment. Ils s'empressèrent de le suivre. Il faisait très chaud. L'essence rendait l'air irrespirable.

— Bon Dieu, Alex, s'écria Quarry, paniqué. Ça pourrait exploser !

Ils émergèrent dans une salle beaucoup plus vaste pleine de cris de panique. Hoffmann avait monté le son des écrans de télé. En marge de ces cris, une voix masculine monologuait à toute vitesse : c'était la retransmission en direct du parquet du S&P 500, à Chicago.

« *Et c'est reparti à la vente ! Échanges à neuf et demi maintenant, échanges à vingt, échanges à parité maintenant, échanges à huit et demi aussi…* »

Des gens hurlaient en arrière-fond comme s'ils assistaient à une catastrophe. Sur l'un des écrans de télévision, Gabrielle lut : « LE DOW, S&P 500 ET LE NASDAQ CONNAISSENT LEURS PLUS GROSSES BAISSES EN UN JOUR DEPUIS PLUS D'UN AN. »

Un autre commentateur parlait sur fond d'images d'émeutes nocturnes : « *Les fonds spéculatifs vont chercher à briser l'Italie, ils vont chercher à briser l'Espagne. Il n'y a pas de résolution…* »

Quarry était cloué sur place.

— Ne me dis pas que c'est *nous* qui faisons ça.

Hoffmann était en train de renverser le gros jerricane pour en répandre le contenu sur les unités centrales.

— On a été le point de départ. On a attaqué New York. On a déclenché l'avalanche.

19,4 MILLIARDS d'actions furent échangées à la Bourse de New York ce jour-là : plus que pendant les années 1960. L'enchaînement des événements s'exprimait en millisecondes, bien au-delà de la compréhension humaine. On n'a pu reconstituer l'événement que par la suite, une fois que les ordinateurs eurent livré leurs secrets.

À L'EXTÉRIEUR, trois camions de la caserne des sapeurs-pompiers de Genève se garèrent près des voitures de police. Profusion d'hommes ; profusion de lumières. Leclerc leur demanda de commencer. Dès qu'elles furent mises en place, les mâchoires de la pince hydraulique, pareilles à des mandibules géantes, coupèrent les épais barreaux métalliques un par un, comme de simples brins d'herbe.

GABRIELLE suppliait son mari :
— Viens, Alex, je t'en prie. Laisse ça maintenant et partons.
Hoffmann termina de vider le dernier bidon et le laissa tomber. Avec ses dents, il déchira le paquet de chiffons de nettoyage.
— Allez-y tous les deux. Je vous suis.
Il la regarda et, pour la première fois, elle retrouva l'Alex qu'elle connaissait.
— Je t'aime. Pars maintenant. (Il passa un chiffon dans l'essence accumulée sur le boîtier d'une carte mère afin de l'imbiber complètement. De l'autre main, il tenait un briquet.) Vas-y, répéta-t-il.
Il y avait une telle rage désespérée dans sa voix que la jeune femme se mit à reculer.
Sur CNBC, le commentateur disait : « *On est en pleine capitulation, un cas classique de capitulation. La peur s'est emparée des marchés...* »
Devant l'écran des échanges, Quarry avait peine à croire à ce qu'il voyait. En quelques secondes, le Dow venait de passer de moins 800 à moins 900. Le VIX avait déjà grimpé de 40 %. Nom de Dieu, c'était un demi-milliard de dollars de profit qu'il contemplait là, sur cette position...
La voix hystérique en provenance du parquet de Chicago continuait sa litanie, un sanglot dans la gorge : « *... tout de suite une offre à soixante-quinze tout rond, une vente à soixante-dix tout rond, et voilà Morgan Stanley qui vient à la vente...* »
Quarry entendit un *woumf !* et vit du feu jaillir des doigts

d'Hoffmann. « Pas maintenant, pensa-t-il, ne le fais pas tout de suite, pas avant que le VIXAL n'ait terminé ses transactions. » Gabrielle hurla près de lui :
— Alex !
Quarry se jeta vers la porte. Le feu quitta la main d'Hoffmann, sembla danser un instant dans les airs, puis se dilata en une supernova lumineuse.

LES enregistrements timecodés des fréquences ouvertes des radios de police établissent que, au moment précis où la Bourse de Chicago s'est interrompue – à 20 h 45 min 28 s –, une explosion s'est produite à l'intérieur des installations de traitement de données. Leclerc courait vers le bâtiment, à la traîne derrière les gendarmes, quand le bruit de l'explosion le figea sur place. Il s'accroupit aussitôt, bras ramenés sur la tête, posture peu digne d'un inspecteur de police, se dirait-il plus tard. Certains des plus jeunes, téméraires par manque d'expérience, continuèrent de courir et, le temps que Leclerc se soit relevé, revenaient déjà au pas de course de derrière le coin du bâtiment, tirant Quarry et Gabrielle avec eux.
— Où est Hoffmann ? cria Leclerc.
Un rugissement leur parvint de l'intérieur du bâtiment.

LES caméras filment sans passion, scientifiquement, Hoffmann lorsqu'il reprend conscience dans la vaste salle centrale. Les écrans ont tous explosé. Les cartes mères sont mortes et le VIXAL éteint. Il n'y a aucun bruit sauf le rugissement des flammes qui avancent de pièce en pièce en léchant les cloisons de bois, les faux planchers et les faux plafonds, les kilomètres de câble plastifié, les composants plastiques des unités centrales.
Hoffmann se met à quatre pattes, redresse le buste et se lève péniblement. Il vacille. Il arrache sa veste et se la plaque sur le visage pour se protéger avant de foncer dans le brasier de la salle de fibre optique, passe devant les bandothèques fumantes, traverse la ferme de processeurs et arrive sur l'aire de chargement. Le rideau de fer est baissé. Il frappe le bouton d'ouverture avec le talon de la main. Aucune réaction. Il répète frénétiquement le mouvement, comme s'il voulait enfoncer le bouton dans le mur. Toujours rien. Les lumières sont toutes éteintes. Le feu a dû couper les circuits électriques. Il se retourne

et son regard se porte sur la caméra qui l'observe. On peut y lire un tumulte d'émotions : de la rage, une sorte de triomphe démentiel aussi, et de la peur, bien sûr.

Hoffmann est confronté à un dilemme. Soit rester où il est et risquer d'être piégé par le feu. Soit essayer de retourner dans le brasier pour atteindre l'escalier de secours, dans la salle des bandothèques robotisées. Le calcul, dans ses yeux…

Il opte pour la seconde solution. La chaleur s'est considérablement intensifiée au cours des dernières secondes. L'un des robots s'est enflammé et sa partie centrale commence à fondre, de sorte que, au moment où Hoffmann passe à côté, l'automate se plie en deux en une furieuse révérence, puis s'écroule derrière lui.

La rampe de l'escalier est trop brûlante pour qu'il puisse la toucher. Il perçoit la chaleur du métal à travers la semelle de ses souliers. L'escalier ne monte pas jusqu'au toit mais seulement jusqu'à l'étage supérieur, qui est plongé dans l'obscurité. À la lueur du feu derrière lui, Hoffmann parvient à distinguer un grand espace avec trois portes. Un bruit qui fait penser à une tempête de vent dans un grenier se déchaîne à cet étage. Hoffmann ne parvient pas à déterminer si cela vient de sa gauche ou de sa droite. Quelque part, une partie du plancher s'écroule. Il place son visage devant le capteur pour déverrouiller la première porte. Comme elle ne s'ouvre pas, il s'essuie la figure sur ses manches : il est tellement couvert de sueur et de crasse que le scanner n'arrive peut-être pas à le reconnaître. Mais, même avec des traits plus identifiables, la porte reste close. La deuxième s'ouvre, et il s'enfonce dans une obscurité profonde. Les caméras à vision nocturne le prennent marchant à tâtons en suivant les murs pour trouver la sortie suivante, et cela de pièce en pièce alors qu'il cherche à fuir le labyrinthe du bâtiment, jusqu'au moment où, au bout d'un couloir, il ouvre une porte sur une fournaise. Pareille à une créature vivante, une langue de feu se précipite vers ce nouvel apport d'oxygène. Hoffmann fait volte-face et se met à courir. Les flammes le poursuivent, éclairant devant elles le métal d'un escalier. Il sort du champ des caméras. Une seconde plus tard, la boule de feu atteint l'objectif de la caméra. L'enregistrement s'achève.

POUR tous ceux qui le voient de l'extérieur, le centre de traitement de données ressemble à une Cocotte-Minute. Aucune flamme n'apparaît, on aperçoit seulement de la fumée qui sort par tous les joints et bouches d'aération du bâtiment, accompagnée d'un rugissement incessant. Les pompiers projettent de l'eau sur les murs à partir de trois points différents pour tenter de les refroidir. Le problème, explique le commandant des pompiers à Leclerc, c'est que si l'on découpe les portes, on ne fera qu'attiser l'incendie en laissant s'engouffrer l'oxygène. Cependant, les équipements infrarouges continuent de détecter à l'intérieur de la structure des poches noires qui se déplacent, où la chaleur est moins intense et où quelqu'un a pu trouver refuge. Une équipe revêtue de grosses combinaisons protectrices s'apprête à entrer.

Gabrielle et Quarry ont été repoussés contre la clôture. Quelqu'un a mis une couverture sur les épaules de la jeune femme. Ils observent tous les deux la scène. Soudain, du toit plat du bâtiment, un jet de flammes orange fuse dans le ciel nocturne. Quelque chose se détache de sa base. Ils ne comprennent pas tout de suite qu'il s'agit du contour enflammé d'un homme. Celui-ci court jusqu'au bord du toit, bras écartés, puis plonge dans le vide, tel Icare.

15

LES gendarmes avaient quitté l'immeuble. L'un des ascenseurs était barré par du ruban adhésif noir et jaune, et on y avait collé une pancarte indiquant : « DANGER : EN PANNE », mais l'autre était opérationnel et, après une brève hésitation, Quarry monta dedans.

Van der Zyl et Ju-Long l'attendaient à l'accueil. Ils se levèrent en le voyant entrer. Tous deux semblaient très secoués.

— Ça vient de passer aux infos, dit Van der Zyl. Ils ont montré des images de l'incendie, de cet endroit… De tout.

Quarry jura et consulta sa montre.

— Je ferais mieux d'envoyer tout de suite des mails à nos plus gros clients. Il vaudrait mieux qu'ils l'apprennent par nous.

— Avant de faire quoi que ce soit, dit Ju-Long, il y a quelque chose que vous devriez voir.

Quarry les suivit dans la salle des marchés. Il découvrit avec stupéfaction qu'aucun des quants n'était rentré chez lui. Ils se levèrent à son entrée et observèrent un silence complet. Il se demanda si c'était censé être un témoignage de respect, et il espéra qu'ils n'attendaient pas de lui qu'il fasse un discours. Machinalement, il leva les yeux vers les chaînes d'affaires. Le Dow avait récupéré près des deux tiers de ses pertes pour fermer à 387 ; le VIX était en hausse de 60 %. Il vérifia sur l'écran le plus proche le compte de résultats pour la journée, cligna des yeux et le relut, puis se tourna, incrédule, vers les autres.

— C'est vrai, dit Ju-Long. Ce krach nous a rapporté 4,1 milliards de dollars.

— Et le plus beau, ajouta Van der Zyl, c'est que ça ne représente que 0,4 % de la volatilité totale du marché. Personne ne va le remarquer, à part nous.

— Nom de Dieu… (Quarry fit mentalement un calcul rapide de la part nette qui lui revenait.) Ça signifie que le VIXAL a réussi à réaliser toutes ses opérations avant qu'Alex le détruise.

Il y eut un silence, puis Ju-Long annonça à voix basse :

— Il ne l'a pas détruit, Hugo : le VIXAL est toujours opérationnel.

— Quoi ?

— Le VIXAL trade toujours.

— Mais c'est impossible. J'ai vu tout le matériel complètement calciné.

— Alors il doit y avoir un autre centre dont nous n'avons pas connaissance. On dirait qu'il s'est passé un truc vraiment miraculeux. Vous avez vu l'intranet ? Le slogan de la compagnie a changé.

Quarry dévisagea les analystes quantitatifs. Il les trouva à la fois inexpressifs et radieux, semblables aux adeptes d'un culte. C'était un peu effrayant. Plusieurs d'entre eux lui firent des signes de tête encourageants. Il se baissa pour examiner le fond d'écran.

L'ENTREPRISE DE L'AVENIR N'A PAS D'EMPLOYÉS
L'ENTREPRISE DE L'AVENIR N'A PAS DE DIRECTEURS
L'ENTREPRISE DE L'AVENIR EST UNE ENTITÉ NUMÉRIQUE
L'ENTREPRISE DE L'AVENIR EST VIVANTE

DANS son bureau, Quarry écrivait un mail aux investisseurs.

Mes chers amis, lorsque vous lirez ceci, vous aurez probablement déjà appris les événements tragiques dont a été victime Alex Hoffmann hier. Je vous appellerai tous individuellement plus tard dans la journée pour discuter de la situation. Pour l'instant, je voulais juste que vous sachiez qu'Alex reçoit les meilleurs soins médicaux et que nos prières les accompagnent, Gabrielle et lui, dans ce moment difficile. Il est bien entendu trop tôt pour discuter de l'avenir de la société qu'il a fondée, mais je tenais à vous rassurer : il a laissé derrière lui des systèmes opérationnels, ce qui signifie que vos investissements vont non seulement continuer à prospérer, mais vont, j'en suis certain, gagner en force et en puissance. Je vous expliquerai tout cela de vive voix.

Les quants avaient voté dans la salle des marchés et étaient tombés d'accord pour ne rien divulguer de ce qui s'était passé. Chacun recevrait en échange un bonus immédiat de 5 millions de dollars cash. Il y aurait d'autres versements à l'avenir, en fonction des performances du VIXAL. Personne n'avait voté contre : ils avaient tous vu ce qui était arrivé à Rajamani.

On frappa à la porte. Quarry cria :

— Entrez !

C'était Genoud.

— Bonjour, Maurice. Qu'est-ce que vous voulez ?

— Je viens retirer ces caméras, si vous êtes d'accord.

Quarry considéra le VIXAL. Il se le représentait comme une sorte de nuage céleste numérique brillant qui se précipitait parfois sur la Terre. Il pouvait se trouver n'importe où : dans une zone industrielle défoncée et écrasée de chaleur, empestant le kérosène et résonnant du chant des cigales près d'un aéroport international en Asie du Sud-Est ou en Amérique latine ; ou dans le parc frais et verdoyant d'un quartier d'affaires, en Nouvelle-Angleterre ou en Rhénanie ; ou encore occupant un étage aveugle d'un immeuble de bureaux flambant neuf de la City de Londres ou de Mumbai ou de São Paulo ; ou même niché, invisible, dans des centaines de milliers d'ordinateurs individuels. Quarry se dit qu'il était partout autour de nous, dans l'air même que nous respirions. Il leva les yeux vers la caméra dissimulée et hocha imperceptiblement la tête en signe de soumission.

— Laissez-les, dit-il.

GABRIELLE était de retour là où sa journée avait commencé, à l'hôpital universitaire. Seulement, cette fois, elle se tenait assise au chevet de son mari. On l'avait installé dans une chambre individuelle, tout au bout d'un service sombre du troisième étage. Il y avait des barreaux aux fenêtres et des gendarmes à l'extérieur, un homme et une femme. Il était difficile de voir Alex sous tous les pansements et les tuyaux. Il n'avait pas repris conscience depuis qu'il avait heurté le sol. Les médecins disaient qu'il souffrait de fractures multiples et de brûlures au second degré. Il venait de quitter le bloc du service des urgences et on l'avait relié à une perfusion et à un moniteur. Il était intubé. Le chirurgien s'était refusé à tout pronostic; il avait simplement dit que les vingt-quatre heures suivantes seraient cruciales. Quatre rangées de lignes lumineuses vert émeraude traversaient l'écran à un rythme hypnotique, formant des sommets et des creux émoussés. Cela rappela à Gabrielle leur lune de miel, quand ils regardaient les vagues du Pacifique se former au large et déferler jusqu'au rivage.

Alex cria dans son sommeil artificiel. Il paraissait terriblement perturbé par quelque chose. Elle toucha sa main bandée et se demanda ce qui pouvait traverser cet esprit si brillant.

— Tout va bien, mon chéri. Ça va aller, maintenant.

Elle posa la tête sur l'oreiller, à côté de celle de son mari. Elle se sentait étrangement satisfaite, malgré tout, de l'avoir enfin auprès d'elle. Derrière les barreaux de la fenêtre, le carillon d'une église sonna minuit. Tout doucement, Gabrielle entonna une berceuse.

« J'écris du mieux que je peux. Je suis journaliste dans l'âme, si bien que pour moi, c'est toujours l'histoire qui prime. Ce que j'aime par-dessus tout, c'est d'aller tous les matins dans mon bureau pour assembler des mots. »

Robert Harris

Les romans de Robert Harris sont inclassables. Le premier, *Fatherland*, une uchronie dans laquelle il imagine l'Allemagne après la victoire des nazis, l'a propulsé sur le devant de la scène littéraire et s'est vendu à des millions d'exemplaires dans le monde. D'autres best-sellers ont suivi : *Enigma*, dont l'action se déroule au centre de cryptographie Bletchley Park pendant la Seconde Guerre mondiale, *Pompéi*, inspiré de l'éruption du Vésuve (Sélection du Livre, janvier 2005), et *L'Homme de l'ombre* (Sélection du Livre, janvier 2011), adapté au cinéma par Roman Polanski sous le titre *The Ghost Writer* (César du meilleur scénario décerné au cinéaste et au romancier). *L'Indice de la peur* se distingue par son sujet presque prémonitoire. Paul Greengrass, réalisateur de *La Vengeance dans la peau,* le portera à l'écran. Il y est question d'un logiciel révolutionnaire capable de faire fructifier considérablement n'importe quel investissement, et ce, aux dépens de la sécurité du monde de la finance : une parabole moderne qui nous met en garde contre le désir effréné de s'enrichir en Bourse via les systèmes totalement dématérialisés. « Il y a une douzaine d'années, j'avais pensé à une nouvelle version de *1984* d'Orwell, dans laquelle l'individu ne serait pas menacé par l'État mais par les entreprises et l'informatique, explique l'auteur. Je me suis beaucoup intéressé à l'intelligence artificielle. C'est seulement lors du krach boursier de 2008 que j'ai compris qu'on pouvait marier finance et informatique. » Avant de devenir romancier, ce passionné de politique a été journaliste à la BBC, rédacteur en chef politique de l'*Observer* et a écrit pour le *Sunday Times* et le *Daily Telegraph*. En 2003, il a été élu chroniqueur de l'année par la presse britannique. Autant dire que Robert Harris, fils d'imprimeur, a fait du chemin depuis la cité modeste du Nottinghamshire où il a grandi !

L'Été de l'ours

BELLA POLLEN

Traduit de l'anglais par Florence Bertrand

Au cours de l'été 1979, sur une île écossaise, un grizzli apprivoisé échappe à la vigilance de son gardien. Sur cette même île, dont elle est originaire, Letty Fleming vient d'arriver avec ses trois enfants après la mort brutale et mystérieuse de son époux, Nicky, diplomate à l'ambassade de Bonn. Letty est rongée par le doute et les interrogations: Nicky était-il vraiment le traître qu'on lui a dépeint? Sa mort est-elle un suicide, un meurtre? Et quelles menaces rôdent autour d'elle et de ses enfants? Tandis que la douce Georgie, sa fille aînée, découvre les joies de l'amour, la terrible Alba passe son chagrin et ses nerfs sur leur petit frère, Jamie. Le garçon, lui, se cramponne à une certitude: son père lui a promis de revenir, or c'est un homme qui tient ses promesses…

1

Hébrides-Extérieures, été 1979

C'ÉTAIT *l'odeur qui le rendait fou. Comme si l'océan lui-même était une soupe appétissante confectionnée à partir des ingrédients les plus frais, et qu'il ne pouvait s'en rassasier. Oh, que n'avait-il un croûton de pain assez gros pour saucer cette merveilleuse bouillabaisse – une tête de maquereau, des queues de lieu jaune et noir. À chaque brasse, un nouvel arôme s'offrait à lui : à l'arrière-plan un bouillon parfumé par les coquilles de moules et de bigorneaux ; une pincée d'assaisonnement provenant du jus d'une anémone de mer ; une légère couche de plancton pour la texture. Il secoua brusquement la tête, un mouvement involontaire, un simple élan de gourmandise. Pourtant, ce fut suffisant. La corde se rompit et aussitôt la pression se relâcha autour de son cou. Il marqua une pause, puis avança de nouveau, la lumière se faisant lentement dans son esprit. La liberté.*

Devant lui s'étendait l'horizon, derrière lui l'île montait et descendait au gré de la houle. Il aperçut la tache floue d'un homme émergeant des lignes d'écume que les vagues avaient laissées sur la plage. Le dresseur se mit debout et leva les bras pour lui faire signe. Pourtant, il hésita encore, déchiré. Il avait beau être un prisonnier heureux, une corde reste une corde, peu importe celui qui la tient. Alors il tourna le dos au gros homme, plongea dans les eaux salées du détroit de Minch et, indifférent à la tempête qui menaçait à l'horizon, continua à nager.

Qu'il y ait ou non de la circulation, qu'il fasse beau ou mauvais, le trajet de Londres à l'île prenait invariablement trois jours. Pour les enfants, être les uns sur les autres aussi longtemps tenait quasiment de la punition, et Georgie se dit qu'elle aurait préféré être ligotée à la galerie avec les valises que de sentir une minute de plus le regard malveillant de sa cadette.

La veille au soir, lorsque leur mère avait allumé la télévision pour vérifier la météo, le présentateur avait annoncé, plaquant deux soleils en plastique jaune sur le sud de l'Angleterre : « Une soirée d'été fraîche, suivie d'une journée modérément chaude. » Quand il eut terminé, des soleils brillaient sur toutes les îles Britanniques – à l'exception de l'endroit exact dans les Hébrides-Extérieures vers lequel ils se dirigeaient. Une pastille grise et solitaire planait comme une tempête, telle une menace sur leur avenir.

Sa mère avait quand même eu raison de vouloir partir de bonne heure. Il n'y avait presque pas de circulation sur la route. Un éclair soudain capta le regard de Georgie, et elle se retourna pour apercevoir le reflet de la vieille Peugeot sur la clôture en tôle d'un bâtiment industriel. Elle entendait son père déclarer : « Il faut toujours rouler en Peugeot, la voiture préférée de l'Afrique ! Elle a fourni un moyen de transport abordable à des millions de gens. » Quant à savoir pourquoi il s'était encore senti obligé de favoriser la voiture préférée de l'Afrique après leur déménagement à Bonn, elle l'ignorait. Comparée aux berlines flambant neuves que conduisaient certains de ses collègues à l'ambassade, la 404 de 1967, avec ses feux arrière en forme d'aileron et sa galerie bon marché, leur fichait un peu la honte. Pourtant, son père l'adorait, parlait d'elle comme d'une vieille chose fidèle, se plaignant affectueusement de son levier de vitesse arthritique.

Georgie ferma les yeux. Faire les bagages, embarquer, rouler, défaire les bagages. L'idée que la vie était un ensemble d'objets qu'on pouvait rassembler et emporter ne l'avait jamais gênée. C'était comme ça dans la diplomatie, et elle s'était habituée à l'absence de permanence qui en découlait. Quand elle avait neuf ans, son père avait été muté à Londres. Ils avaient traversé le golfe de Guinée en bateau, tous leurs biens solidement arrimés dans la cale au-dessous d'eux. Lorsque les bagages avaient été déchargés dans leur nouvel appartement, il n'était pas resté un centimètre carré d'espace. À présent, toutes leurs possessions en ce monde tenaient sur une seule galerie.

— Ça va, ma chérie ?

Sa mère la regardait.

— Oui.

Elle plaqua un sourire sur son visage puis se retourna vers la vitre.

CELA agaçait Alba, la sœur de Georgie, qu'on l'accuse de détester certaines choses sans raison. Ce n'était pas vrai. Elle en avait, et de bonnes. Par exemple, elle méprisait les meubles trop cirés, la musique d'ambiance et les aliments qui brillaient : beignets couverts de glaçage ou rondelles de tomate à l'éclat suintant. Elle haïssait toutes les formes de sentimentalité et croyait fermement qu'une porte devait être ouverte ou fermée, mais jamais entre les deux. Si quelqu'un avait pris la peine de le lui demander, elle aurait pu citer de bonne foi une source d'agacement pour chaque lettre de l'alphabet.

À cela s'ajoutait un dédain non moins affirmé pour ses semblables : végétariens, fanatiques religieux, professeurs d'anglais, présentateurs météo. Cependant, la personne qu'elle méprisait le plus, la personne qui était à blâmer pour tout ce qui était arrivé à leur famille était, sans l'ombre d'un doute, son frère, Jamie. Il était là, assis à côté d'elle sur la banquette arrière. Quelle vision de cauchemar !

— Espèce de débile, chuchota-t-elle.

Jamie se frottait les jambes en mouvements réguliers, de haut en bas, de haut en bas, de…

— Arrête de faire ça !

— Mais je ne te touche pas.

— Tu m'agaces, et c'est pire.

— Laisse-le tranquille, Alba. Il est fatigué, c'est tout, dit sa mère.

Alba fronça les sourcils. C'était ça le problème. Exactement ça. On trouvait toujours des excuses à son frère. S'il n'avait pas été materné à ce point, il aurait été forcé de grandir. Jamie avait presque neuf ans mais il ne savait encore ni lire ni écrire, et la seule raison pour laquelle il savait compter jusqu'à dix reposait sur un stimulus visuel : l'existence de ses pouces et de ses doigts. Jamie était stupide, gâté et geignard.

— Débile, articula-t-elle silencieusement à son adresse dès que leur mère eut reporté son attention sur la route.

— J'ai mal aux jambes. Ça me fait du bien quand je les frotte.

— Je m'en fiche.

Elle approcha le pouce de l'index, prête à pincer.

— Aïe! gémit-il en anticipant la douleur. Arrête!

Mais Alba n'en avait nullement l'intention. Et son bien-être augmentait chaque fois qu'elle atteignait sa cible.

— Alba, enfin! lança Georgie. Sois gentille, quoi!

— Qu'est-ce qu'il y a de si bien à être gentille? rétorqua-t-elle. (Puis, comme personne ne lui répondait:) Papa était gentil avec tout le monde, regardez où ça l'a mené.

— Où? demanda Jamie, aussitôt attentif.

— Alba! siffla sa mère.

— Alba, chut, renchérit Georgie, lançant un regard éloquent en direction de son frère.

Comme c'était prévisible! pensa Alba. On s'inquiétait toujours de Jamie, comme s'il avait mystérieusement acquis l'exclusivité des droits au chagrin familial. Et elle? Pourquoi personne ne semblait-il se soucier de ce qu'elle éprouvait? Elle en avait assez qu'on la fasse taire avant d'avoir fini. Elle en avait par-dessus la tête des demi-vérités et des non-dits. Elle ne croyait pas en Dieu, ni au père Noël ni à la petite souris, et elle n'allait sûrement pas gober les autres mensonges que les parents racontent à leurs enfants.

CE n'était pas qu'il manquât des mots nécessaires pour se défendre. Le vocabulaire de Jamie Fleming était plus sophistiqué que celui de la plupart des garçons de son âge, mais Alba le déstabilisait. Elle faisait de lui un jongleur avec trop de balles.

« Garde tes mots pour toi, alors. Garde-les dans ta tête, avait conseillé Nicky Fleming à son fils. Pense à eux comme à une armée secrète, et un jour tu pourras livrer bataille à ta sœur. »

L'analogie avait plu à Jamie, mais quelle armée indisciplinée ils formaient! Cantonnés en sécurité dans son esprit, ils se tenaient en rangs bien ordonnés. Cependant, dès qu'il leur commandait d'avancer, les mots trébuchaient et se bousculaient les uns contre les autres, dans leur précipitation à sortir, et quittaient sa bouche dans un chaos qui les rendait inutilisables.

À cette exception près, la communication verbale ne lui causait pas de difficultés importantes. Les livres et les journaux, c'était une autre affaire. Jamie Fleming semblait affecté par une forme de cécité, une incapacité à reconnaître les schémas présents dans les mots. Quand il les fixait sur la page, au lieu de se joindre les uns aux autres pour former des phrases, ils se séparaient au petit bonheur la chance en une collection de signes qui avaient pour lui à peu près autant de sens que du braille, du morse ou des chants d'oiseaux.

Son état particulier avait aussi ses manifestations corporelles. Comme si le réseau électrique interne de Jamie avait été relié à une prise de courant défectueuse. Ses réflexes étaient lents, sa coordination, sporadique. Battes et balles lui tombaient régulièrement des mains, mais si le terrain de sport donnait lieu à des escarmouches mineures, la table des repas constituait une zone de guerre. Entre ses petits doigts malhabiles, couteaux et fourchettes pointaient dans n'importe quelle direction, sauf celle de son assiette.

« Tu es répugnant, lui criait Alba. Tu es nul ! Tu es *nugatoire !*

— Qu'est-ce que ça veut dire, "nugatoire" ? »

Jamie s'était entraîné à collectionner les mots comme d'autres mémorisent les plaques minéralogiques, et il était toujours prêt à en ajouter un, si insultant soit-il.

« On s'en fout. Répète-le, c'est tout.

— Je suis nugatoire », répétait-il docilement.

Si Jamie avait parfois l'impression que sa vie à la maison était un enfer, elle était quand même nettement préférable à celle qu'il menait à l'école. Il était le plus mauvais sur le terrain de sport, le plus mauvais dans la salle de classe. De l'avis général, Jamie Fleming était tout simplement bouché. Même Georgie, sa principale protectrice, acceptait cette carence intellectuelle comme un triste fait et lui disait que cela n'avait pas d'importance. Seuls ses parents tenaient bon, le traînant d'un médecin à l'autre dans l'espoir que l'un d'entre eux détiendrait la clé permettant à leur enfant de lire et d'écrire.

— Bien sûr que tu n'as rien, répétait son père après chaque nouveau rendez-vous chez le spécialiste. C'est juste que ton cerveau ne s'est pas encore mis en marche correctement.

Jamie savait qu'il n'était pas stupide. Alors même qu'il stockait « nugatoire » dans sa mémoire, il sentait son cerveau se gonfler comme une éponge. Il aurait tant voulu faire comprendre à ses parents l'immensité de ses pensées. Elles étaient vastes et adultes mais, privé de la capacité de les formuler, il était condamné à ne se parler qu'à lui-même. La guerre qu'il menait contre les mots le frustrait presque autant qu'elle inquiétait ses parents. Et s'il ne parvenait jamais à lire un seul livre, à écrire une seule histoire?

— Il y a un mot pour ce que tu es, lui dit son père, qui le lui chuchota à l'oreille.

— C'est bien?

— Je crois, mais il se trouve que je le suis aussi.

Cependant, si les talents universels de Nicky Fleming étaient utilisés au quotidien, l'éventail de connaissances de Jamie devint la pierre angulaire d'une vie imaginaire complexe, peuplée d'un nombre stupéfiant de personnages. Alba pouvait le traiter de tout ce qu'elle voulait, il était dans sa tête un diseur d'histoires capable d'assembler des morceaux choisis de conversation, des extraits d'articles de journaux pour en faire une intrigue dont il était presque toujours le héros.

Dans l'univers de Jamie, tout était possible. Les loups parlaient le langage des hommes, et les lutins dirigeaient des gouvernements. Les cascades coulaient vers le haut et les objets inanimés lui faisaient la conversation lorsque l'envie leur en prenait.

Les mécanismes tortueux du cerveau de Jamie Fleming n'étaient pas à même de désembrouiller sans aide extérieure. Quelqu'un aurait dû s'en apercevoir, mais personne n'y prêtait attention. Si seulement ç'avait été le cas! Si seulement les membres de sa famille avaient compris l'étrange fonctionnement de son intelligent petit cerveau, ils l'auraient surveillé de bien plus près.

LETTY Fleming n'était pas une conductrice sûre d'elle. Assise toute raide sur son siège, elle était cramponnée au volant comme si elle avait peur que, dans un moment de rébellion, il ne décide de se jeter par la vitre et de rouler gaiement sur l'autoroute. À la pensée des sept cents et quelques miles qui l'attendaient, un pli de concentration lui creusait le front. Elle se sentait épuisée, sur le point de se briser. Si seulement Nicky avait été là, si seulement Nicky avait pu prendre la relève. *Si seulement…* C'étaient les mots qui la gouvernaient tout le temps qu'elle était éveillée. Si seulement elle avait su. Si seulement elle avait agi différemment! Pourtant, plus elle essayait de remonter dans le passé, plus les chemins se multipliaient. Malgré la douleur, elle avait suivi chacun d'entre eux, cherchant un autre trajet, une autre route, mais, au bout du compte, ils la menaient tous au même endroit. Le destin était le destin. On ne pouvait le manipuler.

L'INFORMATION était la religion de Nicky Fleming. Il la respectait, il en faisait commerce, il avait fait carrière grâce à elle. Il était le missionnaire qui voulait convertir tous les autres à sa foi, et par conséquent, dès que les petites Fleming furent assez âgées pour savoir lire, il annonça que chacune devrait trouver dans le quotidien du jour une histoire intéressante et en discuter avec lui.

Les trois enfants étaient tous d'accord. L'actualité était une plaie, mais leur père y tenait dur comme fer. Il devait bien y avoir un article, si insignifiant soit-il, qui les intéressait. Et donc un rituel était né. Chaque matin, en même temps que le *General-Anzeiger Bonn* et la revue de presse de l'ambassade, on leur livrait un numéro du *Times*. Nicky parcourait les journaux en prenant son petit déjeuner puis, quand il avait terminé, il passait le *Times* aux enfants dans l'ordre inverse de leur âge.

Le soir, lorsque Nicky rentrait de l'ambassade, il s'asseyait sur son siège favori – une méridienne avec repose-pieds assorti – et il invitait ses trois enfants à s'asseoir avec lui et à justifier leur choix du jour.

Jamie aimait les histoires d'animaux : le signalement d'un loup gris en forêt de Bavière ; la découverte d'œufs de dinosaure fossilisés ; l'histoire d'un ours de foire hongrois arraché à ses persécuteurs. Il était fasciné par les images des catastrophes naturelles et passait de longues heures à planifier le sauvetage de sa famille au cas où. Il était particulièrement intrigué par les tremblements de terre et l'idée que la Terre puisse s'ouvrir et avaler des gens, des immeubles, des villes.

— Quand il y a un tremblement de terre, demandait Jamie après qu'on lui avait lu l'article, quel effet ça fait de tomber ? Combien de temps il faut pour atteindre le centre de la Terre ? Les maisons et les voitures des gens sont encore intactes quand ils arrivent là-bas ?

Et Nicky, n'ayant nulle intention de décrire l'agonie d'un homme dont les os étaient réduits en poussière, abandonnait sa passion pour les faits et s'en remettait à son imagination. Non, les gens ne mouraient pas ! Bien sûr qu'ils ne tombaient pas indéfiniment ! Oui, il y avait un salut là-bas, des villes entières où les immeubles avaient atterri intacts et précisément dans l'espace qui leur était destiné. Il y avait une gare, aussi, exactement pareille à celle de Bonn avec un chef de gare en uniforme qui annonçait l'arrivée des nouveaux citoyens. Au centre de la Terre, avait confié Nick à son fils, se trouvait un monde neuf où les gens vivaient, travaillaient et creusaient des mines afin d'exploiter les richesses inestimables du noyau terrestre.

L'autre sujet favori de Jamie, en grandissant, fut la guerre froide. Même s'il ne savait pas lire, il reconnaissait l'expression lorsqu'elle apparaissait dans un titre et n'ignorait rien des acronymes associés : CIA, KGB, Otan, MI6, SIS. Pour Jamie comme pour la plupart des garçons passionnés d'espionnage, la guerre froide évoquait un monde à la James Bond, plein de traîtres et de dissidents, d'intrigues et de mensonges. Il ne se rendait pas compte que la guerre froide était le monde dans lequel il vivait.

Rien ne rendait Alba plus heureuse que le sensationnel : un sanglant meurtre familial ou un brutal cambriolage à main armée. Son but principal en choisissant son histoire du jour était de trouver quelque chose de si subversif, de si clairement inapproprié aux oreilles de Jamie que son père serait forcé de gommer les détails les plus sordides, sur quoi Alba prenait un plaisir sadique à le corriger.

Enfin, c'était au tour de Georgie. Quelques déplacements s'opéraient sur la méridienne, Nicky entourait de son bras la taille de sa fille aînée et disait :

— Qu'est-ce qui a attiré ton attention aujourd'hui ?

Mais devoir donner sa préférence l'avait toujours mise mal à l'aise. D'ailleurs, elle ne dégotait jamais rien qui l'intéresse particulièrement dans les gros titres, si bien qu'elle gigotait et disait :

— Hmm. Je ne sais pas trop…

Et elle continuait à tourner les pages du journal aussi lentement qu'elle l'osait, priant pour que quelque chose lui saute aux yeux. Alors que les minutes s'égrenaient, la pièce semblait devenir silencieuse sous le poids de l'attente de son père. Elle voulait désespérément qu'il la juge intelligente, mais elle se sentait stupide et inintéressante.

— Il doit bien y avoir quelque chose, insistait Nicky tandis qu'elle fixait le journal avec un désespoir croissant, jusqu'au moment où elle plantait arbitrairement son doigt sur le titre le plus proche.

— « Bucarest : le président se rebelle », lisait son père. Pourquoi celui-là, Georgie ? Qu'est-ce qui t'intrigue à propos de cet article ?

Alors elle se détournait, refoulant ses larmes tandis qu'Alba ricanait cruellement.

Le 21 janvier 1979, aucun journal ne fut livré chez les Fleming à Bad Godesberg. S'il l'avait été, seule une page du *Times* les aurait intéressés.

Le lendemain de la mort de Nicky, le club des épouses de l'ambassade entra en action. La gentillesse des femmes était aussi étouffante que touchante, mais l'ordre était venu d'en haut. On ne devait pas laisser Letty Fleming seule. Un roulement fut mis en place, on se relaya pour faire la cuisine et bouillir l'eau. Une veuve éplorée ne peut jamais boire trop de thé. Chaque après-midi, à la même heure, Gillian, l'ambassadrice, venait en personne à la maison.

Letty fixa le dos bien droit de sa visiteuse, la parfaite symétrie de ses genoux pressés l'un contre l'autre, et se demanda si elle n'avait pas négligé le chapitre intitulé « Comment s'asseoir élégamment dans une jupe droite » de son guide sur l'étiquette.

L'ambassadrice versa le thé et, remarquant que Letty ne faisait pas mine de se servir, prit doucement la main de la jeune femme et lui tendit tasse et soucoupe.

— Vous dormez, Letitia ?

— Un peu, je vous remercie, mentit Letty.

— Et vous mangez, n'est-ce pas ?

Letty acquiesça. On ne pouvait pas répondre indéfiniment aux mêmes questions sans avoir envie de hurler.

— Et les enfants ? s'enquit l'ambassadrice. Comment va le petit James ?

Letty tourna la tête vers le mur.

— Ma chère, vous devez être forte. Les enfants vont réagir comme vous. Trop d'émotion ne fera que les bouleverser. (La visiteuse sortit un mouchoir.) Montrez-leur que vous pouvez surmonter cela, et ils s'apercevront qu'ils en sont capables aussi.

Letty se moucha et promit de pleurer sans bruit et avec discrétion.

— Il y a autre chose, annonça l'ambassadrice. Naturellement, vous comprenez qu'un remplaçant doit être trouvé pour Nick.

Une pellicule de glace se forma autour du cœur de Letty. Non, l'idée ne lui était pas venue. Elle n'avait pas eu le temps de songer à l'Angleterre ni aux perturbations provoquées par la mort de Nick dans les relations diplomatiques du royaume. Mais l'ambassadrice avait raison. Les affaires de la Couronne ne pouvaient être interrompues par les morts prématurées.

— Bien sûr, murmura-t-elle.

— Un homme très bien vient de regagner Londres, continua l'ambassadrice. Il a passé ces trois dernières années comme attaché culturel au Japon. Avec un certain succès. Des références excellentes. Il espérait rester quelque temps en Angleterre, mais nous le croyons à la hauteur de la tâche.

— Quand arrivera-t-il, d'après vous?

Seule la nécessité poussa Letty à se projeter dans l'avenir. Nicky n'avait pas laissé de testament, rien prévu pour subvenir aux besoins de sa famille. La maison, l'école des enfants, tout leur mode de vie dépendait de la générosité de l'État. Restait à savoir jusqu'à quel point, au vu des circonstances, celui-ci se montrerait généreux envers eux.

— Sir Ian pense que nous pouvons le faire venir d'ici la fin du mois prochain.

La panique déferla sur Letty. Qu'allait-elle faire? Où étaient-ils censés aller?

L'ambassadrice reposa avec précaution la tasse dans la soucoupe.

— Cela ira?

Ce n'était pas une question. L'ambassadrice lui tapota le bras.

— Bravo, Letitia. Parfois, il suffit de penser à une action concrète pour se sentir un peu mieux. Nous vous aiderons à prendre toutes les dispositions qui pourraient se révéler nécessaires.

Comme toujours, l'ambassadrice tint parole. Quelques semaines plus tard, la famille Fleming avait quitté sa résidence et embarquait pour l'Angleterre.

2

Hébrides-Extérieures, été 1979

C'ÉTAIT sans espoir, cette bataille qu'il continuait à livrer contre les éléments. L'eau déferlait sur lui de toutes parts – des rouleaux énormes le bousculaient et le renversaient, le froid lui comprimait la poitrine. Il concéda la défaite, ses yeux douloureux cillèrent, et il se laissa emporter, flottant vers l'île comme s'il était un morceau de bois mort. L'endroit où il échoua n'était pas des plus amicaux. Un plateau pierreux, *gardé par de hautes sentinelles rocheuses qui le projetèrent entre elles comme les leviers d'un flipper. Un amas de phoques mouillés aboya à son approche, non préparés à voir une telle curiosité s'abattre sans crier gare sur leur univers. La houle reflua puis, d'une terrible poussée, le propulsa en l'air avant de le laisser tomber sur la grève. Il n'était pas la première créature à avoir sous-estimé la force des éléments du Nord. Par le passé, cette île désolée des Hébrides avait été le refuge de toutes sortes d'âmes perdues. À présent, c'était son tour, mais il était destiné à partager cette fin d'été avec une famille de quatre personnes, tout aussi à la dérive.*

Highlands, Écosse, été 1979

LETTY détestait les frontières. Ces lignes minces comme des traits de crayon où la culture, le pouvoir et la religion étaient destinés à s'opposer les uns aux autres. Elle détestait l'intolérance qu'elles représentaient, les secrets et les mensonges qu'elles exigeaient, et, surtout, le temps qu'elles avaient volé à Nicky. Cependant, la frontière écossaise n'était signalée que par une aire de stationnement, un panneau tordu indiquant Gretna Green et une camionnette arborant crânement l'inscription L'ÉCOSSAIS POÊLANT. Letty y acheta des petits pains au bacon et du thé sucré dans des gobelets. Le bacon était brûlant et salé, la mie des petits pains moelleuse et chaude.

Quelques miles avant Inverary, ils mangèrent des sucreries et des chips dans une station-service. Peu après, ils s'arrêtèrent au bord de la route pour Jamie, qui les avait mal digérées. Letty se tint à distance respectueuse, des mouchoirs en papier à la main.

— Ça ne veut pas venir. (Jamie soupira en signe d'excuse.) Je voudrais que ça vienne, mais ça ne veut pas.

— Tant pis. Tu as toujours mal au ventre ?

— Un peu, mentit-il.

Il attendit que sa mère se dirige vers la voiture pour sortir en hâte la carte de sa poche et la dissimuler sous une grosse pierre. C'était la troisième qu'il cachait depuis qu'ils avaient quitté Londres. Deux avaient déjà été placées en lieu sûr, l'une à la station-service, l'autre empalée sur un piquet de clôture quelque part dans le comté de Cumbria, mais cette route-ci était longue et dépourvue de repères, et un nouvel indice aiderait sûrement son père à les suivre.

Comme Jamie se redressait, l'ombre d'un car qui passait tomba sur lui. À sa stupéfaction, il vit un immense grizzly peint sur le côté.

— Maman, cria-t-il d'une voix perçante. Regarde!

Letty avait tiré un foulard de son sac et était occupée à le nouer autour de ses cheveux.

— Tu as vu l'ours?

— Mon chéri, il n'y a pas d'ours en Écosse.

— Il était sur un bus.

— Vraiment, mon chéri? (Elle sourit avec indulgence.) J'espère qu'il allait en vacances dans un joli endroit.

Georgie abaissa la vitre.

— Allez, Jamie.

— Tu l'as vu, Georgie?

Georgie secoua la tête. Elle ne savait pas de quoi il parlait. Elle aimait son frère, mais le trouvait énigmatique.

— Je lisais, pardon.

— Tu crois qu'il va y avoir un cirque?

— Jamie, pourquoi y aurait-il un cirque? Nous sommes au milieu de nulle part.

— Monte dans la voiture, bordel, Jamie, ordonna Alba. Sinon, il va y avoir des châtiments corporels, et sévères.

— Ne jure pas, Alba, murmura Letty.

Alba leva les yeux au ciel. Durant tout le trajet, elle avait été forcée d'écouter soit les bavardages ineptes de son frère, soit le grésillement étouffé de la radio. Pourquoi sa mère ne l'avait-elle pas fait réparer avant leur départ?

— Tu l'as vu, Alba?

Jamie atteignit la voiture et ouvrit la portière.

— Bien sûr. Comme tu le sais, je suis fascinée par toutes les petites choses que tu décides de me signaler.

— C'est vrai? demanda Jamie, l'esprit momentanément détourné de ce qui le préoccupait.

— Non, Jamie. C'était un exemple d'utilisation du sarcasme. Maintenant, je sais que tu tiens à épeler les mots correctement, donc permets-moi de t'aider: S.A.R.C.A.S.M.E.

— Mais est-ce que tu as vu l'ours?

— Ah! Eh bien, si tu veux parler de ce gros animal qui courait sur la route vêtu d'un kilt et qui jouait de la cornemuse, oui, bien sûr que je l'ai vu. Pourquoi cette question?

— Tu crois que c'était mon ours?

— Je suis désolée, j'ignorais que tu avais ton propre ours.

— Si ! Celui de la Zirkusplatz ! Celui dont j'ai la photo. Celui que papa devait m'emmener voir le jour où il…

— Oh, Jamie, bien sûr, intervint Letty en hâte. Je sais de quel ours tu veux parler. C'est vrai qu'il avait l'air drôlement gentil.

— Alors, est-ce que tu peux rouler plus vite pour le rattraper ?

— Mon chéri, je dois respecter la limitation de vitesse.

Jamie ravala sa déception. Il fixa la route devant lui. Même si sa mère dépassait les cinquante miles à l'heure, ce qu'elle ne faisait jamais, ils ne le rattraperaient pas. Il ferma les yeux et se concentra pour revoir l'image peinte sur le côté du bus. Le grand grizzly, debout, agitait une de ses énormes pattes en guise de salut. D'un geste hésitant, Jamie leva sa propre main.

— Salut, ours, murmura-t-il.

« Salut, petit », répondit l'ours dans l'esprit de Jamie.

Bonn, *Allemagne de l'Ouest, années 1970*

Il n'y avait jamais eu grand-chose à faire à Bonn le week-end. Tout était tranquille et ennuyeux, surtout pour un petit garçon. Il y avait l'usine Haribo, bien sûr, les promenades gentillettes dans le Naturpark et les balades humides le long du Rhin, mais la sortie que Jamie préférait était la visite du musée Koenig avec son père. Pour un musée d'histoire naturelle, il était à la fois bien présenté et étonnamment inspirant – et il y avait un énorme grizzly empaillé exposé à l'accueil. Dressé sur ses pattes arrière, il dépassait les trois mètres de haut.

— « Le grizzly est l'un des plus gros carnivores terrestres. »

Son père avait traduit la plaque fixée au mur. Jamie avait cinq ans et il entrait dans un musée pour la première fois. Il se recroquevilla derrière son père.

— Il n'y a rien à craindre, bonhomme. Cet ours-là est gentil. Les canines et les griffes ne sont là que pour l'effet. La vérité, c'est qu'il a été ours en peluche autrefois, et puis il est devenu trop gros pour être gardé à la maison et il est parti chercher fortune. Il est dans ce musée seulement parce qu'il est devenu très célèbre.

Jamie se risqua à s'écarter de son père.

— Qu'est-ce qu'il a fait ?

— Eh bien, nous allons le découvrir…

Nicky feignit de consulter le dépliant d'information du musée.

— Apparemment, ses exploits sont trop nombreux pour être cités ici, mais je viens assez souvent bavarder avec lui quand tu es à l'école.

— Il sait parler ?

— Bien sûr. Les ours sont extrêmement intelligents et celui-ci a reçu une bonne éducation. Il parle couramment l'allemand. Son anglais est parfait, son français passable et il a des rudiments de russe qu'il a appris lors d'une visite officielle.

— Comment est-ce que je peux le faire parler ?

— Il faut que tu lui sois présenté. Comme la plupart des membres du corps diplomatique, il est très à cheval sur l'étiquette.

— Tu peux lui demander de me parler ?

— Si tu veux.

Nicky s'approcha du grizzly, porta une main à l'oreille de l'ours et se mit à chuchoter.

— Qu'est-ce que tu lui dis ? demanda Jamie.

— Que tu es quelqu'un de bien et que tu veux lui dire quelques mots.

Jamie fit un pas hésitant vers l'ours.

— Vas-y, l'encouragea Nicky. Ne sois pas timide.

— Salut, ours, lança Jamie d'une voix étranglée.

Nicky porta la main à sa bouche et feignit de se frotter le menton.

— Salut, Jamie, grogna-t-il.

Highlands, été 1979

— On dirait que c'est là !

Letty engagea la Peugeot sur un chemin boueux.

— Nous sommes venus ici une fois. Je suppose que vous êtes trop jeunes pour vous en souvenir, ajouta-t-elle très vite.

La veille au soir, à Fort William, Letty avait été forcée de prospecter, décrivant des cercles de plus en plus grands jusqu'à ce qu'elle trouve une pension avec une chambre familiale libre. À présent, ils avaient laissé derrière eux la bruyère pourpre de Rannoch Moor. Ils avaient déjà négocié les horaires fantaisistes du petit ferry de Ballachulish et la traversée de la vallée de Glencoe. Nicky avait essayé d'effrayer Letty en lui racontant des histoires à vous tourner les sangs sur le massacre qui s'y était déroulé. Il pouvait toujours essayer ! Elle traversait la vallée de Glencoe depuis qu'elle était enfant et son amour pour l'ouest de l'Écosse ne s'était jamais démenti.

Après Glencoe, un vent salé les avait poussés vers le nord jusqu'à ce qu'ils arrivent enfin à portée de la route côtière, de la mer, et de ses îles.

Ce n'était pas vraiment un temps à faire un pique-nique, mais Georgie comprenait le besoin de sa mère de revivre le passé. D'ailleurs, l'endroit était magnifique. Le chemin s'achevait dans une clairière circulaire au bord d'une rivière. Un poisson sauta, des libellules planaient au-dessus de touffes de roseaux desséchés.

Georgie descendit sur la rive, remonta le bas de son pantalon et encouragea Jamie à jeter des brindilles dans le remous tourbillonnant, mais l'eau était froide et elle le guida vers l'endroit où Letty avait posé leurs vestes sur la bruyère pour y arranger le pique-nique. Une incursion à Fort William avait permis d'acheter des petits pains, des œufs durs, d'épaisses tranches de jambon et un paquet de pâtés à la viande encore chauds. Georgie s'assit en tailleur sur son anorak et pressa le tube de fromage sur sa langue pour le finir. Jamie avait mis la main sur le paquet de Pims et s'était installé sur un rocher, à une distance respectable d'Alba.

Si celle-ci avait aimé ces gâteaux, il n'aurait jamais pu s'éloigner suffisamment, et Georgie fut légèrement surprise que sa sœur ne lui ait pas déjà arraché les biscuits rien que pour s'amuser ; mais c'était comme ça avec Alba, juste au moment où son niveau de méchanceté donnait envie de feuilleter les Pages jaunes à la recherche du ravisseur d'enfants le plus proche, elle opérait une totale volte-face. À présent, elle se pelotonnait contre Letty, tenant le bras de sa mère autour d'elle comme pour la protéger.

Georgie se détendit et écouta le quasi-silence. Elle décida qu'elle aimait être assise sur la colline piquée de bruyère, à regarder la rivière serpenter et courir vers le grondement sourd de la cascade.

Ses paupières s'étaient presque fermées quand une brusque sensation de mouvement la ramena au présent.

— Maman ?

Georgie fixa le toit de la Peugeot au-dessous d'eux.

— Hhmm ?

Letty roula sur le dos, à demi endormie.

Alba se redressa et leva une main pour s'abriter les yeux.

— La voiture, dit-elle. Elle bouge. Elle fait marche arrière.

Jamie se leva d'un bond et partit en courant.

— Jamie, non !

Trop tard, Letty s'élança à sa suite, mais son âge était un net désavantage. Les os de huit ans de Jamie étaient aussi souples que des branches de saule. Il manquait peut-être de coordination mais, comparé à sa mère, il possédait des ailes – et maintenant la voiture prenait de la vitesse, l'avant s'inclinant lentement vers le haut tandis que les roues arrière amorçaient la descente vers la rivière.

— Ne vous inquiétez pas ! cria Jamie. Je vais l'arrêter.

Quand Georgie comprit exactement à quoi pensait son frère, son cœur se mit à tambouriner de frayeur. À côté d'elle, Alba criait et Jamie dut l'entendre car il leva les yeux, comme pour dire : « Il est où le problème ? » Mais il se désintéressa bien vite de ses sœurs, parce que, autant voir les choses en face, est-ce qu'elles ne criaient pas tout le temps sur lui ? D'ailleurs, il était content d'avoir identifié un problème et d'être en mesure de le régler.

« Tout dépend de toi, Jamie, avait dit l'ambassadrice en lui tapotant le crâne. Tu dois être courageux et prendre soin de ta mère. Après tout, tu es l'homme de la famille maintenant. »

Et jusqu'au retour de son père, c'était la vérité. Jamie n'avait ni oncle ni frère.

La Peugeot roulait vers la rivière, arrimée à son toit se trouvait sa valise et dans sa valise étaient réunies les choses qui comptaient le plus pour lui – affichette du Zirkus, la boîte de chèques-promesses de son père, sa pile de bandes dessinées – et elles allaient être perdues à jamais. Non ! Il empêcherait la voiture de tomber. Il ferma ses oreilles aux cris et continua de courir.

La voiture était presque dans l'eau quand Jamie l'atteignit. Néanmoins, le devoir était le devoir. Il étendit les bras, ferma les yeux, et, dans le même instant, sentit que sa mère le percutait de tout son poids. Un souffle lui effleura la joue quand la voiture le frôla. Les roues plongèrent dans l'eau, le pot d'échappement se cassa dans un bruit étouffé. Propulsée par son élan, la Peugeot parcourut trois mètres dans le lit de la rivière avant de s'arrêter net. Le courant monta rapidement, entourant la galerie jusqu'au moment où les valises glissèrent une après l'autre dans la rivière.

Sur le ventre, le visage enfoncé dans le sol, Jamie suffoquait tandis que la voix de sa mère résonnait de colère et de peur.

— Qu'est-ce qui t'a pris ? Comment as-tu pu être aussi stupide !

Finalement, elle se releva, libérant les côtes écrasées de Jamie, et, alors que l'oxygène lui déchirait les poumons, le petit garçon laissa éclater des sanglots de rage et d'humiliation.

— Je veux papa ! gémit-il. Où est mon papa ?

JAMIE savait quand même certaines choses : son père avait eu un accident. Il était parti quelque temps, et puis – Jamie ne comprenait pas vraiment comment – il s'était perdu.

Au cours des mois qui s'étaient écoulés depuis la disparition de son père, il avait tourné et retourné ces faits dans sa tête, les examinant à la recherche d'un indice, cherchant quelque chose à quoi s'accrocher.

Qu'il y ait eu un accident, c'était malheureux, mais pas forcément bizarre. Les accidents relevaient de la malchance et il fallait les endurer sans se plaindre. Ensuite s'était posée la question du départ. Cela ne plaisait pas à Jamie, mais il y était habitué. Son père voyageait tout le temps. Quand Jamie était plus petit et qu'il remarquait la valise prête dans l'entrée, il fondait en larmes, se pelotonnait contre son père et le suppliait de ne pas s'en aller.

— Allons, mon poussin, disait Nicky en se dégageant doucement. Je serai de retour en un rien de temps.

— Mais tu vas où ?

— Eh bien, si tu tiens à le savoir, je pars en mission.

— En mission secrète ? C'est dangereux ?

— Non…

La déception se lisait sur le visage de Jamie.

— Enfin…, capitulait Nicky, peut-être un tout petit peu.

— Les autres le savent ?

— Non, et il ne faut pas le leur dire non plus. Ça doit rester entre nous.

Il se tapotait l'aile du nez et lui adressait un clin d'œil.

— Mais tu vas revenir bientôt, hein ?

— Bien sûr, et quand je rentrerai, je viendrai te trouver et peut-être que… (Il soulevait son fils et le faisait tournoyer dans ses bras.) Si tu as été exceptionnellement sage, je te rapporterai un cadeau.

Son père ne racontait jamais de mensonges. Il revenait toujours et rapportait toujours un cadeau à Jamie. Une poupée russe, des timbres, un soldat de plomb sur un cheval lancé au galop. Cette fois-là, cependant, tout avait été différent – et ça n'avait pas le moindre sens. La dernière fois que Jamie avait vu son père, c'était la veille de l'ouverture du cirque. Nicky grignotait son petit déjeuner en parcourant les journaux quand Jamie lui avait demandé de l'aide pour ses devoirs.

— C'est quelle matière ?

Jamie poussa son cahier vers lui. À la vue des hiéroglyphes matérialisant ses tentatives d'approche de la langue anglaise, Nick avait soupiré. Il y avait déjà une montagne de papiers sur son bureau à l'ambassade qui avaient besoin d'être décryptés.

— C'est pour quand ?

— Lundi, répondit Jamie tristement.

— Eh bien, ce n'est pas si grave. Fais ce que tu peux tout seul, nous nous occuperons du reste ce soir après dîner. Comme ça, ce sera fait avant qu'on aille au cirque demain.

Par un heureux hasard, on était en train de monter le chapiteau sur un terrain vague derrière l'ambassade.

— Si je me faufile sur le toit, je pourrai les voir mettre la coupole, avait dit Nick à son fils. Chaque jour je pourrai te dire où ça en est.

— Tu promets que tu reviendras à temps ?

— *Croix de bois, croix de fer, si je mens, je vais en enfer,* chantonna Nicky, puis, devant le froncement de sourcils perplexe de son fils, il avait griffonné quelques mots sur son journal et avait déchiré le coin.

— Là, avait-il dit en le tendant à Jamie. Content, à présent ?

Jamie acquiesça et fourra le bout de papier dans sa poche. Son père ne disait pas de mensonges et tenait toujours ses promesses.

« Mon travail peut être terriblement imprévisible, avait-il expliqué à ses enfants. Il y a des changements de dernière minute, des réunions qui s'éternisent, par conséquent vous ne devez pas me demander de faire des promesses que j'aurais du mal à tenir... Ne faites pas cette tête ! (Il avait ri devant leurs visages défaits.) Ce n'est pas si grave. Quand je ferai une promesse, je la tiendrai. En fait, vous pourrez l'écrire et la garder dans un carton, comme un chèque. »

Mais il n'était pas revenu à temps pour l'aider à faire ses devoirs, ni même pour lui souhaiter bonne nuit.

Le lendemain matin, Jamie était debout de bonne heure, vêtu d'un pantalon propre et de sa chemise préférée, avec le crocodile vert. Il tira une affichette de sous son oreiller et la lissa sur son lit. Le mot ZIRKUS était tamponné par-dessus l'image d'un ours brun à la mine joyeuse qui portait un haut-de-forme minuscule et roulait sur un monocycle.

Jamie songea à emporter avec lui l'affichette au cirque, mais se souvint qu'il l'avait arrachée sur un lampadaire et que, techniquement, cela constituait un vol. Il la remit sous son oreiller.

La porte s'ouvrit brusquement.

— Tu n'es pas prête, dit Jamie à sa mère d'un ton accusateur.

Letty porta une main à sa poitrine, le cœur à vif.

— Jamie.

Elle s'assit lourdement sur le bord du lit.

— Papa est prêt ? demanda le petit garçon, soupçonneux.

Letty lui prit la main et frotta du pouce le bout de ses doigts. Jamie comprit que quelque chose n'allait pas. La voix de sa mère lui avait semblé fluette, suraiguë, comme si elle en avait laissé une partie dans une autre pièce.

— Jamie, dit-elle pour la seconde fois. (Elle aspira une goulée d'air et lui pressa la main plus fort.) J'ai quelque chose à te dire.

Jamie attendit que tombe la sentence. Le cirque avait été annulé. Peut-être son père avait-il été retenu à l'ambassade. Cela s'était produit par le passé et c'était souvent sa mère qui s'en excusait. Mais cela n'arrivait jamais quand son père avait promis.

— Quelque chose d'important, mon chéri, je suis désolée.

Jamie tenta de déchiffrer l'expression de sa mère. Elle n'avait pas l'air particulièrement désolée. À vrai dire, elle avait un air effrayant. Presque en colère.

— Papa a eu un accident, dit-elle.

Jamie retira sa main. Il ne s'était pas attendu à cela. Il imagina son père trébuchant et se tordant la cheville.

— Pauvre papa, dit-il avec compassion. Il s'est coupé ?

— Non, Jamie, non. Mon chéri…

Letty prit une profonde inspiration. Chaque stade de l'explication était comme un pas de plus sur du verre brisé.

— Il… eh bien… il est tombé.

Le pli sur le front de Jamie disparut. Les chutes étaient douloureuses, cela ne faisait aucun doute, mais pour un garçon qui trébuchait souvent, elles n'étaient pas une cause d'inquiétude sérieuse.

— Il faut qu'il ait des points de suture ? demanda Jamie.

Un séjour à l'hôpital signifiait que la sortie pour voir l'ours sur son monocycle était annulée.

La force déserta Letty. Les filles avaient pleuré jusqu'à s'endormir et ne s'étaient pas encore réveillées, mais dès qu'elle fermait les yeux elle voyait Nicky sur le sol, la flaque de sang figée autour de sa tête. Et maintenant, il y avait Jamie. Elle savait qu'elle n'avait d'autre choix que de faire voler son univers en éclats, mais c'était à elle qu'il incombait de décider en combien de morceaux.

« Trouvez des mots qui ne les effraieront pas. »

L'ambassadrice avait entouré de ses bras les épaules de Letty, puis, doucement, fermement, l'avait éloignée. Ils n'avaient pas voulu que Letty se rende à l'ambassade. On ne pouvait déplacer Nicky avant un certain temps. C'était une question de procédure, avaient-ils invoqué, de formalités gouvernementales, mais Letty n'avait pu supporter l'idée de le laisser là, seul et dans le froid. Elle avait pris son manteau pour le couvrir et s'était agenouillée à côté de lui, jusqu'au moment où, enfin, avec la permission de l'ambassadeur, il avait été emmené dans une ambulance par les autorités.

Letty rassembla le peu de forces qu'il lui restait.

— Jamie, papa n'est pas à l'hôpital… papa est parti.

— Oh, je vois.

Jamie se laissa tomber sur son lit. Il ne voyait pas du tout, mais il adopta le ton solennel de sa mère.

— Quand va-t-il revenir ?

— Mon chéri, papa ne reviendra pas. Essaie de comprendre.

— Mais quand est-ce que je le reverrai ?

— Oh, Jamie.

La fragile coquille qui maintenait Letty entière se fêla.

— Pas avant très, très longtemps.

Elle se mit à pleurer.

— Je suis désolée, Jamie, oh, mon Dieu, je suis tellement désolée, mais papa est parti maintenant, et tu dois être courageux.

Elle l'attira contre lui et le serra dans ses bras.

— Nous devons tous être courageux.

Jamie devint très silencieux. Lorsque sa mère le lâcha enfin, il regarda son visage strié de larmes avec une irritation certaine.

— Mais alors, qui va m'emmener au cirque ?

Détroit de Minch, Écosse, été 1979

DANS le crépuscule sans fin d'une nuit d'été, le ferry pénétra enfin dans le port de Lochbealach. Tel un affreux monstre marin, il ouvrit sa gueule et se mit à cracher le contenu de son ventre. Une centaine de moutons légèrement traumatisés furent les premiers à débarquer, suivis par une file de piétons fouettés par le vent.

La traversée avait été très agitée, et l'équipage s'y était repris à plusieurs fois pour faire entrer le ferry. Letty ne s'était pas inquiétée outre mesure. La réputation des équipages de la Caledonian MacBrayne était fondée sur leur talent à négocier le détroit en question, et c'était à leur slogan résolu – « Ce qui ne coule pas doit flotter » – qu'ils devaient d'avoir levé l'ancre une veille de Noël par un vent de force 10, en vertu de l'idée que chaque habitant de l'île avait le droit divin de retrouver son chez-soi à temps pour le repas de fête. Ouvrant sur la mer des Hébrides, la Minch était connue pour la colère de ses eaux.

Lors du quatrième essai, la persévérance de l'équipage fut récompensée. Le vent et le courant se mirent momentanément d'accord et le ferry avança bien proprement, finissant par heurter les lourds butoirs alignés le long de la jetée.

Debout avec les enfants sur le pont supérieur, Letty leva la tête pour sentir la pluie effleurer sa joue en une brume légère.

C'était enfin derrière eux ; l'horrible petit appartement de Pimlico, à Londres, les aumônes du Fonds des épouses du corps diplomatique, les négociations concernant la retraite de Nicky ; le règlement de ses affaires et le passage au crible de sa vie. Les paperasses à n'en plus finir et la solitude qui allait avec. Maintenant, ils étaient à la maison. Chacun a un endroit où il se sent bien, un endroit d'où il peut comprendre le monde. Pour elle, c'était l'île. Là, pas de règles, pas de protocole, pas de politique, pas d'intrigues. Pas de guerre froide, pas de Russie, pas de pouvoir fantomatique prêt à corrompre jusqu'à la plus récalcitrante des âmes. Sur l'île, il n'y avait que le sable et les rochers, et la pluie pour les laver.

— Pourquoi pleures-tu ? demanda Georgie, alarmée. Qu'y a-t-il ?

— Ce ne sont que des embruns, ma chérie. (Elle embrassa la main de Georgie et s'essuya la joue à la hâte.) Nous ferions mieux d'y aller maintenant.

La Peugeot s'était miraculeusement rétablie, séchée par les bons soins de Macleod Motors, un père et son fils à la mine austère qui étaient arrivés à la rivière dans une dépanneuse. Deux jours après, les enfants purent reprendre avec hésitation leurs places sur les sièges humides, d'où émanait une odeur d'œuf.

« Ouais, avait commenté Macleod senior d'un ton ironique, mieux vaut laisser les vitres ouvertes. C'est surtout l'intérieur qui a souffert. J'ai réagrafé la moquette, mais le contreplaqué que vous avez mis ne va pas tarder à pourrir. Je peux le retirer si vous voulez. Ça vous fera plus de place pour les bagages. »

Un silence avait suivi, rompu par un tintement de métal, une clé échappée ou un enjoliveur roulant par terre ; puis Letty s'était rendu compte que Macleod la regardait, l'air d'attendre, en lui tendant le porte-clés en cuir usé.

« Je suis sûre que ça ira, merci. »

Plus tard, elle se souviendrait qu'une partie de cet échange lui avait paru étrange, comme un murmure à son oreille lui enjoignant de prêter attention, mais sur le moment ils avaient un ferry à prendre et le temps pressait.

Le débarquement fut presque aussi laborieux que l'amarrage, et trois quarts d'heure supplémentaires s'écoulèrent avant qu'on fasse signe à Letty de démarrer.

L'UNIQUE route de l'île était une bande de goudron sinueuse, à peine assez large pour une voiture moyenne, sans parler d'un tracteur ou d'une charrue. Tous les demi-miles environ, des espaces de croisement en forme de croissant avaient été ménagés dans l'accotement suggérant que les techniciens du génie civil y avaient pensé après coup, comme si la possibilité d'une circulation dans les deux sens à un endroit aussi isolé était trop risible pour être envisagée.

Après les vues spectaculaires de l'ouest de l'Écosse et le paysage wagnérien de Skye, il ne semblait pas y avoir grand-chose à admirer sur l'île plate et nue. Rien que l'architecture trapue des bourgs, avec la tendance des habitants à construire des pavillons modernes tout à côté de leurs fermes les plus pittoresques, les troupeaux échevelés de vaches des Highlands, et ces interminables clôtures de fil barbelé qui traversaient en tous sens des hectares de tourbières. Comment ne pas plaindre les rares visiteurs venus pour la journée, attirés dans les Hébrides-Extérieures par la vague promesse, lue dans quelque guide touristique, d'une culture sans pareille et de plages de sable sous la brise ? Comment auraient-ils pu savoir que la laideur était purement de surface, que l'île *tout entière* était magique ?

Georgie respira l'odeur familière de la fumée de tourbe. Ils avaient tourné à l'église, étaient passés en cahotant devant la fermette d'un blanc spectral qui appartenait à Euan Macdonald.

— Regardez, Alick est là, s'écria Letty en apercevant un point de lumière vacillant au bout de la route.

Elle ralentit et baissa la vitre.

— Oh, Alick! (Elle prit sa main et la serra.) C'est si gentil de nous avoir attendus.

Le visage caoutchouteux d'Alick se fendit d'un sourire.

D'aussi loin que remontaient ses souvenirs, Alick Macdonald, son voisin, ami et protecteur, les avait toujours accueillis à l'arrivée du ferry, sa veste en serge noire boutonnée par-dessus une combinaison bleu marine, la lanterne dansant entre ses mains.

Elle avait beau lui affirmer que ce n'était pas nécessaire, Alick était aussi têtu qu'une tache d'encre. Avec le retard du ferry, il devait être là depuis deux heures, la pluie froide tombant en diagonale sur son visage. C'était un homme maigre et nerveux, la quarantaine, avec des yeux perçants sous ses sourcils légèrement froncés.

— Je vous aide avec les bagages, Let-it-ia?

— Nous déchargerons la voiture demain matin, Alick. Il est tard et je veux coucher les enfants.

— On pourra sortir le drapeau pour vous, Alick? demanda Jamie.

— Hé, bien sûr, demain à l'aube. Sortez-le.

Alick passa une main dans les tortillons de ses cheveux.

— Mettez le drapeau sur la pierre et je viendrai tout de suite.

Letty le prit par le bras.

— Merci, Alick.

— Ah, *mo gràdh*.

Ses yeux s'adoucirent.

— Bienvenue au pays.

LA maison de Ballanish, perchée sur la pointe ouest de l'île, dans l'archipel le plus à l'ouest de l'Écosse, n'était ni jolie ni intéressante sur le plan architectural, mais elle était solide, conçue pour résister aux éléments. Peu importaient la violence des tempêtes, la force du vent, la maison arquait le dos, fermait les yeux et attendait patiemment la fin de l'assaut. Chaque fois que Letty arrivait et trouvait le toit intact et les portes sur leurs gonds, elle remerciait intérieurement l'architecte de son manque d'inspiration.

— Georgie, prends Jamie. Alba, aide-moi à sortir les provisions. Tout le reste peut attendre demain.

Alba emporta le carton dans le cellier. Elle détestait cette pièce, avec son froid mordant et son odeur persistante de mouton. De mauvaises choses arrivaient à de bonnes provisions dans le cellier. Le beurre en ressortait souillé par des traces de confiture, les morceaux de cheddar se craquelaient comme la peau des talons. La moindre odeur de soupe en train de se solidifier lui soulevait le cœur.

— Non, entendit-elle dire sa mère, pas là-dedans, Alba. Mets-les dans le frigo.

« *Le frigo.* » Elle se figea.

Sa mère se tenait près de la porte de la cuisine, le bras levé vers le mur.

— Et voilà !

Elle appuya sur l'interrupteur et la pièce fut inondée de lumière.

— J'ai fait venir des ouvriers de Skye. Ils ont laissé un drôle de chantier, mais ils ont fait le travail. Qu'est-ce que tu en dis ?

— J'y crois pas ! s'exclama Alba.

Dans le coin de la cuisine, un Electrolux flambant neuf bourdonnait.

— Toute la maison a l'électricité ?

Contente, Letty acquiesça, mais Alba, regrettant déjà son accès momentané d'enthousiasme, fronça les sourcils.

— Pourquoi ?

Quand, une décennie plus tôt, l'électricité avait enfin fait son apparition dans les Hébrides-Extérieures, Letty avait été l'une des rares personnes à résister. « La nostalgie, avait diagnostiqué Nick. Votre mère semble penser que vivre à l'âge des ténèbres a un côté romantique. » Et les Fleming avaient continué à utiliser un balai mécanique et à s'user les yeux à lire à la lueur de la lampe électrique sous leurs couvertures.

— Tu as gardé les lampes à pétrole, biaisa Alba.

— Je n'ai pas pu supporter l'idée de m'en débarrasser. Elles donnent une si jolie lumière. Et puis… (Letty hésita.) Eh bien, elles me rappellent ton grand-père.

Jusqu'alors, les appliques victoriennes en verre avaient été l'unique source de lumière le soir. Alba imaginait son grand-père allant de l'une à l'autre pour approcher une allumette de leurs manchettes en mousseline. En brûlant, le gaz émettait un bourdonnement réconfortant, comme si toute la maison était habitée par un essaim d'abeilles merveilleusement domestiquées.

— Regarde dans le débarras, ordonna Letty.

Relié à la maison par un couloir traversé de terribles courants d'air, le débarras servait de décharge pour tous les détritus de la famille : moulinets, bois flotté, rames fendues, leurres pour canard et vêtements tellement imprégnés d'eau de mer qu'ils avaient fini par avoir la consistance de la morue salée. Pourtant, l'endroit avait beau être humide et sentir le poisson, il possédait pour Alba le parfum de l'été et de la liberté. La nouvelle odeur spartiate de lessive qui y régnait la déconcerta. À la lueur vierge du plafonnier, elle vit un congélateur rutilant et un lave-linge dernier cri.

— Eh bien ?

Alba sentit une main sur son épaule et eut un mouvement de recul.

Letty fixa avec stupeur le petit visage dur d'Alba. La veille du départ de Londres, elle s'était enfermée dans la salle de bains avec une paire de ciseaux à broder. À présent, Letty baissa les yeux sur la ligne abrupte des cheveux récemment coupés de sa fille et ressentit un pincement au cœur. Quand Alba était-elle devenue si dure, si imperméable à la compassion ? Et comment se faisait-il qu'elle ne s'en soit pas aperçue avant ?

Seul Nicky avait connu le côté plus malléable d'Alba. Le matin, elle sautait sur son lit et l'entourait de ses bras. Elle se cramponnait à lui tandis qu'il allait de la chambre à la salle de bains, lui interdisant de partir avant qu'elle l'ait embrassé deux ou trois fois et serré bien plus encore contre elle. Quand il arrachait un à un ses membres-ventouses, la plainte commençait à s'élever : « Oh, non, s'il te plaît, papa, ne t'en va pas », jusqu'à ce qu'enfin elle s'effondre sur le sol, vaincue, en larmes.

« Quand est-ce que tu vas revenir ? Quand est-ce que je vais te revoir ?

— Dans une demi-heure », lui rappelait Nicky sévèrement, sur quoi Alba était secouée de gloussements effrontés.

« Papa est mon préféré, avait-elle un jour expliqué à Letty. Je t'aime aussi, bien sûr, mais j'aime papa un petit peu plus. »

Letty avait souri.

« Toutes les filles aiment leur père un petit peu plus. Il en sera sans doute ainsi toute ta vie. »

— Ça a dû coûter une fortune, dit Alba d'un ton accusateur en parlant du nouveau congélateur.

— Cela en valait la peine, tu ne penses pas ?

Alba ne savait que penser. L'importance de l'électricité ne lui échappait pas. L'avenir de sa famille avait beau être flou, une chose était certaine : sans lumière et sans chauffage, la vie devenait intenable sur l'île après octobre, quand le soleil quittait son poste à trois heures de l'après-midi. Elle avait toujours adoré les étés ici, mais l'électricité conférait à leur situation un côté définitif qu'elle s'était obstinément refusée à envisager. Elle planta son regard dans celui de sa mère, exigeant que celle-ci dissipe tous les soupçons qu'elle n'osait pas formuler. Étaient-ils pauvres ? En exil ? Pour combien de temps ? Était-il vraiment concevable que ce soit pour toujours ?

Sur l'île, de tous les éléments, c'était le vent qui gouvernait. Il soufflait, en brise, en rafales ou en tempête. C'était la dernière chose que Georgie écoutait avant de s'endormir et la première qu'elle entendait en s'éveillant. Parfois, il devenait si bruyant qu'elle rêvait qu'un raz-de-marée déferlait vers elle, puis elle se réveillait, s'attendant à trouver un immense mur d'eau fondant sur la maison, mais c'était toujours la même vue de l'autre côté de sa fenêtre ; la brume qui s'accumulait sur le loch Aivegarry, les étendues de sable ondulantes du machair [1] et la ligne argentée de la mer au-delà. Seule l'immensité déserte de l'Atlantique séparait la maison de l'Amérique.

Il était minuit passé, mais l'obscurité ne régnait jamais vraiment en été. Au lieu de cela, c'était comme si on avait frotté une gomme sur un dessin au charbon, estompant les contours du jour et de la nuit. Georgie adorait sa chambre avec son lit en laiton et ses rideaux à rayures rose bonbon. Chaque centimètre de mur était occupé par des aquarelles que son père avait peintes et qui représentaient des oiseaux de l'île. Au-dessus de la commode, il avait accroché deux études : la tête d'un pluvier fauve avec son bec grandeur nature, et l'aile minutieusement détaillée d'un colvert.

« Pourquoi n'as-tu peint que l'aile ? avait demandé Georgie.

1. Machair : terme gaélique désignant les bords de mer fertiles en Écosse et en Irlande.

— Pour en étudier la mécanique, avait dit Nicky. J'aime savoir comment les choses marchent. »

Georgie savait que c'était la vérité. Son père dévorait faits et données avec un appétit qu'il réservait aux huîtres fumées sur toast.

« Tu sais quoi, ma petite Georgie ? murmurait-il en l'embrassant pour lui souhaiter bonne nuit. As-tu remarqué que l'appel du roi-caille ressemble exactement au bruit que fait quelqu'un qui promène les ongles sur les dents d'un peigne ? »

Georgie était en train d'y penser quand elle décela un léger grincement, mais cela ne ressemblait guère au cri d'un roi-caille, et, au bout d'un moment, elle comprit que le son venait de la chambre voisine. Elle alla chercher Jamie, le ramena dans son lit et se blottit contre son corps secoué de tremblements.

— Qu'est-ce qu'il y a, Jamie ? Pourquoi est-ce que tu pleures ?

— Je ne sais pas où est papa.

— Oh, Jamie… (Elle resserra son étreinte autour de lui.) Papa est au paradis.

— Non, non ! (Il se dégagea, agité.) Pourquoi est-ce que les gens disent ça ? Papa n'est pas arrivé au paradis. Je l'ai cherché mais je ne l'ai pas trouvé.

— Bien sûr que papa est arrivé au paradis, Jamie, dit-elle d'une voix rassurante. C'était un mauvais rêve, c'est tout.

Elle caressa ses cheveux moites et se lança dans une rationalisation de la géographie du paradis, expliquant que la superficie du lieu empêchait de localiser un individu précis quand on n'avait pas de carte, jusqu'à ce que Jamie soit suffisamment perdu pour abandonner le sujet. Du dos de la main, elle s'essuya les yeux. Elle faisait toujours attention à ne pas pleurer devant Jamie. D'ailleurs, à quoi les larmes servaient-elles ? Elles étaient loin d'être adaptées à ce qu'elle éprouvait.

— Dors, maintenant. (Elle enfouit le visage dans le cou de son frère.) Prends une profonde inspiration.

Docilement, il avala de l'air et fut aussitôt pris d'un hoquet.

— Oh, Jamie, murmura Georgie, impuissante.

— Je ne peux pas m'en empêcher, dit-il, hoquetant de nouveau. Il faut que tu me fasses peur.

— Ne dis pas de bêtises.

— Alors raconte-moi une histoire. Celle de Flora Macdonald. S'il te plaît, Georgie.

Sa voix s'étrangla, et elle eut pitié de lui.

— Bon. Eh bien… voyons… des années et des années avant que papi achète cette maison, elle appartenait à un riche habitant de l'île qui s'appelait le capitaine Macdonald, et ce capitaine Macdonald, ajouta-t-elle en calant Jamie au creux de son épaule, était un affreux bonhomme.

Jamie poussa un soupir de gratitude. Peu importait combien de fois il avait entendu cette histoire, il l'adorait. Le capitaine Macdonald, connu pour sa méchanceté, employait nombre d'habitants de l'île à des tâches humiliantes, comme l'emmener en barque jusqu'à des îles éloignées pour qu'il puisse tirer quelques canards. Il était snob aussi, et quand il fut choisi pour accueillir le roi lors d'une visite officielle, il commença à rêver de gravir l'échelle du prestige. Il envoya donc sa fille unique au bal annuel de Skye dans l'espoir qu'elle tape dans l'œil d'un des jeunes gens de bonne famille qui y assistaient.

Flora avait bel et bien tapé dans l'œil d'un garçon – dans celui d'un jeune pêcheur des quais, qui s'appelait Neilly McLellan. Le capitaine, horrifié, décida aussitôt de la marier à son régisseur. Neilly McLellan eut le cœur brisé et envoya un mot à Flora, lui expliquant son intention de l'arracher à ce triste sort. Le plan consistait à attendre une période de beau temps, puis à traverser la Minch à la rame et à signaler son arrivée par une lumière qu'il allumerait à l'embouchure du loch Aivegarry.

Des semaines durant, Flora attendit en vain, mais enfin, par une nuit sans lune, elle aperçut le faisceau d'une lanterne.

— Sans hésiter, Flora a ouvert la fenêtre. Comme tu le sais, ajouta Georgie, sous cette fenêtre – la mienne – se trouve le seul arbre de toute l'île ; elle a lancé son baluchon et est descendue le long de l'arbre.

— Mais est-ce que c'est vrai ? demanda Jamie. Est-ce qu'elle est vraiment descendue par là ? Alba m'a dit que personne ne pouvait descendre de cet arbre parce qu'il est couvert d'épines.

— Quelques épines n'arrêteraient jamais quelqu'un qui est amoureux.

— Alba dit que l'arbre est trop loin de la fenêtre et que Flora n'aurait pas pu l'atteindre.

— Pourquoi attaches-tu de l'importance à *tout* ce que dit Alba ?

— Elle ne dit pas de mensonges.

— Moi non plus ! rétorqua Georgie, vexée.

— Tu fais semblant, comme maman.

— Écoute, soupira Georgie. Quel âge a Alba ?

— Quatorze ans.

— Bon. Ça veut dire qu'elle ne sait que les choses qui se sont passées au cours des quatorze dernières années, d'accord ? Et cette histoire s'est passée il y a une éternité.

L'adoration sans bornes de Jamie pour Alba avait toujours agacé Georgie.

— Elle s'est passée il y a plus de dix-sept ans trois quarts ?

— Oh, Jamie !

Georgie déposa un baiser sur la tête de son frère. Elle trouvait charmante la tendance de Jamie à tout prendre au pied de la lettre.

— Écoute, veux-tu ? Flora s'enfuit dans la barque avec son pêcheur et deux de ses cousins. Ils font route vers Skye, mais malheureusement une tempête se lève et ils échouent sur la côte sud de Harris. Ils sont là, perdus, trempés et effrayés, quand ils aperçoivent une lumière qui brille au loin. Ils finissent par arriver à une maison, frappent à la porte et devine qui ouvre ?

— La tante de Flora ! répondit Jamie, aux anges.

— Exactement ! Quelle malchance ! Sur toutes les maisons de toutes les îles ! La tante de Flora ne fut pas enchantée de trouver pareil ramassis de fuyards à sa porte. Elle le fut encore moins lorsqu'elle reconnut sa nièce parmi eux. Une fois mise au courant de toute l'histoire, furieuse, elle renvoya les garçons et enferma Flora à clé avant de la ramener à son père. Les amoureux, cependant, n'abandonnèrent pas. La deuxième fois, le plan fonctionna. Flora et son pêcheur s'enfuirent à Skye, et, de là, sur le continent, où ils embarquèrent enfin dans un navire en partance pour l'Australie.

— Et ils vécurent heureux et eurent beaucoup d'enfants, termina Jamie. Les gens dans les contes de fées vivent toujours heureux à la fin, n'est-ce pas ?

Georgie baissa les yeux sur la glace de sa coiffeuse, où une minuscule photo était coincée entre le verre et le cadre. Ses parents lors de leur lune de miel, appuyés à la rambarde du ferry, arborant lunettes de soleil et grands sourires. Ç'avait été un jour de conte de fées, avec la mer étale et le soleil qui sombrait à l'horizon tel un gong en bronze.

— Dors, Jamie.

— Oui, dit-il, mais ses yeux restèrent ouverts jusque tard dans la nuit.

Bonn, Allemagne de l'Ouest, février 1979

PRIVÉ de détails précis concernant son père, Jamie s'était mis à collectionner des bribes d'informations. Mais ce ne fut que deux semaines après l'accident que le premier indice important s'offrit à lui.

On donnait une soirée à la résidence de l'ambassadeur. Jamie ne comprit ni en quel honneur ni pour quelle raison sa présence était requise. Il savait seulement que c'était ennuyeux. Tout le monde était vieux et habillé en noir. Il n'y avait pas d'autres enfants invités hormis Georgie et Alba.

Un homme en habit noir faisait circuler des assiettes de sandwiches au concombre. Jamie en engloutit quatre à la fois, essayant de satisfaire la sensation de vide qu'il éprouvait et qu'il identifiait à tort comme de la faim.

Il avait senti une main sur sa tête et, levant les yeux, avait vu Tom Gordunson debout à côté de lui. Jamie aimait bien Tom. Avec sa tête chevelue et ses costumes froissés, il lui évoquait un loup. Tom était le plus vieil ami de son père, il avait été garçon d'honneur au mariage de ses parents et il lui offrait toujours des cadeaux à Noël alors que, strictement parlant, il était le parrain de Georgie.

— Comment ça va, bonhomme ? demanda Tom.

— Dieu nous soutient dans cette épreuve, récita Jamie.

— Ah ! Je vois que tu as parlé au pasteur.

— Il a dit que papa est allé dans un monde meilleur. C'est vrai ?

— Oui, je pense que c'est sûrement vrai.

— Meilleur que Bonn ?

Tom sourit faiblement.

— Oui, meilleur que Bonn.

— Alors pourquoi il ne nous a pas emmenés ?

— Il ne pouvait pas, dit Tom doucement. Ces choses-là ne se passent pas comme ça.

— Mais il me manque et je veux qu'il revienne.

— Bien sûr qu'il te manque, bonhomme. Bien sûr.

— Il allait m'emmener au cirque, ajouta Jamie tristement. Il m'avait promis que je verrais l'ours. Il avait promis de m'aider à faire mes devoirs.

Tom mit un genou par terre.

— Écoute-moi, Jamie. Ton père est toujours avec toi. Toujours. Chaque soir quand tu dis tes prières, tu dois croire qu'il les entend.

— Mais comment ? Il a des pouvoirs spéciaux ? Comme un espion ? Comme James Bond ?

— Oui. (Tom sourit de nouveau.) Un peu comme James Bond.

Jamie prit une brève inspiration. Il le savait. Son père était parti pour une de ses missions secrètes. Tom Gordunson travaillait pour le ministère des Affaires étrangères. Il occupait un des postes les plus importants de tout le pays. Si Tom ne savait pas de quoi il parlait, à qui pouvait-on se fier ?

— Je vais le dire à maman.

Il tenta de se dégager, mais Tom le retint.

— Si nous gardions le secret ? Ça reste entre nous, d'accord ?

Il tapota du doigt l'aile de son nez et lui fit un clin d'œil.

Et voilà. Le signal secret de son père.

Tom, un homme d'honneur et de convictions, ne pouvait pas savoir que ce simple geste, associé au désir farouche du garçon de croire au retour de son père, allait transformer cet espoir en conviction inébranlable.

Jamie s'éloigna en hâte. S'il ne pouvait rien dire à sa mère, il trouverait Georgie. Il entra en collision avec une femme au chignon gris et au visage abondamment poudré. C'était l'un des piliers de la bonne société de Bonn, dont le mari était chroniqueur politique à la radio. Si on le lui avait demandé, elle aurait dit sèchement qu'elle désapprouvait la « veillée » organisée à l'ambassade en l'honneur de Nicholas Fleming. Un traître soupçonné valait un traître avéré. Prise au dépourvu par la progéniture du renégat, elle fit un pas en arrière, puis se ressaisit en lui posant une question oiseuse sur l'école. Jamie répondit poliment. L'étole de fourrure autour du cou de la femme l'intéressait infiniment plus qu'un bavardage de circonstance. La tête de renard était nichée sur son épaule, et ses pattes pendaient mollement dans son dos. Juste au moment où il tendait la main pour le toucher, il sentit la pression aiguë des doigts d'Alba.

— Ne fais pas ça, Jamie.

Elle le pinça.

Jamie se mit à pleurer, et le malaise de la femme se dissipa. Tout le monde se tourna vers les enfants. Pour la première fois au cours de cette triste soirée, la gêne et la pitié des gens avaient trouvé un objet sur lequel se focaliser. Ces pauvres enfants endeuillés. Ce pauvre petit garçon sans père.

JAMIE n'eut jamais l'occasion de confier son secret à Georgie et n'osa pas le dévoiler à Alba. Au lieu de quoi il l'emportait partout où il allait. À l'école le matin, au lit le soir. Le secret l'accompagnait lors de ses sorties avec sa mère sur la Marktplatz ou de ses flâneries rêveuses au bord du Rhin. Dans chacun de ces endroits, il cherchait son père, certain qu'il finirait par le retrouver tôt ou tard. Mais ensuite ils avaient quitté Bonn.

— Est-ce que tout le monde sait que nous allons à Londres ? avait-il demandé à sa mère la veille de leur départ.

Dépouillée de leurs affaires, la maison semblait nue et froide. Letty étiquetait une malle.

— Qui, tout le monde ? Tu veux dire, tes camarades à l'école ?

— Est-ce que papa saura où nous sommes ?

Sa mère l'attira contre elle.

— Bien sûr, mon chéri. Papa saura toujours où nous sommes.

Et le cœur de Jamie avait fait un bond dans sa poitrine. Son père n'avait pas menti. Tom Gordunson non plus. Son père avait été chargé d'une mission quelconque. Qui plus est, sa mère était au courant.

— Maman, chuchota-t-il. Ça va, je sais.

— Tu sais quoi, mon chéri ?

— Papa est un espion, n'est-ce pas ?

Ç'avait été comme s'il l'avait marquée au fer rouge. Letty s'était raidie et l'avait éloigné d'elle.

— Pourquoi dis-tu ça, Jamie ? Qui t'a dit ça ?

— Personne, répondit Jamie, effrayé. Je veux dire, Tom a dit…

— Tom ? répéta-t-elle, incrédule. Notre Tom ?

Deux pétales rouges de colère s'épanouirent sur ses joues.

— Oui.

— Il a dit que papa était un espion ?

— Plus ou moins, oui.

Il n'avait jamais vu sa mère ainsi. La bouche tordue, les yeux orageux.

— Pardon, maman, je voulais juste…

— Ne crois jamais ça. (Elle le secoua, enfonçant les doigts dans sa peau.) Et ne le dis jamais non plus. Ni à moi ni à personne. Jamais. Tu comprends ?

Il avait compris et avait eu honte. On n'était pas censé parler des secrets.

3

Hébrides-Extérieures, été 1979

LORSQUE *ses forces lui revinrent, l'ours se releva et regarda autour de lui. En face, la mer s'étendait jusqu'à l'horizon. Derrière lui, une arche naturelle donnait sur un cratère en cul-de-sac flanqué de tous côtés par des éperons de roche noire percée de crevasses où nichaient des fulmars. La falaise était à pic, et la seule partie assez accueillante pour qu'on puisse l'escalader n'offrait pas de prises faciles d'accès. Pourtant, le cratère se remplissait comme une bouilloire sous un robinet, et bientôt il ne serait plus possible d'en sortir qu'à la nage.*

Il tomba plus ou moins par hasard sur la grotte, dégringolant en arrière à travers l'ouverture. Terrassé une fois de plus par les éléments, il demeura immobile pendant que ses yeux s'accoutumaient à la pénombre. La grotte était grande, avec un sol très pentu. La marée montante bouillonnait à l'entrée, mais une heureuse combinaison de gravité et de vitesse maintenait l'eau dans le chenal. Il jeta un coup d'œil en arrière, et repéra un petit bateau qui suivait la côte. Il progressait lentement, d'est en ouest. On le cherchait.

DIX-SEPT ans et elle ne savait rien. Toute sa vie, Georgie avait été une élève appliquée, d'une intelligence au-dessus de la moyenne. Elle pensa à toutes les connaissances qu'elle avait acquises – couches de roches sédimentaires étudiées, vocabulaire mémorisé, grammaire maîtrisée –, et tout ça pour quoi? On lui avait tout enseigné sauf ce dont elle avait vraiment besoin: savoir quoi faire quand on perdait son père. Et maintenant, pour ajouter à son trouble, voilà que sa mère s'était transformée en tortue. Elle s'était recroquevillée sous une épaisse carapace et Georgie ne savait pas comment l'atteindre.

Letty était assise à la table, une pile d'enveloppes blanches devant elle. Elle avait toujours été une épistolière inspirée. Mais si écrire des lettres avait naguère été un passe-temps, c'était désormais devenu une obsession; elle écrivait aux avocats, au ministère de l'Intérieur, aux banques, aux compagnies d'assurances. Elle avait écrit à tous ceux avec qui Nick avait travaillé, en quête de réponses ou d'indices. Et, une fois de plus, Georgie fut submergée par l'envie de la prendre par le bras et de lui parler de Berlin Est, car le fardeau du secret était plus lourd qu'elle ne l'aurait cru possible et elle en avait assez de le porter où qu'elle aille, jour et nuit.

— Maman.

Elle posa une main sur l'épaule de sa mère. Surprise, Letty se retourna.

— Ma chérie, pardon, j'étais dans la lune.

— À qui écris-tu?

— Oh! tu sais…

Elle eut un petit geste vague, mais Georgie savait. Elle n'écrivait à personne. Il ne restait personne à qui écrire.

— Tu as bien dormi, ma chérie? demanda Letty vaguement.

— Oui, mentit Georgie. Et toi?

— Oui, mentit Letty en retour, avant de sourire pour le prouver.

C'ÉTAIT une épreuve que d'embrasser la mère d'Alick. Pour commencer, cela durait un temps étonnant, et puis il y avait ici et là une moustache, et enfin le baiser à proprement parler était du genre mouillé et lippu. Néanmoins, c'était un des devoirs informulés au village de Ballanish que d'aller rendre visite aux parents d'Alick le premier jour des vacances; les enfants s'abandonnèrent donc comme il convenait aux étreintes de Mme Macdonald.

Elle les accueillit à la porte de sa ferme. C'était une femme au cœur généreux, dotée d'une ample poitrine, qui portait un tablier noué sur une jupe en tweed.

— Et comment va la maman aujourd'hui?

Elle étreignit Letitia et les fit tous entrer pour qu'ils serrent la main du père d'Alick. Euan était un homme bien mis, réservé, doté d'oreillettes de cheveux blancs et de longs doigts élégants.

Une fois à l'intérieur, les enfants étaient installés sur le banc en bois pour le rituel de la remise des cadeaux. Mme Macdonald avait travaillé pendant de nombreuses années à la fabrique de tricots et produisait chaque été un triptyque de pulls aux couleurs inhabituelles provenant de la pile des refusés. Cette année, c'était un pull ras du cou jaune d'œuf pour Alba, un débardeur vert boueux pour Jamie et un pull en V couleur fumier pour Georgie.

— Oh, ils sont superbes, madame Macdonald. Comme c'est généreux à vous.

Et il n'y avait rien d'autre à dire, parce que c'était étonnamment généreux de sa part. Pourtant, les enfants auraient ardemment désiré qu'elle cesse de dépenser le peu d'argent qu'elle possédait pour leur faire des cadeaux.

Ensuite, ils restèrent tranquillement assis à rôtir devant le feu pendant que Mme Macdonald préparait le thé.

— Je suis surprise que le ferry ait pu accoster, dit-elle. Ç'a été une sacrée tempête, et ç'a été comme ça tout l'hiver plus ou moins. Beaucoup de fermes ont perdu leur toit et il n'y a pas quinze jours, un bateau de pêche s'est fracassé sur les écueils près de Saint-Kilda.

— Il a coulé ? demanda Jamie.

— Oui. Trois hommes disparus. Et leurs corps n'ont pas encore été retrouvés.

— Ils vont s'échouer sur la plage ? demanda Jamie.

— Si c'est le cas, mieux vaudrait que ce ne soit pas toi qui les trouves, mon petit Jamie. Ils auront été tellement malmenés qu'on ne peut pas dire à quoi ils ressembleront.

Elle se retourna, vit le visage tendu de Letitia et se souvint.

— Mais il est plus probable que Dieu les aura emportés avant.

— Emportés où ? insista Jamie avec curiosité.

— On dit que les marins et les pêcheurs qui se noient sont réincarnés en mouettes et que le ciel et l'océan deviennent leur royaume. Ah ! On les imagine en train de piquer sur la mer, le ciel toujours bleu et l'eau poissonneuse jusqu'à la fin des temps. Tiens…

Elle attrapa un scone sur la desserte et le fourra dans la main de Jamie.

Letty lui sourit avec reconnaissance, mais elle ne savait pas – comment l'aurait-elle pu ? – ce qu'un enfant comme Jamie pouvait faire d'une imagerie pareille.

La desserte des Macdonald était un plateau à trois étages qui n'aurait pas été déplacé dans le plus bel hôtel d'Édimbourg. La théière et la vaisselle étaient posées sur le dessus, au milieu se trouvait un pot de *carrageen* et une assiette de sandwiches, et tout en bas un panier de scones chauds. Les scones de Mme Macdonald étaient célèbres, mais le service obéissait à une hiérarchie stricte qui partait du sommet. Le premier niveau ne présentait pas de difficulté puisque les enfants n'étaient pas jugés assez âgés pour boire du thé, cependant, endurer le *carrageen*, sorte de blanc-manger obtenu en faisant bouillir du lait et des algues ensemble pendant des jours, était un exploit. Et même si on triomphait de ce dragon-là, d'autres se présentaient. Les sandwiches de Mme Macdonald étaient colmatés par une épaisse couche de margarine et de jambon en conserve. La tactique à adopter pour les éviter était un sujet de discussion récurrent chez les Fleming, et, inévitablement, Letty se retrouvait en train de mâchonner en solo les triangles blancs sous le regard bienveillant de Mme Macdonald et d'Euan.

Les parents d'Alick avaient cinq fils mais Letty était leur fille spirituelle et ils la traitaient en conséquence.

Euan parlait lentement et à voix basse, ce que Mme Macdonald compensait largement en dévidant un flot continu de nouvelles, celle qui la préoccupait actuellement étant la fermeture de l'usine de traitement des algues.

— Ça a causé un chômage terrible sur l'île, Letitia. Il n'y a plus que les homards et le tricot à présent. Le conseil municipal a organisé une réunion à l'école et tout le village est venu. Au mois de mai, ça s'est passé, mais ça n'a fait aucune différence.

Euan émit un petit bruit de succion avec ses dents.

— Non, pas la moindre.

— C'est tellement dommage ! dit Mme Macdonald avec indignation. Mais ça ne changera rien pour le *carrageen*, ne t'inquiète pas, dit-elle en en versant une seconde portion dans le bol d'Alba. Je peux aller chercher des algues moi-même, mais ce truc de l'usine était utilisé pour toutes sortes de choses. Le savon, les timbres, et même la mousse de la bière. Hein, c'était drôlement utile, cette algue.

— Ils ont commencé à l'importer de Tasmanie, ils disent que c'est moins cher.

Euan secoua la tête d'un air chagrin.

Assis, Jamie ne disait rien. L'image des pêcheurs qui se transformaient en mouettes le préoccupait. Pourquoi ne pouvaient-ils pas rester pêcheurs dans leur paradis et en même temps se voir offrir plein de poissons de l'océan ? Et les poissons, que devenaient-ils ? Étaient-ce de vrais poissons ou des poissons du paradis ? Et si un pêcheur avait détesté être pêcheur ? Les récompenses offertes par le paradis étaient-elles toujours liées à la carrière terrestre ?

Mais avant que Jamie ait pu mener ces réflexions à leur terme, il se trouva noyé sous un nouveau baiser de Mme Macdonald, et soudain la porte s'ouvrit miraculeusement et Alba le poussa dehors.

4

Hébrides-Extérieures, été 1979

LES premiers jours, l'ours ne bougea pas. Le moment viendrait où il devrait partir en quête d'eau et de nourriture mais, entre-temps, il écoutait simplement le vent et regardait les oiseaux voler librement dans le ciel.

Un jour, alors qu'il était assis là, à attendre que la mer se retire, un bruit sec retentit et une bouteille en verre rebondit au bord de l'entrée. Il remarqua qu'il y avait une feuille de papier à l'intérieur. Il brisa la bouteille et tripota gauchement le papier.

C'était une carte d'Europe dessinée au crayon noir. Un point unique marquait le nord-ouest de l'Allemagne, et de là, de minuscules flèches rouges traversaient la France, passaient la Manche à gué, gagnaient Londres, où elles viraient à droite en direction de l'Écosse. Elles continuaient à avancer le long de la côte ouest, franchissaient la Minch et, s'il avait été plus versé dans l'art de déchiffrer les cartes, il lui serait peut-être venu à l'esprit que la ligne de flèches rouges conduisait presque directement à sa grotte. Sauf que la carte ne montrait pas de grotte. Un X marquait une maison, au nom rédigé d'une main enfantine et mal orthographié. BALERNICSH. La carte était datée de juillet 1979. Et sous la date, un message, griffonnage à peine lisible. « Pour papa. Si tu nou chérch... oné la... »

Bonn, Allemagne de l'Ouest, janvier 1979

LETTY épargna à Jamie les obsèques de Nicky – si on pouvait appeler ainsi la petite cérémonie empruntée que bien peu de gens à Bonn avaient suivie – et les larmes. Surtout, elle essaya d'épargner aux trois enfants les commérages. Et Dieu savait s'il y en avait eu.

Comme de juste, la lettre avait été découverte par l'attaché de presse. C'était le lendemain de l'accident, dans le bureau de Nicky Fleming, et on avait aussi trouvé un mégot sur le toit de l'ambassade. La lettre était un brouillon qui avait été froissé et laissé sur le bureau. Elle était adressée à Letty, mais son existence et son contenu ne lui furent révélés qu'au bout de six jours, durant lesquels elle avait été examinée et réexaminée en raison de ses implications.

Mon amour,

Comme je m'en veux d'écrire cela, alors que je meurs d'envie de te prendre dans mes bras et de tout te dire. C'est ironique de penser qu'une bonne partie de mon travail consiste à parler à des inconnus mais que je n'ai pas trouvé le moyen d'atteindre la personne que j'aime le plus au monde…

La lettre s'achevait ainsi. Au-dessous de ce paragraphe unique se trouvaient cependant plusieurs phrases sans suite, dont certaines étaient barrées, d'autres griffonnées selon un angle étrange – et c'étaient celles-là que Letty lisait et relisait.

Quelque chose que je t'ai caché, quelque chose qui me pèse terriblement
te protéger et protéger les enfants… ~~en le faisant je crains~~
un moment de folie
adopté la seule solution que je croyais possible
Pardonne-moi, mon amour

La lettre était une affaire privée, affirma Letty. Elle ne prouvait rien. Pourtant, d'après les collègues de Nicky, elle disait tout. Une enquête interne fut lancée sur l'« affaire Fleming ».

Au cours des années précédentes, à vrai dire durant le temps où les Fleming y avaient habité, il s'était produit à Bonn un certain nombre d'« irrégularités » qui, une fois découvertes, étaient devenues difficiles à ignorer. Les fuites étaient minimes, pourtant le soupçon persistait. La méfiance s'installa à l'ambassade.

Il était rare que des diplomates, surtout les diplomates de haut rang, se jettent du toit de leur propre ambassade. On ne tarda pas à pointer du doigt les talents universels de Nicky – sa capacité exceptionnelle à absorber les informations. Oh, oui, tout le monde était d'accord pour dire que Fleming avait été presque absurdement bien informé. À quels secrets avait-il donc accès ? Comment savoir ce qu'il avait réellement mijoté ? La suspicion alimentant son propre brasier, elle n'avait pas tardé à tracer un chemin vers le plus grave péché de tous : la trahison de la Couronne et du pays.

Letty reçut un choc en s'apercevant à quel point les collègues de Nicky étaient prompts à l'accabler. On vint la chercher pour l'emmener à l'ambassade, où elle fut interrogée par deux hommes du MI6. C'est le plus expérimenté des deux, Porter, qui posa la plupart des questions. C'était un homme courtaud, d'une quarantaine d'années, avec des cernes de fatigue couleur prune sous les yeux. Son subordonné, Norrell, était nettement plus séduisant. Il resta debout, dos à la porte, pendant que Porter procédait à l'interrogatoire.

Quand il eut terminé, Letty fixa la lettre sur la table devant elle.

— La belle-mère de mon mari, Gisela, la femme qui l'a élevé, est née en Allemagne de l'Est.

— Oui, nous le savons, répondit Porter.

— Le jour de ses vingt-cinq ans, elle a trébuché sur une bombe au phosphore en sortant de chez elle. Sa jambe a été si gravement brûlée que lorsque les Russes sont arrivés, trois mois plus tard, elle avait toujours du mal à courir.

Les hommes du MI6 inclinèrent la tête en signe de respect. C'était en 1945, et tout le monde savait que la guerre était finie. Les rumeurs s'étaient répandues : les Anglais, les Français et les Américains arrivaient. Les Russes arrivaient. La famille de Gisela, qui vivait dans l'Est, savait que l'armée de Staline avait soif de vengeance et était sur le point de déverser sa furie barbare aux portes de Berlin. Terrifié pour les femmes, le père de Gisela les fit partir avant lui, en catastrophe, avec un fermier du village qui les emmena jusqu'à l'Elbe. Il leur ordonna de traverser à la nage et de prendre un train sur l'autre rive. Sur quarante-deux personnes qui essayèrent de franchir le fleuve ce jour-là, douze se noyèrent, dont la mère et la sœur de Gisela.

— Les Russes ont massacré le père de Gisela, se sont emparés des terres et les ont données à une ferme collective, conclut Letty.

— Oui, oui, tout est dans le dossier, répondit l'homme du MI6.

— Et pourtant, vous vous fondez là-dessus (elle toucha le bord de la lettre) pour suggérer que mon mari était un traître.

— Demain, nous aimerions parler à votre fille aînée, Georgiana.

— Non. Pas question. De quoi pouvez-vous bien vouloir parler à ma fille ?

— De Berlin, répondit Porter. Votre mari y a passé un temps considérable récemment, n'est-ce pas ?

— Il fait partie d'une délégation alliée là-bas, expliqua Letty, replaçant inconsciemment Nicky dans le présent. Il fait la navette constamment.

— Ce qui lui donnait la possibilité de rencontrer des gens en RDA.

— Que voulez-vous dire? s'écria-t-elle. Non, ce n'est pas ça du tout. Il s'occupe d'un accident industriel.

— Schyndell, suggéra Porter.

— Schyndell, c'est cela.

Il y avait eu une explosion dans une centrale nucléaire en Allemagne de l'Est. Des quantités inconnues d'isotopes radioactifs avaient été libérées dans l'atmosphère – et les autorités n'avaient pas assez de ressources pour décontaminer les lieux. Tout d'abord, les Russes avaient voulu minimiser l'affaire, mais elle s'était révélée trop importante. Une délégation de scientifiques, experts en sécurité et diplomates, avait été constituée par les Alliés pour enquêter.

— Quatre ans comme premier secrétaire, reprit Porter en consultant son dossier. Un passage à Londres au ministère des Affaires étrangères. Puis retour à Bonn comme conseiller. C'était la deuxième fois que votre mari occupait un poste à Bonn, n'est-ce pas?

— C'est l'ambassadeur lui-même qui avait demandé sa mutation, répondit Letty.

Ce retour à Bonn ne l'avait pas enchantée, loin de là, mais le service du personnel avait fait pression sur Nicky. « J'espère que vous n'allez pas faire le difficile », lui avait-on dit mot pour mot. « On peut refuser une nomination, avait averti Nicky, mais je ne suis pas sûr que ce soit sage pour ma carrière. » Ils étaient donc retournés à Bonn, et Schyndell s'était produit presque aussitôt, doublant effectivement le temps que Nicky passait loin de la maison.

— Drôle de coïncidence, commenta Porter. L'affaire tombait plutôt bien, non?

— Je ne comprends pas.

— Votre mari a-t-il demandé à faire partie de la délégation ou y a-t-il été invité?

— Mon mari parlait couramment l'allemand et le russe. Il savait qu'il pouvait se rendre utile.

— Précisément, insinua Porter. Et à Schyndell il avait accès à une masse d'informations sensibles sur la technologie nucléaire.

— Comme tous les membres de la délégation, répondit-elle, d'une voix que la peur rendait sourde.

— C'est pourquoi la question de la confiance est si cruciale, ajouta Porter, mielleux.

Norrell s'avança vers la table et tira une chaise.

— Et puis, bien sûr, ce récent voyage avec votre fille a eu lieu juste après que votre mari avait reçu la nouvelle concernant Rome.

— Rome? répéta-t-elle, d'une voix presque coléreuse.

— Le poste de secrétaire auquel Nicky avait postulé, explicita Norrell.

— Mais il n'est pas... Quel rapport cela a-t-il avec tout le reste?

Elle savait que Nicky était candidat. C'était une nomination qu'ils espéraient tous les deux, mais il n'avait jamais mentionné le résultat. Était-il possible qu'il le lui ait tu?

— Madame Fleming, votre mari ne serait pas le premier haut fonctionnaire coupable de corruption, reprit Norrell en la fixant avec intensité. Les gens « passent de l'autre côté » pour toutes sortes de raisons, idéologiques, fiscales, sexuelles. Ils peuvent être motivés par l'incompétence, la désillusion, la jalousie. Ils trahissent leur pays par cupidité, par vengeance, par dégoût d'eux-mêmes, par désir. Mais parfois, ajouta-t-il doucement, il suffit d'une petite déception.

Ballanish, Hébrides-Extérieures, été 1979

LORSQUE Letty interdit à Alick de toucher aux appareils ménagers, elle vit à son expression perplexe qu'il n'arrivait pas à comprendre pourquoi. Il était assis à la table de cuisine, une tasse de café entre ses doigts tachés d'huile, pendant que Georgie lisait, que Jamie dessinait et qu'Alba regardait la fenêtre d'un air boudeur.

— Mais, Let-it-ia, et s'ils tombent en panne?

— Ils sont tout neufs, Alick, et ils sont sous garantie. Si vous les démontez, la garantie ne sera plus valable.

Letty avait conscience de porter un coup dur à son amour-propre, mais elle ne se souvenait que trop bien d'être rentrée un jour à la maison pour trouver Alick allongé sur le sol de la cuisine, entouré de toutes les pièces du Raeburn, alignées une à une selon leur taille et leur fonction.

« Alick, pourquoi avez-vous démonté le four? avait-elle demandé, sidérée.

— Oh! Juste pour voir si je pouvais », avait été la réponse.

Alick était un mécanicien de génie. Il n'y avait rien qu'il ne puisse fabriquer ou réparer. Si la vie avait été juste, les capacités récompensées, un homme doué de ses talents aurait pu faire carrière chez Ford à Detroit ou être recruté par la Nasa. Mais la vie n'est pas juste, tout particulièrement pour un homme né dans les Hébrides-Extérieures. Les îles offraient des débouchés limités à un homme ayant son énergie et son imagination, si bien qu'il se contentait des travaux que Letty lui confiait – tondre la pelouse, rentrer la tourbe, bricoler la Peugeot qui tombait en panne un jour sur deux.

— Une garrrantie, hein?

Alick roula sa langue autour du mot d'un air soupçonneux, comme s'il cherchait à y trouver d'éventuelles insuffisances. Il laissa tomber un peu de tabac dans du papier à cigarettes et se mit à rouler le mince tube entre le pouce et le majeur.

— Eh bien, j'aimerais voir cette prétendue garantie donner un coup de clé dans les tuyaux le jour où ça va péter.

— Ne soyez pas fâché, Alick, le taquina Letty. Ça fait tellement plaisir de vous voir. Dites-moi comment vous allez.

— Oh, pas mal, répondit-il, radouci. Pas mal.

Il gratta une allumette puis se cala sur sa chaise.

— Alors, qu'est-ce que vous dites de la bête?

— La bête?

Jamie interrompit son dessin.

— Elle a des cornes?

— Elle est jeune, Jamie. Elle a deux ans à peine.

— C'est un lion?

— Eh bien, je n'ai jamais entendu parler d'un lion sur l'île.

— C'est un dragon, alors?

— C'est peut-être un affreux gnome comme toi, grommela Alba.

Alick bondit sur ses pieds.

— Ben oui, c'est un dragon, comme tu dis. Venez dans le jardin, je vais vous montrer.

C'était un bien grand mot pour un carré de chardons entouré d'un muret en ruine. De temps à autre, Letty essayait d'encourager Alick à y cultiver de la laitue et des légumes, mais le cœur d'Alick battait pour le métal et non pour la terre, et seules les pommes de terre survivaient.

Jamie se faufila devant Alick alors que ce dernier ouvrait la barrière et Alba les suivit.

— Elle est là-bas, dit Alick. Dans le coin.

Jamie plissa les yeux vers la section de muret à demi écroulée. Pas de lion. À sa place, une vache solitaire expulsait de la vapeur par ses naseaux en trépignant.

— Qu'est-ce qu'elle fait là? demanda Letty en fronçant les sourcils. Elle n'arrive pas à sortir?

— Ah! Maintenant vous aurez du lait sur place, vous ne serez plus obligés de faire le chemin jusque chez mon père.

— Oh, ça ne me gêne pas d'y aller.

— Bon, mais c'est quand même dérangeant.

La désagréable éventualité que la vache soit un cadeau commençait tout juste à prendre forme dans l'esprit de Letty. Aller chercher le bidon en métal chez Euan était un rituel matinal qui lui plaisait.

— Vous ne vous attendez pas à ce que je traie ce truc, si?

— Ce n'est pas si difficile. Je peux vous apprendre en un rien de temps. Vous vous y mettrez vite.

Il s'approcha de la vache avec son seau.

— Faites attention. Elle n'a pas l'air commode.

Comme pour confirmer, la vache émit un mugissement irrité alors qu'Alick se baissait entre ses pattes.

— Cette créature nous appartient? s'enquit Alba auprès de sa mère.

— Je ne crois pas. J'imagine qu'il nous la prête pour quelque temps.

— Je parie qu'il l'a volée.

— Ne dis pas de bêtises. Il est incapable de malhonnêteté.

— Vous voyez, c'est facile, Letitia!

Alick tordait les pis de la vache comme une corde de cloche d'église.

— C'est une bête placide. Vous ne goûterez jamais de lait plus frais et il ne faut qu'un moment pour la traire.

— Elle ne m'a pas l'air si placide, observa Letty, méfiante.

Comme sur un signal, la vache tourna la tête et décocha un bon coup de pied dans le seau.

— Espèce de saleté! rugit Alick.

Il se redressa en titubant, sa salopette dégoulinant de lait. La vache se cabra.

— Vas-y, vache pourrie! cria Alba, ravie.

— Alick, emmenez-la, implora Letty. Je ne peux pas m'occuper d'elle, c'est impossible.

— Je le ferai, déclara soudain Alba. Ça me rendra la vie moins ennuyeuse.

— C'est bien, ma petite. Mais si vous la gardez, mieux vaudrait lui donner un nom.

— Nous l'appellerons Gillian, décréta Alba.

— Oh, je ne crois pas que ce soit un nom très approprié, objecta faiblement Letty.

— Très bien.

Alba toisa sa mère d'un œil malveillant.

— En ce cas, nous l'appellerons l'Ambassadrice.

La porte bleu vif de Donald John s'ouvrit brusquement et il apparut devant les trois enfants, légèrement voûté sous le chambranle bas.

— Donald John ! s'écria Jamie en se jetant sur lui.

— Tiens, Jamie !

Donald John lui tapota vigoureusement la tête.

— Et Alba et Georgie aussi ? Eh bien, eh bien. Comment ça va ?

Il sourit de toutes ses dents et fit entrer les enfants.

— Entrez, entrez ! Asseyez-vous ! Asseyez-vous.

— Alors, comment allez-vous, Donald John ? s'enquit Alba.

— Pas trop mal, pas mal du tout.

Il sortit une bouteille de Coca cerise du placard, en essuya la poussière et posa sur la table une assiette de petits gâteaux au gingembre.

Donald John, leur voisin le plus proche et cousin germain d'Alick, était le cadet d'une série de frères dont les prénoms prêtaient à confusion : John, John Donald, Donald et Donald John. Il avait vécu seul dans sa fermette toute sa vie mais le célibat semblait lui convenir. En dépit de ses cinquante ans, il n'avait pas une ride sur son visage cireux, et arborait un sourire d'une blancheur quasi divine. Sa voix était perçante et il avait tendance à tout dire dans un cri joyeux accompagné d'une série d'onomatopées que les enfants imitaient impitoyablement dès qu'ils sortaient de chez lui.

— Eh bien, Donald John, j'ai eu du mal à en croire mes oreilles, le taquina Georgie. Alick dit que vous avez quitté l'île cette année.

— Oui, je suis allé à Inverness rendre visite à ma belle-sœur, mais ça fait déjà un certain temps, oh, oui, un certain temps. Il a fait un temps épouvantable. (Il secoua la tête avec vigueur.) Oh, bah bah, c'était affreux, affreux.

— Il a beaucoup plu ? s'enquit Georgie, compatissante.

— Non, il n'a pas plu, Georgie, il a fait chaud ! Oui, vraiment, il a fait une chaleur épouvantable.

— Oh, vraiment ? fit Alba. Il a fait jusqu'à 20 °C ?

— Je ne peux pas dire qu'il ait fait aussi chaud que ça. Mais disons au moins 19 °C. Oh, quelle journée, se remémora-t-il, aspirant de l'air dans ses joues et puis l'expulsant. Je déteste la chaleur. C'était affreux !

— Imaginez ce que ce serait si vous deviez aller dans le désert, intervint Jamie. Il fait 50 °C dans le Sahara. Vous n'avez pas envie de voir le désert, Donald John ? Vous n'avez pas envie d'aller à l'étranger ?

— À l'étranger ? (La question valait bien une tape vigoureuse sur le genou.) Non, non, je ne suis jamais allé dans cet endroit-là, admit-il gaiement, et je suis sûr que je n'irai jamais.

Et, de fait, Donald John était né sur l'île et mourrait sur l'île, et plaignait sincèrement tous ceux qui n'étaient pas dans son cas. Le concept de voyage en soi heurtait sa sensibilité. Si les enfants mentionnaient un voyage d'affaires effectué par leur père, Donald John prenait une expression endeuillée. « Paris ? Eh bien, eh bien. Le pauvre, le pauvre. »

Jamie adorait la cuisine de Donald John avec ses murs couleur crème anglaise et son rutilant poêle bleu. Il sirota sa boisson tout en regardant les objets immuables sur le manteau de la cheminée – une photo d'école des nièces de Donald John, une carte postale de Glasgow et l'horloge en plastique dont les douze chiffres étaient représentés par de petits oiseaux. Quand la grande aiguille atteignait le roitelet, Donald John mettait sa casquette et sortait s'occuper des bêtes. À l'heure de l'étourneau, il se préparait le dîner. Les visiteurs avaient tendance à arriver entre la grive et le passereau, mais quand il ne recevait pas, Donald John passait ses soirées sans télévision, la radio éteinte, assis dans son fauteuil, absorbant chaque tic-tac de l'horloge. Si le monde ralentissait quand on était en compagnie des adultes, songea Jamie, le temps s'écoulait à une allure d'escargot avec les îliens.

— Alors, reprit Alba, vous avez trouvé une femme depuis la dernière fois qu'on vous a vu ?

— Non, non.

Il éclata dûment de rire et assura de nouveau les filles qu'il se réservait pour elles.

— Quelles autres nouvelles ? demanda Georgie. Des commérages croustillants ?

— Vous avez entendu parler de la bête, je suppose ?

— Oh, oui, on l'adore ! s'écria Alba.

— Vous l'avez donc vue ?

Donald John paraissait surpris.

— Alick nous a emmenés la voir.

— Ah bon, Georgie ? Ah bon ?

— Alba pense qu'elle est dérangée, déclara Jamie.

— Elle *est* dérangée, confirma Georgie. Elle a tenté de jouer un tour à Alick, et il essayait seulement de la traire.

— Sans blague ! (Donald John se balançait d'avant en arrière à présent, très amusé.) Dis donc, on doit avoir du mal à traire une bête sauvage comme ça !

— Ça va être le tour d'Alba la prochaine fois, ajouta Jamie. Alick va lui montrer comment faire.

Devant les enfants de plus en plus perplexes, Donald John essuyait maintenant des larmes d'hilarité.

— Eh bien, tu ferais mieux de ne pas trop t'en approcher, Alba. Non, vraiment, elle t'arracherait les doigts. Enfin, ce n'est pas juste de mettre en cage une bête comme ça.

— On ne peut pas dire qu'elle soit en cage, protesta Georgie. Au moins, elle a toute la nourriture qu'elle veut. Autant que je puisse en juger, elle n'arrête pas de manger.

— Et comment, quinze livres de viande tous les soirs pour son dîner !

— De viande ?

Georgie échangea un regard furtif avec Alba, toutes deux gagnées par un soupçon troublant. Les taquineries étaient leur domaine réservé. C'était la première fois qu'on leur rendait la monnaie de leur pièce, et cela les mettait profondément mal à l'aise.

— Comment ça, « quinze livres de viande » ?

— Eh bien, il lui donne du steak pour le dîner et du bacon pour le petit déjeuner. À voir ça, on penserait que c'est un être humain.

— Donald John, avez-vous perdu la tête ? rétorqua Alba. Les vaches ne mangent pas de viande. Et qui lui donne à manger ?

— Voyons, c'est le dresseur qui lui donne à manger. C'est sa bête, quoi.

— Mais de quoi parlez-vous donc ?

— De l'ours, évidemment.

— De l'ours?

Jamie cessa de siroter son Coca. Les filles se regardèrent dans un silence stupéfait.

— C'est d'un ours qu'on parle depuis tout à l'heure? s'écria Alba. Quel genre d'ours?

— Je ne sais pas exactement, répondit Donald John placidement, mais un grand, ça, c'est sûr.

— Nous, nous parlions de la vache qu'Alick a mise dans notre jardin. Vous êtes en train de dire qu'un vrai ours vit sur l'île?

— Et comment! Il appartient à un dresseur, Andy Robin, et il est plutôt célèbre. Il a même son propre bus.

Soudain, les fils déconnectés dans le cerveau de Jamie se mirent à faire des étincelles. Il bondit sur ses pieds.

— Je l'ai vu en venant ici, bredouilla-t-il. C'est mon ours. C'est un grizzly. Je vous l'ai dit, souvenez-vous. C'était sur la route.

— Pourquoi quelqu'un aurait-il amené un ours sur l'île? demanda Alba avec mépris en donnant un coup de coude à Jamie pour le forcer à se rasseoir.

— Oh, il paraît que c'est une bête qui travaille dur, Alba. J'ai entendu dire qu'il tournait une publicité – pour Kleenex.

— Il fait des tours? demanda Jamie. Il sait monter à bicyclette?

— Je ne pourrais pas dire, mais je suis sûr que tu voudras aller le voir, mon petit Jamie.

Mais Jamie était déjà retourné à ses pensées. Comment était-ce possible? L'ours du musée. L'ours sur l'affichette. L'ours qui l'attendait sur la Zirkusplatz le jour de l'accident de son père. Et maintenant il était là, sur l'île. Son île. Son ours.

— Salut, ours, chuchota Jamie.

Hébrides-Extérieures, été 1979

— ON peut y aller maintenant? demanda Jamie fiévreusement.

— Dans quelques minutes, mon chéri, répondit Letty.

— Dans combien de minutes?

— Oh, je ne sais pas. Dix, quinze… Dès que possible, rectifia-t-elle en se retournant vers l'homme. Combien en voulez-vous, Roddy?

Elle regarda d'un œil morne le buffet en bois au-dehors. Peu importait au fond combien il en demanderait, ils savaient l'un et l'autre qu'elle finirait par l'acheter, tout comme elle avait acheté l'armoire d'une laideur indicible qui serait toujours trop grande pour la maison, le lit en fer qui traînait encore dans le débarras.

— Maman, s'il te plaîît? demanda Jamie, au comble de l'agitation.

— Jamie, sois patient. Je bois une tasse de thé avec Roddy.

Jamie observa le vieux bâtisseur de murs tandis que ce dernier versait une quatrième cuillerée de sucre dans sa tasse. Jamais il n'avait vu un homme d'aspect aussi étrange. Sa tête semblait avoir été sculptée dans le roc. Ses sourcils rêches poussaient comme une haie de brindilles livrée à elle-même. Ses oreilles étaient semblables à des poignées d'argile, et les sillons profonds gravés sur sa joue couraient jusqu'à l'arête proéminente de sa mâchoire. Pourtant, ce qu'il y avait de plus frappant chez Roddy, c'était la masse d'os qui avait courbé impitoyablement sa colonne vertébrale.

Pour compenser ce terrible fardeau physique, Roddy s'était vu attribuer un don plus spirituel. En tant que septième fils du septième fils, il avait mérité de la plus précieuse des caractéristiques des îliens – le don de seconde vue. De droit, ce don aurait dû lui ouvrir l'univers. Il aurait dû être son télescope dirigé sur des contrées lointaines, où les montagnes surgissaient des océans, où les dunes brûlaient sous la chaleur du désert. Hélas, le don de Roddy semblait lui avoir été conféré pour un usage plus terre à terre: la prédiction des naissances et des morts, et le nom de celui qui remporterait le concours de la plus belle vache aux jeux des Highlands.

— Je vous le laisse pour vingt livres, dit enfin Roddy.

— Je vous en donne dix, Roddy, dit Letty fermement.

Roddy retira sa casquette et se gratta les rares cheveux qu'il lui restait sur le crâne.

— Va pour dix livres.

— Très bien.

Jamie repoussa sa chaise.

— On peut y aller maintenant, maman, s'il te plaît?

— Où est-ce que vous êtes si pressés d'aller?

— Jamie veut voir l'ours, expliqua Letty d'un ton d'excuse.

— Ah oui? Il est trop tard pour ça, mon gars. Il est parti.

— Oh, non!

Jamie se laissa tristement retomber sur sa chaise.

— Vous en êtes sûr?

— Oui. Il s'est échappé, il s'est sauvé et il a fichu une peur bleue au pauvre Fergus McKenzie. Je suis surpris que vous ne soyez pas au courant ! ajouta Roddy avec satisfaction. La bête s'est échappée et rôde en liberté sur l'île depuis des jours et des jours.

Bonn, Allemagne de l'Ouest, 1979

UNE déception. Les ressources combinées du MI6 et du gouvernement britannique en matière d'investigation n'avaient rien trouvé de mieux. Mécontent de ne pas avoir obtenu la promotion qu'il convoitait, Nicky Fleming avait voulu se venger de son pays en transmettant des informations encore non déterminées à un contact encore non déterminé. Incapable de supporter le remords, il s'était confessé à sa femme dans un message d'adieu et s'était jeté du toit de l'ambassade. Simple. Net. Affaire classée.

Il existait une faille dans le procès maison de Nicky Fleming. Qu'il soit coupable était présenté comme un fait avéré. Mais de quoi, personne n'en savait rien. Aucun document ne manquait, rien n'indiquait que le moindre dossier ait été copié. On n'avait pas trouvé d'éléments suggérant une liaison. Rien ne semblait avoir été dérangé, sauf bien sûr Nicky Fleming lui-même, mort et disloqué sur le sol au pied de l'ambassade. L'enquête avait été aussi méticuleuse qu'inefficace, et, en fin de compte, il n'y avait pas plus de réponses qu'au début.

— Ils ne peuvent pas en rester là, Tom, c'est impossible. (Letty faisait les cent pas dans la cuisine.) Tu le connaissais mieux que personne. Tu sais qu'il en aurait été incapable.

— Bien sûr.

Tom écarta les mains en un geste de compassion impuissante, mais au cours des semaines qui avaient suivi la mort de Nicky, Letty était devenue experte dans l'art de saisir les nuances de ton. Tom était le dernier chez qui elle se serait attendue à l'entendre – et pourtant, il y avait bel et bien eu une imperceptible hésitation dans sa réponse. Elle le fixa avec intensité.

— Oblige-les à creuser davantage, Tom. Force-les à garder le dossier ouvert jusqu'à ce que son nom soit lavé.

— Laisse tomber, Letty. C'est peut-être ce qu'il y a de mieux à faire.

— Ce qu'il y a de *mieux* ! Comment cela pourrait-il être pour le mieux alors que tout le monde considère Nicky comme un traître ?

Tom garda le silence.

— Tu ne crois pas en lui, n'est-ce pas ?

Sa voix était devenue plus aiguë.

— Letty, il faut que tu comprennes à quel point la machine gouvernementale peut être féroce… Aucune vie ne résiste à un tel examen. Je l'ai vu par le passé.

— Tu ne crois pas en lui, dit Letty d'une voix creuse. Je le vois dans tes yeux.

— Letty…

Il lui prit le bras.

— Non, ne me touche pas.

Elle se laissa tomber sur une chaise et se couvrit le visage des mains.

— Comment peux-tu? murmura-t-elle. Toi, entre tous! (Letty leva la tête.) Tu protèges ton poste, Tom?

— Ne sois pas injuste.

— Alors quoi? Dis-le-moi, bon sang!

— D'accord, Letty, d'accord.

Il s'assit lourdement.

— Écoute, il y a environ neuf mois, Nicky et moi avons déjeuné ensemble. Il m'a dit qu'il était entré en contact avec quelqu'un. Quelqu'un qu'il devait aider.

— Comment ça? Qui? Où?

— À Berlin-Est. Je ne sais pas qui. Il a seulement demandé s'il pouvait compter sur mon aide.

— Et que lui as-tu répondu?

— Que je ne pouvais pas juger de ce qu'il me demandait hors contexte mais que c'était de la folie d'être impliqué dans une opération clandestine, *surtout* à Berlin-Est. Je lui ai dit qu'il devait en parler à l'ambassadeur, passer par la voie officielle.

— Tu as refusé? demanda-t-elle, incrédule.

— Essaie de comprendre, Letty. Un homme dans la position de Nicky est particulièrement vulnérable. Il devait forcément supposer que tout individu cherchant à entrer en contact avec lui était un informateur ou une taupe. Tu n'as pas idée des questions qu'on se pose pour jauger des risques de n'importe quelle rencontre fortuite, sans parler d'un contact en RDA. Pour Nicky, s'impliquer dans une telle opération revenait à aller à l'encontre de tout ce que son instinct et sa formation lui dictaient.

— En ce cas, pourquoi l'imagines-tu capable d'une chose pareille? Pourquoi es-tu si convaincu que c'était clandestin?

— Parce que si ç'avait été officiel, il n'aurait eu aucune raison de me demander de l'aide. (Tom fixa la table sans la voir.) Tu crois que je n'ai pas tourné et retourné ça dans ma tête depuis ? Letty…

— On ne peut jamais vraiment connaître quelqu'un. On ne sait jamais qui sont ses amis avant d'avoir réellement besoin d'eux.

Elle vit Tom accuser le coup.

— C'est toi qui as recruté Nicky.

Elle le foudroyait du regard à présent, le désespoir dans les yeux. Si Nicky était soupçonné, alors pourquoi pas Tom ? Tom, qui avait été mêlé de si près à la carrière de Nicky. Tom se rendait fréquemment à Berlin. Si Tom avait transgressé les règles, il serait bien pratique de tout mettre sur le dos de Nicky.

— Y a-t-il une raison pour laquelle cela t'arrange de prendre tes distances avec lui à présent ?

Tom repoussa sa chaise.

— Ne me fais pas de sermon sur la loyauté ou l'amitié, dit-il avec amertume. J'en ai fait plus pour Nicky que tu ne le crois.

— Non. Tu l'as trahi, tu nous as trahis tous les deux.

Elle était en proie à une sorte d'accès de folie, et cela lui faisait un bien immense de donner libre cours à sa propre colère.

— Tu parles de connaître quelqu'un, eh bien tu as raison, riposta Tom. Nicky t'aimait de tout son cœur, mais il n'a jamais été l'homme que tu croyais.

— Comment oses-tu ! (Elle se leva et le gifla d'un même mouvement.) Comment oses-tu essayer de me faire douter ? Nicky était meilleur que tu ne le seras jamais. Je sais une chose sur mon mari. Tu étais son meilleur ami et il serait mort pour toi.

Sa main était encore levée quand il lui saisit le poignet.

— Ce que je pense n'a pas d'importance, Letty. Accroche-toi à ce que tu crois. C'est tout ce qui compte.

Ballanish, Hébrides-Extérieures, été 1979

— Il y a quelque chose qui cloche avec mon cœur, annonça Jamie, sautillant sur le sentier sablonneux derrière ses sœurs.

Il s'agrippa la poitrine d'un geste solennel.

— Des fois, je sens le vent passer à travers.

— Alors, ferme ta veste, idiot ! rétorqua Alba, et ne reste pas à la traîne.

Jamie sautilla plus vite. En dépit de sa douleur à la poitrine, cela faisait des semaines qu'il ne s'était pas senti aussi content. Le destin n'aurait pas pu fourrer son nez dans ses affaires avec plus d'obligeance. Maintenant il cherchait un ours en même temps qu'il guettait le retour de son père. Il toucha la bouteille dans sa poche. Il avait déjà lancé trois cartes à divers endroits de l'île, sans compter celle qu'il avait laissée tomber par-dessus bord quand ils étaient sur le ferry. Si la chance continuait à lui sourire, des cartes dans des bouteilles en verre ne tarderaient pas à flotter aux quatre coins du monde.

— Bien, soyons méthodiques. (Georgie plissa les yeux en direction de la mer.) Une plage différente chaque jour. Il est forcément en train de se cacher. On devra le suivre à la trace.

— Comme chercher des empreintes ou du caca?

— Excellente idée, Jamie.

Alba attrapa son frère et lui poussa la tête au-dessus de la flaque acide d'une bouse de vache.

— Est-ce du caca d'ours, Holmes? Oui? Non? Reniflez et dites-nous, voulez-vous?

— Je crois que c'est du caca de vache, dit Jamie nerveusement.

Selon ses calculs, il y avait peu de chances qu'il finisse par avoir le visage immergé dans la masse fumante, mais le côté imprévisible d'Alba l'inquiétait. Au dernier moment, elle le relâcha, non sans lui avoir d'abord aimablement tordu l'oreille.

— Les vaches sont totalement dégoûtantes, déclara-t-elle.

— Je pensais que tu les aimais bien.

Jamie rejoignit prudemment Georgie et glissa sa main dans la sienne.

— Et l'Ambassadrice?

— L'Ambassadrice est différente. Celles-là sont un tas de nazies. Regardez, pourquoi est-ce qu'elles forment un cercle? Vous croyez qu'elles ont un plan?

— Il n'y a pas de plan, soupira Georgie. Ce sont des vaches.

— Je n'aime pas la manière dont elles nous encerclent. Fichez le camp, espèce de troupeau de hamburgers! Dégagez!

Jamie gloussa. Quand Alba était de bonne humeur, le soleil illuminait le moindre coin sombre de son univers. Et Alba était de bonne humeur. Maintenant, ils avaient un but, leur vie devenait plus intéressante.

— À propos, dit-elle songeuse, il est bien plus probable que l'ours nous suive à la trace que le contraire.

— Pourquoi est-ce qu'il ferait ça ?

— Nous sommes de la nourriture, idiot !

— L'ours ne mange pas les gens. Il mange du steak.

— Un être humain ne peut pas trouver de steak sur cette île. Encore moins un ours.

— Il pourrait manger du poisson.

— Il ne sait pas attraper du poisson. C'est un ours dompté. Il ne sait rien faire à part lutter. Je te dis que, le jour où il aura assez faim, il suivra la trace de la chose la plus puante, la plus putride de l'île – toi, Jamie – et pof, il surgira de derrière un rocher.

— Mais je veux qu'il surgisse de derrière un rocher. L'ours ne me mangera pas.

— Il te mangera s'il a assez faim. Moi, je te mangerais si j'avais assez faim. Je te mangerais même si je n'avais pas faim – juste histoire de me débarrasser de toi.

Un oiseau volait au ras des roseaux. Distrait, Jamie le suivit à travers ses jumelles.

— C'est un courlis cendré, Alba ?

— Comment veux-tu que je le sache ? Et, qui plus est, je m'en fiche. Les oiseaux ne servent à rien.

— Ce n'est pas vrai. Et j'ai besoin de connaître son nom pour mon livre d'oiseaux.

— Pourquoi ? Pour que tu puisses écrire que tu as vu un courlis cendré ? Comme c'est passionnant. Tu vas l'abattre et le manger ? L'adopter ou le convertir au christianisme ? La question que tu dois te poser est celle-ci : l'identification de cet oiseau va-t-elle changer quoi que ce soit à ma vie ? Et si la réponse est non, alors je pense que nous pouvons tous en conclure que l'observation des oiseaux est un passe-temps pathétique.

— Pour toi, mais pas pour moi, rétorqua Jamie avec conviction. Tu ne peux pas penser à moi pour une fois ?

— Jamie, tu penses à toi tout le temps. Si je devais le faire aussi, ça créerait peut-être un déséquilibre dangereux dans l'Univers.

— Non. Penser ne pèse rien.

— Très bien, monsieur Je-sais-tout. (Alba lui arracha les jumelles et les dirigea vers le ciel.) Oui, c'est un courlis cendré. (Elle tourna les jumelles de côté et mitrailla l'oiseau.) Et maintenant, c'est un courlis mort. Oh, quel dommage!

Jamie gloussa.

— Je t'aime, Alba.

Il fit mine de l'étreindre mais elle le repoussa.

— Hé, il y a quelqu'un sur la plage, cria Georgie.

— Quoi!

Alba courut vers le sommet de la dune. Au-dessous d'eux, un homme et une femme s'affairaient autour d'un jeune enfant qui creusait dans un chenal de sable mouillé avec une pelle en plastique.

— Sales touristes! La peste sur eux!

— On devrait peut-être aller leur dire bonjour? dit Jamie avec espoir.

— Non, ils risqueraient de nous trouver sympas.

— On n'est pas sympas?

— Non. En fait, je vais me débarrasser d'eux.

— Alba, attends! appela Georgie, mais déjà Alba dévalait la dune en zigzaguant, agitant frénétiquement les bras en direction de la petite famille.

Le couple leva les yeux.

— Je suis désolée, dit Alba en s'arrêtant devant eux, haletante, mais il fallait que je vous avertisse. Vous ne devez pas laisser votre enfant jouer sur cette plage.

Ils la dévisagèrent.

— Mais pourquoi? demanda la mère.

— Les méduses. Elles sont toxiques cette année.

— Toxiques! En Écosse?

Le couple échangea un regard.

— Oui, je sais. C'est ce que nous pensions nous aussi, mais mon petit frère adoré Jamie… (Elle baissa la tête.)… Eh bien, il a été piqué il y a quelques mois. Les méduses étaient petites et avaient l'air normales. Personne ne savait… personne n'aurait pu deviner.

Elle s'interrompit et se mit à sangloter. Les visiteurs, sceptiques mais déchirés entre l'enfant en pleurs devant eux et leur propre bambin qui tripotait le sable, dangereusement proche, d'ailleurs, d'une des nombreuses et pacifiques méduses de la plage, ne prirent pas de risques. Ils se hâtèrent de récupérer le bébé et tendirent un mouchoir à Alba.

— Mon petit, dit la femme, les larmes aux yeux, parcourant

désespérément les environs du regard. Ça va ? Tes parents sont avec toi ?

— Ma mère est à la maison et mon père… eh bien mon père, continua Alba d'une toute petite voix, il est mort aussi.

Le couple recula, chancelant à l'unisson.

Un parent récemment décédé avait son utilité, Alba l'avait découvert. La moindre allusion à l'accident de son père réduisait les gens au silence, et elle avait mis au point une expression abattue qui lui avait épargné de nombreuses retenues à l'école. Même les circonstances de la mort de son père pouvaient être adaptées à toutes les situations. Au cours des six derniers mois, elle l'avait fait assassiner, exécuter par l'Armée rouge et tomber d'un avion. Ces inventions, Alba avait remarqué, étaient plus faciles à accepter que la vérité.

« Comment peut-il être tombé ? avait-elle crié, hystérique, à sa mère ce soir-là. On ne tombe pas comme ça. »

Letty l'avait serrée contre elle, pleurant elle aussi.

« C'était un accident, ma chérie. Ce n'est la faute de personne, c'est un terrible malheur, voilà tout. »

Mais au fil du temps, Alba avait flairé autre chose, une certaine peur et une réticence de la part de sa mère à expliquer la situation. Et pas seulement de la part de sa mère.

« Comment ça, on veut te voir à l'ambassade ? avait-elle demandé à sa sœur.

— On veut me voir, c'est tout.

— Il doit bien y avoir une raison. On envoie une voiture te chercher. »

Georgie avait haussé les épaules.

« Ils veulent m'interroger à propos de Berlin.

— Berlin ? s'était écriée Alba avec indignation. Parce qu'il s'est *passé* quelque chose à Berlin ? »

C'était déjà injuste qu'elle n'ait pas été autorisée à y aller ; l'idée qu'il ait pu se passer là-bas un événement notable était vraiment insupportable. Quand Alba avait saisi l'hésitation dans la réponse de sa sœur, cela avait envoyé un signal clair à son cerveau. On lui cachait quelque chose.

La femme sur la plage serra Alba contre son sein.

— Ma pauvre enfant. Écoute, nous avons une voiture. Pouvons-nous t'emmener quelque part ? Te raccompagner chez toi ?

Alba avait eu l'intention de conclure la rencontre en se mouchant théâtralement, mais soudain ses véritables sentiments rencontrèrent ceux qu'elle feignait, et des larmes bien réelles lui montèrent aux yeux. Elle secoua la tête et leur fit signe de partir.

Le fait est que certains jours, elle ne pensait qu'à ça. Au comment et au pourquoi de la mort de son père. La veille, il avait un bureau où aller, une famille à chérir et des principes à respecter. Le lendemain, il était parti.

— Ça n'a pas traîné.

Georgie était toujours atterrée par le comportement de sa jeune sœur, tout en l'admirant en secret.

— Tu leur as dit qu'il y avait un grizzly en liberté sur l'île?

— Un grizzly? (Alba se hâta de sécher ses larmes.) Ne sois pas ridicule, Georgie. Ils n'auraient jamais cru un truc pareil.

Berlin-Est, Allemagne de l'Est, décembre 1978

LE voyage avait eu lieu le mois précédant la mort de son père. C'était la première fois que Nicky Fleming emmenait un de ses enfants en voyage d'affaires et Georgie éprouvait un certain sentiment de supériorité à avoir été choisie, lequel s'accrut après qu'Alba fut devenue inconsolable en apprenant qu'elle n'était pas invitée. Mais bien sûr, Alba ne possédait pas les références de sa sœur aînée. Le 13 août 1961, au moment précis où les unités militaires armées de la RDA fermaient Berlin-Est au reste du monde et commençaient à ériger le mur, Georgiana Gisela Fleming dévalait le toboggan de l'utérus de sa mère en direction d'un lit d'hôpital tout propre à Saint-Thomas de Londres.

En dépit de cet anniversaire partagé, Georgie ne se passionnait guère pour le sujet et n'avait feint de s'y intéresser que dans le but d'impressionner son père. Il y avait presque toujours des références à Berlin-Est dans le *General-Anzeiger Bonn,* des bribes à quoi s'accrocher durant les atroces mises à l'épreuve journalistiques qui se déroulaient sur la méridienne. Mais c'était le Mur lui-même, avec ses clôtures électrifiées et ses miradors, qui avait capté son imagination. Elle s'était surprise à dévorer des histoires de maisons coupées en deux, de familles forcées à sauter par la fenêtre d'un pays à l'autre. Bonn était plein de réfugiés qui avaient fui l'Allemagne de l'Est, et sa grand-mère Gisela en faisait partie. Le temps que Georgie atteigne ses quatorze ans, le Mur était devenu pour elle l'incarnation même du danger et du romantisme, et elle disait qu'elle mourait d'envie de le voir.

« Pas maintenant, mais un jour. Quand tu auras dix-sept ans et que tu commenceras à avoir des idées de gauche, avait plaisanté son père, peut-être que je t'emmènerai.

— C'est promis ? »

Elle l'avait observé tandis qu'il hésitait.

« Bon, d'accord. Promis. »

Pour la première et unique fois, elle avait pensé qu'il manquerait peut-être à sa parole. Mais elle détenait un atout sous forme d'un chèque rangé dans sa boîte à promesses et, en fin de compte, elle l'avait sorti.

« Une requête des plus inhabituelles », avait commenté le chef de la délégation lorsque Nicky avait sollicité l'autorisation, mais la permission avait été accordée. Georgie était aux anges. Berlin-Est était le frère ennemi de Berlin-Ouest et elle y allait pour de vrai. Elle irait déposer des fleurs sur la tombe de son arrière-grand-père, passerait du temps en tête à tête avec son père, et tant pis pour les larmes d'Alba.

La première chose qui la frappa à Berlin-Est fut la fine poussière jaune en suspens dans l'air et l'odeur de phosphore.

— Le lignite, expliqua son père comme elle plissait le nez. C'est pour ça que les moteurs des voitures sont si bruyants ici. Cette petite Wartburg, par exemple. Elle roule au lignite, pas de doute.

Il désignait un taxi boîte de conserve qui avançait par à-coups à côté d'eux, son pot d'échappement émettant une série d'explosions.

— Pourquoi s'en servent-ils puisque ça sent si mauvais ?

— Parce que l'Allemagne de l'Est en possède en quantité et qu'elle n'a pas le droit d'importer du pétrole. En fait, ils n'ont pas le droit d'importer du café, des fruits ou quoi que ce soit. C'est pourquoi nous avons fait le plein de la Peugeot de l'autre côté.

Ils avaient failli venir à Berlin en avion, mais son père avait changé d'avis au dernier moment. « Un voyage en voiture sera plus intéressant. On s'amusera bien. »

Georgie avait adoré avoir son père à elle seule, et, durant le voyage, il avait bavardé et plaisanté, tout en lui communiquant une foule d'informations – savait-elle qu'un citoyen sur six était un informateur ? Que les hôtels et les taxis étaient tous sur écoute ? Qu'il existait à l'un des points de sortie un garage mortuaire où les cercueils étaient fouillés afin de confirmer que leurs occupants étaient réellement morts ?

Quand ils approchèrent de la frontière, l'atmosphère changea. En voyant son passeport partir sur une chaîne en direction du bâtiment administratif, Georgie avait été saisie d'une folle envie de le reprendre et de s'enfuir à toutes jambes. Le processus avait été effroyablement long. Lorsqu'ils avaient enfin récupéré leurs papiers et pu reprendre la route, son père lui avait souri.

« Alors, comment était-ce, cette première expérience du totalitarisme ? »

Georgie avait haussé les épaules. Juste avant le voyage, une pensée rebelle s'était faufilée dans son esprit. La guerre froide, cette lutte éternelle où, apparemment, rien ne se passait et où personne ne prenait les armes, était-elle vraiment si affreuse ? Mais c'était avant qu'elle voie le Mur. Celui-ci était le *Grenzmauer*, lui apprit son père, le troisième mur, une nouvelle version améliorée. Quarante-cinq mille sections de béton armé bordant le gravier ratissé de « la bande de la mort ». Un monument totalement infranchissable dédié à la peur.

C'était ce qu'elle avait dit à Norrell et à Porter lorsqu'ils l'avaient questionnée.

« Ne parlez pas de la lettre à ma fille, avait dit Letty aux deux hommes. Si vous lui mettez l'idée d'un suicide en tête, je ferai tout ce qui est encore en mon pouvoir pour vous le faire payer – et je vous prie de ne pas me sous-estimer. » C'était du bluff, bien sûr. Mais, pour la première fois, elle avait aperçu une lueur de respect dans leurs yeux.

Il n'était pas venu à l'esprit de Letty que Georgie ait pu avoir des révélations à faire au MI6 concernant son voyage en Allemagne de l'Est. Cela n'était pas venu à l'esprit de Georgie non plus, mais, assise à table face à Norrell et Porter, elle pouvait facilement s'imaginer à Berlin-Est. Elle s'y était sentie observée avec la même attention – par les agents aux yeux perçants de la Volkspolizei, par les gardes du haut de leurs miradors. Même sur le chemin du retour, elle n'avait pu se défaire du sentiment que quelqu'un les surveillait, les écoutait.

Porter avait mené l'interrogatoire. Qui son père avait-il rencontré ? Avait-il eu des contacts avec quiconque en dehors de la conférence ? Croisé quelqu'un par hasard dans la rue ? Georgie leur fit le minimum de réponses requis par la politesse. Elle avait raconté que son père leur avait pris une chambre au lugubre hôtel d'État, l'Inter-hotel. Que, le lendemain matin, lors de la réunion des délégations, on l'avait laissée lire son livre dans la salle 4 d'un bâtiment gouvernemental quelconque. Que la Peugeot était tombée en panne et qu'elle avait été remorquée jusqu'à un garage…

— Torsten est la seule personne que mon père ait rencontrée, dit-elle à Porter.

Torsten était l'ami de son père dans la délégation. Un homme au physique agréable, aux cheveux châtains bouclés et au bégaiement intermittent. Georgie avait lu un chapitre du *Maire de Casterbridge* pendant qu'ils se remémoraient la conférence où ils s'étaient rencontrés, et un autre pendant qu'ils décrivaient les banalités de leurs vies respectives à Bonn et à Stockholm. Nicky, se rendant compte que sa fille s'ennuyait, tapota avec son stylo la couverture de son livre.

— Tu sais qu'on nous surveille, n'est-ce pas? avait-il chuchoté.

Georgie avait levé les yeux.

— Depuis l'instant où nous nous sommes assis.

— Vraiment? avait-elle dit, sceptique.

— Ne fais confiance à personne, avait-il ajouté avec un clin d'œil. Ils te surveillent tous.

— Qui?

— La Stasi.

— Comment le sais-tu?

— Il y en a un là.

Son père avait incliné la tête en direction d'un individu ordinaire assis à une table voisine.

— Et un autre là-bas.

Georgie avait plissé les yeux vers la réception, où un homme debout sous un panneau indiquant la sortie s'efforçait de lisser une carte routière.

— Ils n'ont pas l'air de policiers, avait-elle dit, incertaine.

— Les hommes de la Stasi sont des caméléons, avait déclaré Torsten. Ils savent se fondre dans le décor.

— Alors comment pouvez-vous les reconnaître?

— Oh, au bout d'un certain temps, on le sent, avait-il répondu d'un ton désinvolte.

— On nous espionne depuis que nous sommes arrivés à Berlin, avait ajouté son père. Aujourd'hui, on aura noté précisément ce que porte Jorsten, jusqu'à son choix plutôt douteux de chaussures.

Torsten avait souri, du sourire las d'un étranger se sachant la cible d'une plaisanterie anglaise.

Georgie avait regardé le pull en nylon d'une couleur indéfinissable que portait le Suédois, sa cravate en tricot kaki et ses chaussures orange.

— Notre présence dans ce restaurant sera consignée, ainsi que le choix de notre menu. Par exemple, j'ai mis du lait dans mon café. Toi, tu as lu Thomas Hardy. Toutes ces informations seront gardées dans un dossier qui, plus tard, sera lu et analysé par un fonctionnaire.

— Mais pourquoi est-ce que cela les intéresse ?

— Devine.

Le regard de son père s'était porté imperceptiblement vers Torsten, et Georgie avait senti son pouls s'accélérer.

— Vraiment, avait-elle murmuré en se tournant vers lui. Vous en êtes un ?

Torsten avait porté un doigt à ses lèvres et jeté un regard éloquent au cahier d'écolier posé sur la table.

Georgie avait saisi son stylo et griffonné : *Vous êtes un espion ?* Puis elle avait rougi, certaine que Torsten allait se moquer d'elle.

— Presque tout le monde à Berlin-Est en est un, avait-il dit. Néanmoins, pour ma part, je suis physicien nucléaire.

Ballanish, Hébrides-Extérieures, été 1979

LE doute était un sentiment tenace, et Letty avait de plus en plus de mal à distinguer le réel de l'imaginaire. Après la querelle avec Tom, elle s'était surprise à remettre en question les fondations les plus solides de sa vie. Les bons jours, elle se cramponnait à ses convictions. L'homme qu'elle avait aimé n'était pas un menteur, jamais il n'avait trahi. Les mauvais jours, le poids de sa peine la submergeait. Elle n'avait pas d'appétit, adressait à peine la parole aux enfants. Les soupçons au sujet de Nicky s'accumulaient, plausibles, irréfutables. « Il n'a jamais été l'homme que tu croyais », avait dit Tom… Si Tom avait tourné le dos à son plus vieil ami, de quoi Nicky avait-il été capable ?

« Épouse-moi et nous voyagerons dans le monde entier », avait dit Nicky et elle s'était imaginée en train de laver leurs vêtements dans les eaux boueuses du Gange ou soigner les habitants de villages chinois isolés pendant une épidémie de choléra. Elle s'était vue travailler sans relâche aux côtés de Nicky, construisant des barrages, administrant des vaccins. Le soir, épuisés, ils se seraient effondrés dans un lit entouré d'une moustiquaire. Elle avait été séduite par l'idée d'un amour qui les unirait à travers la passion et l'adversité, et elle était prête à endurer toutes les contraintes de la vie diplomatique.

C'était au Liberia, leur premier poste, qu'elle avait été le plus heureuse, en dépit de la chaleur écrasante, de la pauvreté et de l'absurdité de la bureaucratie.

Il n'y avait rien eu de romantique dans les clochers de Bonn, dans sa formalité provinciale. Letty devait constamment surveiller ses paroles, veiller au protocole. Il fallait assister à des dîners interminables, honorer jour après jour des réceptions de sa présence. Les exigences vestimentaires strictes la frustraient. Toujours épingler une broche à sa veste, porter des chaussures assorties à sa robe. Jusqu'à ses cheveux qu'il fallait apprivoiser conformément à la sobriété diplomatique. La fréquence de leurs obligations l'épuisait et le respect des règles la mettait à la torture.

Au début, elle avait tenté de plaider qu'elle devait s'occuper de ses enfants.

— J'ai peur que cela ne soit pas de mise, l'avait informée discrètement l'ambassadrice.

— La vieille ogresse sans cœur, avait-elle dit à Nicky. Il faudrait que les enfants soient mourants pour qu'elle me donne le droit de refuser.

— Mets-toi en grève, avait suggéré Nicky. C'est à la mode.

Bien que tentée, Letty savait qu'un objecteur de conscience n'avait pas sa place dans une ambassade. En tant qu'épouse de premier secrétaire, puis de conseiller, elle s'était engagée à s'acquitter de certains devoirs. Lors des soirées, elle avait vite compris que son rôle consistait à attirer sur elle l'attention des invités de second ordre et des raseurs, afin de laisser l'ambassadrice disponible pour ceux qui avaient quelque chose d'intéressant à dire.

— Je dois être le filtre à travers lequel les gens sans intérêt et sans importance ne doivent pas passer, avait-elle dit à Nicky un soir.

— Tu es bien trop intelligente et bien trop belle pour qu'on te laisse approcher quelqu'un d'intéressant. Gillian se sent menacée par toi – toutes les autres épouses aussi, d'ailleurs.

— Je n'en sais rien, mais je te jure que personne n'est moins qualifié pour ce boulot, avait-elle ajouté d'un ton désabusé. Côté conversation, je ne suis vraiment pas douée.

— Tu dis des bêtises. Tu charmes tout le monde.

— Non, avait-elle rétorqué en l'embrassant, mais tant que je te charme toi, on s'en moque. Le Liberia me manque, avait-elle soupiré.

— Je sais. (Il l'avait prise dans ses bras.) Le problème avec Bonn, c'est que ses deux industries principales sont l'espionnage et les ours en gélatine. Il n'y a pas grand-chose entre les deux.

Les autres épouses constituaient une Stasi de femmes élégantes qui opéraient conformément à la stricte hiérarchie correspondant aux postes de leurs maris. Elles s'espionnaient constamment et n'étaient jamais avares de conseils, sollicités ou non. La répugnance naturelle de Letty pour les commérages l'empêchait de savourer les fruits de ce réseau de renseignements, si juteux soient-ils. De temps à autre, il y avait une « grosse » nouvelle. Un divorce, quelqu'un qui avait craqué sous la pression. La femme d'Untel était qualifiée d'« un peu douteuse ». « Elle n'était pas des nôtres, chuchotait-on. Elle n'était pas… *diplomate*. » Ce genre de commentaire touchait un nerf sensible chez Letty, aussi gardait-elle ses distances.

Le problème, c'était que, faute de faire partie du cercle, on était en dehors, si bien que Letty ne pouvait pas savoir ce que les autres femmes n'avaient pas tardé à murmurer à son sujet. Et le murmure le plus discret de tous était que Nicky Fleming ne deviendrait peut-être jamais ambassadeur à cause de son épouse.

5

Hébrides-Extérieures, été 1979

L A faim rendait l'ours de jour en jour plus svelte et plus agile. Il parcourait des miles à la nage, d'une partie de la côte à une autre, entre des bancs de crevettes et de vairons au dos tatoué d'argent. Quand il regagnait la grotte, ce n'était pas la pensée du grand dresseur qui le réconfortait. C'était la carte. Il fixait les flèches rouges, les mots mal orthographiés et les lettres maladroites. Ces signes du langage qui lui semblaient à la fois si étrangers et si douloureusement familiers.

La pensée lui vint brutalement. Son temps était compté et il le gaspillait. Il ne trouverait pas ce qu'il cherchait ici. Si bien qu'une nuit, il quitta la grotte, quand la visibilité était floue et faible. Il suffisait d'un battement de pieds et d'une brasse pour se trouver sur un vaste croissant de plage dominé par de hautes dunes qui conduisaient à un machair, *une immense prairie sableuse ornée d'une mosaïque de fleurs sauvages. De ce point de départ, il explorait l'île, prenant chaque point cardinal tour à tour. Mais c'était à l'ouest qu'il retournait constamment, l'ouest avec sa solitude séduisante, l'émeraude et le turquoise iridescents de ses baies, et ces plages au sable d'un blanc immaculé. Et partout où il allait, il cherchait…*

La Bouilloire était le surnom d'un profond ravin dans les falaises de Scolpaig, à une trentaine de mètres en retrait de la mer. Par quelque caprice de la topographie, cette énorme entaille dans la côte était invisible de loin, et un promeneur qui n'aurait pas prêté attention à l'endroit où il mettait les pieds aurait pu facilement tomber dans l'abîme avant de se rendre compte que la chance et la terre ferme venaient de l'abandonner.

Les flancs de la Bouilloire étaient à pic, mais il y avait moyen de descendre. Le cratère était coupé en deux par une pente étroite – fatale les jours de pluie. On avait bien sûr interdit aux enfants de l'emprunter mais Nicky était descendu une fois, se servant de touffes d'herbe dure comme de prises pour ses mains. Au fond, il avait découvert une grotte et un tunnel, et c'était en passant par ce tunnel, durant les tempêtes ou les marées de vive eau, que la mer « bouillait », tournant autour des murs avec une force centrifuge telle qu'elle propulsait un jet d'écume haut de trente mètres dans le « bec » de la Bouilloire, couvrant ceux qui étaient allongés en haut d'une mousse épaisse et jaunâtre.

La marée était basse quand les enfants atteignirent Scolpaig et le fond de la Bouilloire était sec, hormis quelques flaques remplies d'une boue verte et visqueuse. Georgie et Jamie s'allongèrent sur le ventre, la grande carte d'état-major étalée entre eux.

— Vous savez ce qu'on devrait construire ici? demanda Alba en contemplant la mer, le menton appuyé sur les mains. Une prison de haute sécurité. C'est l'endroit idéal. Nous sommes au milieu de l'Atlantique et il n'y aucun moyen de quitter cette île.

— Sauf en ferry, par la digue, et il y a un vol hebdomadaire pour Glasgow, commenta Georgie.

— La digue mène à une autre île, c'est donc une voie sans issue, et les détenus n'ont pas le droit de monter à bord des ferries ou des avions. Quant au détroit de Minch, il est redoutable pour les nageurs. C'est le triangle des Bermudes des îles Britanniques. Il est impossible de s'évader. Nous sommes coincés ici à perpétuité, sans possibilité de liberté conditionnelle et sans droit de visite.

— L'endroit rêvé pour toi, en ce cas, déclara Georgie. Hé, regardez comme on voit bien Saint-Kilda.

— C'est laquelle ? demanda Jamie.

— Celle qui ressemble à un chapeau de sorcière, répondit Georgie en désignant une masse indistincte dans la mer. C'est de là que vient le jeu de la falaise.

Jamie plissa les yeux vers l'horizon. Le jeu de la falaise était une version de la roulette russe conçue par Alba pour les jours où soufflait un vent de force huit ou davantage. Ils se tenaient tous autour du sommet de la Bouilloire, dos au vent, puis, après avoir compté jusqu'à trois, ils se penchaient en arrière et se laissaient soutenir par le vent. Si ça marchait, ils s'approchaient un peu plus du bord et continuaient ainsi jusqu'à ce que l'un d'eux se dégonfle. Le jeu emplissait Jamie d'un mélange d'effroi et d'excitation. Avoir le droit d'y participer était un honneur, une chance d'obtenir le respect d'Alba, mais il ne pouvait jamais s'empêcher de s'interroger : et ces millièmes de seconde entre les rafales ? Quel effet cela ferait-il de tomber ?

— Quand un homme voulait se marier sur Saint-Kilda, dit Alba, on le forçait à se tenir au bord d'une falaise sur une seule jambe pour qu'il prouve qu'il était capable de nourrir sa femme.

— C'est idiot.

— Ils n'avaient rien à manger là-bas, alors ils devaient descendre le long des falaises pour attraper des fous de Bassan.

— Mais qu'est-ce qui se passait s'il tombait ?

— Ce n'était pas de bol, déclara Alba en mâchonnant ses cheveux.

— Et s'il ne tombait pas ?

— Il mangeait de la tourte au fou de Bassan avec sa femme jusqu'à la fin de ses jours.

— Les habitants de Saint-Kilda ne pouvaient quand même pas manger que de la tourte au fou de Bassan.

— Bien sûr que non, poursuivit Alba. Au petit déjeuner, ils mangeaient du porridge au macareux bouilli. Au déjeuner, ils faisaient une omelette de bébés fulmars et, pour le goûter, ils arrachaient les pattes des fous de Bassan pour en faire de la confiture.

— C'est horrible, dit Jamie. Pourquoi est-ce qu'on ne leur envoie pas à manger ?

— Personne ne vit plus là-bas. Ils ont été évacués. Ils ont demandé au gouvernement de les aider à quitter l'île, expliqua Georgie. Pourtant, ils ne voulaient pas tous partir.

— C'est lamentable, commenta Alba. Moi, j'aurais refusé. Par principe.

— C'est très courageux de ta part, déclara Georgie généreusement. Alba est allée à Saint-Kilda, Jamie, tu ne t'en souviens pas?

— Et ç'a été un fichu cauchemar, commenta Alba.

L'été de ses onze ans, Alisdair le pêcheur avait proposé de l'emmener pêcher avec lui.

— C'était comment, alors? demanda Jamie.

— Toute l'île n'est qu'un énorme rocher. Sous une des falaises, il doit y avoir un milliard de fous de Bassan qui nichent là. On n'est restés qu'une minute parce qu'il fallait qu'on aille pêcher, mais franchement, je regrette qu'on soit partis si vite, parce que la pêche était atroce. Ç'a été la pire expérience de ma vie.

— Tu as pleuré? demanda Jamie.

— Oui.

— Tu pleurerais si ça arrivait maintenant?

— Non. Je ne pleure plus. (Alba haussa les épaules.) Je ne vois pas ce qui pourrait me faire pleurer.

Elle se détourna et Jamie, décelant un brusque changement d'humeur, bondit sur ses pieds.

— Jouons au jeu de la falaise.

— Il n'y a pas assez de vent, se hâta de dire Georgie.

— Juste une fois.

— Non.

— Pourquoi?

— Parce qu'on a dit non, rétorqua Alba. Tais-toi et assieds-toi.

Mais déjà Jamie étendait les bras. Alba lui saisit la main et le força à se rasseoir.

— Arrête. Tu fais ce qu'on te dit, Jamie Fleming, dit-elle, serrant les dents, en proie à une fureur soudaine. Tu comprends? Tu fais ce qu'on te dit, merde!

LETTY avait trouvé la toile en triant le contenu d'un carton rempli d'objets au rebut oubliés depuis longtemps – des boîtes de mouches pour la pêche, des tubes de peinture desséchée, des cerfs-volants aux fils emmêlés. Le tableau gisait tout au fond, enveloppé d'un sac plastique. Il représentait la statue blanche et élancée de Notre-Dame-des-Îles avec, à l'arrière-plan, le champ de tir de missiles de Gebraith. Les couleurs étrangement vives ne ressemblaient en rien au temps qu'il faisait l'après-midi morne et détrempé où Nicky et elle avaient fait l'« excursion » à la statue des années plus tôt. Alba était encore sur les épaules de son père et ils avaient décidé de prendre le ferry d'Oban à Loch Baghasdail, et de gagner l'île septentrionale en partant de la pointe en forme d'orteil située au sud.

Lorsque la statue blanche était apparue, Nicky avait arrêté la voiture sur l'une des aires de croisement.

— C'est là, non ? avait-il demandé. Notre-Dame-des-Îles. C'est là que se trouve le champ de tir de missiles.

— Oui, avait-elle répondu d'un ton bref.

— Montons là-haut. Je ne l'ai jamais vue de près.

À la fin des années 1940, le ministère de la Défense avait annoncé son intention de construire une base d'entraînement de l'armée et une zone de tir de roquettes à Gebraith. Au départ, la proposition avait été accueillie avec enthousiasme – les emplois étaient rares sur l'île. Pourtant, tout avait changé une fois que les îliens avaient eu vent de l'échelle du projet et de son corollaire : le relogement de tout habitant domicilié sur le secteur.

Le détracteur le plus passionné du projet avait été le prêtre du village. Il avait obtenu assez de soutiens pour financer la construction d'une statue haute de huit mètres sur une colline donnant directement sur le site militaire, tel un acte de défi divin. Huit mois après l'érection de Notre-Dame-des-Îles, le ministère avait annoncé une révision à la baisse massive du projet initial. La zone n'en restait pas moins une aberration. Deux balles de golf jumelles géantes perchées sur la colline, dominées par un mât radio. Letty en était malade rien qu'à les voir.

— D'abord, ils s'approprient Saint-Kilda, fulmina-t-elle, traînant tant bien que mal Georgie tout en grimpant la colline derrière Nicky et Alba. Le plus vaste nichoir de fous de Bassan au monde, et ensuite ils viennent construire cette horreur… et tu sais ce qu'ils ont promis aux gens du coin ? Que durant la saison des saillies et de l'agnelage « l'utilisation de la zone de tir serait réduite au minimum ». Merci beaucoup. Quelle arrogance ! Je ne supporte pas la manière dont le ministère de la Défense traite les Highlands et les îles, on dirait leur terrain de jeu personnel. S'ils se sont permis ça, c'est parce qu'ils prennent les îliens pour des poires !

— Tu ne peux pas t'opposer au progrès simplement parce qu'il ne correspond pas à ton idéal romantique de préservation de ces îles, dit Nicky d'un ton conciliant. S'il ne tenait qu'à toi, personne ici ne serait autorisé à entrer dans le XXᵉ siècle. Les gens doivent vivre et travailler, la zone militaire fournit des emplois dont ils ont besoin.

Letty se mordit la langue. C'était *l'insularité* même de l'île, son manque d'ambition et son rejet des étrangers dans leur ensemble qui lui avaient permis de demeurer un monde fermé, à part, mais elle savait qu'elle aussi était une étrangère, comme son père l'avait été, et que leur présence, conséquence accidentelle de leur appartenance sociale et de leur argent, participait elle aussi à sa destruction.

— Si tu penses que les emplois générés par cette zone militaire correspondent aux vœux des îliens, ça prouve que tu ne comprends rien aux gens qui vivent ici, dit-elle d'une voix tendue.

— Peut-être que tu sous-estimes autant leur intelligence que le ministère de la Défense, répliqua Nicky.

— Ce n'est pas la peine de discuter avec toi, dit-elle avec rancune. Tu ne veux rien entendre de négatif contre ton cher gouvernement.

— C'est *ton* cher gouvernement aussi, Letty, remarqua-t-il doucement. Ne l'oublie pas. Tu sembles éprouver une profonde méfiance envers ton propre pays.

— Et pas toi ? Avec tout ce que tu sais sur la manière dont ces gens opèrent ?

— Non, dit-il tout bas, non. Je ne pourrais pas faire mon travail si c'était le cas.

Ils ne s'étaient plus adressé la parole avant d'arriver à Ballanish.

— Essaie de comprendre, avait-elle ajouté plus tard, cette île est mon sanctuaire. J'y suis chez moi, l'espoir et la foi m'y semblent possibles, et chaque matin, quand je regarde par la fenêtre, j'en tombe de nouveau amoureuse.

À présent, Letty regardait la toile, perplexe face aux bleus et violets si vifs qu'ils en étaient presque sinistres. Pourquoi Nicky l'avait-il peinte et quand ? Elle retourna la toile. Elle était tendue sur un cadre en bois, le dos soigneusement recouvert de papier brun. *CO-60, NI-60, MG-137*. Elle plissa les yeux, fixant ce qu'elle présumait être les codes

des couleurs que Nicky avait écrits dans un coin, cherchant à les assortir aux vieux tubes de peinture de la caisse, sans conviction d'abord, puis avec une détermination obstinée à trouver une réponse, n'importe laquelle. Elle compara les codes à tous les tubes de peinture qu'elle trouva dans la maison, mais aucune des références ne s'en approchait. Elle les fixait, attendant qu'un sens quelconque lui vienne à l'esprit, mais rien ne venait jamais. Cobalt, nickel, magenta. Bleu, argenté, pourpre. Les couleurs de l'île, voilà tout.

« Je peins les choses pour les étudier. » Elle entendait presque la voix de Nick lorsqu'elle porta le tableau jusqu'à la table de cuisine et l'y déposa. « Pour comprendre comment elles marchent. »

Soudain, venu de nulle part, un mot s'imposa à son esprit. Schyndell. La centrale nucléaire en Allemagne de l'Est.

Elle s'assit brusquement. Il n'y avait aucune raison d'y voir un lien, et pourtant... « Schyndell, avait dit Porter. Drôle de coïncidence... Ça tombait plutôt bien, non ? »

Elle s'efforça de se rappeler. Nicky avait-il demandé à faire partie de la délégation ou l'inverse ?

Ce fut en tournant à nouveau la toile qu'elle l'entendit – un glissement presque imperceptible. Les tableaux de Nicky étaient des objets plutôt primitifs, les bords de la toile agrafés directement sur le cadre en bois. Elle fixa la double épaisseur de papier brun, et déchira le coin de la toile. Une enveloppe blanche tomba. Une seule phrase y était écrite, de l'écriture soignée de Nicky. *Tout événement est imprégné de la grâce de Dieu.*

Elle la lut deux fois, sans comprendre, puis retourna l'épaisse enveloppe et trancha le rabat.

Hébrides-Extérieures, été 1979

UN grizzly de quatre cents kilos en cavale sur une île des Hébrides était un événement rare et, à l'heure du thé, la petite cuisine de Donald John était encombrée de visiteurs s'adonnant au passe-temps local le plus populaire : les potins. Des semaines s'étaient écoulées depuis l'évasion de l'animal et l'effervescence commençait à retomber. Néanmoins, lorsque Jamie entra, il trouva Peggy, du magasin, Roddy et Mme Matheson en grande discussion sur le sort de la bête.

— Mais c'est le petit Jamie ! s'exclama la vieille dame. Il y a bien longtemps qu'on ne t'a pas vu ! Oui, tout le monde veut les mille livres de récompense, reprit-elle, tandis que Jamie se laissait tapoter la tête avant de se glisser sur le banc à côté de Roddy. L'armée a des photos aériennes, des hélicoptères et je-ne-sais-quoi, hein. Ils ont même demandé aux gardes-côtes de Skye de le chercher.

— Tss, tout ce tintouin pour cette bête, dit Donald John en sortant une bouteille de Coca cerise pour Jamie. Il est sûrement tombé d'une falaise il y a belle lurette.

— Sûrement pas, rétorqua Jamie.

Cela le rendait furieux d'entendre les gens dire que l'ours était mort. L'ours était une énorme créature. « Un des plus gros carnivores terrestres », avait affirmé son père. Rien sur l'île ne pouvait le menacer. Quant à l'idée qu'il ait pu tomber d'une falaise – les ours n'étaient pas stupides ! Ils ne trébuchaient pas pour un rien. Les ours vivaient en Russie et au Canada. Ils étaient habitués aux falaises.

Il se moquait que Georgie et Alba aient renoncé. Il avait mis au point son propre système de recherche. La Bouilloire était son quartier général. Il ne savait pas au juste ce qui l'attirait constamment là-bas, mais c'était ainsi. Du haut des falaises, il voyait jusqu'à la route et, au-delà, le sommet de Clannach. Au loin, il distinguait la ferme de Donald John et même la barrière jaune de Ballanish. Quelle que soit la direction prise par l'ours, il le verrait. Si son père descendait la route vers Ballanish, il le verrait aussi…

Au cours de ces dernières semaines, tous les doutes de Jamie avaient refait surface. En dépit de la promesse de son père, en dépit de toutes les prières et des cartes qu'il avait pliées dans des bouteilles et jetées depuis les rochers, son père n'était toujours pas revenu. Lentement, la sombre vérité s'était imposée à lui : personne ne cherchait plus son père. Et à présent les gens avaient cessé de chercher l'ours. Il promena un regard morne autour de la pièce. Pourquoi était-il le seul à ne pas perdre la foi ? La confiance et l'optimisme disparaissaient-ils quand on grandissait ? Son père était toujours perdu, l'ours était toujours perdu, et lui, Jamie, les retrouverait tous les deux.

DEUX petites photos étaient tombées de l'enveloppe blanche cachée derrière la toile. Deux photos minuscules, preuves de trahison, accompagnées de papiers d'identité est-allemands.

Letty remua mécaniquement la soupe au jambon et aux pois cassés. À qui appartenait ce visage impassible qui la fixait, et que représentait-il? Un piège? Un agent double? Nicky avait-il une dette envers cet homme ou avait-il eu besoin de lui?

— Va sortir le drapeau pour Alick, entendit-elle Alba ordonner à Jamie avec une note inquiétante d'hystérie dans la voix.

Les enfants étaient dépités et fébriles, mais Letty les comprenait. Il y avait près de trois semaines que l'ours s'était échappé et tout le monde était d'accord : l'animal était mort, noyé dans les tourbières ou emporté par la mer. En dépit des mille livres de récompense, la plupart des gens avaient cessé de s'en préoccuper. Les recherches des enfants n'avaient rien donné. Et maintenant, seuls les chamailleries et les ronchonnements remplissaient leurs journées.

Les étés avaient été si faciles quand ils étaient petits. On s'occupait à la maison le matin, et, après déjeuner, on sortait – pour sauter sur les dunes ou jouer aux boules sur la plage avec des flotteurs de casiers à homards échoués. Par mauvais temps, on allait au magasin de tweed ou aux falaises de Scolpaig pour observer les colonies de phoques. Après quoi on rentrait à la maison dans une odeur de laine mouillée ; Nicky s'essuyait le visage d'une main et négociait les virages de l'autre.

Letty attrapa une larme rebelle avec sa manche. Elle devait surmonter cette épreuve, il le fallait, mais comment faire, alors que tout cela tournait continuellement dans sa tête? Le tableau, le champ de tir, le visage délavé des photographies. Pourquoi Nicky ne s'était-il pas confié à elle? Quand avaient-ils cessé de se parler? Elle était certaine à présent qu'il avait fait quelque chose de mal et le savoir lui faisait l'effet d'un rocher lui obstruant la gorge.

Tom avait téléphoné à deux reprises au cours du mois écoulé. Chaque fois il avait envoyé les enfants la chercher, prétextant une urgence, mais elle avait refusé de lui parler. Qu'était-elle censée dire? La peur, la suspicion, l'orgueil, la loyauté, la honte… Elle ne savait plus quelle émotion la guidait. La sensation d'irréalité qui accompagnait sa vie quotidienne était devenue si puissante qu'elle était stupéfaite d'exister encore. Peut-être était-ce pour cette raison que ses enfants ne faisaient plus attention à elle. Elle était devenue invisible.

Elle jeta un coup d'œil furtif vers eux. Georgie, pâle comme un linge, le nez dans un livre, Jamie, voûté dans son pull en laine, Alba, qui tournait dans la pièce comme un lion en cage. Et la vérité frappa Letty avec la force d'un coup de poing : cet endroit était peut-être son foyer mais ce n'était pas le leur. C'était Bonn, leur foyer – Bonn, où se trouvait leur école, où vivaient leurs amis. L'île n'avait rien à leur offrir que des vacances d'été. Et à présent, c'était l'endroit où ils étaient forcés de vivre sans leur père.

Elle entendit le grondement sourd du tracteur. *Heureusement qu'il y avait Alick.* Sans Alick pour s'occuper des enfants, elle serait devenue folle. Presque chaque jour, l'un d'entre eux accrochait son anorak au bâton fixé dans la vieille meule en pierre du jardin. Par le passé, on avait interdit aux enfants de faire venir Alick pour les distraire. « Ce n'est pas un génie dans une bouteille, vous savez ! » leur avait dit Letty. Mais cette année, l'anorak enroulé autour du bâton avait été son signal de détresse. Dès qu'Alick l'apercevait, il descendait en hâte et emmenait les enfants faire ce qu'il avait à faire ce jour-là. Couper la tourbe, porter des sacs de pommes de terre ou secourir un veau prisonnier du marécage. Elle se moquait de savoir où il les emmenait, pourvu qu'il les emmène.

Bonn, *Allemagne de l'Ouest, 1978*

L'APRÈS-MIDI où l'ambassadrice lui avait rendu visite à Bad Godesberg, Letty organisait un dîner pour dix-huit personnes et elle s'était rongé les ongles en réfléchissant aux menus possibles.

Quand on avait sonné, elle avait ouvert la porte pour trouver sur le seuil l'abominable bonne femme, éblouissante dans un tailleur en tweed pastel. Nerveusement, Letty avait lissé son chemisier. Le moment était mal choisi. Non pas tant à cause de la confection du dîner – les traiteurs s'en chargeraient – mais parce que cela l'ennuyait profondément de se préparer. Dompter ses cheveux, choisir une tenue… Elle se ressaisit, invita Gillian à s'asseoir et lui offrit du café.

L'ambassadrice se mit à l'interroger sur les enfants, l'école, leur santé et leur bien-être en général. Letty attendit que le couperet tombe, ignorant que, depuis quelques minutes, il avait déjà amorcé une descente contrôlée en direction de son cou.

— Et *vous*, ma chère, comment allez-vous ? laissa tomber Gillian.

— Oh, très bien, merci.

Mais Letty n'allait pas se débarrasser d'elle si facilement.

— Le bien-être des épouses du personnel est l'un de mes principaux devoirs, lui rappela-t-elle, et, ces derniers temps, je m'inquiète. Je sais combien une femme peut se sentir isolée, voire malheureuse, expédiée de-ci, de-là avec de jeunes enfants. Peut-être devriez-vous participer davantage à la vie de l'ambassade ? Certaines de nos compatriotes trouvent cela très épanouissant, vous savez.

— C'est très gentil, dit Letty, mais je préfère consacrer mon temps à Nicky et aux enfants.

— Oui, répondit Gillian doucement, mais, voyez-vous, c'est justement la raison pour laquelle je suis venue. Letitia, ma chère, la carrière de Nicky est en plein essor. Il pourrait aller loin, dans des circonstances appropriées – jusqu'au sommet, me semble-t-il. En tant qu'épouse, vous avez un rôle essentiel de soutien à jouer. Une bonne épouse de diplomate ne peut se permettre d'avoir des exigences, de distraire son mari de sa tâche. (Gillian fit une pause pour retirer une peluche de son bas.) Une bonne épouse de diplomate doit sacrifier ses propres désirs et besoins pour laisser son mari se concentrer sur son travail.

— Vous voulez dire que ce n'est pas mon cas ?

— Ma chère, la générosité et le sacrifice de soi sont des conditions essentielles à ce poste. Nicky doit vraiment être protégé des tracas mineurs de la vie quotidienne.

— Vous me demandez de sacrifier le bien-être de ma famille ? s'enquit Letty, incrédule.

— Letitia, un poste va se libérer à Rome et le nom de Nicky a été avancé. Je sais que vous ferez tout ce qui est en votre pouvoir pour le soutenir, déclara Gillian à voix basse. Par conséquent, je tiens à vous faire comprendre que vous êtes également l'objet d'une évaluation. Pensez à ce que désire Nicky, pensez à ce qu'il éprouverait si cette promotion lui était refusée pour… de mauvaises raisons. La vérité, Letitia, c'est qu'une épouse de diplomate peut faire réussir ou échouer la carrière de son mari.

Maintenant, alors qu'elle se rappelait cette visite, Letty savait exactement pourquoi Nicky et elle avaient cessé de se parler. Rome. Ce que Nicky voulait. Ce que Gillian voulait pour eux deux.

Ballanish, Hébrides-Extérieures, été 1979

La première chose qu'Alba déroba fut une barre de chocolat Cadbury. La deuxième, un rouleau de bonbons aux fruits. Une minute plus tôt, elle les regardait, empilés sur l'étagère, la suivante ils étaient dans sa main, et, sans songer une seconde aux conséquences, elle avait propulsé le tube de bonbons dans la manche de son chandail.

Voler la mettait de bonne humeur. Maintenant que l'ours était porté disparu, présumé mort, le vol à l'étalage constituait sa seule distraction de l'après-midi. Ce jour-là, sa mère était partie faire l'une de ses détestables promenades. Georgie et Jamie étaient allés à la plage avec Alick pour couper du petit bois, mais Alba en avait marre de la plage. Si elle avait éprouvé le besoin de se justifier, elle aurait déclaré que ses vols étaient un dû. Un dû pour la mort de son père et le zombie qu'était devenue sa mère. Un dû pour le vide de son avenir confiné dans cette île humide, sans autre compagnie que son singe de frère.

Et puis il y avait sa sœur. En pensant à Georgie, elle sentait presque le goût de la bile dans sa bouche. La semaine précédente, tout le monde s'étant éparpillé dans différents coins de l'île, Alba avait erré dans la maison, cherchant quelque chose à détruire. Elle s'était aventurée dans la cuisine, où une pile de lettres attendait sur le plan de travail. Alba les feuilleta avant de s'arrêter sur l'une d'elles, adressée à Georgiana Fleming. *University College, Londres.* Un instant, Alba fixa l'adresse de l'expéditeur, puis elle alluma la bouilloire et plaça le rabat de l'enveloppe au-dessus du bec.

Après quoi, elle resta longtemps assise à la table de cuisine, la lettre entre les mains. Pourquoi Georgie ne lui avait-elle rien dit ? Elle n'avait besoin que de deux B et un A pour être acceptée. Le monde entier allait s'offrir à Georgie, alors qu'elle resterait seule. Alba emporta le dossier et l'enveloppe jusqu'à la cheminée du salon et, après les avoir enfoncés profondément dans la cendre, y mit le feu. Si les résultats de sa sœur étaient ceux requis par l'université, elle leur ferait subir le même sort.

Alba survola du regard les boîtes de potage aux poireaux et de ragoût de Crosse & Blackwell. C'était son tour de préparer le dîner. Elle avait eu l'idée d'instituer un roulement pour la cuisine, en réaction à la détérioration de la qualité des repas familiaux. À Bonn, la nourriture avait toujours été réconfortante, à défaut d'être inspirée, mais depuis que sa mère n'était plus qu'une pâle copie d'elle-même, c'était comme si sa cuisine avait perdu tout goût et tout parfum.

Alba passa devant la section réfrigérée, mais il n'y avait qu'un paquet de bacon huileux. Le casier de fruits et légumes offrait le choix entre deux pommes talées et un oignon maigre à faire peur.

À la caisse, Peggy commérait avec Morag. Alba s'avança dans le rayon jusqu'à ce que leurs voix n'irritent pas plus ses tympans que le bourdonnement des mouches. Le chapardage posait des problèmes logistiques. Les paquets de chips étaient trop bruyants pour qu'elle les glisse sous son pull, les pots de crème glacée, trop froids. Elle se décida pour deux boîtes de thon et un triangle de cheddar, empocha les boîtes et se dirigea vers le comptoir.

— Vous pouvez mettre ça sur le compte de maman, s'il vous plaît, Peggy ? demanda-t-elle en y laissant tomber un pain tranché.

— Maman n'est pas avec toi aujourd'hui non plus ?

— De toute évidence, non, répliqua Alba grossièrement.

— Bizarre que je ne l'aie pas vue ces dernières semaines, continua Peggy en notant le pain dans son registre.

— Eh bien, elle ne sort pas beaucoup…

— Ah, ce n'est pas étonnant qu'elle ait subi un coup, la pauvre. Et dire que ton grand-père était parti pas plus tard que l'an dernier. Quant à ton père, eh bien, un homme de premier ordre, M. Fleming. Toujours un mot gentil pour tout le monde.

À la mention de son père, Alba, à sa grande surprise, sentit un picotement inopportun derrière ses yeux.

Alors que les funérailles de son grand-père avaient eu lieu dans la chapelle des Gardes, à Westminster, celles de son père s'étaient déroulées dans une petite église de Bad Godesberg. Il aurait sûrement dû y avoir une sorte de cérémonie officielle. Au lieu de quoi le service avait été presque furtif. Elle s'était attendue à voir ses amis et collègues se lever et évoquer la personnalité de son père et ses succès, mais il n'y avait rien eu hormis cette réunion gênée et sinistre à la résidence de l'ambassadeur. Comment le gouvernement avait-il osé traiter son père aussi mal, et comment sa mère avait-elle pu laisser faire ça ?

Aveuglée par les larmes, Alba écrivit son nom dans le registre du magasin.

La première fois que Georgie le vit, ce fut par la fenêtre. La plupart du temps, après déjeuner, elle gagnait la salle de bains du premier étage et fermait la porte à clé. La fenêtre donnait au nord-est, et elle pouvait généralement parcourir des yeux une étendue de trois miles sans voir âme qui vive. Cependant, un après-midi, elle aperçut une minuscule silhouette assise sur le mur au coin de la ferme d'Euan. Il semblait attendre. Depuis toujours.

Elle le regarda avec une vague curiosité puis continua à scruter les routes pour trouver ce qu'elle cherchait, le point rouge de la camionnette du facteur. Elle retint son souffle alors qu'il approchait, puis éprouva un pincement de déception en le voyant poursuivre sa route. D'un jour à l'autre à présent, la camionnette d'Angus La Poste lui apporterait une enveloppe, et dans cette enveloppe les résultats de ses examens de fin d'études, qui paveraient le chemin de sa vie – une vie qui ne se déroulerait pas nécessairement sur l'île.

Bientôt, elle aurait dix-huit ans. Un moment clé qui était censé donner lieu à des discussions sur les débouchés et les possibilités qui s'offraient à elle. Au lieu de quoi, elle éprouvait de la honte à grandir, comme s'il s'agissait d'un autre secret qu'il aurait fallu cacher. Que s'imaginait sa mère ? Qu'elle allait rester pour toujours sur l'île et travailler dans l'usine de tricot en écoutant les bah bah de Donald John jusqu'à devenir vieille et voûtée ? Dieu l'en garde…

Elle entendit un bruit de moteur. Le magasin ambulant s'était arrêté devant la barrière et elle regarda Jamie donner de l'argent contre une bande dessinée à un homme basané en bleu de travail. Qu'un Pakistanais ait échoué aux Hébrides-Extérieures était l'un des grands mystères de l'île. Quoi qu'il en soit, un mois après son arrivée, le magasin ambulant s'arrêtait régulièrement devant les maisons, proposant de tout, depuis le lait stérilisé jusqu'aux livres de bibliothèque.

Georgie se laissa glisser sur le sol. Plus de six mois s'étaient écoulés depuis la mort de son père, mais elle ne semblait pas plus âgée, telle une montre qu'on aurait fait tomber et qui se serait arrêtée. Elle avait besoin que quelqu'un la ramasse, règle le rythme de son cœur sur le sien et la force à recommencer à vivre. Garder des secrets, c'était être seule. Être la plus âgée, c'était être seule. Le jour de son seizième anniversaire, son père l'avait libérée de la revue de presse quotidienne. Elle avait considéré cela comme le plus beau des cadeaux. Mais maintenant, elle aurait donné n'importe quoi pour passer le bras autour du cou de son père tandis qu'il tournait les pages du *Times*.

Elle se faufila dans la chambre de sa mère, ouvrit la commode et malmena un tiroir après l'autre, reniflant des vêtements jusqu'au moment où, enfin, elle trouva sur un mouchoir un vestige de l'odeur de son père.

— Tu dois comprendre que l'Allemagne de l'Est est un pays gouverné par la suspicion, lui avait dit son père pendant qu'ils roulaient vers Berlin. Les Allemands de l'Est sont des maniaques de l'espionnage.

Le renseignement fournit du travail à des milliers de gens. On dit que, d'ici dix ans, la Stasi aura généré plus de rapports d'espionnage qu'on n'a imprimé de documents de toute sorte en Allemagne depuis le Moyen Âge. Réfléchis-y une minute. Songe à ces caisses de stylos, ces océans d'encre et ces kilomètres de ruban de machine à écrire. Imagine tous ces gens penchés sur des transcriptions, remplis des minutes de la vie des autres. « Lundi, 3 h 04. Georgiana Fleming entre dans sa chambre (mal rangée), prend une brosse à cheveux noire (sale) et se donne quatorze coups de brosse. 3 h 07. Georgiana pose sa brosse et se met un doigt dans le nez. »

— Je ne fais jamais ça !

— Essaie de le nier lors d'un interrogatoire ! l'avait-il taquinée.

— Toi aussi, tu traites des informations, avait-elle rétorqué. Quelle différence y a-t-il ?

Il s'était penché pour prendre sa main dans la sienne.

— La différence, c'est que je suis un des gentils.

« Un des gentils », avait-il dit.

Tout avait été si différent sur le chemin du retour. Une demi-heure après avoir franchi la frontière, son père avait arrêté la Peugeot, était descendu en titubant de son siège et avait vomi au bord de la route. Il avait semblé mal à l'aise toute la journée, et elle avait remarqué que ses mains tremblaient quand il avait tourné la clé de contact.

— Ça va, papa ?

— Je suis tellement désolé, Georgie. Tellement désolé.

— Ne dis pas de bêtises, avait-elle protesté. C'est sûrement à cause de toute cette nourriture épouvantable.

Il avait penché la tête vers le volant et se l'était cognée violemment. Georgie était restée assise, complètement immobile. Le ciel lui était témoin qu'à la minute où elle avait vu apparaître les lumières de l'Allemagne de l'Ouest, elle avait eu, elle aussi, envie de se jeter par terre et d'embrasser le sol. Elle s'était attendue à ce que l'atmosphère de malaise se dissipe à chaque mile, mais elle sentait toujours ses poils se dresser sur sa nuque. Elle aurait voulu poser des questions à son père concernant l'église. Savoir si la Stasi les avait suivis à l'intérieur et noté ce qu'ils avaient vu. Lui demander pourquoi, au contrôle, le douanier avait ignoré la carte de diplomate de son père et dirigé la Peugeot vers une fosse d'inspection pour entamer des recherches qu'il avait subitement abandonnées après avoir reçu un appel téléphonique.

Mais surtout elle aurait voulu lui demander d'expliquer pourquoi son visage avait paru défait quand on lui avait ordonné de descendre de la voiture et indiqué la petite cabine réservée aux interrogatoires. Car c'était la peur qui avait alors déformé ses traits. Une peur brute, incontrôlable.

« Oui, avait-il acquiescé. La nourriture. »

Il lui avait pris la main et l'avait portée à sa joue.

« Pardonne-moi, ma petite Georgie, pardonne-moi. Je n'aurais jamais dû t'emmener. »

Elle n'était pas stupide. Elle n'était pas une enfant. Le MI6 avait des rapports à rédiger et des cases à cocher. Quelles cases pouvait-il bien y avoir ? Accident. Suicide. Meurtre. Elle enfouit le visage dans le mouchoir de son père. Il y avait une autre explication. Il fallait qu'il y en ait une. Pour le voyage à Berlin, la rencontre dans l'église et l'échange chuchoté qui l'avait accompagnée.

— Mon père n'est pas un traître, murmura-t-elle.

Une seconde, elle se sentit mieux, puis elle se souvint : son père était mort.

JAMIE fixait le couteau dans la main de Roddy. Fasciné, il regarda le vieil homme insérer avec calme et précision la pointe de la lame dans le bas-ventre du lapin, puis la pousser rapidement vers le haut. Quelques secondes plus tard, les longs rubans d'entrailles avaient été arrachés et dégoulinaient de sang dans un seau pendant que Roddy, tenant bon les pattes arrière, dépouillait l'animal d'un geste puissant.

Il le reposa sur la table et tendit la main vers le suivant. Le vieil homme complétait les revenus qu'il tirait de la construction des murs et de la vente d'antiquités en posant des pièges. Une fois qu'il avait vidé et dépecé les lapins, il les emballait par cinq ou six dans du papier brun et les envoyait par la poste sur le continent.

— Tu veux essayer, Jamie ? proposa-t-il en lui tendant le couteau.

— Oh ! En fait, non, merci beaucoup, répondit Jamie.

Sa relation avec les lapins était suffisamment compliquée pour qu'il ne se mette pas à les charcuter. Il les mangeait volontiers en ragoût, accompagnés de carottes et d'oignons, mais il les préférait en vie, gambadant à travers les dunes. Il jeta un coup d'œil au tas de cadavres sur la table et frissonna. Il lui semblait parfois que la mort était partout où il posait les yeux.

— Roddy ! s'écria-t-il, alors qu'une idée lui venait brusquement. Vous pouvez voir l'avenir, non ?

— Oui, quand le don me vient.

— Si l'ours était encore vivant, vous seriez capable de voir où il pourrait aller demain ou le jour d'après ?

— Peut-être. Qui sait ?

— Et mon père ? Pourriez-vous essayer de voir mon père dans l'avenir ?

— Ce jour arrivera bien assez tôt, répondit Roddy en levant les yeux au ciel d'un air théâtral. Et ce jour-là, je ne manquerai pas de lui serrer la main et de lui dire que tu vas bien, petit. Ton père était bien apprécié sur l'île, et c'est drôlement dommage qu'il ne repose pas ici, parce qu'il y a bien des gens qui aimeraient lui rendre hommage.

— Je crois que mon père ne repose nulle part, Roddy, répondit Jamie d'un ton de reproche. Il est perdu.

Roddy arqua les sourcils de surprise.

— Jamie, ton père n'est pas perdu. Voyons, il est au paradis, il veille sur toi de là-haut.

Georgie avait parlé du paradis l'autre jour. Ç'avait donc été un soulagement lorsque Roddy avait réintroduit l'idée. Cela lui donnait de quoi réfléchir, une piste de miettes de pain à suivre. Jamie n'osait provoquer la colère de sa mère en posant des questions. Elle était si différente à présent. Elle l'entourait toujours de ses bras, l'attirait encore sur ses genoux et posait machinalement la main sur sa tête, mais ce n'était pas pareil. Son amour pour lui était autrefois immense et plus fort que tout, mais maintenant il y avait autour d'elle une barrière invisible. Il était trop jeune pour comprendre qu'elle n'était pas fâchée, simplement absorbée par son propre chagrin. Lui, ce qu'il savait, c'était que son univers avait changé.

Donc, le paradis était l'endroit où les pêcheurs se transformaient en mouettes. C'était là qu'on allait quand on mourait ou qu'on était malade. Jamie se rendit compte qu'il avait trop hâtivement exclu que son père s'y trouve. Il était clair qu'il y avait plus d'une sorte de paradis.

— COMMENT as-tu pu, Alba ? Comment as-tu *osé* !

Alba était assise sur le canapé du salon, tous ses muscles bandés de défi.

— Alba, regarde-moi ! ordonna Letty.

Alba leva la tête. Sa mère était livide, les joues creuses. Sa colère semblait avoir aspiré tout l'oxygène de la pièce, et, l'espace d'une seconde, Alba se tassa sur elle-même. Puis elle regarda sa mère droit dans les yeux.

— Comment ai-je osé faire quoi ?

Letty avait du mal à dominer sa colère.

— Tu ne comprends donc pas ! Le vol est le pire délit que tu puisses commettre ici. D'abord le magasin ambulant, et Peggy m'a dit ce matin que tu étais allée chaparder des choses au magasin presque tous les jours.

— Peggy est sournoise et commère, lança Alba.

Letty saisit sa fille par le bras.

— Comment oses-tu parler ainsi de qui que ce soit ? Peggy est extrêmement gentille. Tu as de la chance qu'elle n'ait pas appelé la police. Qu'est-ce qui t'a pris, Alba ?

— Ce qui m'a pris ? répéta Alba froidement. Ce. Qui. M'a. Pris ? (Elle inclina la tête, feignant de s'interroger.) Diantre. Je me le demande. Je suppose que ça n'a rien à voir avec le fait que je doive vivre dans ce trou perdu, ou, tu sais… (Elle éleva la voix :)… le fait que mon père est mo…

— Arrête, l'interrompit Letty en jetant un coup d'œil vers la porte. Parle moins fort.

— Oh, parce que nous ne voulons pas faire de la peine à notre petit Jamie, n'est-ce pas ? fit Alba en l'imitant. Tu ne comprends donc pas qu'il *devrait* avoir de la peine ? Qu'on *devrait* le faire entrer ? (Elle regarda la porte à son tour.) Le faire vraiment pleurer, cria-t-elle.

Letty se laissa tomber dans un fauteuil, muette de désespoir. Elle eut une vision soudaine d'Alba à huit ans. Ses yeux ardents, ses aveux passionnés d'amour. Alba se projetant du lit comme une danseuse de ballet, forçant son père à la rattraper, qu'il soit prêt ou non.

— Je ne te comprends pas, Alba, dit-elle. Tu n'as aucune raison d'être aussi méchante envers ton frère. Personne n'a jamais été aussi méchant envers toi que tu l'es envers lui. (Elle se frotta le visage avec lassitude.) D'où vient ce… ce désir de faire mal aux autres ?

Alba enfonça le doigt dans le trou effiloché de la housse du canapé.

— Parle-moi, Alba. S'il te plaît.

Les questions tournaient dans la tête d'Alba comme un serpentin. *Dis-moi pourquoi. Dis-moi comment. S'il te plaît, dis-moi ce que tu me caches.* Elle tenta de parler mais elle ne put faire passer les mots à travers le nœud d'amour-propre qui lui obstruait la gorge.

Elle ferma les yeux et se retrouva dans sa chambre, à Bonn. Elle avait été envoyée au lit après un accès de colère. Elle avait senti le matelas se creuser tandis que son père tendait la main pour lui lisser les cheveux. « Presque tout ce qui tourne mal dans le monde est dû à l'inaptitude des gens à communiquer les uns avec les autres, lui avait dit son père. Les humains s'efforcent continuellement de trouver le moyen de s'exprimer et, parfois, avec la meilleure volonté du monde, nous oublions comment faire, ou nos problèmes deviennent si graves que nous ne pouvons plus supporter d'en parler. C'est là qu'intervient la diplomatie. En fait, c'est la seule raison qui m'a poussé à travailler si dur pour devenir diplomate : pouvoir négocier la paix entre ta mère et toi. »

La colère, avait-il poursuivi, était l'émotion par défaut des paresseux. À l'inverse, la raison, la logique, la patience exigeaient toutes plus d'efforts que la plupart des gens n'étaient prêts à en faire.

— Mais qu'est-ce qui se passe quand on n'est pas d'accord sur quelque chose ? avait reniflé Alba.

— Eh bien, les hommes se disputent et les pays se déclarent la guerre. C'est pourquoi la diplomatie est importante, parce qu'elle repose sur l'usage des mots, et non celui des armes.

— Mais les mots sont des armes, avait protesté Alba, non parce qu'elle comprenait vraiment le sens de la phrase, mais parce que son père l'avait prononcée par le passé et qu'il serait impressionné.

— Ma fille est intelligente. Oui, ils peuvent l'être. Mais le silence aussi. Comme tout ce dont on se sert pour manipuler les gens. La mauvaise humeur, le charme, la bouderie. Alors, tu vois, il faut faire attention à la manière d'utiliser ces choses.

— Ton métier est une arme, alors.

— Certainement. Mais la diplomatie est une bonne arme. C'est une bonne chose que les pays se parlent. Et que les gens se parlent – c'est pourquoi, ma petite grenouille, tu dois demander pardon à ta mère quand elle viendra te souhaiter bonne nuit.

— Alba... plaida Letty.

Elle ne désirait qu'une chose : prendre Alba dans ses bras et la serrer fort, la garder à l'abri.

Alba détourna la tête. Les excuses ne coûtaient pas cher quand elle était petite. Un baiser ou une étreinte – mais c'était différent à présent. Elle ne savait plus comment parler à sa mère et sa mère ne savait pas qui elle était devenue. Elle ne savait pas, par exemple, qu'Alba fumait des cigarettes. Elle n'avait pas remarqué qu'elle avait besoin d'un soutien-gorge ou qu'elle était en pleine crise de puberté. Elle ne se rendait compte de rien.

Alba ne voulait pas s'excuser, elle ne voulait pas. Le silence entre la mère et la fille s'étira, interminable et assourdissant.

GEORGIE enfonça les mains dans ses poches et leva les yeux vers le ciel moucheté.

— Vas-y, et débarrasse-t'en.

Alba haussa les épaules et tapa ses bottes en caoutchouc sur le goudron mouillé.

— Pour l'amour du ciel, frappe à la porte, excuse-toi et prends tes jambes à ton cou.

— Facile à dire pour toi.

— En tout cas, il ne va pas te l'entendre crier d'ici… à moins, bien sûr, que tu n'ailles voler un mégaphone.

— Très drôle.

— Alors vas-y. Tu t'en tires bien. Il aurait pu te faire arrêter.

— Oh! Bien sûr… comme s'il y avait le moindre flic sur cette île.

— Il y a le gentil sergent Anderson.

— Qui est sans doute toujours à la recherche de ce fichu ours mort. Bon sang, pourquoi est-ce que tout le monde fait une montagne de ce truc?

— Tu veux dire maman. Tu ne crois pas qu'elle a assez de soucis sans que tu te mettes à voler?

— Ça ne la regarde pas. Elle n'était pas obligée de me forcer à *m'excuser*.

— Ne dis pas de conneries. Bien sûr que si.

— Puisque c'est si facile, tu n'as qu'à le faire.

— Je le ferais si c'était moi qui avais volé. Je ne ferai pas pénitence pour toi. Tu rêves, Alba.

Alba remonta sa capuche avec colère. La pluie se brisait sur son visage comme des aiguilles de métal.

— Tu penses que ça me fait du bien de m'excuser. Tu penses que j'ai besoin d'être punie. Mais je ne regrette rien, alors à quoi ça sert ? Des excuses forcées ne sont qu'un mensonge déguisé. Tandis que, si tu le fais, je te donnerai quelque chose en échange et on sera gagnantes toutes les deux.

— Que pourrais-tu bien me donner ?

— Et si je faisais ton tour de cuisine pour les semaines à venir ? Marché conclu ?

Alba tira une main de sa poche.

Mais Georgie n'avait pas l'intention de se vendre si bon marché.

— Ça, déjà, dit-elle froidement, plus être gentille avec Jamie.

Alba retira sa main.

— Définis « gentille ».

— Ce n'est pas un mot qui a besoin d'être défini, normalement.

— Définis « gentille » et pour combien de temps au juste ?

— Il faut que tu sois gentille comme il faut avec Jamie et que tu fasses mon tour de cuisine jusqu'à la fin du mois.

Alba fronça les sourcils. Elle jeta un coup d'œil à la maison du Pakistanais et tenta de s'imaginer en train d'articuler ses excuses. La plupart des émotions étaient détestables, mais l'humiliation devait être pire que ça. Elle était furieuse que Georgie l'ait vaincue, mais elle se souvint de la pyramide de cendres qu'avait formée la lettre qui annonçait à sa sœur qu'elle était admise à l'université et elle se sentit mieux.

— La fin du mois. Mais pas une journée, pas une heure, pas une minute de plus.

— Ne t'en fais pas, Alba, dit Georgie avec ressentiment. Personne ne s'attend à ce que tu fasses plus que le strict minimum.

Elle s'engagea dans l'allée empierrée et frappa à la porte puis colla son nez à la vitre. Elle avait envie de partir, mais, à moins que l'une d'entre elles ne présente ses excuses, ce désagréable épisode devrait se répéter. Avec un profond soupir, elle se fraya un chemin à travers les chardons trempés en direction du magasin ambulant garé à côté de la propriété. L'arrière était remonté et elle jeta un coup d'œil à l'intérieur.

C'était la deuxième fois qu'elle le voyait, sauf qu'il n'était plus une silhouette lointaine mais un garçon affaissé contre une caisse, plongé dans un livre, ses longues jambes maigres étendues sur le plancher poussiéreux comme des manches à balai.

— Oh ! fit Georgie.

Elle remarqua la peau mate et la coiffure afro. Bien sûr, c'était logique. Le fils du Pakistanais. Forcément. Non moins stupéfait, il bondit sur ses pieds, faisant tomber son livre sur le sol.

— Je suis désolée, commença Georgie. Je ne voulais pas…

Il épousseta son pantalon tout en la dévisageant de manière presque impolie.

— Nous ne sommes pas ouverts.

Georgie écarta une mèche de cheveux mouillés qui lui tombait sur le visage. Debout, le garçon était une version dégingandée et plus mince de son père. Les jambes de son bleu de travail lui arrivaient bien au-dessus des chevilles et ses pieds étaient nus.

— Qu'est-ce que tu fais là si vous n'êtes pas ouverts?

— Je lisais.

Un an plus tôt à peine, la vie entière de Georgie tournait autour des garçons. Comment les rencontrer, où les rencontrer, dans quel café ses copines et elle se rassembleraient pour mieux les apercevoir. Mais après la mort de son père, elle les avait évités, et maintenant il lui semblait avoir oublié quelle chorégraphie imposer à son corps en leur présence. Elle ramassa son livre par terre: *Au bois lacté*, une pièce de Dylan Thomas.

— J'ai dû le lire pour mes examens de fin d'études, marmonna-t-elle, très gênée. J'ai même été Captain Cat dans la pièce au lycée.

Il continuait à la fixer comme si elle était quelque objet exotique déposé par la marée sur le pas de sa porte.

— Tu es bonne actrice? demanda-t-il enfin.

— Nulle, je n'ai jamais su jouer. Je crois qu'on ne m'a proposé le rôle que parce qu'on avait pitié de moi. Parce que j'étais nouvelle… et pour d'autres raisons.

Le garçon bâilla et étira un bras jusqu'au plafond de la camionnette. Ses gestes étaient à la fois fluides et engourdis, songea Georgie, comme ceux d'un ours émergeant d'un sommeil d'un mois.

— Le lycée ici ne monte jamais de pièce, dit-il. On nous force seulement à lire du matin au soir. Je détestais ça, avant. (Il fouilla dans sa poche et sortit un paquet de cigarettes.) Maintenant, ça m'occupe quand il fait mauvais.

Il jeta un coup d'œil au ciel nuageux et sourit.

— Autant dire que je lis beaucoup.

— J'aime bien lire. On essaie l'univers d'autres gens et on voit s'il est mieux que le nôtre.

— Et il l'est ?

— Eh bien…, dit-elle prudemment. Pas si on s'en tient aux tragédies.

Le garçon coinça une cigarette dans sa bouche et tâtonna distraitement du pied à la recherche d'une botte.

— Il n'y a pas grand-chose à découvrir sur d'autres univers dans *Au bois lacté*. Le décor aurait aussi bien pu être cette île.

— Je suppose que oui. Je n'y ai jamais vraiment pensé.

En fait, elle ne pensait pas aux livres du tout, elle pensait aux cheveux du garçon. C'étaient des cheveux de rebelle, d'objecteur de conscience. Si un de ces jours il traversait le village au volant de sa camionnette en déclamant des slogans communistes ou en dénonçant les maux du capitalisme, personne ne pourrait prétendre ne pas avoir été averti. Elle aurait bien voulu que ses cheveux soient le symbole d'idées intéressantes.

Le garçon trouva sa botte et sauta à bas de la camionnette.

— Si tu as besoin de quelque chose, mon père fait une tournée demain.

Il baissa le rideau et il vint à l'esprit de Georgie qu'elle avait laissé passer le moment. Il aurait fallu marmonner des excuses tout au début et filer à la vitesse de l'éclair. Quelle idée idiote de s'excuser à la place d'Alba. Elle se sentit brusquement lasse.

— Tu veux dire que si je voulais acheter quelque chose, tu ne le vendrais pas parce que vous êtes fermés ?

— Je n'ai pas de caisse.

— Et si je te donnais l'appoint ?

— Il n'y a nulle part où mettre l'argent.

— Tu ne pourrais pas le mettre dans ta poche ?

— Sans doute, si tu avais besoin de quelque chose à ce point…

— Ce n'est pas le cas, c'était juste pour le principe.

— Écoute, dit le garçon en jetant un coup d'œil vers la maison. Ce n'est pas moi. Mon père est un maniaque de la compta. Il préférerait ne pas gagner d'argent plutôt que de le laisser traîner au mauvais endroit ou de ne pas savoir exactement à quel achat il correspond. Il sait précisément combien il gagne chaque jour, au centime près.

— Oh ! Je vois.

Les doigts de Georgie effleurèrent les pièces dans sa poche. Pas étonnant qu'Alba ait été attrapée.

— Ça a l'air dingue, mais c'est une obsession chez lui. Quand j'étais petit, il attendait que j'aie l'air de dormir pour me murmurer des passages de ses manuels de compta.

— C'est *complètement* dingue.

— Enfin, ça m'est égal, reprit-il en remontant le rideau et en sautant à l'intérieur. Prends ce que tu veux. Je ne lui dirai rien. Viens.

Georgie regarda longuement sa main avant de la prendre. Contrairement à sa sœur aux doigts crochus, elle n'était jamais montée dans le magasin ambulant. À droite, un assortiment de bonbons, boîtes de conserve et confitures, en face, une bibliothèque de prêt, avec des livres de poche en piteux état. Il y avait à peine assez de place pour que deux personnes puissent bouger.

— Prends ce que tu veux. Nous avons des haricots, des lentilles, du lait de coco, des poivrons, des pignons. On ne peut pas trouver ces choses-là au magasin, tu sais.

Elle était troublée par sa proximité.

— Je n'en ai pas besoin, merci.

Craignant de passer pour une snob, elle ajouta :

— Vous avez vraiment de bonnes choses.

— Tu peux me payer demain si tu n'as pas pris assez d'argent.

— Franchement, ce n'est pas pour ça que je suis venue.

— Je ne comprends pas.

Il la toisait, lui interdisant toute retraite.

— Je suis venue m'excuser, marmonna-t-elle.

Elle sentit ses joues roses virer à l'écarlate.

— De vous avoir volés.

— Oh ! Eh bien, c'est intéressant.

Georgie se sentait aussi vulnérable qu'une tortue qu'on aurait dépouillée de sa carapace. Au diable sa sœur. Au diable la pitoyable faiblesse de caractère qui l'avait poussée à accepter de prendre sa place.

— J'ai apporté l'argent pour te rembourser.

Elle fit tinter bruyamment les pièces et s'avança un peu, dans l'espoir qu'il bouge aussi. Il n'en fit rien. À présent, ils étaient encore plus près l'un de l'autre.

— Ce n'était qu'une bande dessinée, dit-il.

— Et une barre chocolatée. (Georgie avait les aisselles moites.) Plus un livre.

— Oui, le livre, il faudra qu'elle le rende. Il y a des gens qui l'attendent.

Il ne bougeait toujours pas. Georgie pria pour être délivrée. C'était seulement parce qu'elle avait piqué le livre le plus populaire de l'île qu'Alba avait été découverte. Quant à savoir pourquoi elle avait chapardé *Racines* d'Alex Haley alors qu'il y en avait déjà deux exemplaires à la maison, c'était difficile à dire. Sa sœur était sans doute une kleptomane doublée d'une sociopathe.

— Je le rapporterai.

Au prix d'un effort, Georgie leva les yeux vers lui.

Il se mit sur le côté. L'air frais fit à Georgie l'effet d'une compresse sur ses joues brûlantes.

— Attends une minute, dit-elle, repassant la conversation dans sa tête. Tu as dit : « Il faudra qu'*elle* le rende. »

— Mon père m'a dit que c'était la plus jeune des sœurs. Tu es l'aînée, non ? Je t'ai vue à la réunion à l'école.

— La réunion au sujet de l'ours ? Je ne t'ai pas vu.

— Toute l'île était là, faut dire.

Il haussa les épaules, comme si cet agglomérat de personnes âgées constituait le camouflage parfait pour un adolescent au teint basané de deux mètres, aux cheveux ressemblant à des ressorts de matelas.

Elle prit une profonde inspiration.

— Je m'appelle Georgie.

— Aliz.

— Aliz, répéta-t-elle sans s'en rendre compte. Tu l'as cherché, l'ours ?

— Nan, je suppose qu'il s'est noyé.

— C'est l'avis d'Alba, mais mon petit frère le cherche tous les jours.

Elle se souvint qu'Alba attendait.

— Écoute, il faut que je rentre, dit-elle en farfouillant dans sa poche. Tiens. Je suis vraiment désolée.

Aliz prit la monnaie qu'elle lui tendait.

— Comment est-ce que ta sœur t'a persuadée de faire son sale boulot ?

— Elle sait s'y prendre pour ce genre de chose. (Georgie se concentrait tellement sur la manière de conclure la conversation qu'elle en entama accidentellement une nouvelle.) Pourquoi est-ce que vous gardez ce vieux bus scolaire dans votre jardin ?

— Ce n'est pas un bus, c'est une serre. Tu veux que je te montre ?

Du coin de l'œil, Georgie vit qu'Alba élargissait avec détermination la circonférence d'une ornière du bout de sa botte.

— Il faut vraiment que je rentre.

— Prends ça pour ton petit frère.

Aliz lui tendit des bonbons aux fruits qu'elle refusa d'un geste.

— Non, non, merci. Je n'ai plus d'argent.

— Tant mieux.

Il lui prit la main et la referma autour des bonbons.

— Ça veut dire que tu devras l'apporter demain.

LETTY se fraya un chemin à travers les herbes caoutchouteuses des dunes. La mer était aussi étale que du verre poli. Elle retira ses vêtements, les plia et les déposa sur un pan de rocher sec. L'incident avec Alba l'avait profondément secouée. Pas à cause du vol. C'était l'impossibilité de communiquer qui la bouleversait. Alba avait cessé de lui parler, et maintenant elles se déplaçaient dans la maison comme deux aimants qui se repoussaient. Pourquoi était-il si difficile d'atteindre ceux qu'on aimait le plus ? Ç'avait été pareil avec Nicky. Ils avaient cessé de parler, et tout avait changé.

Nicky convoitait le poste de Rome depuis un certain temps. Par conséquent, après le petit discours de motivation de Gillian, et pour autant que le lui permettait sa nature, Letty avait fait un effort pour ne pas le déranger avec les détails insignifiants du quotidien. Tout d'abord, la différence dans leurs relations fut si subtile qu'elle la remarqua à peine. C'était comme si chaque phrase contenait un mot de moins, chaque conversation était raccourcie d'une phrase. Puis, lentement mais sûrement, des paragraphes entiers commencèrent à disparaître de leur vie jusqu'au stade où ils n'échangeaient des informations que lorsque c'était nécessaire.

Moins il y a de communication, moins on en génère. Le manque de communication conduit au malentendu, le malentendu au ressentiment et à l'accusation, laquelle mène inévitablement à la guerre. Nicky, occupé à apaiser les eaux agitées du reste de l'Europe, ne se rendait pas compte qu'au sein de son minuscule royaume les relations étaient en danger imminent d'être rompues.

Letty s'avança dans la mer. Le bonheur. La vie. La famille. L'amour. On ne vous donnait qu'une seule chance. Un cri involontaire lui échappa lorsque l'eau enveloppa son corps mais celle-ci était trop froide pour qu'on puisse rester immobile, et Letty s'élança avec détermination, forçant sur ses bras et ses jambes en mouvements longs et puissants. Pendant un moment, elle demeura hypnotisée par la ligne de l'horizon. Une petite partie d'elle se disait qu'il serait si simple de continuer à nager, mais déjà la vision des traits de Jamie envahit son esprit, et elle se hâta de faire demi-tour.

Elle se sécha au vent, nue près des rochers et, une fois rhabillée, gagna l'abri des dunes. Pourquoi Nicky ne lui avait-il pas avoué qu'ils n'obtiendraient pas Rome ? Cela lui aurait été égal. Elle aurait pu être heureuse n'importe où. Pourvu qu'ils soient loin de Bonn et de l'ambassadrice. Mais, après le voyage qu'il avait effectué à Berlin avec Georgie, il avait semblé distant. Submergé de travail, ç'avait été son diagnostic. La mise en garde de Gillian résonnait fort à ses oreilles. Elle ne devait pas être exigeante. Nicky avait besoin de paix pour travailler.

Au-dessous d'elle, un groupe de pluviers grands-gravelots picoraient leur reflet sur le miroir du sable. Soudain les souvenirs l'assaillirent. Nicky et elle avaient fait l'amour dans ces dunes. L'été qui avait suivi leur mariage avait été exceptionnellement chaud. Ils auraient pu se croire en vacances aux Caraïbes avec ce ciel sans nuages, l'eau émeraude allant et venant dans les baies. Elle se souvenait de la sensation de son corps près du sien, du goût du sel sur sa peau. « Et si quelqu'un nous voit ? » avait-elle chuchoté, mais il n'y avait personne pour les regarder, rien que les sternes qui s'ébattaient au-dessus d'eux en criant.

Plus tard, à quelques pas devant elle, Nicky s'était penché pour ramasser un objet sur le sable. Le galet était d'un blanc immaculé, parfaitement rond. Quand il avait été certain qu'il n'y avait pas de défaut, il était revenu en hâte et l'avait laissé tomber d'un geste désinvolte à ses pieds.

— Oh ! Regarde, s'était-il écrié, feignant de le voir pour la première fois. Un galet parfait ! Comme c'est drôle.

Il l'avait ramassé et l'avait pressé dans la main de Letty.

— Nous devons le garder et le chérir pour toujours.

Elle l'avait regardé d'un air interrogateur.

— Tout au moins, c'est ce que font les manchots, apparemment.

— Tu es bête. Que font les manchots ?

— Ils se laissent tomber des galets aux pieds les uns des autres. C'est plus ou moins une manière de dire qu'ils veulent avoir un joli œuf ensemble.

Il l'avait attirée à lui et avait doucement posé la main sur son ventre.

— Tu es enceinte, n'est-ce pas ?

Son intuition lui avait fait un choc. Il avait ri.

— Tu ne comprends pas. Tout ce que tu fais, tout ce que tu es, tout ce qui te rend gaie ou triste, c'est écrit sur ton visage et n'importe qui peut le lire.

— Toi, tu peux le lire, avait-elle rectifié, mortifiée. Toi seul, personne d'autre.

— Mais j'ai raison, n'est-ce pas ?

— Oh, Nicky, je voulais en être sûre.

— Eh bien, tu es nulle pour garder des secrets, tu le sais, non ?

Qui savait, songea-t-elle amèrement, qui savait qu'il se révélerait tellement plus doué qu'elle dans ce domaine ?

Quelque chose que je ne t'ai pas dit, avait-il écrit dans la lettre. *Quelque chose qui me trouble.*

— Oh, Nicky ! s'écria-t-elle, désespérée, qu'as-tu fait ? Dis-moi ce que tu as fait, bon Dieu ! Nicky !

Elle cria, mais le vent emporta le nom de Nicky et le projeta vers la mer. Elle ferma les yeux, serra les poings et hurla jusqu'à ce que sa gorge lui brûle. Elle se moquait de ce qu'il avait fait. À cet instant, elle aurait donné tout ce qu'elle possédait, elle aurait vendu son âme pour être dans ses bras. Pour savoir qu'il l'aimait.

Un mouvement capta son regard. Elle scruta le sommet des dunes. Quelqu'un l'avait-il vue ? Entendue ?

— Nicky ? murmura-t-elle.

Elle se releva, chancelante, et fixa les sables désertés. Elle se couvrit les yeux de ses doigts, puis fixa de nouveau la dune.

— Nicky, souffla-t-elle, entre la peur et l'espoir. Oh, mon Dieu, Nicky, tu es là ?

6

*P*OURQUOI *les suivait-il ? Tantôt les filles, tantôt la mère, mais le plus souvent, le garçon avec ses jumelles et la petite mallette en bakélite contenant son déjeuner. Était-il censé garder l'œil sur cette famille ? Il l'ignorait, en tout cas il fallait que quelqu'un le fasse. Chaque jour, les fils ténus qui reliaient leurs vies devenaient plus minces. Les* *enfants savaient-ils que leur mère pleurait dans les dunes presque tous les après-midi ? Savait-elle, pour sa part, que sa fille aînée rêvait d'un garçon ou que son fils se promenait sur le tracteur d'un îlien dont la consommation d'alcool doublait de semaine en semaine ?*

Il continuait donc à les suivre, gardant la maison la nuit, surveillant le garçon depuis sa grotte au fond de la Bouilloire, attendant que les filles apparaissent sur la plage, et chaque jour l'anxiété lui rongeait le cœur.

LES jambes ballant au-dessus de la Bouilloire, Jamie contemplait le biscuit au chocolat qu'Alba avait mis dans sa boîte à déjeuner. Tout en glissant précautionneusement le doigt sous l'emballage argenté, il ressentait un bonheur tempéré par la méfiance. En règle générale, être « gentil » ou être « serviable » étaient des concepts inconnus d'Alba. Seules, parfois, la grippe ou une extrême fatigue limitaient sa cruauté. Faire confiance à sa sœur revenait à placer sa tête dans la gueule d'un lion endormi… mais le gâteau au chocolat n'était pas une exception. Quand il avait frappé à la porte d'Alba deux jours plus tôt, au lieu de choisir au hasard une réponse parmi son stock habituel de répliques cinglantes, elle avait crié, d'une manière presque aimable : « Entre dans mon domaine ! » À cela s'étaient ajoutées deux tapes amicales sur le dos et l'utilisation de son prénom plutôt que « crétin ». Enfin, la nouveauté la plus géniale de toutes avait été l'introduction d'un régime alimentaire spécial.

La veille au soir, comme il entrait dans la cuisine où elle faisait une purée, il avait demandé ce qu'il y avait pour dîner.

— Maman et Georgie vont manger des coques, mais je t'ai préparé un sandwich.

Puis, après y avoir ajouté une noix de beurre et une pincée de sel, elle avait étalé les pommes de terre écrasées entre deux tranches de pain de mie et avait mis le tout sur une assiette.

— Je t'aime, Alba, avait déclaré Jamie avant de pouvoir s'en empêcher, mais, au lieu de l'ignorer ou de le frapper, elle s'était contentée d'esquisser un petit sourire triomphant destiné à Georgie.

Il était si tentant de reprendre espoir. Car si Alba pouvait l'aimer, l'impossible devenait possible. On retrouverait l'ours. Son père disparu rentrerait à la maison, et son trou au cœur se réparerait. Jamie grignota avec gourmandise son biscuit, puis mordit dedans. Une délicieuse douceur lui emplit la bouche.

Pendant ce temps, Alba faisait cuire des moules. Elle retira brutalement le couvercle du grand faitout et renifla. Le plat n'avait pas l'aspect escompté, mais elle ne s'attendait pas à recevoir des réclamations. Ayant échangé ses obligations morales contre les devoirs culinaires de Georgie, elle avait pratiquement pris le contrôle de la cuisine en un coup d'État sans effusion de sang. Sa famille mangerait désormais ce qu'*elle* voulait, *quand* elle le voulait, et si ses points faibles en tant que chef étaient légion, ses talents de despote se développaient de jour en jour.

Cependant, comme dans l'administration de la plupart des dictatures, certains problèmes logistiques s'étaient posés, et le premier qu'avait rencontré Alba concernait l'approvisionnement. Pour des raisons évidentes, elle ne pouvait plus fréquenter le magasin et, puisqu'elle punissait sa mère en ne lui adressant plus la parole, il était exclu de lui demander d'acheter les ingrédients dont elle avait besoin. Le placard se vidant peu à peu, l'idée de vivre des produits de la terre s'imposa bientôt.

La beauté de cette option l'enchanta. Elle entreprit avec une ferveur évangélique de se procurer de la nourriture pour rien, ou presque rien. Les champignons sauvages et les fruits de mer, si dégoûtants soient-ils à ses yeux, pouvaient s'obtenir presque gratuitement. Alick leur avait appris à enjamber les étroits chenaux qui se formaient à marée montante pour transpercer les flets d'un coup de fourche. Plus loin, sous la digue, on pouvait récolter des seaux entiers de coques et de moules et parfois, quand la pêche avait été bonne, Alisdair apportait un sac de pinces de crabe.

L'Ambassadrice donnait aussi un seau de lait chaud et onctueux à la surface duquel, quand il avait passé un moment dans une jatte sur le haut du frigo, se formait une épaisse couche de crème. Quotidiennement, Alba tentait de confectionner du yaourt avec le lait caillé. Et si tout le reste échouait, ils pourraient toujours vivre de pommes de terre de l'île, les meilleures du monde, si tendres et légères qu'elles se désintégraient sous la fourchette.

— En fait, on a toujours plutôt bien mangé avant d'avoir le magasin, avait confirmé Donald John quand elle l'avait interrogé à ce sujet.

— Quoi, par exemple ?

— Eh bien, j'adorais le hareng salé, avoua-t-il. On le vendait sur la grande île dans des barils et on l'acheminait par bateau.

— Vous le faisiez frire?

— Non, non, on le faisait bouillir.

— Mais c'est dégoûtant!

— Non, pas du tout, Alba, c'était très bon.

— Et le crabe? Le homard?

— J'ai mangé un crabe une fois, mais ça ne m'a pas beaucoup plu.

— Le maquereau?

— Les maquereaux sont des méchants! Oh, bah bah, j'aimerais mieux manger mon chien de troupeau qu'un maquereau.

— Ça vaut la peine de chasser le cormoran?

— Eh bien, ils sont très gras. Il faut les dépouiller, parce qu'ils sont difficiles à plumer. Après, on peut les faire bouillir dans une casserole avec un oignon. Quand j'étais petit, on braconnait les canards, et ton père nous a souvent ramené des oies aussi. C'était un bon fusil, ton père. Un très bon fusil.

C'était vrai, avait songé Alba avec nostalgie. D'aussi loin qu'elle s'en souvienne, son père avait mené une croisade hautement personnelle contre les oies de l'île. Quand il s'aperçut qu'Alba s'y intéressait, il commença à l'emmener avec lui le matin. Elle trébuchait dans les tourbières tandis qu'il jaugeait le vent et décidait du meilleur endroit où se cacher pour intercepter les oies en route vers leurs terrains de chasse. « Elles sont beaucoup plus intelligentes que les gens, évidemment, lui avait-il dit. Tu vois cette formation de points, au loin? Des oies cendrées. Elles sont rusées et elles se doutent certainement que je les attends. Mais le vent vient du loch aujourd'hui, alors toi et moi avons décidé de faire face au nord. (Et, avec un clin d'œil:) Ça va les tromper, tu verras. »

Elle vérifia de nouveau les moules qu'elle avait ramassées ce matin-là, après s'être fait emmener jusqu'à la digue. Une grosse pelleteuse jaune était garée sur le rivage, et un homme, perché sur le siège conducteur, grignotait un œuf dur.

Alba avait fixé le cratère déjà creusé.

— Qu'est-ce que vous faites?

— C'est une carrière, petite. On va creuser tout au long de cette rive. Je n'ai aucune idée pourquoi. Mais l'État paie, alors on creuse.

— Qu'est-ce que l'État va faire de toute cette caillasse? avait-elle demandé en donnant un coup de pied dans le tas de roches.

— Sans doute rien du tout. Mais ils ont de l'argent disponible, alors autant le dépenser. Les subventions de la CEE, et tout ça. On creusera n'importe quoi pourvu qu'on nous paie, alors tu verras bientôt pas mal de progrès sur l'île.

— Et mes moules ? avait-elle demandé, soupçonneuse.

De part et d'autre de la digue, à l'endroit où la marée retournait dans les chenaux, la mer semblait teintée des couleurs de l'arc-en-ciel.

— On peut les manger quand même ?

— Pour sûr, avait-il répondu. Un peu de pétrole n'a jamais fait de mal à personne.

Alba souleva le couvercle de la casserole et fixa la soupe glougloutante de coquilles noires. Les moules étaient plus Palmolive que marinière, et quand elle les égoutta, l'écume resta dans l'évier, comme au fond d'un bain moussant. Il aurait sans doute été plus prudent de les passer sous l'eau, mais bon, qui en aurait eu le courage ?

— À table ! cria-t-elle.

Un soir, Jamie suivit sa mère dans la cuisine, où Alick faisait les cent pas en tirant sur sa cigarette roulée par petites aspirations impatientes, tel un futur père dans un couloir d'hôpital. Letty comprit tout de suite qu'il était éméché.

— Ah, c'est quelque chose de terrible ! s'exclama-t-il.

— Qu'y a-t-il, Alick ? demanda Letty calmement.

« Terrible » était un des mots préférés d'Alick et s'appliquait de manière égale aux voisins, aux tempêtes et aux maux d'estomac.

— Il y a un fantôme là-haut.

— Comment ça ?

— Venez avec moi, Let-it-ia.

Alick lui prit la main et l'entraîna hors de la cuisine. En haut des marches, il marqua une pause, puis, avec la démarche exagérée d'un clown de vaudeville, traversa le couloir sur la pointe des pieds jusqu'à la chambre de Letty.

— Prêts ? chuchota-t-il.

— Oui, oui, nous sommes prêts.

Alick avait presque l'air d'un spectre lui-même, songea Letty.

— Bon.

Il ouvrit la porte à la volée, comme si l'effet de surprise était la seule manière de gérer la menace qui rôdait à l'intérieur.

Letty et Jamie le contournèrent et s'arrêtèrent net.

— Alick, que diable… ?

Horrifiée, elle parcourut des yeux sa chambre dévastée. Le lit avait été éloigné du mur et placé au centre de la pièce. En équilibre dessus, en une grande pile oscillante, se trouvaient tous les autres meubles accompagnés de leur contenu, quel qu'il soit.

— Alick, qu'est-il arrivé ?

Alick expliqua qu'il réparait les gonds de la porte quand il avait entendu une plainte sortir des murs – un bruit si épouvantable, si glaçant, qu'il avait tout de suite compris qu'il ne pouvait émaner d'un être de chair et d'os. Terrifié, il avait couru au-dehors, traversé le jardin et sauté par-dessus la barrière avant d'oser regarder en arrière, et, quand il l'avait fait, il avait remarqué quelque chose qui ne l'avait jamais frappé auparavant.

— Il y avait une fenêtre là, Let-it-ia, dit-il. Une fenêtre secrète, à l'extérieur, qu'on ne peut pas voir de l'intérieur.

— Oui, une fenêtre aveugle, Alick, répondit Letty avec une pointe d'impatience. Elle a toujours été là.

— Mais quand même, c'est de là que venait le bruit, insista-t-il en oscillant d'avant en arrière.

— Alick, c'est le vent, c'est tout.

— Ce n'était pas le vent. Je vis avec le vent depuis que je suis né. Je vous dis, Let-it-ia, qu'il y a quelque chose de très bizarre dans cette pièce. Il y a une cachette, là. Exactement comme celle de la voiture.

— Quelle voiture ? Alick, ce que vous dites n'a pas de sens.

— Ce ne sont pas des bêtises, c'est la preuve d'un meurtre, assena Alick. C'est le fantôme de la pauvre Flora Macdonald, étranglée par le capitaine et emmurée derrière cette fenêtre.

— Allons, se hâta de dire Letty. Tout le monde sait que Flora Macdonald s'est enfuie en Australie.

— C'est ce qu'on dit. Mais qui sait ce qui s'est réellement passé ? Neilly McLellan était un vaurien et il aurait eu du mal à l'emmener jusqu'en Australie. De toute façon, les fantômes ne peuvent pas apparaître et se mettre à gémir sans raison. Je vous dis qu'elle a été étranglée et qu'elle est maintenant prisonnière.

— Mais pourquoi faut-il qu'elle vive derrière une fenêtre ? intervint Jamie. Pourquoi est-ce qu'elle ne peut pas aller au paradis ?

— Parce que, quand il y a une mort violente… il reste des choses en suspens.

— Alick, intervint Letty, mal à l'aise, ça suffit. Vous ne croyez pas que c'est un peu mélodramatique ?

Il n'y avait jamais eu le moindre vol de sac à main sur l'île, sans parler d'un infanticide de sang-froid. Mais aucun argument raisonnable n'aurait pu convaincre Alick de renoncer à sa théorie.

— Ah, pauvre Flora, pauvre âme, se lamenta-t-il. Disparue depuis tout ce temps, privée d'un repos paisible au paradis.

Cette dernière phrase mit en marche les rouages du cerveau de Jamie. « Disparue », « paradis », « repos » – c'étaient là les mots mêmes qui cherchaient à s'ordonner dans son propre lexique confus. Les yeux écarquillés, il se tourna vers sa mère, la bouche formant une question.

— Alick, dit Letty d'un ton sec, vous faites peur à Jamie, avec toutes ces histoires de fantômes.

— Non, non, protesta Jamie. C'est juste que… je veux…

Alick eut un sourire espiègle puis vacilla. Letty tendit la main pour le soutenir.

— Bon, ça suffit maintenant.

Elle jaugea la disposition précaire du mobilier sur le lit et résolut de coucher sur le canapé.

Jamie avait plusieurs questions de fond à poser à Alick sur la nature des esprits, mais Alick sembla soudain trop saisi de vertige pour y répondre. Il ne paraissait pas davantage en état d'expliquer pourquoi il pensait pouvoir exorciser le fantôme de Flora en éloignant les meubles des murs, et, au bout d'un moment, Letty suggéra calmement mais fermement à Jamie de se sortir tout ça de la tête.

CE fut une nuit d'insomnie totale. Letty avait l'impression que la pièce elle-même essayait de l'empêcher de dormir. Les coussins du canapé étaient durs et bosselés, un vent mauvais venu du nord hurlait dans la cheminée, et les couvertures étaient rugueuses. Pendant la première heure, elle demeura allongée sur le dos, s'efforçant de mettre de l'ordre dans ses idées, mais, peu à peu, chaque craquement inhabituel la secouait avec la vigueur d'un choc électrique.

Elle se retourna et soupira, soupira et se retourna, cherchant à mettre le doigt sur ce qui la taraudait. Quand, enfin, elle s'endormit, son malaise la poursuivit dans des rêves embrouillés comme un nid de vipères où elle ne pouvait qu'assister, impuissante, à la série de désastres qui frappaient sa famille. D'abord ce fut la Peugeot qui reculait, avec

Jamie au volant. Ensuite, ils allaient manquer le ferry, mais Macleod refusait de lui remettre sa clé de voiture. Debout dans son garage, il l'agitait au bout de ses doigts, hors d'atteinte. « Je peux l'enlever, si vous voulez, disait-il. Votre contreplaqué… »

Sauf que ce n'était plus Macleod mais le visage d'Alick qui la lorgnait. « Il y a une cachette dans ce mur, poursuivait-il, comme celle de la voiture. » Et elle se réveilla en sursaut, le cœur battant à se rompre.

La montre de Letty indiquait quatre heures et quart. Il faisait froid et humide, le vent plaquait la chemise de nuit contre ses jambes. Elle n'aurait pas eu besoin de la lampe torche – la lune était pleine, et presque assez brillante pour qu'on puisse lire sans lumière – mais elle avait peur, et la lampe torche la rassurait. Elle s'approcha rapidement de la Peugeot, luttant contre un sentiment d'irréalité. « Une cachette », avait dit Alick.

L'accident de Georgie avait eu lieu la première fois qu'on l'avait autorisée à conduire sur la route principale. Letty était absente, partie rendre visite à l'ancienne cuisinière de son père. À peine plus d'un mile au-delà du loch de l'église, Georgie avait fait une embardée pour éviter un canard. Avec son efficacité habituelle, Nicky avait pris des dispositions pour faire réparer la voiture avant de lui présenter la situation comme un fait accompli à son retour. Elle n'avait pas eu d'autre choix que de se réjouir que ni l'un ni l'autre n'aient été blessés et de laisser Alick continuer les réparations.

Maudite soit sa naïveté. Elle tourna la clé dans la serrure du coffre. La 404 possédait un coffre à bagages spacieux, c'était en tout cas ce que Nicky avait toujours affirmé lorsqu'il s'agissait de charger la voiture. Au début de l'été, cette tâche était revenue aux filles, qui y avaient casé moins de valises que d'habitude, et Letty l'avait attribué à leur inexpérience en la matière. Nicky aurait tout ressorti et serait reparti de zéro, s'employant méticuleusement à adapter la taille et la forme des bagages à l'espace disponible, mais elle s'en moquait. Reconnaissante aux enfants d'avoir pris cette initiative, elle s'était contentée d'attacher les valises restantes sur la galerie.

Frissonnante, elle passa les doigts sur le plancher du coffre, tâtant le bord du tapis. Du côté droit, la couture était intacte, mais la voiture était entrée dans la rivière de travers, et le côté gauche avait dû absorber le gros de l'eau car, ici et là, le tapis se désintégrait, et entre les clous enfoncés par Macleod, des lambeaux de colle se détachèrent sous ses doigts. Elle courut chercher un tournevis dans le débarras puis arracha les agrafes une par une jusqu'à s'assurer une bonne prise sur le coin du tapis – suffisante pour tirer dessus d'un coup sec – et dessous se trouvaient les plaques jaunâtres du contreplaqué.

« Votre contreplaqué »... Le contreplaqué de Nick...

Letty le regarda pendant une minute puis posa la semelle de ses bottes en caoutchouc contre le panneau et donna un coup de pied dedans aussi fort qu'elle en était capable. L'installation avait été si habilement ménagée qu'on n'en aurait jamais soupçonné la présence. Coupé sur mesure et légèrement incliné vers l'intérieur, le contreplaqué créait une séparation artificielle entre le coffre et l'espace vide sous la banquette arrière. Un espace assez grand pour abriter une personne.

— Nicky, espèce de salaud !

Elle s'essuya les yeux sur la manche de sa chemise de nuit. La pluie se mit à tambouriner sur le toit en métal, pourtant elle était toujours incapable de bouger. Elle était bien placée pour mesurer le danger qu'il y avait à faire sortir quelqu'un de Berlin-Est, surtout à l'insu du gouvernement britannique.

« Quoi que tu fasses, ne mêle personne à ça », avait averti Tom. Sauf que Nicky ne l'avait pas écouté. Il avait impliqué sa propre fille.

Alors, finalement, elle la tenait. Ce pour quoi elle s'était battue, ce qu'elle avait demandé au gouvernement. La preuve.

Sauf qu'à présent elle savait qu'elle avait totalement refusé la vérité. N'avait reconnu que celle qu'elle pouvait accepter.

— Il fait si chaud ici !

Georgie dessina un visage souriant sur la buée de la vitre du bus.

— Je sais. Je suis désolé, dit Aliz.

— Non, c'est merveilleux. Comme si on était dans un pays vraiment exotique.

Le père d'Aliz était un génie, avait décidé Georgie. Il avait converti une camionnette en magasin-bibliothèque et un vieux bus scolaire en serre. Le bus était équipé de panneaux solaires fixés sur le toit, et les rangées de sièges avaient été remplacées par des cageots de semis d'où s'élevait un fouillis de verdure évoquant une jungle.

— Des tomates, des piments, des haricots verts. Et ici il y a les herbes aromatiques, coriandre, persil, fenouil.

— Pourquoi est-ce que vous ne vendez pas tous ces trucs ?

— Personne n'en veut. On peut tout faire pousser ici, mais mon père dit que les îliens n'aiment pas les légumes.

— Ma mère les adore.

— Alors apporte-lui-en.

— Non, non, avait protesté Georgie, qui venait de lui donner l'argent pour les bonbons aux fruits.

— Prends quelque chose, et reviens payer demain.

— Je ne crois pas pouvoir revenir demain.

Il avait glissé quelques tomates dans sa main.

— Il le faut, sinon les comptes de mon père ne seront pas équilibrés. Georgie était revenue tous les jours depuis.

Elle s'assit sur le banc à lattes. Le soleil coulait sur son dos comme du miel.

— Qu'est-ce que c'est ? demanda-t-elle en effleurant un fruit bulbeux et violet.

— Une aubergine. Mon père fait du *kuku* avec, mais il se plaint qu'il n'a pas le goût qu'il faut. Il dit que les aubergines n'ont pas assez de soleil ici, même sous serre, alors, la plupart du temps, il se contente d'admirer leur couleur. Il aime se plaindre de la nourriture de l'île, il dit que tout est de la même couleur. Blanc, gris ou marron.

— Hier soir, ma sœur a fait des spaghettis aux cornichons.

— Et tu les as mangés ?

— Je n'avais pas le choix ! Tu ne peux pas savoir comment elle est.

Georgie savait qu'elle aurait dû considérer ses manipulations comme un succès, mais le culte renouvelé de Jamie pour Alba la mettait mal à l'aise. Quelque chose dans la douceur subite de sa sœur ressemblait au calme précédant la tempête. Tôt ou tard, Alba rejetterait le chèque-cadeau d'amour de Jamie une fois pour toutes. Cela dit, si elle n'avait pas conclu ce marché, elle n'aurait pas fait la connaissance d'Aliz. Aliz qui sentait la terre et les minéraux. Aliz, assis à présent si près d'elle que son haleine lui caressait la joue.

— C'est la cuisine du pays qui manque le plus à mon père, disait-il. Il en parle tout le temps. La glace aux pétales de rose ou à la pistache. L'agneau assaisonné à la cannelle et à la coriandre ou frit avec des abricots ou des figues. La nuit, je l'entends marmonner dans son sommeil : il parle de fromages salés, de citrons amers ou des lentilles à la menthe que lui préparait ma mère.

C'était la première fois que Georgie entendait Aliz mentionner sa mère. Elle avait supposé que son père était veuf. Alba prétendait qu'il était venu chercher une nouvelle épouse en Écosse, mais la vision de Morag ou de Peggy franchissant la douane à son bras dans un imper beige et émergeant dans les rues animées de Karachi semblait pour le moins tirée par les cheveux.

Involontairement, son genou toucha celui d'Aliz.

— Comment c'est, le Pakistan ? demanda-t-elle, rêveuse.

— Aucune idée. Je n'y suis jamais allé.

Aliz sortit sa boîte à tabac et entreprit de rouler une cigarette.

— Tu n'es pas curieux ? Tu as demandé à ton père ?

— Mon père n'y est jamais allé non plus.

Elle lui lança un regard perçant.

— Comment ça ?

— Nous ne venons pas du Pakistan. Mon père est venu ici de Syrie après que ma mère et mon frère ont été tués pendant la guerre des Six Jours.

— Mais je croyais…, balbutia-t-elle, mortifiée. Je suis désolée, je ne sais pas pourquoi je…

— Parce que tout le monde le fait. On est les Pakistanais de service, ceux qui ont ouvert l'épicerie pakistanaise du coin.

Georgie baissa la tête.

— Ne t'en fais pas, ça ne me gêne pas et mon père aime bien les gens d'ici. (Aliz repoussa une mèche en tire-bouchon qui lui tombait dans les yeux.) Il dit que la plupart d'entre eux ne sont même pas allés sur la grande île, alors comment pourraient-ils faire la différence entre la Syrie, le Pakistan ou la Lune ?

— Dans mon école, en Allemagne, il y avait des gamins américains, anglais, africains, coréens, indiens, et même finlandais. La première chose qu'on apprenait, c'était quel pays leur manquait.

— J'avais sept ans quand je suis arrivé ici. Je ne sais pas quel pays devrait me manquer.

— Peut-être que c'est parce que ta place est ici à présent.

— Il faut croire que tout le monde doit avoir une place quelque part. Il coupa la tige de l'aubergine entre ses ongles.

— Emporte-la chez toi et prends d'autres tomates pour ta mère.

Georgie ne prit même pas la peine de chercher de l'argent dans ses poches.

— En ce cas, je reviendrai demain.

— Bien.

Sa dent de devant ébréchée lui donnait un sourire charmant.

Georgie lui rendit son sourire. Elle se sentait jeune. Elle se sentait vieille. Elle n'avait aucune idée de ce qu'elle éprouvait. Elle aimait la manière dont son corps fondait dans la chaleur. À la maison, elle se sentait parfois si friable qu'elle avait peur que ses os ne se brisent, mais là, avec Aliz, entourée de plantes, de terre et de l'odeur des fruits qui fermentaient, ses bras et ses jambes lui semblaient souples, son cœur frémissait et brûlait.

Elle contempla ses pommettes saillantes et les ressorts incontrôlables de ses cheveux, mais s'efforça de ne pas regarder ses lèvres. Chaque fois qu'Aliz ouvrait la bouche, Georgie songeait à des baisers. Presque tout dans le physique d'Aliz la fascinait. Par-dessus tout, elle avait envie de sentir ses doigts contre les siens, de poser l'oreille contre son cœur pour entendre le rythme de ses battements. Elle ne pouvait décider si ses lèvres étaient bleues ou violettes ou si l'intérieur de sa bouche était chaud ou froid. Tout ce qu'elle savait, c'était qu'elle avait un désir intense de le découvrir.

LETTY obligea Alick à lui montrer exactement l'étendue des « modifications » de Nicky. Debout à côté de lui, sous un soleil falot qui illuminait les herbes du machair, elle avait senti son univers se déformer, échapper de plus en plus à son contrôle tandis qu'il s'enthousiasmait de la précision du gabarit en contreplaqué, lui montrait l'interrupteur qu'il avait installé pour couper l'alimentation du distributeur de la Peugeot et arrêter la voiture à n'importe quel moment. Alick n'avait pas demandé pour quelle raison on lui avait réclamé ces adaptations, s'inquiétant seulement de savoir si ses talents de mécanicien seraient suffisants pour les réaliser.

Elle n'avait pas de pareille excuse. Si elle avait choisi de regarder au-delà des faits… Les signes étaient là, bien visibles. La décision de Nicky de prendre la voiture au lieu de l'avion, sa réticence à emmener Georgie. Et puis, après leur retour, n'y avait-il pas eu un problème avec la voiture ? La radio était en panne quelques mois auparavant. Nicky avait fait transférer les haut-parleurs sur la plage arrière et recouvrir d'une bande de cuir perforé d'un joli bleu. Comme elle insistait, Alick découpa le cuir à regret.

— Oui, on les a un peu bougés, dit-il en tapant doucement sur les haut-parleurs avec son tournevis. Vous voyez ?

— Oui, dit-elle d'un ton sec. Je vois.

Deux des quatre vis fixant les cônes au support en bois avaient été desserrées, et les haut-parleurs avaient été tournés de côté pour qu'ils ne reposent plus sur les cercles perforés. Pas étonnant que la qualité du son en ait pâti. Pas étonnant qu'Alba se soit plainte durant tout leur voyage vers le nord. Après tout, songea Letty avec amertume, il fallait qu'un homme puisse respirer.

Ce fut la pire semaine de sa vie. Elle passa le plus clair de son temps au lit, sans voir les enfants, fixant la photo d'identité trouvée dans l'enveloppe, passant le pouce sur le visage de l'inconnu avec de plus en plus d'insistance, espérant que quelque indice caché allait se révéler à elle. Elle n'osait pas appeler Tom.

« Il n'a jamais été l'homme que tu croyais. » L'accusation lui revenait constamment à l'esprit, mais si Nicky n'était pas celui qu'il affirmait être, qui diable était-il ? Sa vie entière, tout ce qu'elle défendait se désintégrait, remplacé par de la fureur et du chagrin.

Une nuit, son cerveau se bloqua. Comme s'il ne pouvait plus purger ses pensées du poison qui les encombrait. Et soudain elle se souvint de la main de Tom lui serrant le poignet comme un étau. « Accroche-toi à ce que tu crois, Letty », avait-il dit.

Elle alluma la lumière, attrapa ses cigarettes et en fuma trois à la suite, essayant d'imaginer un Nicky prêt à trahir, se livrant à des subterfuges, un homme cachottier, aigri, et elle sut alors avec une absolue certitude qu'elle ne pourrait jamais faire coïncider cette image avec celle de l'homme qu'elle aimait. Au lieu de cela, elle pensa à Nicky debout devant la fenêtre de sa chambre. L'histoire de Flora Macdonald... Nicky en avait fait leur histoire aussi, et ce souvenir, ajouté à tant d'autres, était revenu l'obséder.

« Je vais faire un pari avec toi, avait dit Nicky après avoir été présenté au père de Letty. Je parie que je peux te faire descendre par la fenêtre dans cet arbre sans que ton père nous attrape.

— Ça suppose que tu sois invité sur l'île, l'avait-elle taquiné.

— Que je sois invité ou non n'est pas la question. Ce qui compte, c'est de savoir si tu es prête à relever le pari.

— Quel est l'enjeu ?

— Oh, je trouverai bien quelque chose, avait-il répondu. »

Il devait partir la semaine suivante pour Washington, et elle était sûre qu'il la demanderait en mariage avant son départ, mais il n'en avait rien fait. Et quand le mois prévu aux États-Unis se transforma en deux et que ses lettres commencèrent à se faire moins régulières, c'était sur l'île qu'elle était allée soigner son cœur meurtri. Elle ne l'avait pas vu depuis près de trois mois, avait presque oublié le pari qu'ils avaient fait, quand le bruit des cailloux contre la vitre l'avait réveillée. Elle avait regardé par la fenêtre et l'avait vu qui lui souriait d'un air penaud.

— Nicky? s'était-elle écriée d'une voix faible. Mon Dieu, qu'est-ce que tu fais?

— Je suis venu te sauver! avait-il répondu, s'efforçant, avec un succès relatif, d'adopter l'accent des Hébrides. Viens donc, Flora, ma belle, avait-il ajouté, comme elle semblait paralysée sur place. Descends. Il fait un froid de canard ici!

Mais en fin de compte, le vieil arbre, plus courbé que jamais sous les assauts incessants du vent, semblait hors de portée.

— Saute! avait suggéré Nicky, impétueux. Je te rattraperai. Saute, et nous pourrons nous enfuir ensemble.

— C'est une demande en mariage?

— De quoi ça a l'air, bon sang?

— Oh, Nicky, avait-elle répondu, mi-riant mi-pleurant. Et si je disais oui mais que je descendais par l'escalier?

— Non, s'était-il entêté. L'amour commande de faire certaines choses. (Il lui avait tendu les bras.) Saute et je te rattraperai. Je te le promets.

Elle avait baissé les yeux. Le sol n'était pas si loin, mais c'était le genre de terrain inégal où on pouvait facilement se casser une jambe.

— J'ai peur.

— Il n'y a pas à avoir peur, mon amour, fais-moi confiance.

— Nicky…

Elle avait faibli. Elle lui faisait confiance. Le seul fait de penser à lui l'emplissait de force et faisait courir le sang dans ses veines. Nicky Fleming savait qui il était et en quoi il croyait. C'était la qualité qu'elle appréciait le plus chez lui.

« Letty, fais-moi confiance, avait-il ordonné. Lâche prise. »

LE problème, c'était que Jamie ne pouvait jamais rien se sortir de la tête. Toute information reçue allait droit à son cerveau et, de là, était traitée de manière à lui donner un sens avant même qu'il ait décidé où la classer ou comment l'utiliser.

Son père avait eu un accident. Son père était parti pendant long-temps. Son père était perdu. Jamie avait essayé de mettre en ordre les indices, mais l'image qui émergeait n'avait aucun sens pour lui. Or tout ce que Jamie demandait, c'était une image qui ait du sens. Pas du bon sens, du vrai sens, ni même du sens commun, mais du sens à la Jamie.

L'idée des fantômes le laissa perplexe. Les fantômes étaient des âmes perdues. Son papa aussi. Les fantômes ne pouvaient pas entrer au paradis s'ils avaient laissé des affaires en suspens ici-bas.

Jamie revit les papiers éparpillés sur le bureau de son père. Il son-gea aux télégrammes qui arrivaient deux fois par jour, au contenu de la mystérieuse « valise diplomatique ». Comment son père aurait-il pu ne pas laisser d'affaires en suspens ?

Lentement, avec hésitation, il se pencha sur la question qu'il redoutait le plus : et si son père était mort ?

Les gens mouraient. Peu importait qu'on soit fort ou intelligent. La mort arrivait quand même. Son grand-père était mort. Même l'ours, malgré toute sa force, avait pu se noyer. Son père était un homme intelligent, mais où qu'il soit allé, ç'avait peut-être été la mis-sion de trop. Peut-être son accident l'avait-il trop affaibli. Peut-être la mission était-elle trop périlleuse. Son père avait fait de son mieux pour revenir, mais cela ne signifiait pas qu'il n'ait pas échoué.

À la grande surprise de Jamie, la pensée que son père était mort n'accrut pas de beaucoup la tristesse qu'il éprouvait déjà. Le vide qu'il portait en lui resta le même. Au cours des mois écoulés, le souvenir de son père avait continué à s'atténuer, alors même qu'il croyait de plus en plus fermement à son retour à la maison.

Il comprit subitement pourquoi les fantômes étaient si impor-tants. Les fantômes étaient une échappatoire dans le contrat passé avec la mort ; on pouvait mourir et revenir sous une autre forme.

LETTY n'aimait pas nettoyer les moules. Quand elle arrachait le byssus et les grattait pour les débarrasser des bernaches, il lui sem-blait procéder à la toilette de vieillards. Elle lâcha une coquille luisante dans le faitout plein d'eau, songeant que cette occupation lui semblait tout à coup agréablement dénuée d'effort de réflexion. À la porte du jardin, à l'abri du vent, le soleil était chaud sur son visage.

Les enfants avaient disparu pour la journée, les poches pleines de provisions diverses en vue d'un pique-nique. Elle avait renoncé à leur demander ce qu'ils faisaient. Quelle importance, du moment qu'ils ne traînaient pas sur le canapé, leur indolence lui déchirant le cœur.

Elle jeta un nouveau coup d'œil à Donald John, assis de guingois à l'autre bout du banc. Il était rare qu'il lui rende visite et, après un long préambule à propos du temps, il avait glissé dans un silence peu habituel.

— Vous vous portez bien, Donald John? hasarda-t-elle.

— Oh! Assez bien.

Il sirota son café bruyamment puis tendit le cou vers le ciel, telle une cigogne étudiant les diverses routes du sud. Letty distinguait faiblement le son d'un avion. Donald John fixa les traînées blanches jumelles qui coupaient le ciel bleu.

— Ces avions, où vont-ils? Ils vont, ils viennent, ils viennent et ils vont. Haut dans le ciel… si haut, si seuls.

— Ce sont des vols transatlantiques, Donald John. Ils sont en route pour l'Amérique.

Il secoua sa tête oblongue avec compassion.

— Les pauvres.

— Oui, acquiesça-t-elle.

Elle non plus n'avait aucun désir d'aller nulle part, hormis sur la plage ou flâner sur le machair. Elle comprenait que Donald John ait tant de mal à partir. L'île vous attirait comme un aimant. Toute sa vie, elle en avait senti la magie, mais c'était une magie attachée à l'île, et qu'on ne pouvait emporter avec soi.

— Letitia, commença Donald John d'un ton lourd, avant de s'interrompre pour contempler avec grand intérêt le curieux assortiment de trésors empilés contre le mur – flotteurs de casier à homards en verre, vertèbres de baleine et crânes de mouton, ces derniers blanchis par le sel et le soleil.

— Qu'y a-t-il, Donald John? Qu'est-ce qui vous préoccupe?

Donald John souleva ses grosses mains de ses genoux puis les laissa retomber.

— C'est à propos d'Alick.

Letty posa son couteau.

— Il boit, n'est-ce pas? dit-elle à voix basse.

Au sein de la communauté, boire était un fait quotidien, accepté, au même titre que respirer ou préparer des scones. Cependant, depuis l'incident du fantôme, le comportement d'Alick était devenu de plus en plus imprévisible. Il faisait son apparition à des heures impossibles, parfois affreusement tôt, ou juste au moment où Letty était sur le point de se coucher. Chaque fois il s'installait à la table de la cuisine et bâtissait un récit passionnant à partir de la situation la plus ordinaire. Il était un conteur-né. Mais, à mesure que la bouteille de whisky se vidait, il sombrait peu à peu dans la répétition d'histoires sans queue ni tête. C'était indéniablement un homme très gentil et capable. Mais Letty était souvent gagnée d'une terrible prémonition sur l'avenir d'Alick, l'imaginant aigri et paranoïaque, son amour-propre érodé, son indépendance noyée dans l'alcool.

— Il vous vole du fioul, lâcha enfin Donald John.

Letty le dévisagea. Elle aurait été moins choquée si Donald John lui avait appris qu'Alick était recherché pour crimes de guerre.

— Il vole du fioul pour se payer à boire.

— Je vois.

Letty tira tristement sur le byssus d'une moule, le démêlant fil après fil. Elle n'aurait jamais imaginé cette trahison, qui lui faisait l'effet d'un coup de poing dans le ventre.

— Tout ce travail à la ferme depuis des années, pour rien. Oh, bah bah, ce n'est guère étonnant. Et maintenant, le bétail est parti. Le pauvre Alick n'a jamais reçu un sou pour tout ce qu'il a fait.

— Non, c'est vrai, dit-elle d'une voix creuse. (Puis, plus sèchement:) Comment ça, le bétail est parti, Donald John?

Il leva vers elle des yeux troublés.

— J'étais sûr qu'il vous l'avait dit. Murdo Macdonald – le frère d'Alick – a vendu le bétail de son père.

— Il a fait quoi?

— Oui, jusqu'à la dernière bête, à la foire aux bestiaux.

— Mais c'était le gagne-pain d'Alick. Je ne comprends pas. Euan lui a demandé de le faire?

— Euan n'avait pas la moindre idée de ce qui se passait, Letitia. Pas la moindre. Même qu'il a eu un choc terrible en l'apprenant. Murdo n'avait aucun droit sur le bétail.

Donald John se balança d'avant en arrière tant il était agité.

Letty se rappelait vaguement avoir entendu dire qu'Euan avait légué la propriété à son fils aîné, Murdo.

— Oui, Euan a laissé la maison à Murdo, reprit Donald John avec colère, mais ça ne veut pas dire qu'il possède les autres biens. Euan n'a jamais eu l'intention de lui laisser le bétail, certainement pas, et Alick l'a mal pris, évidemment, après avoir travaillé toutes ces années, jour et nuit, pour ne rien avoir au bout du compte.

Letty se mordit la lèvre.

— Il n'en a jamais rien dit.

— Eh bien, ça l'a porté à boire et ce n'est pas étonnant. Petit, Alick était toujours le premier à rendre service.

— Oh, je regrette que vous ne me l'ayez pas dit plus tôt.

— Vous avez votre part de soucis, Letitia. Mais maintenant notre famille sera divisée pour toujours.

— Mais pourquoi Murdo a-t-il fait une chose aussi épouvantable ?

— On raconte qu'il a besoin d'argent pour son contrat, oui, c'est ça. Sa société participe à la construction de la nouvelle base militaire.

Letty fronça les sourcils. La base militaire ne datait que de quelques années.

— Pourquoi ont-ils besoin d'une nouvelle base ?

— Eh bien, je ne suis pas sûr que ce soit exactement une base, dit Donald John, songeur, Angus La Poste dit que c'est peut-être une espèce de centrale nucléaire.

— Une centrale nucléaire ! Non, non. Je ne crois pas. Je veux dire, il a dû mal comprendre, ajouta-t-elle avec tact.

— Personne ne sait ce que c'est censé être, admit-il. Alisdair le pêcheur a reçu une lettre de son cousin Duncan, à Lochbealach. Il a entendu dire que c'était un champ de tir de missiles, comme celui qui a été construit sur l'île du sud, mais le vieux Jackson à Clairinish pense que c'est un système d'alerte précoce contre les bombes russes.

Letty le fixait, horrifiée.

— Vous en êtes sûr, Donald John ?

— Eh bien, c'est ce que j'ai entendu dire en tout cas, et ils vont commencer le chantier assez vite.

— Mais ce sera la fin d'Eileandorcha, murmura-t-elle.

— Tss, tss, Let-it-ia, la base ne sera pas à Eileandorcha, non, pas du tout. Elle va être située ici, dans le village.

Il s'abrita les yeux du soleil et indiqua l'est du doigt.

— Sur la colline, au-dessus du loch de l'église. Juste là-bas, au sommet de Clannach !

— Roddy, est-ce que tout se change en fantôme ?

— Eh bien, je ne suis pas sûr de comprendre ce que tu veux dire.

Il essuya son couteau taché de sang sur une feuille de papier.

— Ce lapin, par exemple. Il va devenir un fantôme, maintenant qu'il est mort ?

Jamie regarda les yeux opaques et laiteux de l'animal mort.

— Non, non, je ne crois pas.

— Et les homards ?

Roddy sembla réfléchir sérieusement à la question des esprits crustacés.

— Eh bien, je ne peux pas dire que j'aie entendu parler d'un fantôme de homard.

— Et l'ours ? Deviendrait-il un fantôme s'il était mort ?

— Les fantômes sont pour les humains, déclara Roddy fermement. Maintenant, ça ne veut pas dire que les humains ne peuvent pas se transformer en lapins après leur mort, parce qu'ils le peuvent, c'est un fait.

— Oui, je sais, dit Jamie vivement. Mᵐᵉ Macdonald dit que les pêcheurs reviennent en mouettes après leur mort et qu'ils ont toute la mer où pêcher.

— Les gens peuvent revenir sous forme de toutes sortes d'animaux : les mouettes, les rats, même les cafards.

— Mais comment est-ce qu'on sait si on va revenir en fantôme ou en animal ?

— Là, ça dépend entièrement des circonstances. Si quelqu'un a été courageux, il reviendra peut-être en aigle ou en cheval. Mais s'il a été très méchant et que la plupart des gens ne l'aimaient pas, il reviendra peut-être en mouche ou en moustique. (Roddy tira un poil qui lui sortait de l'oreille.) À vrai dire, mon garçon, j'ai piétiné plus d'un méchant sous ma botte.

— Mais vous avez vu des fantômes aussi, n'est-ce pas, Roddy ?

— Ouais, bien plus d'un.

— Alick pense qu'il y a un fantôme dans la chambre de ma mère.

— Eh bien, dit Roddy d'un ton lugubre, je suis sûr que c'est le cas.

— Roddy, où vont les gens quand ils ne vont pas au paradis ?

— En enfer, répondit-il, serein. Dans les profondeurs de la terre.

— Là où vivent les gens des tremblements de terre ?

— Ça, je ne saurais pas dire, Jamie, mais il y a plein de place là-dessous pour toutes sortes de gens. L'enfer, c'est là que vit le diable. Ah! les histoires que je pourrais te raconter au sujet du diable!

Jamie savait pertinemment que Roddy se vantait d'entretenir une relation particulière avec le diable et ne demandait pas mieux que d'en parler à quiconque lui poserait des questions à ce sujet, mais Jamie n'avait nulle intention de digresser. Il était impensable que son père ait choisi de fraterniser avec le diable. Il aurait même sans doute vu ce genre de chose d'un très mauvais œil.

— Et si on n'est pas un méchant, mais qu'on n'est pas encore arrivé au ciel?

— Il se pourrait qu'une âme ait encore des choses à régler sur terre. Les gens peuvent être coincés quelque part entre les deux jusqu'à ce qu'ils aient découvert ce qui les tourmentait.

Jamie prit une profonde inspiration.

— Vous croyez qu'il est possible que mon père soit un fantôme ou un animal quelque part?

Le bossu le considéra d'un air songeur.

— Eh bien, c'est difficile à dire, Jamie. Vraiment.

— Alors, qui décide si on va revenir en fantôme d'humain ou en fantôme d'aigle?

— Ça dépend de ce qu'on croit.

— Oui, mais qu'est-ce que vous croyez, *vous*?

— Eh bien, disons que si un homme veut revenir en fantôme ou en aigle, c'est lui qui décide, dit-il d'un ton de philosophe. S'il a des affaires en suspens, j'imagine qu'il reviendra sous la forme qui convient le mieux à son but, et s'il a été quelqu'un de bien, qui dit qu'il n'obtiendra pas ce qu'il veut?

7

SON *corps était douloureux. La faim lui avait asséché les yeux et volé la moelle de ses os. Elle était devenue une ennemie qui grossissait en lui, devenait plus exigeante de jour en jour, et comme elle grondait, raclant de ses griffes l'intérieur de ses entrailles, il était tenaillé par les doutes qu'apportent le choix et la liberté. Pourquoi ne pas en finir? Retourner à la maison? Entrer dans le village et attendre que le filet se referme autour de lui?*

À mesure qu'il perdait le contrôle de son corps, ses réflexions se mirent à changer de forme et à s'aiguiser. Sa tête s'emplissait de souvenirs qu'il ne reconnaissait pas, de sentiments qu'il n'avait jamais éprouvés. Il ne comprenait pas pourquoi il avait entrepris ce voyage mais il en appréciait la magnitude, si bien qu'il luttait contre la faim et le doute comme il n'avait jamais lutté contre aucun adversaire auparavant.

De temps en temps, quand l'énergie lui revenait, il quittait la grotte, étanchait sa soif dans le petit ruisseau qui descendait vers le loch, puis gagnait la maison, y restant aussi longtemps qu'il l'osait, s'appuyant contre le muret en pierre, rassuré de voir les allées et venues de la famille. Mais ces excursions le fatiguaient et étaient suivies de longues périodes de faiblesse, qu'il passait dans sa grotte.

Chaque nuit, il rêvait du garçon – son visage sérieux, sa silhouette de marionnette au sommet de la falaise, se détachant sur un ciel orageux.

— Salut, ours, disait le garçon.

— Viens à moi, petit, suppliait-il.

Mais l'enfant ne l'entendait pas, n'avait même pas encore compris qu'il existait.

LETTY était assise sur son lit, tentant de s'imaginer descendre au rez-de-chaussée, soulever l'écouteur et composer le numéro du ministère des Affaires étrangères. Elle n'avait pas parlé à Tom depuis des mois, alors comment pourrait-elle simplement dire le nom de Nicky et se lancer tant bien que mal dans une conversation banale, comme s'il ne s'était rien passé ? Pourtant, avait-elle le choix ? Le long bras de l'État s'était faufilé vers le nord et avait refermé ses doigts crochus autour de cet espace minuscule, ce carré isolé qu'elle avait préservé pour sa famille, et dont il n'était pas question qu'elle se laisse dépouiller.

Il avait fallu quatre appels téléphoniques pour obtenir le numéro du député des Highlands et des Îles, et deux autres pour venir à bout du rempart protecteur de son personnel. Son mariage à un diplomate l'avait dotée d'une exceptionnelle tolérance à la bureaucratie et elle s'était préparée à subir la même obstruction de la part d'Edward Burgh lui-même, mais ce dernier s'était montré d'une franchise déprimante. « En effet, avait-il confirmé, la plupart des gens ne se rendent pas compte de l'étendue des activités du ministère de la Défense en Écosse. Rien que dans les Highlands et les Îles, il y a Saint-Kilda, la base de Shillaig et le champ de tir de Gebraith. Plusieurs autres projets sont à l'étude, dont certains ne généreront pas de créations d'emplois notables et constitueront des bouleversements considérables. Nous avons fait état de la menace qui pèse sur la culture, la religion et la langue des îliens, mais je dois vous dire que le gouvernement est déterminé à développer sa présence militaire en Écosse. »

Ainsi, Donald John avait eu raison. Après sa visite cet après-midi-là, elle avait filé tout droit chez Euan Macdonald.

— Oh, oui, Let-it-ia, il en a été question, avait confirmé le vieil homme.

— Sur Clannach.

Sa gorge s'était nouée.

— Oui, tout en haut.

— Mais on verrait la base de toute l'île !

— Oui, c'est vrai.

— Pourquoi ici en particulier ?

— Ils disent que c'est un endroit pratique pour surveiller l'ennemi.

Euan n'avait pas bonne mine, avait songé Letty. On avait l'impression que sa personnalité de fer lui avait été ôtée de force, laissant la place à une coquille de chair et de sang. La traîtrise de son fils lui avait porté un rude coup, l'avait avertie Donald John, et Dieu savait si elle comprenait. Pourquoi les gens qu'on aimait étaient-ils capables de vous trahir avec tant d'aisance apparente ?

— Vous avez parlé au conseil municipal ? Si l'opposition est suffisante, on pourra sûrement empêcher la construction.

— Il y a beaucoup d'opposition, Let-it-ia. Des tas de fermiers se sont plaints. Mais il y a eu aussi beaucoup d'opposition à la base militaire de Saint-Kilda et au champ de tir de missiles au-dessus de Notre-Dame-des-Îles, et ils les ont construits quand même. Peut-être que ce n'est pas une si mauvaise chose avec la fermeture de l'usine d'algues.

Les yeux d'Euan avaient fixé le feu, puis il avait levé vers elle un regard suppliant.

— Murdo dit que les îliens participeront à court terme à la construction. Il dit que le ministère de la Défense les emploiera peut-être comme chauffeurs ou gardiens.

— Et vous y croyez ?

Mais Letty savait qu'il était déjà parfaitement convaincu de l'inconstance de son propre gouvernement. Au début de la Première Guerre mondiale, le ministère de la Défense avait fait des promesses généreuses à tous les habitants des Hébrides prêts à se battre pour leur pays – notamment la propriété de leurs fermes s'ils rentraient vivants au pays –, puis il était revenu sur ses engagements. La plupart des survivants, profondément démoralisés par les horreurs de la guerre, avaient accepté cette trahison avec résignation.

— Ce qu'il y a de sûr, c'est que le ministère nous a menti plus d'une fois, avait concédé Euan avec tristesse.

Letty avait été frappée par la terrible ironie du sort. Et s'il devait y avoir un emploi pour Alick sur le site de Clannach et que sa propre intervention le menaçait ? Elle était perdante, dans un cas comme dans l'autre. Elle ne croyait pas aux promesses du ministère de la Défense, pas une seconde. Elle se rendit compte de la haine qu'elle vouait à son propre gouvernement pour avoir conspiré contre son mari et tout ce qui était cher à ses yeux. Si, à cet instant précis, quelqu'un lui avait proposé de participer à une machination pour empêcher la construction de cette monstruosité, elle aurait été prête à tout.

— Il doit bien y avoir sur l'île quelqu'un qui peut intervenir. Quelqu'un qui ait de l'influence.

Le vieil homme avait saisi sa main.

— La seule âme sur cette île qui ait la moindre influence auprès du ministère… c'est vous, *mo gràdh*.

AUCUN des Fleming ne s'imaginait qu'on prenait un bain pour se laver. C'était seulement une manière de se réchauffer. L'eau chaude était limitée et chacun y allait à son tour, selon un ordre hiérarchique strict, le plus jeune étant le dernier. Au moins, dans la soupe tiède laissée par la crasse collective de la famille, Jamie pouvait s'immerger entièrement aussi longtemps qu'il le voulait.

Sous l'eau, son esprit se détendit et ses pensées revinrent à la conversation qu'il avait eue avec Roddy. Prémonitions, fantômes, animaux, insectes. Il semblait que les gens pouvaient revenir sous pratiquement n'importe quelle forme. À la réflexion, cependant, il s'avoua qu'il n'aimait guère l'idée que son père devienne un fantôme. L'aspect pratique de la vie de fantôme l'inquiétait. Les fantômes ne pouvaient pas conduire, par exemple, ni acheter des billets de ferry. La réincarnation en oiseau ou en animal était tellement plus logique. Son père apprécierait la liberté et goûterait le plaisir de la situation.

Il étendit une jambe en direction du robinet. Un mince filet chaud courut sur ses orteils. Son père aurait soigneusement réfléchi aux détails logistiques de son retour. C'était un homme important, un homme bon. S'il en décidait ainsi, il pourrait revenir sous forme de licorne ou d'aigle royal. Jamie ferma les yeux et imagina son père piquant vers le sol et l'emportant sur son dos. Il s'accrocherait aux barbes douces des plumes et, ensemble, ils s'élèveraient dans les airs !

Ses yeux s'ouvrirent brusquement sous l'eau – mais son père, mieux que personne, se rendrait compte qu'il y avait plus d'un aigle sur l'île. S'il avait envie de revenir en fou de Bassan, eh bien, il y en avait quatre-vingt mille rien que sur Saint-Kilda, ce serait le même problème, mais en pire. Il ne choisirait jamais une bécassine ou une oie, de crainte de se faire tirer dessus, et il détesterait être un goéland ou une corneille parce qu'il les qualifiait de sale vermine.

Jamie remonta à la surface pour respirer et tenta de visualiser les autres oiseaux dont il avait noté les noms dans son cahier : bergeronnettes, sansonnets, courlis. Mais tous lui parurent trop insignifiants. Il était possible, cependant, que Nicky choisisse un cerf...

Le cœur de Jamie se mit à battre plus vite alors qu'il sortait gauchement du bain. Son père pouvait lui apparaître à tout moment, sous n'importe quelle forme. Et quelle que soit la créature qu'il avait décidé d'incarner, quel que soit le signe qu'il choisissait de lui donner, Jamie lui fit à son tour une promesse. Il serait prêt.

ALBA plissa les yeux dans le noir. Une mouche bleue tournait dans la pièce. Le bourdonnement était insupportable. Elle chercha à tâtons l'interrupteur de sa lampe de chevet. Le bruit cessa. La mouche s'était réfugiée à l'intérieur de l'abat-jour. Alba l'examina avec rancœur. Lentement, d'un geste délibéré, elle tendit la main vers son livre de poche mais la mouche évacua les lieux avec un bourdonnement furieux.

Après plusieurs tentatives avortées pour la tuer, Alba conclut que la tactique la plus intelligente serait de l'attirer hors de la pièce par une autre lumière électrique. Elle éteignit sa lampe et sortit d'un pas décidé dans le couloir. Un courant d'air froid tourbillonnait dans l'escalier. Bon sang, ils auraient aussi bien pu vivre en Sibérie ou en Ukraine. Elle continua sur la pointe des pieds et s'arrêta brusquement devant la chambre de sa mère. Un triangle de lumière débordait sur la moquette. Après une seconde d'hésitation, Alba regarda par une fente dans la porte.

Sa mère était assise dans son lit, une lettre entre les mains. Elle semblait la lire par à-coups, trouvant le contenu trop douloureux pour en absorber plus d'une phrase à la fois. Elle la posait et la reprenait, le visage déformé par le chagrin. Soudain, sa mère jeta la lettre, puis, serrant les poings, se mit à se marteler le visage. Après quoi, les larmes jaillirent en un flot apparemment intarissable, accompagnées de petits bruits d'animaux étouffés.

Au milieu du couloir, Alba frissonna dans l'air froid, intriguée, profondément soupçonneuse. Qu'est-ce qui avait fait pleurer sa mère ? Un message de la banque ? Une lettre de l'ambassade ? Georgie lui avait-elle avoué son rendez-vous secret avec le fils du Pakistanais ? Eh bien, ça lui faisait les pieds, car elle s'était totalement désintéressée de leur vie.

Alba retourna dans sa chambre, mais elle n'arrivait pas à oublier la manière dont sa mère avait pleuré, la main crispée sur cette lettre. De quoi diable s'agissait-il ? Elle ferait en sorte de le découvrir.

DANS son rêve, Letty eut d'elle-même une vue aérienne, un point noir se découpant sur le kaki des fougères au sud de Clannach. Le vent taquinait la capuche de sa veste tandis qu'Alick la tirait par la main le long de la pente raide de la colline.

— Ah, c'est là, Letitia ! s'écriait-il, comme les tours jumelles d'une centrale nucléaire se dressaient devant eux. Vous ne devineriez jamais que ç'a été construit par les fées !

À présent, elle était transportée à l'école, où se tenait une réunion des habitants de Ballanish. Les îliens étaient assis sur des chaises disposées en rangs, entourés de militaires au garde-à-vous devant l'ambassadrice. Gillian, impeccablement vêtue du tartan de sa famille, était debout sur l'estrade, une main reposant sur le bout luisant d'une tête de missile.

— On nous a signalé la présence d'un ours sur cette île, commença-t-elle. L'ours est le symbole de l'URSS. Qui sait quelles informations cet espion ennemi a déjà glanées ? Nos plans de défense actuels ont été compromis. Les Hébrides-Extérieures sont maintenant sur l'axe géopolitique de la guerre froide ; l'installation que nous avons l'intention de construire ici avertira le système de contrôle et de commandement intégré britannique de l'approche d'appareils ennemis et de l'imminence d'une attaque nucléaire.

Un des îliens leva une main hésitante.

— Dans combien de temps ?

— Deux minutes, lâcha l'ambassadrice d'un ton sans réplique. Maintenant, pour ceux d'entre vous qui nourriraient des doutes quant à la validité de ce projet, laissez-moi vous rappeler qu'une ville abritant une installation militaire rend un service essentiel à la nation. Cela devrait être considéré comme un honneur pour un peuple qui, jusqu'ici, n'a produit que des pommes de terre et exporté des matières océaniques en décomposition.

Letty ouvrit les yeux d'un coup. Un moment, elle demeura immobile, consternée de se rendre compte que l'horreur du cauchemar n'avait pas été atténuée par son réveil. Puis elle jeta un coup d'œil à l'horloge et repoussa les couvertures.

L'avion de Tom atterrirait dans un peu plus de deux heures.

GEORGIE mit le pied dans l'eau verte et froide. Un zigzag d'anguilles minuscules s'affola et s'éloigna brusquement. Sous son orteil, une anémone de mer rouge vif était collée au rocher.

— Je ne savais même pas que cet endroit existait. (Aliz tira sur sa cigarette et la lui tendit.) C'est génial.

— Je viens ici depuis toujours, dit Georgie. Depuis que j'ai appris à nager.

Le long du rivage, une tempête se levait, fouettant la mer en mousse, mais, sous la courbe protectrice de la falaise, le bassin rocheux avait le calme d'un étang et une eau limpide.

— J'adore ce genre de journée, déclara Georgie. Quand le temps est en suspens et qu'on sent qu'une tempête va arriver.

— Tu ne préférerais pas qu'il fasse soleil ?

Georgie haussa les épaules. Elle trouvait étrange que, de tous les astres, le Soleil soit le plus aimé. Elle, elle se sentait intimement liée à la terre. Au sol. À la boue. À la roche. Au sable. Quelque part, loin au-dessous d'eux, un magnifique pouls géologique envoyait des charges électriques à tous les êtres humains, faisant battre leurs cœurs, les maintenant en vie. Elle se faufila au plus profond du rocher, jusqu'à ce qu'elle sente sa poitrine se comprimer sous l'effet de l'électricité. Peut-être les douleurs de croissance ressemblaient-elles à cela.

Aliz était appuyé sur le coude, sa tête broussailleuse reposant sur une main. Elle allongea le bras à côté du sien.

— Regarde ta peau contre la mienne.

— La tienne est si blanche. La mienne est en tourbe. Elle a l'air de mariner dans la tourbière depuis l'époque des Vikings.

Georgie éclata de rire.

— Je préfère quand même la tienne.

— En ce cas, prends-la, dit-il en passant son bras sous le sien.

Elle toucha sa peau.

— Je n'aime pas les poils.

— Arrache-les.

— Ça va te faire mal. D'ailleurs, j'ai ma propre méthode pour te faire parler.

Le silence s'installa.

— Ça ne te fait pas drôle ? demanda-t-elle au bout d'un moment. D'être si différent.

— À cause de ma sale peau couleur de tourbe ? demanda-t-il avec un grand sourire.

— Ne te moque pas de moi, répliqua-t-elle, vexée.

— Tu ne sais pas, n'est-ce pas ?

Elle rougit.

— Je ne sais pas quoi ?

— Ce n'est pas moi et ma famille qui sommes les étrangers, ici. C'est de vous que les îliens parlent tout le temps. De toi, de ta sœur, de ton père, de ton grand-père.

— Qu'est-ce qu'ils disent ?

Il se hâta de battre en retraite.

— Je ne sais pas. Des tas de trucs.

— Qu'est-ce qu'ils disent de mon père ?

Aliz hésita, creusa un trou dans le sable et y laissa tomber sa cigarette.

— Tout le monde a son idée sur ce qui lui est arrivé.

— Mais encore ?

— Mon père a entendu dire qu'il avait été assassiné. Chrissie croit qu'il s'est écrasé en avion. Peggy dit qu'il a eu un cancer.

Il la regarda, guettant une réaction, mais Georgie s'était détournée.

— Tu sais comment sont les gens par ici. Angus La Poste est convaincu que les Russes l'ont capturé et qu'ils le retiennent prisonnier.

— Je voudrais bien que ce soit vrai. (Sa voix s'était durcie.) Au moins, ça voudrait dire qu'il est en vie.

— Je suis désolé. Tu dois détester qu'on te pose des questions à son sujet.

— Personne ne pose *jamais* de questions. Au début, ma mère ne voulait pas qu'on en parle pour ne pas faire de peine à mon frère, mais maintenant, c'est comme si c'était devenu un sujet tabou.

— Je n'aurais pas dû en parler.

— Si, je veux que tu en parles.

Parler de son père lui donnait d'impression d'avoir un masque à oxygène plaqué sur le visage. Elle se sentait étourdie, en voulait davantage.

— Demande-moi n'importe quoi, lâcha-t-elle. Demande-moi comment il est mort.

Aliz la dévisagea, choqué. Il baissa les yeux, toucha du doigt les veines de la roche.

— Très bien, comment est-il mort?

— Il est tombé. Du toit de l'ambassade.

— Il est *tombé*? Comment?

À cet instant, Georgie se rendit compte que ce « comment » était le mot qui recouvrait son tourment. On ne tombait pas spontanément d'un toit. On était poussé par-derrière ou on s'appuyait à une rambarde qui lâchait… Elle prit une profonde inspiration.

— Je crois qu'il a sauté.

Aliz la fixa.

— Pourquoi?

— Personne ne le sait, dit Georgie.

Les secrets que l'on portait tout au fond de soi devenaient plus lourds de jour en jour. Aliz continuait à la fixer. Des grains de sable scintillaient sur sa pommette.

— Sauf moi, murmura-t-elle. Moi, je sais.

— ALICK, pourquoi vous ne venez plus quand on met le drapeau pour vous?

— Eh bien, j'ai beaucoup à faire en ce moment, dit Alick.

Jamie parut sceptique. On était au début de l'après-midi, mais Alick venait tout juste de se lever. Ses cheveux rêches se dressaient sur sa tête et ses yeux étaient cerclés de rouge.

— C'est parce que vous avez peur du fantôme de Flora?

— Pas du tout.

— Parce que vous savez, maman a dit que Flora Macdonald était partie en Australie avec Neilly McLellan, et que c'est seulement le vent qui fait cette espèce de hurlement.

— Si Flora et ce vaurien sont arrivés en Australie, dit Alick d'un ton amer, ils ont eu une sacrée chance, pour sûr.

Il ramassa un peu de tabac éparpillé sur la table et chercha ses journaux des yeux.

Jamie l'observait tristement. D'ordinaire, il aimait l'ordre militaire de la caravane d'Alick. Celle-ci lui servait à la fois de maison et d'atelier. Ce jour-là, cependant, la caravane n'était pas du tout en ordre. De plus, elle sentait le moisi. Jamie plissa le nez pendant qu'Alick bataillait avec les boutons de son bleu de travail. Le ciel se couvrait déjà, un orage menaçait. Ça ne servirait à rien de chercher des cerfs par mauvais temps.

— Vous aviez peur des fantômes à mon âge?

— Du feu follet, dit Alick d'une voix sombre. C'est de ça que j'avais peur. Je ne l'ai vu qu'une fois, mais c'était tout un mélange de lumières, et on aurait dit qu'il bougeait avec le vent. Ça devait être des gaz phosphoreux dans la tourbière, évidemment, mais, quand même, on avait une peur bleue que ça nous attrape.

— Alick, si vous mouriez et que vous reveniez en animal, ce serait en quoi, à votre avis? demanda Jamie.

— Le capitaine Alick est indestructible, rétorqua-t-il avec un sourire. Alors, je ne vais pas mourir de sitôt.

— Mais vous pensez que les gens peuvent revenir en animaux?

— Eh bien, il y a un mouton sur le machair, je jurerais que c'est le portrait craché de la défunte tante de Donald John.

Alick poussa la porte de la caravane et sauta à terre.

— Allons-y.

— Je peux conduire?

— Oui, à condition que tu ne nous emmènes pas dans le fossé.

Alick monta sur le tracteur et prit place au volant, puis hissa Jamie à bord. Jamie s'assit sur ses genoux, embraya et tourna la clé raide. Peu de choses lui procuraient autant de plaisir que de manœuvrer les grosses machines mais, à sa grande frustration, ils n'avaient pas fait cent mètres que Peggy les arrêtait, le visage sombre, un sac en plastique blanc accroché à son poignet. Jamie fut saisi de déception.

— Si tu vas à Horgabost, Alick, tu peux m'emmener?

— Nous allons sur la route du comité, Peggy.

— À un moment pareil! Tu ne connais donc pas la nouvelle?

Peggy était une participante résolue de la course aux commérages et rien ne lui plaisait davantage que d'être la première à annoncer les nouvelles.

— Qu'est-ce qu'il y a à savoir?

— Eh bien, on ne parle que de ça sur toute l'île. Je ne serais pas surprise que ça passe à la radio, ajouta-t-elle.

Le véritable but du jeu était de retarder aussi longtemps que possible la révélation, tout en attisant systématiquement la curiosité de son interlocuteur. Peggy avait quantité d'autres phrases aguicheuses dans sa manche, mais elle avait mésestimé la gueule de bois d'Alick.

— Crache le morceau, femme! ordonna-t-il.

— Eh bien, si tu tiens à le savoir, ils ont repéré l'ours.

— L'ours? bredouilla Jamie. Mon ours?

— Oui, l'ours du dresseur, confirma Peggy.

— Vous en êtes sûre? demanda Jamie, se soulevant de son siège.

— Tout à fait sûre. Et c'est une sacrée surprise, vu que tout le monde le croyait noyé depuis longtemps.

— Je le savais!

Jamie leva un poing en l'air.

— Je savais qu'il était encore vivant.

— Vivant et bien portant, en effet, dit Peggy placidement. Le vieil Archie, de Horgabost, se préparait à sortir ses moutons quand il a vu une petite oreille en fourrure dépasser de derrière un rocher. Il s'est dit tout de suite que ça devait être l'ours, et en un rien de temps il a fait venir le gentil sergent Anderson, qui a amené le dresseur. Tiens, à ce qu'on dit, cet homme-là était tellement pressé d'arriver qu'il est venu dans un hélicoptère de l'armée, depuis le Perthshire, avec la moitié de la presse sur ses talons.

— Alors, ils l'ont attrapé?

— Eh bien non, en fait.

Peggy progressait vers le cœur de la nouvelle. Elle secoua la tête, feignant l'incrédulité.

— C'est ça le plus étrange. Archie dit que le dresseur a posé un seau de poissons à moins de cinquante mètres de lui et que l'ours n'a pas bougé d'un centimètre dans sa direction.

— Alors il est toujours en liberté?

Alick plissa les yeux en direction de Horgabost, songeur.

— Oui, il est parti en courant, annonça Peggy, triomphante, et toujours avec une récompense de mille livres sur sa tête.

Alick pressa d'un coup sec le bouton du démarreur et tendit la main à Jamie.

— Monte, dit-il d'un ton grave. On va aller le chercher.

— Eh bien, vous feriez mieux d'être prudents, conseilla Peggy, réticente à laisser son public l'abandonner sans avoir été bissée, car selon toute probabilité, il est devenu fou. Parce que si, au bout de six semaines, cette pauvre bête ne cherche ni du poisson ni son dresseur, qui diable peut-elle bien chercher?

Jamie entendit presque le déclic se faire dans sa tête. Il se figea, le pied sur la marche métallique du tracteur.

— Qu'est-ce que vous voulez dire?

— Eh bien, sans doute que toute cette agitation lui a fait peur, mais j'ai entendu Archie dire que l'ours avait filé aussi vite que s'il avait des affaires en suspens.

À présent, le cerveau de Jamie clignotait comme un circuit imprimé. L'ours... bien sûr! L'ours ne l'avait-il pas accompagné à chaque étape du voyage? Depuis la Zirkusplatz, à Bonn, jusqu'au car qui les avait dépassés sur la route d'Inverary? Si la Peugeot n'était pas tombée dans la rivière, n'auraient-ils pas traversé le détroit de Minch à bord du même ferry? Oh, il était stupide! C'était son père qui lui avait fait aimer les ours. Les petits ours en gélatine, le grizzly du musée. L'ours du Zirkus sur son monocycle. Son père lui avait dit que les ours étaient des animaux princiers, extrêmement intelligents. Le cœur de Jamie cognait douloureusement contre ses côtes. Si son père était revenu sous la forme d'un animal, quel autre aurait-il choisi?

Alba avait raison. Il était attardé! Il était *nugatoire*. Il eut envie de se flanquer une gifle. Bien sûr que l'ours ne se laisserait pas attraper. Bien sûr qu'il ne se laisserait pas détourner de son but par un stupide seau plein de poissons. Son père était revenu, exactement comme il l'avait promis. Il avait des affaires en suspens, quelque chose à dire à sa famille et, depuis tout ce temps, il attendait patiemment que Jamie le trouve, que Jamie l'entende. Que Jamie comprenne.

Après qu'il eut interrogé Georgie pendant une heure, ç'avait été au tour de Porter de prendre des notes. Il avait gagné silencieusement le bout de la table, son costume tendu sur ses épaules carrées, tandis que Norrell venait s'asseoir tranquillement à côté de Georgie, amical et détendu à souhait, balançant la jambe. « Je ne suis pas plus menaçant qu'un frère aîné ou un camarade de classe qui t'aide à faire tes devoirs de biologie », semblait-il dire.

— Si tu nous disais à quoi il ressemblait, ce Torsten. Où, exactement, ton père l'a-t-il rencontré, et de quoi ont-ils parlé ?

Georgie avait fixé son regard sur la veste de l'homme, pratiquement dépourvue de plis. Un stylo était accroché au revers par son capuchon. La porte de la pièce s'ouvrit. L'ambassadrice entra, apportant une tasse de chocolat chaud qu'elle posa sur la table.

— Comment allons-nous ? demanda-t-elle.

Personne ne répondit, et elle se raidit. Le protocole n'était pas suffisamment clair en matière d'interrogatoire de mineurs dont le père était mort en service. Elle ne vouait pas d'affection particulière aux limiers du gouvernement, mais Fleming était mort sur son territoire et elle était résolue à ce que tout se déroule dans les règles.

— Monsieur Porter ?

— Très bien, très bien, répondit Porter avec une jovialité lasse.

— Georgiana ?

De nouveau, Gillian attendit une réponse, mais Georgie regardait par-dessus son épaule. Dans l'embrasure de la porte se tenait la silhouette familière de Tom Gordunson, et sa peur diminua d'un cran. Tom arrangerait tout. Tom faisait partie de la famille.

Enfin, était-ce vraiment le cas ? Comme il s'avançait d'un pas, elle saisit le bref signe de tête qu'il adressa à Porter et à Norrell avant que tous trois se tournent de nouveau vers elle.

— Ça va, Georgie ? s'enquit Tom. Préfères-tu que je reste ?

Le cerveau embrouillé de Georgie fonctionnait à toute allure. « Ne fais confiance à personne, avait dit son père. Ils sont tous en train de te surveiller. » Elle repoussa le chocolat chaud. Elle n'était plus une petite fille dont on pouvait acheter la coopération.

L'ambassadrice prit note de l'atmosphère hostile et réajusta sa tactique en conséquence.

— Georgiana, ces hommes sont ici pour vous aider. Ils comprennent combien cette épreuve vous est pénible et apprécient votre souhait d'être loyale envers votre père, mais vous devez savoir que tout ce que vous leur direz pourrait nous aider à tirer les choses au clair.

— Tirer les choses au clair?

Le regard de Georgie alla de l'ambassadrice aux trois hommes. C'était une gaffe colossale et tous le comprirent. Georgie sut qu'elle avait eu raison de mentir. Et qu'elle continuerait.

— C'est seulement une façon de parler, ma chère, répondit l'ambassadrice, qui s'était aussitôt ressaisie. Dans notre domaine, la tragédie même est l'objet de rapports et de bureaucratie. Je suis vraiment désolée.

Elle tourna la poignée de la tasse vers Georgie et la poussa doucement vers elle.

— Vous leur direz tout ce qu'ils veulent savoir, n'est-ce pas?

Georgie acquiesça. Le jour où elle avait quitté Berlin-Est, elle avait chassé de son esprit l'écho de ses propres pas sur les dalles en pierre de l'église, les chuchotements et le visage tendu de l'homme que son père avait retrouvé à l'intérieur.

— Fais attention, Georgie.

Elle leva la tête. Tom se tenait devant elle. Quand ses yeux rencontrèrent les siens, elle se sentit défaillir de certitude. *Il sait*, songea-t-elle. *Il sait.*

— C'est chaud, ajouta-t-il. Bois à petites gorgées.

Georgie prit la tasse et avala autant de liquide qu'elle en était capable. Elle grimaça quand le lait lui brûla la langue. La douleur l'aida à se sentir moins vulnérable.

— Ne la gardez pas trop longtemps, avertit l'ambassadrice. Après tout, ce n'est qu'une enfant.

Une fois Tom et l'ambassadrice partis, Georgie avait tout raconté à Norrell et Porter. Que le serveur de l'hôtel avait affirmé ne pas avoir de table pour eux – et puis, comme Nicky désignait du regard les tables vides, qu'il avait dit froidement: « Vous avez mal vu », en fixant son portefeuille. Elle leur raconta que, des huit plats qui figuraient sur la carte, sept étaient indisponibles et que, quand sa commande de saucisses et pommes de terre était arrivée, la viande dégageait une odeur tenace de lignite. Elle expliqua qu'aucun des lampadaires ne fonctionnait et que Torsten portait une cravate en tricot et des souliers orange. Elle submergea Norrell et Porter d'informations, les noya de détails. Et elle lisait l'impatience dans leurs yeux. Plus tard, ils parcourraient toutes ces pages dans l'espoir d'y déceler un mensonge important.

— Et de quoi ont-ils parlé, votre père et cet homme?

Norrell, l'air faussement détendu, fit mine de vérifier ses notes.

— De qui ont-ils parlé ? Vous souvenez-vous s'ils ont mentionné quelqu'un en particulier ?

— En fait, je m'ennuyais, répondit Georgie sur le même ton que lui. J'ai lu, la plupart du temps. *Le Maire de Casterbridge*, on l'avait étudié au lycée le trimestre précédent et il y avait un contrôle prévu.

C'était vrai, Georgie avait bien lu ce livre. Néanmoins, des échos de conversation lui revenaient constamment en mémoire. Schyndell. La frustration manifestée par Torsten et son père concernant la décontamination de la centrale. Les questions sans réponses : Qui était fautif ? Quelle tête allait tomber ? À tous les niveaux du gouvernement allemand, on était résolu à accuser la direction de l'usine, et la direction était résolue à trouver un coupable à un degré inférieur de la hiérarchie. Georgie se souvenait clairement que son père avait dit, d'une voix furieuse : « C'est une vraie chasse aux sorcières, rien d'autre. » Et Torsten avait répondu, tout aussi bas : « Oui. Apparemment, nous ne reverrons pas notre ami Bertolt Brecht – je crains qu'il ne soit condamné à nettoyer les toilettes publiques jusqu'à la fin de ses jours. »

« Pourquoi Bertolt Brecht irait-il nettoyer des toilettes ? avait-elle demandé plus tard. Je croyais que Bertolt Brecht était un auteur dramatique. »

Son père avait la tête ailleurs. La Peugeot refusait de démarrer et ils avaient attendu plus d'une heure devant l'hôtel qu'on vienne la chercher pour la remorquer jusqu'au garage.

« C'est exact, répondit-il après une seconde ou deux. Mais tous les gens mêlés à notre petit accident industriel ont des sobriquets. Ça rend les réunions plus animées. »

Il avait fait semblant d'être gai, avait-elle songé plus tard, mais, même sur le moment, il avait paru crispé, inquiet.

— Alors, que s'est-il passé dans l'église ? demanda Porter.

Georgie s'était juré sur-le-champ de ne rien dire à Porter et à Norrell. De ne rien dire à sa mère.

Maintenant, assise sur le sable, elle regardait l'horizon. Les nuages se confondaient et un grondement de tonnerre retentit.

— Mon père était un traître, murmura Georgie.

Aliz était assis en tailleur, l'os de sa cheville émergeant de son pantalon, dur et rond comme un galet.

— Mon père était un traître.

Elle avait parlé plus fort et le visage d'Aliz s'assombrit, témoignant de sa compréhension.

Georgie s'adossa au rocher froid. Elle prit la main d'Aliz, souleva son pull et la posa sur son ventre. Au-dessus d'eux, l'orage planait dans le ciel, telle une explosion imminente de colère.

ALBA était assise à la table de la cuisine, la lettre de son père à la main – sa lettre d'adieu. Ça faisait encore un truc à ajouter à la liste de tout ce qu'on lui avait caché.

… opté pour la seule solution, avait écrit son père, *pardonne-moi, ma chérie.* Et puis il les avait tous plantés là. Alba laissa échapper un sanglot étranglé. Les avait-il vraiment si peu aimés pour avoir préféré la mort?

Elle avait envie de froisser la lettre, de la déchirer en mille morceaux, mais elle savait que cela ne changerait rien. On ne pouvait pas se débarrasser de ce qu'on savait une fois qu'on l'avait appris. N'avait-elle pas *toujours* su qu'il y avait autre chose? Un adulte ne dégringole pas d'un toit. Ne meurt pas d'une chute accidentelle. Sa mère était responsable d'une manière ou d'une autre, elle en était sûre. Pour quelle autre raison leur aurait-elle caché la vérité? Alba relut les terribles lignes, attisant le brasier de sa rage, additionnant toutes les minutes, toutes les heures et tous les jours où sa mère l'avait traitée en idiote, l'obligeant à deviner, à chercher des réponses. Comme si la *manière* dont il était mort était sans importance. Comme si elle n'avait pas le droit de savoir.

De tous les scénarios les plus tirés par les cheveux, celui-ci ne lui était jamais venu à l'esprit. Son père s'était suicidé.

À cet instant précis, Jamie avait fait irruption dans la maison, entrant dans la cuisine comme un camion fou, avec ce visage si plein d'espoir, exprimant un besoin si intense, qu'elle avait été à la fois furieuse et paniquée.

Il avait ouvert la bouche et déversé sur elle un chargement d'idées tordues jusqu'à ce qu'elle ne puisse plus respirer sous le poids. Elle entendit des bribes de phrases dans lesquelles il était question d'ours, de moustiques, de grotte, de Roddy, de fantômes, du paradis. Mais la voix de Jamie ne pouvait rivaliser avec le rugissement qui lui emplissait la tête. Soudain, le bruit avait cessé. Ouvrant les yeux, elle avait vu Jamie la fixer, une expression incrédule sur son visage.

— Alba, tu pleures, avait-il constaté d'une voix monocorde.

— Tais-toi.

Il avait ébauché un pas vers elle.

— Ne sois pas triste, tout va bien.

Elle tremblait, et le cœur de Jamie s'était empli de compassion. Il se souvenait de chaque journée qu'il avait passée à essayer d'affronter la disparition de son père.

— Alba, ne sois pas triste. On ira à la Bouilloire. Tu avais raison depuis le début, c'est là qu'il est.

Si l'absurdité de la suggestion ne signifiait rien, son visage enthousiaste, presque fervent de conviction, était insupportable. Comment osait-il avoir de l'espoir alors qu'elle n'en avait pas ?

— Je t'aime, Alba, avait-il simplement annoncé. Tu étais la première personne à qui je voulais en parler.

Il l'avait tirée par la manche.

À son contact, la main d'Alba avait reculé et elle l'avait frappé de toute la force accumulée pendant ces mois d'intense détresse. Jamie avait vacillé en arrière, s'était pris le pied dans le bord recourbé du tapis et avait durement atterri sur le sol. Une seconde, il était resté hébété, puis il avait porté la main à son visage.

— Alba ?

L'incrédulité qui perçait dans sa voix était à faire pitié.

— Va-t'en ! avait-elle crié. Laisse-moi, c'est tout.

— Alba, je ne comprends pas. Je pensais…

— Tu pensais quoi ? avait-elle craché avec mépris.

Jamie n'avait pas bougé, comme si tout ce qui avait de l'importance s'échappait lentement de lui.

— Oh, merde ! dit-elle. Ne commence pas à pleurer. Quelle raison as-tu de pleurer ?

— Tu faisais semblant, avait-il dit en touchant sa joue à vif. Quand tu étais gentille avec moi, je croyais que c'était pour de vrai.

— Tu parles de gens qui reviennent sous forme de moustique ou d'ours et tu t'inquiètes de savoir si j'étais gentille avec toi *pour de vrai* ?

Son visage était dur comme du granit, et, en dépit de la distance qui les séparait, sa froideur le fit frissonner. Éteignit la flamme de l'adoration qu'il lui vouait, gela son amour sans condition, et, à cet instant, ce fut terminé. Il se sentit curieusement étourdi. Libre.

— Je vais à la falaise.

Il s'était relevé.

— Je vais le trouver.

— Oui, c'est ça, Jamie. Voilà une idée géniale. Va à la falaise en plein orage, pourquoi pas ? En fait, tu sais ce qui serait encore mieux ? Pourquoi est-ce que tu ne te jetterais pas du haut de cette fichue falaise, qu'on en finisse ?

8

*M*ÊME *avec sa terrible myopie, il avait su qui c'était. À sa posture, à sa manière de tenir ce seau. Le grand dresseur était venu le chercher. La maison n'était plus qu'à quelques heures et il n'avait qu'à mettre un pied devant l'autre. La vue du seau était comme une manivelle qui lui tournait l'estomac, et il s'avança vers le dresseur, drogué par la promesse du salut, l'odeur enivrante du poisson.*

Ce qui arriva ensuite, nul ne prétendrait jamais l'avoir compris. On ne pouvait que le mettre sur le compte de son étrange cœur à demi humain.

Lorsque l'image jaillit dans son cerveau la première fois, elle était faible. Puis elle se précisa et emplit sa bouche du pressentiment aigre de la tragédie. La peur était si forte qu'il sentit son âme s'extirper de son corps. Car cette image qui le hantait était nouvelle, une terrible vision, le garçon gisant au pied de la falaise, immobile et inanimé. Il trébucha. L'espace d'un instant, il fut désorienté. Puis, venant du ciel de plus en plus sombre, le vent se leva et réinsuffla la vie dans son âme engourdie et, enfin, il comprit.

Ignorant les cris du dresseur, il se tourna vers les falaises et se mit à courir.

LA salle d'attente était plongée dans le brouillard de la fumée de cigarette. Letty s'arrêta sur le seuil, surprise. Jamais elle n'avait vu l'aéroport si bondé. Il s'y trouvait des groupes d'hommes, d'encombrants sacs en toile à l'épaule, certains faisant la queue pour accéder à l'unique téléphone public, d'autres avec des appareils photo autour du cou, presque tous piètrement équipés pour affronter l'accueil orageux de l'île. Letty devina qu'ils étaient journalistes.

Son ventre se noua. Tom était devenu dans son esprit synonyme de gouvernement. Sa haine se divisait équitablement entre les deux, mais dès le moment où elle avait rassemblé le courage de l'appeler, elle s'était rendu compte avec surprise que les détails de sa furie étaient devenus indistincts. S'étaient-ils querellés quelques jours ou quelques semaines après l'accident? Le refus de Tom d'aider Nicky avait-il vraiment constitué une trahison ou une tentative désespérée pour l'empêcher de risquer sa carrière? Puis elle se souvint du murmure conspirateur de Jamie: « Papa est un espion, maman, n'est-ce pas? Tom me l'a dit », et elle sentit sa colère se ranimer. Ce que Tom avait dit était impardonnable. Bon Dieu, pourquoi l'avait-elle donc appelé?

Durant tout le trajet vers l'aéroport, elle avait réfléchi à ce qu'elle dirait, mais en le voyant à présent, se voûtant un peu pour extirper sa haute silhouette de l'avion, elle oublia son texte. Elle savait, elle avait toujours su la nature des sentiments de Tom à son égard, mais n'avait jamais eu le courage d'y faire face. Elle se secoua, tenta de remettre de l'ordre dans ses pensées, mais Tom traversait déjà la piste, son manteau en tweed bouffant autour de ses jambes, et rien ne semblait naturel. Devait-elle lui faire signe? Ne pas lui faire signe? Devait-elle sourire ou froncer les sourcils? Elle se précipita aux toilettes et s'aspergea le visage d'eau froide. Sa peau était brune, couverte de taches de rousseur. Que penserait-il d'elle? Paraissait-elle vieillie? Vaincue? Elle se remit du rouge à lèvres et, se reprenant, se dirigea vers là où il était, à la porte, ses cheveux ébouriffés fouettant son visage. Et quand il prononça son prénom et lui prit les épaules, à sa grande honte, elle ne put s'empêcher de fondre en larmes.

Pendant le trajet vers la maison, elle tenta de masquer leur gêne par des rappels géographiques – lui indiquant le sentier qui descendait à Maleshare où Nicky l'avait emmené en promenade un jour; la route de l'usine de homards: s'en souvenait-il? Mais cette conversation s'épuisa bien avant qu'ils atteignent la digue, et un silence d'une longueur déraisonnable les enveloppa.

— Letty, je suis content que tu aies appelé.

Elle agrippa le volant et fronça les sourcils, fixant la route.

— J'ai essayé de te voir à Londres. Je t'ai écrit. (Il se tourna vers elle.) Je n'ai jamais vraiment su si…

— J'ai reçu tes lettres, Tom.

— Mais tu n'as jamais répondu.

— Non.

— Letty, insista-t-il, en dépit de ce que tu as pensé, de ce que tu continues peut-être à penser, j'ai toujours été l'ami de Nicky. Je suis toujours *ton* ami.

Letty regardait droit devant elle. À l'instant où elle avait décroché son téléphone pour l'appeler, elle avait pris sa décision. Elle ne lui dirait rien de ce qu'elle avait découvert. Elle ne trahirait pas Nicky. Tom était là pour Clannach, et Clannach seulement.

— Il est inutile de revenir là-dessus, Tom. Cela ne changera rien.

— Letty, protesta-t-il avec véhémence. Il *faut* que nous en parlions.

D'un geste coléreux, Letty gara la voiture sur une aire de croisement et coupa le moteur.

— Tu veux en parler. Très bien, parlons-en. Tu ne t'es pas comporté comme un ami avec Nicky. Tu ne l'as pas aidé, tu n'as pas cru en lui. Tu as été aussi prompt à le condamner que tous les autres.

— Non.

— Tu as même essayé de me monter contre lui, et puis tu l'as dit à Jamie. Toi, entre tous, tu l'as dit à Jamie !

— Jamie ? Qu'est-ce que j'ai dit à Jamie ?

— Que son père était un espion.

— Mon Dieu, Letty, comment peux-tu croire une chose pareille ?

— Jamie me l'a raconté. Tu lui as dit que son père était un espion.

— Je te jure sur ma vie que je n'ai rien fait de tel. Quoi que Jamie pense que je lui ai dit, ou quoi que je lui aie dit, il aura mal compris. Enfin, tu me connais mieux que ça.

— Tu étais son meilleur ami, murmura-t-elle. Quoi qu'il ait fait, tu aurais dû te *battre* pour lui.

— Bien sûr que je me suis battu pour lui. Je me suis battu contre le MI6, contre le ministère des Affaires étrangères, contre l'ambassadeur, mais on ne peut pas empêcher la suspicion de se répandre.

Letty se mordit la lèvre tristement.

— « Nicky n'a jamais été l'homme que tu croyais. » N'est-ce pas ce que tu m'as lancé à la figure ce jour-là ?

Tom fit une grimace.

— C'était idiot de dire ça, et je l'ai regretté depuis.

— Mais tu le pensais, n'est-ce pas ?

— Letty, si Nicky avait dû choisir entre sa famille et son pays, qu'aurait-il choisi ?

— Je ne…, balbutia-t-elle, décontenancée. Que… ?

— Tu veux savoir si j'avais confiance en lui ? Oui, j'avais confiance en lui. En tant que mari, en tant que père… et oui, en tant qu'ami.

Les yeux de Tom étaient rivés aux siens et Letty se sentit rougir.

— Quand un homme s'engage à travailler pour son pays, il croit comprendre ce que ça signifie. Il entre dans le métier armé de principes inébranlables et convaincu qu'il aura la force morale de les appliquer avec rigueur et précision, mais, au bout du compte, ça ne se passe jamais comme ça. Tu veux savoir si je pensais que Nicky ferait passer son pays avant sa femme et ses enfants ? Alors, je te réponds : non. La plupart des gens ont la chance de ne pas avoir à faire ce choix. Peut-être en a-t-il été autrement pour Nicky.

— Que veux-tu dire, Tom ?

— Je crois que Nicky a respecté les règles de son propre code moral, quelles qu'en fussent les conséquences.

Des larmes roulaient sur les joues de Letty.

— Ils n'ont jamais rien trouvé. Il n'y a jamais rien eu à trouver.

Il lui donna son mouchoir et attendit qu'elle ait fini de se tamponner les yeux.

— Est-ce que je t'ai dit pourquoi je l'ai recruté ? Outre le fait qu'il était brillant et doué pour les langues ?

Elle secoua la tête.

— Il était très protecteur, et il avait un sens aigu du bien et du mal. Il était idéaliste, juste, croyait passionnément aux principes démocratiques de la Grande-Bretagne, abhorrait le régime communiste pour des raisons évidentes. Nicky était un diplomate-né, sauf sur un point. C'était un romantique, un homme impulsif et parfois imprudent. Il n'y a rien de plus dangereux. C'est pour cette raison qu'il n'a pas obtenu Rome, Letty. Il n'était pas prêt. Il n'aurait peut-être jamais été prêt. Quand tu m'as téléphoné la semaine dernière, j'ai fouiné un peu. Ce n'est pas mon service, comme tu le sais, mais bon… Letty, Nicky ne t'a jamais parlé du projet pour Clannach ?

— Non. Jamais. Pourquoi ? Tu penses qu'il était au courant ?

— C'est possible. Il avait accès à tant d'informations… C'est juste que ça me semble une trop grosse coïncidence.

« Drôle de coïncidence, avait commenté Porter. Ça tombait plutôt bien, non ? »

— Je ne me doutais de rien avant d'avoir regardé la carte, reprit Tom. Clannach… la base… ce serait juste au-dessus de chez vous.

— Oui. En effet.

— Et Gebraith, la base, là-bas? A-t-il jamais parlé de ça?

— Non.

Elle baissa les yeux sur ses mains. Elle aurait dû savoir mieux que personne qu'il ne fallait pas sous-estimer Tom.

— Letty, fit-il à voix basse. Ne me laisse pas agir tout seul.

Une bouffée soudaine de solitude la submergea. Son univers semblait tellement moins déformé à travers le regard de Tom. Peut-être valait-il mieux que tout soit mis sur la table. Le tableau, la voiture. Les secrets étaient corrosifs, ils vous empêchaient de vivre.

— D'accord, dit-elle. D'accord.

Tom ouvrit sa serviette et lui tendit un mince dépliant bleu.

« Service de protection navale ». Elle ouvrit le rapport, et son regard tomba sur un sous-titre en première page: « Hébrides-Extérieures. Antennes radio. Indicateurs de distances ». Elle feuilleta des pages emplies de données techniques et de graphiques.

— Qu'est-ce que c'est?

— Un rapport concernant les risques posés par Gebraith.

— Notre-Dame-des-Îles.

— En effet. Quand tu m'as téléphoné, je me suis renseigné sur l'évolution de Clannach et j'ai découvert qu'une certaine agitation régnait dans le département, au sujet de ce rapport.

Letty enfonça un ongle dans la paume de sa main. Si Nicky avait appris l'existence du projet, il aurait su sans l'ombre d'un doute ce qu'elle en penserait.

Nicky peignait des choses qui l'intéressaient. Il aimait comprendre comment les choses marchaient. Le bec d'un oiseau, une base de tir de missiles. Une centrale nucléaire…

— La base de Clannach s'inspire directement de celle de Gebraith, mais ce rapport affirme que la zone qui l'entoure, autrement dit les collines, dunes et plages, a été contaminée au cobalt 60.

— Le cobalt 60?

Elle fronça les sourcils, reconnaissant le terme.

— Le cobalt 60, ou CO-60, comme on l'appelle dans le rapport, est un radio-isotope utilisé pour le repérage des missiles. D'après le rapport, il y a eu des fuites considérables de CO-60 sur la piste de lancement au cours de ces dix dernières années.

— Et ce CO-60… c'est dangereux?

— Hautement toxique. Si ce rapport est exact, il a pu affecter un grand nombre d'îliens.

Letty le fixa, atterrée.

— Affecter comment ?

— Par des radiations.

— Mon Dieu !

— Le rapport aurait été ordonné à la suite d'une fuite accidentelle portée à l'attention du ministère de la Défense il y a deux ans. Apparemment, les missiles n'étaient pas stockés correctement. Le magnésium d'une tête de missile serait entré en contact avec l'eau salée, ce qui aurait provoqué la fuite.

Elle ferma les yeux. Ainsi, Nicky avait su et n'avait rien dit. Elle revoyait les codes sur le tableau. CO-60, MG-137. Ce n'étaient pas des couleurs. C'étaient des produits chimiques.

— Schyndell. Gebraith. L'une est une centrale nucléaire, l'autre, une base d'armement nucléaire. Mais elles ont beaucoup de points communs. Le confinement, le traitement des déchets, le risque de radiations non contrôlées…

— C'est exactement ce qui m'inquiétait. Et les habitants de l'île ? Ils ont été avertis ?

— La question n'est pas là. Si ce rapport est authentique, il aura des conséquences sur le projet de Clannach.

— Pourquoi est-ce que tu dis toujours « si » ?

— Quand le rapport est arrivé, tout le monde était tellement préoccupé par son contenu que personne n'a cherché à savoir d'où il provenait.

— Arrête de parler par énigmes, bon sang ! D'où provient-il ?

— C'est bien le problème. Personne ne le sait. Ce rapport n'a pas été commandé par le ministère de la Défense ni par aucune autre organisation gouvernementale. Regarde.

Il prit le rapport et le feuilleta jusqu'à la dernière page.

— Il n'y a même pas de signature, seulement des initiales : B.B.

Il l'enveloppa d'un regard perçant.

— Je crois que c'est un faux.

La pluie dégoulinait sur les carreaux, le vent hurlait dans les tuyaux du poêle. Alba serra et desserra les poings tout en allant d'une fenêtre à l'autre. La tempête aurait dû forcer Jamie à revenir depuis longtemps. Il faisait de toute évidence exprès de rester dehors pour lui causer des ennuis. S'il était toujours en train de bouder sous l'orage quand sa mère rentrerait, la gravité du délit serait décuplée. Elle se fichait d'être punie. Elle avait déjà résolu de vivre dans l'isolement jusqu'à la fin de ses jours, et sa mère n'avait tout simplement pas assez d'imagination pour trouver mieux, mais il vaudrait mieux que Jamie revienne. Aucun d'entre eux n'avait le droit d'aller tout seul aux falaises, surtout par ce temps.

Jamie savait qu'il fallait faire attention, mais il pleuvait dru, le terrain serait glissant, et il y aurait du brouillard. Et puis elle repensa à cette lueur dans les yeux de Jamie, une étincelle brillante qu'elle n'y avait jamais vue. Elle éprouva de la honte. Elle était allée trop loin, mais cela n'avait-il pas été justifié? S'il sillonnait l'île à la poursuite de quelque fantasme enfantin, pourquoi diable aurait-elle dû braver les éléments pour le ramener sur terre? Qu'il assume ses responsabilités une fois pour toutes!

Elle s'assit à la table, mais à chaque minute qui passait, elle éprouvait une sorte de malaise nauséeux. Et s'il faisait quelque chose de stupide, comme essayer de descendre dans la Bouilloire pour chercher l'ours? Soudain, une image atroce de son pied glissant sur l'herbe mouillée lui traversa l'esprit et elle repoussa abruptement sa chaise.

— Très bien, dit-elle à contrecœur. Bordel de merde!

Le son de sa propre voix l'apaisa.

Son regard tomba sur la collection de crânes d'oiseau de Jamie, exposés sur le manteau de la cheminée. Elle identifia un corbeau et un courlis, à côté d'un crâne plus gros – peut-être un cormoran. Sur une impulsion, elle plaça les crânes sur trois assiettes et les disposa sur la table, flanqués d'un couteau et d'une fourchette. Elle arracha un bout de papier au bloc-notes de Letty. « Bon appétit », écrivit-elle, avant de poser le papier à la place de sa mère et de sortir en claquant la porte.

L'ORAGE arrivait vite. Jamie traversa la tourbière en hâte, prenant tout juste la peine de repérer les pierres, se félicitant d'avoir mis son manteau. Le froid et l'humidité lui étaient indifférents. Son corps était en feu. Son cœur tambourinait comme un papillon de nuit prisonnier de sa cage thoracique, et quand il atteignit les falaises, il n'était pas loin de suffoquer.

Il se jeta à plat ventre sur le bord déchiqueté de la Bouilloire et tenta de démêler le cordon de ses jumelles empêtré dans sa poche.

— Ours! cria-t-il. Papa!

Pas de réponse, hormis le clapotement de la pluie sur la capuche de son anorak et le murmure du vent à son oreille. Il se tortilla pour se rapprocher du vide et regarda en bas. Le fond de la Bouilloire était plein de remous. Sur la mer, une longue vague à la crête blanche projetait des embruns et des points de mousse jaunâtre dans l'air.

— Papa! cria-t-il de nouveau, mais le vent lui vola sa voix et lui rit au nez.

Il tenta d'essuyer la lentille concave des jumelles avec la manche de son pull mais le vent se renforçait et il n'était plus possible de les tenir stables. Par ailleurs, la Bouilloire était trop haute et trop étroite pour qu'il puisse voir le tunnel. Il rempocha les jumelles et se mit à faire le tour du trou en rampant. Lorsqu'il atteignit l'arête en saillie qui descendait vers le fond en s'étrécissant, il s'arrêta et jaugea la pente d'un œil qu'il espérait professionnel. Son père était descendu le jour où il avait découvert la grotte. Interdit, dangereux, hors limite et pourtant… possible. Et puis, Jamie ne pouvait se défaire de l'impression qu'il était *destiné* à le faire.

Ce fut plutôt facile au début. En haut, la bruyère était dense et assez épaisse pour supporter son poids mais, à mesure qu'il descendait, les touffes se clairsemèrent. Au bout de trois mètres environ, l'arête devenait plus étroite et plus pentue, et Jamie s'étala de tout son long, les bras accrochés au rebord, enfonçant les doigts dans le sol. Il était trempé jusqu'aux os et se sentait moins sûr de lui qu'avant, mais remonter semblait une tâche herculéenne.

Il prit une profonde inspiration et, synchronisant les mouvements de ses bras et de ses jambes, continua sa descente précaire, centimètre par centimètre. Au bout de quelques minutes, il s'aperçut que son pied gauche s'agitait en vain dans le vide et il fut obligé de plaquer sa tête contre la pente moussue pour ne pas tomber.

— Papa! hurla-t-il en prenant conscience avec horreur de sa situation.

Il était coincé.

Le hurlement d'un fulmar s'éleva une fraction de seconde avant que ses ailes n'effleurent la nuque de Jamie. Instinctivement, il eut un geste pour le repousser, et son corps se détacha de la falaise comme un bigorneau d'un rocher. Il s'écrasa cinq mètres plus bas. Il y eut une douleur intense dans une partie indéfinissable de son corps, tandis que sa tête rebondissait en arrière et heurtait un objet dur.

Et puis ce fut le noir.

GEORGIE jeta un coup d'œil furtif à Aliz. Il conduisait, chaussé de bottes dont les lacets pendaient comme des spaghettis. Quand il se tourna pour la regarder, une décharge électrique parcourut le corps de Georgie. Sous les caresses d'Aliz, chaque courbe, chaque angle de son corps gauche prenait sens pour la première fois. Elle sentait encore l'empreinte de ses doigts, l'égratignure du sable sur sa bouche. Elle la toucha de la langue, tandis que le magasin mobile bringuebalait sur les ornières pleines d'eau.

Soudain, chaque pointe d'émotion qu'elle avait supprimée, chaque minuscule perle d'information dans son boulier de connaissances semblait important pour son avenir. Pour la première fois depuis longtemps, le monde scintillait de possibilités.

Aliz arrêta la camionnette devant la barrière jaune. Quand il battit des paupières, ses cils se refermèrent sur sa joue comme des griffes de velours. Il lui prit la main et pressa le bout de ses doigts un par un.

— Tu peux me retrouver demain ?

Georgie acquiesça. Elle le retrouverait tous les lendemains.

Elle nageait dans le bonheur. Elle entra dans la maison sur un nuage, flotta à travers la porte de la cuisine, le prénom d'Aliz résonnant en murmure dans sa tête, Aliz, Aliz. Lorsqu'elle entendit une voix lui dire qu'elle semblait glacée jusqu'à la moelle, qu'elle avait les vêtements et les cheveux trempés, elle se dit que sa mère devait s'adresser à quelqu'un d'autre, car comment pouvait-elle parler d'une personne dont le cœur et l'âme étaient en *feu* ? Puis un timbre étrangement familier lui parvint et elle revint brusquement sur terre.

— Eh bien, comment va ma filleule favorite ?

Tom Gordunson l'embrassa sur la joue et la jaugea avec un rire triste.

— Regarde-toi, tu es resplendissante… et un peu trempée.

Georgie regarda tour à tour Tom et sa mère.

— Comment es-tu… ? Quand… ? Je ne comprends pas.

— Tout s'est fait à la dernière minute, expliqua Tom d'un ton d'excuse.

— Je voulais vous faire une surprise à tous les trois, ma chérie, dit Letty. Il y a si longtemps que nous n'avons pas vu Tom et…

— Il est arrivé quelque chose ? coupa Georgie.

— Viens t'asseoir avec nous, proposa Letty.

— Non.

Georgie resta debout, totalement décontenancée. Elle avait enfin crié son secret à la mer, et ses paroles avaient fait apparaître Tom Gordunson tel le fantôme de ses chagrins.

— Que se passe-t-il ? Pourquoi es-tu ici ?

Elle baissa les yeux sur le tableau posé entre eux deux.

— Qu'est-ce que vous faites avec le tableau de papa ?

— Georgie, je veux te parler de ton père, dit Tom. De Berlin.

— Je ne veux pas en parler.

— Georgie, crois-moi, tout va bien.

— Non !

Aliz, Aliz, Aliz, répétait-elle dans sa tête.

— Tom, je t'en prie. Si elle ne veut pas… intervint Letty.

— Il s'est passé quelque chose à Berlin-Est, n'est-ce pas ? insista Tom.

— Non, répéta Georgie.

Elle se couvrit le visage avec ses mains, mais elle revoyait la peur qui s'était peinte sur le visage de son père quand le garde-frontière leur avait fait signe de s'arrêter. Elle entendait la sonnerie du téléphone dans la salle d'interrogatoire. Elle respirait l'air chargé de lignite.

Il y avait toujours l'avant et l'après, songea Georgie. Quelque chose de monumental se produit, et la vie se scinde en deux parties bien nettes. Elle s'apprêtait à détruire le peu de sérénité que sa mère avait conservé.

— Vient un moment où tous les secrets doivent sortir au grand jour, l'encouragea Tom.

— Maman ? supplia-t-elle.

Letty effleura du bout des doigts la main de Georgie, les yeux brusquement limpides et brillants.

— Quoi qu'il y ait eu, Georgie, dis-le-nous.

Elle commença en hésitant. L'histoire de Berlin était longue, et tout s'était joué en un seul instant. Un échange des plus brefs. Tom posa quelques questions, puis écouta avec attention, tirant sur sa cigarette, sans jamais quitter Georgie des yeux.

L'échange avait eu lieu à l'intérieur de l'église. Une fois la voiture remorquée au garage et la paperasse signée, son père et elle étaient partis à pied dans les rues désertes, main dans la main.

Elle s'était tenue devant la tombe de son grand-père, frissonnante, envahie d'une vague appréhension. Son père voulait faire un don ou allumer un cierge, elle ne se souvenait pas du prétexte qu'il avait invoqué pour entrer dans l'église. « Reste là, avait-il ordonné. Je reviens dans moins d'une minute. »

Et elle avait acquiescé, trop transie pour bouger, submergée par l'intense désir de rentrer chez elle. Berlin-Est était l'endroit le plus triste où elle était jamais allée. C'était un lieu sans âme, sans espoir, sans humanité, une ville dont elle ressentait la dépression jusque dans ses os.

Une minute s'écoula, puis cinq. L'après-midi touchait à sa fin. Elle était entrée dans l'église et s'était avancée vers l'autel. En atteignant la chaire, elle avait tourné et emprunté une des nefs latérales mais il n'y avait aucune trace de son père et elle n'avait entendu que l'écho de ses propres pas sur les dalles en pierre.

— Papa ? avait-elle appelé d'une voix incertaine.

Elle avait parcouru d'un pas décidé l'autre côté de l'église, jetant des coups d'œil sous les arches et autour des balustres. C'est l'ombre de son manteau qu'elle avait remarquée en premier. Il était derrière une colonne et parlait à quelqu'un à voix basse, mais elle avait été si soulagée de le trouver qu'elle avait presque oublié la conversation. C'était seulement quand Norrell et Porter lui avaient posé la question d'une rencontre illicite que la scène lui était revenue en mémoire, avec ses implications accablantes.

— Instructions… carte, avait-elle entendu marteler son père comme elle s'approchait. Prenez-les, avait-il ajouté d'un ton pressant. Vous n'avez plus beaucoup de temps, mon ami.

Deux pas de plus, et elle l'avait vu clairement. Il tendait une enveloppe, la poussant avec insistance vers quelqu'un d'encore invisible. Soudain, un geste maladroit, le bruit d'un objet métallique tombant sur la pierre, et son père avait tressailli.

— Papa !

Elle l'avait appelé dans un murmure, et c'est seulement à cet instant, alors qu'elle contournait la colonne, qu'elle avait aperçu le second homme, penché, puis se redressant vivement, l'enveloppe déjà glissée dans une poche et l'objet que son père avait laissé tomber à l'abri dans sa main fermée.

— Papa! avait-elle répété, mais cette fois, réagissant à sa voix, l'inconnu s'était tourné vers elle, incapable de dissimuler l'effroi qui se lisait sur son visage.

Tom et sa mère se turent pendant un long moment, puis Tom tendit la main vers les papiers posés sur le tableau et les lui tendit.

— Est-il possible que cet homme soit celui que tu as vu?

Georgie plissa les yeux vers la photo d'identité. Un inconnu aux traits aplatis par la surexposition, aux yeux vides comme ceux d'un poisson mort.

— Je ne l'ai vu qu'une seconde, dit-elle, sceptique. « Eugen Friedrich Schmidt », lut-elle sur le document d'identité.

Des bribes de souvenirs étaient associées à ce nom, mais elles s'effilochèrent avant que Georgie ait pu s'y accrocher.

— Qui est-ce?

— Je l'ignore, dit Tom. J'espérais que tu le saurais peut-être. Sa photo et ses papiers étaient cachés dans le tableau de ton père.

— Eugen Friedrich Schmidt, répéta-t-elle, ramassant le tableau et passant la main sur l'épaisse couche de peinture. Pourquoi dans le tableau de papa?

— Dis-le-lui, ordonna Letty à Tom.

JAMIE flottait et l'eau était aussi chaude, aussi protectrice que le liquide amniotique. Il croisa les bras sur sa poitrine. Entendit le cri d'une mouette, mais après cela, rien, hormis le clapotement persistant de l'eau sur les bords de sa conscience.

— Jamie!

Il ouvrit brusquement les yeux.

— Jamie, ordonna la voix. Ne bouge pas.

Alba.

Il se raidit et son genou explosa de douleur. La nausée déferla en lui. Il tourna la tête de côté et vit avec horreur qu'il gisait sur un rebord tout juste assez large pour son corps. Tout autour, les rochers noirs étaient ponctués du blanc des fulmars. Il se souvint des ailes qui lui avaient frôlé la tête. Il se souvint d'avoir lâché prise.

— Jamie! (Le cri d'Alba se répercuta sur les parois de la Bouilloire.) Tu m'entends? Tu es blessé?

Sa voix semblait ténue et lointaine.

Des fils de brume flottaient dans l'air. Le temps se ralentit tandis que Jamie se concentrait sur cette question importante : était-il blessé ? Et si oui, l'était-il gravement ? Au-dessus de sa tête, deux fulmars se relayaient pour décrire des cercles.

— Alba, gémit-il.

— Reste tranquille ! Ne bouge pas.

Jamie se sentait complètement désorienté. La pluie semblait chaude sur son visage. Rien de tout cela n'était normal. Il leva la tête pour protester.

— Ne regarde pas en bas !

Il regarda en bas. Le fond bâillait à quinze mètres de là. Au-dessus, le sommet de la falaise oscillait. La pluie tombait en chute libre, dégoulinant le long des rochers, formant des flaques dans les crevasses du rebord, s'infiltrant dans la moindre maille de ses vêtements. Un des fulmars piqua. Le bec jaune et hostile fonçait droit sur ses yeux. Jamie geignit en tournant le visage vers la face rocheuse.

— Seigneur Dieu, récita-t-il d'une voix monocorde, soutiens-moi dans cette épreuve…

Quand il s'agrippa au rebord et que celui-ci s'effrita sous ses doigts, il se mit à pleurer pour de bon.

Douze mètres au-dessus de lui, Alba était debout, figée par la panique. Les sanglots de Jamie ressemblaient aux bêlements d'un mouton égaré. Monotones, interminables, désespérés. Elle l'apercevait à peine à travers la brume, mais elle imaginait combien sa situation était précaire. Il fallait qu'elle aille chercher de l'aide, mais comment le laisser seul ? Bon sang, si seulement elle pouvait être sûre qu'il ne bougerait pas !

Mais c'était impossible, Jamie devait bouger la jambe pour se libérer de la douleur constante, lancinante. Un autre pan de roche s'effrita et tomba. Maintenant, le corps maigre de Jamie était plus large que le rebord qui le soutenait.

— Alba, aide-moi ! hurla-t-il.

Il y eut un hurlement en retour, mais le désespoir qu'il contenait ne fit que l'effrayer davantage et cette peur provoqua un changement cataclysmique dans son esprit. Sa logique battit en retraite, supplantée par une pensée plus animale, plus sauvage. Son instinct lui disait que le rebord céderait tôt ou tard. Son instinct lui disait qu'il allait mourir. Il était si las d'espérer, de ne pas savoir. Il était plus facile d'accepter – ce fut plus facile qu'il ne l'avait jamais imaginé.

Il baissa de nouveau les yeux, cette fois presque résigné, et soudain il le vit. Oh, Seigneur, il était là, qui attendait au fond. La vision de Jamie s'éclaircit. Un sourire apparut sur son visage.

— Salut, ours, murmura-t-il.

— Salut, Jamie, répondit l'ours.

Et en entendant la voix de son père, Jamie sentit la peur et la tension, tout le chagrin, le doute, le trouble et la nostalgie s'écouler lentement de son corps.

GEORGIE effleura la peinture éraflée du coffre de la Peugeot. Elle avait à peine conscience de la présence de Tom qui attendait à côté d'elle. Il pleuvait mais le présent lui semblait si décalé qu'elle était indifférente au froid et au vent aigre. Au-dessus d'eux, les nuages s'assombrissaient. Soudain, c'était la tombée de la nuit et ils s'éloignaient de l'Allemagne de l'Est, dans une atmosphère de malaise palpable. Elle avait eu l'impression qu'ils étaient toujours observés. Eh bien, c'était le cas. « Je n'aurais jamais dû t'emmener », avait dit son père. Soudain, elle laissa échapper un rire bref.

— Georgie ?

Tom s'avança et lui posa une main sur l'épaule.

Elle secoua la tête, incapable d'exprimer ses sentiments.

Ç'avait été compliqué et embrouillé à reconstituer, mais, à mesure que Tom développait sa théorie, modifiant des détails, adaptant le calendrier des événements, Georgie commençait à reconnaître une histoire qui aurait convenu à son père. Le genre d'histoire qui lui aurait plu. Un faux rapport, une tentative de défection, le côté dramatique, motus et bouche cousue. Sans la fin, ç'aurait été précisément le genre d'histoire qu'il aurait pu raconter à ses enfants. Elle rit de nouveau, mais cette fois elle ne put vraiment contrôler sa voix et des larmes chaudes roulèrent sur son visage.

— Viens.

Tom lui enveloppa les épaules de son manteau et Georgie se laissa reconduire dans la maison.

— J'AI l'impression que ton père avait découvert que le ministère de la Défense projetait la construction d'un champ de tir de missiles sur Clannach et qu'il voulait les en empêcher, avait expliqué Tom un peu plus tôt.

» Comme vous le savez, il faisait déjà la navette entre les deux Allemagnes dans le cadre de la décontamination de Schyndell. Il a dû entrer en contact avec quelqu'un chez Schyndell qui pouvait l'aider, quelqu'un qui avait une raison pressante de le faire.

Eugen Friedrich Schmidt. Le nom jaillit de nouveau dans l'esprit de Georgie et, soudain, son cerveau se débloqua.

— Pauvre Bertolt Brecht, dit-elle lentement.

Tom la regarda, perplexe.

— Bertolt Brecht allait être forcé à nettoyer des toilettes jusqu'à la fin de ses jours. C'est le surnom que papa et Torsten avaient donné à un des scientifiques de l'usine. Torsten a dit que l'enquête sur Schyndell s'était transformée en chasse aux sorcières et que c'était sans doute la dernière fois qu'ils le voyaient.

Georgie tendit la main vers la photo et les papiers d'identité.

— Vous ne voyez pas? insista-t-elle, tapant le bout du doigt sur le nom imprimé. Le vrai nom de Bertolt Brecht, l'auteur dramatique, était Eugen Bertolt Friedrich Brecht.

— Georgie! s'écria Letty.

— B.B.

Tom acquiesça. Pendant un moment, il resta assis en silence puis il s'éclaircit la voix et se pencha en avant.

— Letty, si ce Schmidt avait été jugé responsable de l'accident, il devait désespérément vouloir s'enfuir. Le problème, c'est qu'à moins d'être un personnage important, eh bien… nous ne l'y aiderions pas. Il a dû considérer Nicky comme son sauveur, facilitant sa défection en échange de données scientifiques sur les conséquences d'une fuite toxique sur le site de Gebraith…

— Alors, papa l'a caché dans la voiture, dit Georgie.

Elle se souvint des cahots provoqués par les ornières. De son père stoppant la Peugeot et vomissant sa peur sur le bas-côté.

— L'affaire Schyndell s'éternisait, et j'imagine que ton père pensait avoir plus de temps, poursuivit Tom, les yeux sur Letty. Je suis sûr qu'il avait envisagé ce voyage avec Georgie comme une visite de reconnaissance, mais quand Torsten lui a dit que Schmidt était sur le point de disparaître, il a compris que c'était le moment ou jamais et il a décidé d'agir. Au départ, c'était sans doute une simple affaire d'exfiltration, mais peut-être que Nicky a fait la connaissance de cet homme et qu'il l'a trouvé sympathique. L'idée qu'il soit persécuté et transformé en bouc émissaire devenait du coup inacceptable pour lui.

— Je ne comprends toujours pas comment il a pu envisager de faire quelque chose d'aussi dangereux, commenta Letty.

— C'était moins dangereux que ça n'y paraît, dit Tom. En tant que membre de la délégation, Nicky jouissait de l'immunité diplomatique. Le personnel occidental n'est pas censé subir des contrôles. Nicky comprenait mieux que personne le raisonnement des autorités est-allemandes. Il savait qu'on le considérait comme un personnage digne d'intérêt et qu'il était étroitement surveillé. C'est pour cela qu'il y est allé avec une assurance supplémentaire, en quelque sorte. Il s'est rendu à Berlin dans sa propre voiture, facilement reconnaissable, puis, avec l'aide de l'interrupteur installé par Alick, il a simulé une panne devant les yeux des gars de la Stasi qui le filaient, sachant que la voiture serait remorquée à un garage et que, une fois là, la Stasi y placerait immédiatement un micro. Il a remis les clés à Schmidt à l'église – Georgie a entendu un tintement de métal sur les dalles – avec un plan du garage, en lui ordonnant de s'introduire dans la voiture cette nuit-là. « C'est votre seule chance », lui a-t-il dit. Lorsque la Peugeot a été rapportée à l'hôtel le lendemain matin, une fois de plus devant les yeux de la Stasi, Schmidt était déjà à l'abri dans le compartiment secret.

— Mais si la Stasi avait mis un micro dans la voiture, pourquoi ne l'a-t-on pas entendu s'installer?

— Le micro, sans doute placé derrière le tableau de bord ou une grille de chauffage, était alimenté par la batterie. Il n'était actif qu'une fois le contact mis. L'important, c'est que, le micro étant dans la voiture, la Stasi n'aurait jamais soupçonné qu'elle puisse être utilisée comme moyen d'exfiltration. En un sens, c'était probablement le moyen le moins risqué de passer la frontière.

— Sauf que nous avons été arrêtés au contrôle.

— Mais très vite relâchés après un appel téléphonique. La Stasi ne tenait pas à ce qu'un agent de la police des frontières sabote son joli boulot, mais ç'a dû être un moment terrible pour ton père.

Georgie baissa la tête.

« Pardonne-moi, ma petite Georgie, je t'en prie, pardonne-moi », avait-il dit.

— Ce ne sont que des suppositions, Letty, dit Tom en lui prenant la main. Ça ne s'est peut-être pas passé comme ça.

— Sauf qu'il y a un compartiment secret dans la voiture. Et un rapport.

— Le rapport, oui. (Il soupira.) Pour ce pauvre Bertolt Brecht, c'était l'échange idéal. Mais pour Nicky…

— Il détestait l'injustice, coupa Georgie. Il était toujours du côté des souffre-douleur. Mais si le rapport est faux, pourquoi est-ce que les autorités s'en soucient?

— Le ministère de la Défense a chargé une équipe de scientifiques de vérifier les données concernant les échantillons de sable, de terre et de sédiments. Toutes correspondent exactement à cette région.

— Alors, est-ce que la terre et les plages sont contaminées? demanda Georgie.

— C'est exactement le dilemme auquel le ministère de la Défense est confronté. Jusqu'ici, on a choisi de ne pas mener d'enquête, mais ce rapport change tout. On ne sait peut-être pas qui l'a commandé, mais si les données qui y figurent sont exactes, il est probable que ses conclusions soient tout aussi exactes. Autrement dit, le site de Gebraith est peut-être contaminé. Si c'était le cas, le ministère n'aurait d'autre choix que de demander un nouveau rapport. À mon avis, c'était précisément ce qu'espérait Nicky. Il savait que toute opposition civile ne servirait à rien. Forcer la main des autorités était la meilleure solution. S'il pouvait être établi que des fuites avaient eu lieu à Gebraith, le gouvernement n'aurait sûrement pas pris le risque que cela se reproduise à Clannach.

— A-t-on demandé un nouveau rapport? demanda Letty.

— Il semble que, une fois de plus, Nicky a trop fait confiance à notre gouvernement, répondit-il d'un ton sombre. Je crains que celui-ci n'ait décidé d'enterrer le rapport.

LES mots avaient flotté jusqu'à elle, à peine audibles, mélangés par le vent.

— Tout va bien! avait crié Jamie. Il est là. Papa est là.

Alba se força à répondre calmement. Elle n'avait sûrement pas bien entendu.

— Jamie, écoute-moi. Je vais chercher de l'aide. Il faut que je trouve Alick et que je rapporte une corde.

— Alba, je vais sauter ! Papa va m'attraper.

— Jamie, non ! hurla-t-elle.

Elle sanglotait à présent, courant de droite et de gauche, cherchant à mieux le voir, mais elle ne distinguait qu'un mince pan d'anorak coincé entre deux rochers sombres. Seigneur, où avait-il la tête ? Elle baissa les yeux. À travers la brume dense, elle ne distinguait qu'une masse compacte et brune qui... bougeait au fond du ravin, qui se balançait doucement sur l'eau.

— Non, Jamie ! Ce sont des algues. Des *algues*.

— Tout va bien, Alba. L'ours va m'attraper. Papa va m'attraper.

Jamie ne sentait plus ni la pluie, ni le froid, ni sa douleur au genou. Une chaleur délicieuse l'avait enveloppé. Il eut vaguement conscience de la voix d'Alba qui s'éloignait, suppliant, criant, mais ce n'était plus elle qu'il écoutait.

« Saute, avait dit son père. Je te rattraperai. Je te le promets. »

Jamie regarda en bas. Les flancs de la falaise se rapprochèrent.

— J'ai peur, papa.

« N'aie pas peur, Jamie. Fais-moi confiance, lâche prise. »

Jamie hésita, puis se laissa rouler. Un hurlement jaillit quelque part au-dessus de lui, mais il n'avait pas peur. Il n'éprouvait rien dans cette spirale descendante, rien qu'une paix profonde, une grande sérénité.

DEBOUT à la fenêtre de sa chambre, Letty était silencieuse, le front pressé contre la vitre.

« Cette île, avait-elle dit à Nicky, j'y suis chez moi, et, chaque matin, quand je regarde par la fenêtre, j'en tombe de nouveau amoureuse. »

Elle se souvenait si clairement de ce jour-là, à Gebraith. Alba, âgée de trois ans, avait le visage et les doigts poisseux de chocolat.

« À cheval », avait-elle exigé, et Nicky, sans un mot, avait hissé sa fille sur ses épaules et commencé à descendre la colline.

Était-ce à ce moment-là, tant d'années auparavant, que la roue du destin s'était mise à tourner ?

Il avait placé sa foi dans le gouvernement, et quand celui-ci avait déçu ses attentes, les gouttes amères de la désillusion avaient commencé à sourdre. Si le ministère de la Défense avait pris au sérieux le rapport sur la sécurité à Gebraith, s'il avait agi pour résoudre le problème, Nicky ne serait pas allé plus loin.

Elle savait à présent pourquoi Nicky ne lui avait rien dit. Pour éviter qu'elle ne s'inquiète, il voulait d'abord trouver la manière de régler l'affaire. Tom s'était trompé du tout au tout. Nicky était exactement celui qu'elle croyait.

— Maman ?

Georgie se tenait dans l'embrasure de la porte. Letty lui tendit les bras, et Georgie la rejoignit.

— Je suis tellement désolée. Si je n'avais pas menti à ces hommes, marmonna-t-elle dans son épaule. Si je t'avais dit plus tôt…

— Non. Tu as bien fait et maintenant… eh bien, beaucoup de choses s'expliquent.

Elle donna à Georgie la lettre qu'elle tenait dans sa main.

— Je veux que tu lises cela. Ça vient de ton père.

Georgie se figea.

— Papa a laissé une lettre ?

— Oui. Ils l'ont trouvée juste après sa mort.

— Et tu ne me l'as pas dit ? s'offusqua Georgie, élevant la voix. Pourquoi ?

— Georgie, dit Letty à voix basse. Tu sais pourquoi.

Georgie se laissa tomber sur le lit. La surface du papier était douce et striée de minuscules triangles à force d'avoir été pliée. *Ma chérie*, elle parcourut rapidement le contenu,… *vous protéger, les enfants et toi… la seule solution…* Elle leva les yeux, affolée.

— C'est donc vrai qu'il nous a abandonnés. Qu'il a sauté.

Sa voix se brisa.

— Non !

Letty arracha la feuille froissée des mains de Georgie.

— Regarde. Ce n'est pas ce que tu crois. Il ne s'agit pas d'une lettre, mais d'une série de réflexions. On l'a trouvée sur son bureau. Tu sais ce que je pense ? Il devait se préparer pour une conversation qu'il redoutait, rien de plus. Crois-moi, si ton père avait voulu m'envoyer une lettre, il l'aurait fait… dans une enveloppe, et correctement adressée. Il ne nous aurait jamais laissés comme… comme ça.

— Mais apparemment il aurait exfiltré quelqu'un de Berlin-Est clandestinement dans notre voiture, rétorqua Georgie cruellement. Tu l'en croyais capable ?

Letty s'assit à côté d'elle.

— Je pense qu'il se sentait désespérément coupable de t'avoir mise en danger et que, pour une raison ou pour une autre, peut-être parce qu'il était assailli par l'inquiétude et que je ne lui ai pas facilité la tâche, il n'a pas pu trouver le moyen de me parler de Gebraith.

— Mais alors, comment…?

— Georgie, je ne sais pas ce qui s'est passé sur ce toit. Nous ne le saurons sans doute jamais, mais il faut que je croie – et je le *crois*, réellement – que la mort de ton père a été accidentelle.

Georgie garda le silence une minute.

— Tu penses que ce qu'il a fait était très mal?

— Je pense qu'il essayait de nous protéger, répondit Letty simplement. De protéger un endroit que j'aime.

Elle se leva et s'approcha de la fenêtre. Au-dehors, les nuages s'étaient fondus en un épais banc gris. Le vent était tombé.

— Il faut que tu le dises aux autres, reprit enfin Georgie. Jamie va comprendre, tôt ou tard, et Alba avant lui.

Letty acquiesça. Une vérité imaginée est toujours plus effrayante que la réalité avérée. Elle fixa le ciel, perçut alors un bourdonnement sourd. Tout à coup, un hélicoptère orange de la marine surgit de l'est, survolant le machair à basse altitude. Elle fronça les sourcils.

— D'ailleurs, où sont-ils passés, tous les deux?

ELLE l'avait pratiquement tué. Chassé et poussé à sauter de la falaise. D'une voix enrouée, elle continua à crier son prénom, jusqu'au moment où, enfin, elle s'agrippa imprudemment à une touffe de bruyère qui poussait autour de l'arête de la Bouilloire et se mit à descendre. Elle se moquait de vivre ou de mourir, il fallait qu'elle le rejoigne avant qu'il ne soit emporté par les eaux.

La roche était lisse. Elle parcourut les six premiers mètres en quelques secondes et quand la pente devint plus raide, elle étendit les bras comme Jamie l'avait fait et glissa sur le ventre. Presque aussitôt, l'angle d'un rebord lui entra dans les côtes et elle peina à recouvrer son souffle. Tandis qu'elle prenait de la vitesse, quelque chose lui érafla la joue mais il lui aurait été impossible de s'arrêter, même si elle l'avait voulu.

Ses jambes heurtèrent le sol, suivit une violente secousse. Elle recula, titubante, et une vague lui cingla le visage. Suffoquant, elle se frotta désespérément les yeux, puis cilla, incrédule.

Jamie n'était pas là.

Elle hurla de nouveau le prénom de son frère. C'était impossible.

Le courant lui aspirait les mollets, mais l'eau n'était sûrement pas assez profonde pour avoir emporté Jamie vers le large. Une autre vague la fit chanceler. Elle s'avança non sans mal vers le tunnel et s'appuya à l'arche de pierre, scrutant l'eau. Ses yeux s'accoutumaient peu à peu à la pénombre, et elle se rendit compte que les ombres et les contours de la paroi semblaient curieusement en trois dimensions, dans un dégradé de noir. Elle frotta vigoureusement ses yeux irrités. Et soudain, elle se souvint : la grotte de son père.

Il gisait à terre, à l'intérieur, recroquevillé en position fœtale et la vue de ses jambes repliées, de son bras jeté en travers de son visage lui serra la gorge.

— Jamie, murmura-t-elle.

Elle se laissa tomber à genoux. Et s'il s'était fracassé le crâne ? S'il était défiguré ? Elle se força à le toucher, posa une main sur son bras mais il avait les yeux fermés et sa peau était moite.

— Jamie, supplia-t-elle. Pour l'amour du ciel.

Un tremblement le secoua. Ses yeux tressautèrent sous ses paupières.

— Pourquoi est-ce que tu me détestes ? marmonna-t-il, les yeux fermés.

Alba refoula ses larmes. L'air était glacial dans la grotte et il devait être gravement blessé.

— Je ne te déteste pas.

Rapidement, elle retira son anorak et l'étendit sur lui. Elle pouvait le garder au chaud. Il n'était pas mort, et elle pouvait le garder au chaud. Elle pouvait au moins faire ça.

— Si, tu me détestes.

— Je déteste tout le monde.

L'eau s'engouffrait dans le chenal, mais, à l'exception de l'entrée, la grotte était sèche et à trente bons centimètres au-dessus du niveau de la mer. Restait à savoir jusqu'où allait monter l'eau. Elle devait déplacer Jamie.

— Mais c'est moi que tu détestes le plus.

Il cilla dans la pénombre.

— Jamie, comment peux-tu parler ? murmura-t-elle. Comment se fait-il que tu sois encore vivant ? Tu peux bouger les doigts et les orteils ? Tu peux marcher ?

— Tu me détesteras toujours quand je serai grand et moins agaçant?

Alba secoua la tête.

— Comment es-tu arrivé jusqu'ici, si tu ne peux pas marcher?

— Papa m'a porté dans sa gueule.

— Jamie, je t'en prie.

— Mais c'est vrai.

Les mâchoires de l'ours lui avaient fait l'effet d'un baiser paternel sur la nuque.

— Je t'avais dit de ne pas bouger. Je t'avais dit que j'irais chercher de l'aide. Oh, mon Dieu, pourquoi a-t-il fallu que tu sautes?

— Papa m'a dit de le faire.

— Mais pourquoi, bon sang? Pourquoi papa t'aurait dit de sauter?

— Il savait qu'il allait m'attraper.

— Je pensais que c'était l'ours qui t'avait attrapé?

— Oui, Alba, répondit Jamie avec patience. Je te l'ai déjà dit.

Il ferma les yeux. Il avait noué les bras autour du cou de l'ours et l'avait serré contre lui. Il avait senti la chaleur du corps de son père. Il avait senti le battement du cœur de son père faire repartir le sien.

Alba prit une profonde inspiration.

— Jamie, il n'y a pas d'ours ici.

— Il est reparti chercher de l'aide. Il a échappé au dresseur, et maintenant il est parti le chercher.

Alba remarqua soudain un filet de sang s'écoulant sous la tête de Jamie.

— Tu t'es cogné la tête?

— Un peu.

Alba lui tâta l'arrière du crâne jusqu'à ce qu'elle ait trouvé la plaie – deux coutures de chair déchiquetée. Le sang s'accumulait sur son doigt à un rythme lent et régulier. La peur lui donna le vertige. Il avait besoin d'un médecin. Elle songea aux crânes d'oiseaux laissés sur la table. Leur mère avait-elle seulement remarqué qu'elle et Jamie manquaient à l'appel?

— Ma boîte à cerveau fuit? demanda Jamie.

— Ta quoi?

Alba s'efforça de se concentrer. Quelles étaient les règles de base du secourisme? *Gardez le blessé au calme, gardez-le au chaud, gardez-le en vie.*

— Ma boîte à cerveau. C'est là que je garde toutes mes informations, mes mots et mon intelligence, et je ne veux pas qu'elle fuie.

— Ce serait dramatique.

Alba arracha sa botte et baissa sa chaussette.

— Qu'est-ce que tu fais?

— Jamie, pourquoi est-ce tu penses que l'ours est papa?

— Il l'est. Je sais pourquoi tu ne me crois pas. Tu ne crois en rien. Tu ne crois pas en Dieu ni au Père Noël et tu ne crois pas en papa.

— Ne bouge pas.

Alba pressa la chaussette roulée en boule contre la plaie. Un jet d'écume sale projeté par le chenal grondant se déposa sur le seuil de la grotte. L'eau montait.

— Jamie, tu comprends que papa est mort, n'est-ce pas?

Jamie tourna la tête vers elle. Ses yeux luisaient dans le noir.

— Toi aussi, tu l'as compris?

— Je n'ai pas eu besoin de le comprendre. Papa est tombé du toit de l'ambassade, et la chute l'a tué. C'était un accident. Le jour du cirque. Maman te l'a dit, tu ne t'en souviens pas?

— Non! Maman n'a jamais rien dit de tel, Alba, jamais!

— Eh bien, c'est ce qui s'est passé.

— Ce n'est pas ce que maman m'a dit, répéta-t-il avec obstination. Elle a dit que papa avait eu un accident, et puis après qu'il s'était perdu. Tout le monde a dit qu'il s'était perdu. Personne n'a dit qu'il était mort. Je ne l'ai compris que parce qu'il n'est jamais revenu.

— Jamie, si tu avais sauté de cette falaise et si tu étais mort, tu sais ce que les gens auraient dit? Ils auraient tous parlé à maman à voix basse en disant : « Je suis désolé que vous ayez perdu votre fils. » Personne ne prononce jamais le mot « mort ». Personne ne le dit jamais parce que… parce qu'il est trop affreux, voilà.

Jamie repoussa sa main.

— Comment est-ce qu'il a pu tomber? C'est une grande personne. Il les regardait dresser le chapiteau du cirque depuis le toit. Tous les jours, il m'en parlait.

— Jamie, il a pu trébucher ou avoir le vertige. Les gens ont tout le temps des accidents stupides.

— Eh bien, de toute façon, ça n'a pas d'importance, Alba, parce qu'il est là, maintenant. Il a promis de revenir et il est revenu. C'est sa grotte. C'est là qu'il m'attendait. Ce sont ses affaires.

La voix de Jamie avait des accents presque fanatiques, songea Alba en regardant autour d'elle. Le long des parois de la grotte étaient rassemblés des brins d'algues emmêlés et quelques bouteilles.

Les yeux de Jamie se fermaient.

— Il va revenir nous chercher, Alba. Il me l'a promis.

« Bien sûr que je promets, avait dit l'ours. Est-ce que je ne finis pas toujours par revenir ? »

— Jamie, murmura-t-elle. Ne t'endors pas.

Les lèvres du garçon étaient livides.

— Il l'a promis, Alba. Tu me crois, n'est-ce pas ?

— D'accord, oui, Jamie, je te crois.

Il tendit le bras et lui effleura les doigts du bout des siens. Alba baissa les yeux sur sa petite main blanche, si proche, si pleine d'espoir. Au bout d'un moment, elle la prit dans la sienne et la serra.

Elle fixait l'obscurité depuis longtemps quand elle remarqua un point de lumière, loin au fond de la grotte. Avec précaution, elle lâcha la main de Jamie et avança à tâtons le long du mur. Le sol était en pente raide et, comme elle s'enfonçait plus profondément dans la grotte, la lumière disparut mystérieusement. L'air sentait la terre et le pétrole. Le plafond s'abaissait vers elle. Elle continua en rampant et se cogna brutalement la tête en arrivant à une impasse. Désorientée, elle tenta de faire demi-tour. La lumière réapparut, provenant à présent d'un trou minuscule, juste au-dessus d'elle. Elle l'élargit avec son doigt jusqu'à pouvoir y passer le poing. Encouragée, elle y hasarda les mains, mais ses ongles finirent par rencontrer un rocher. Elle se laissa tomber à genoux, en plein désarroi.

Un cri plaintif lui parvint :

— Alba ! Alba, où es-tu ?

— Je suis là, tout va bien.

Dans la faible lumière, elle distinguait tout juste le bleu de son anorak posé sur Jamie et une idée germa dans son esprit.

— Jamie, tout va bien. Je sais ce qu'il faut faire.

Elle alla chercher des algues, arrachant les rubans pour ne laisser qu'un bâton dénudé, long d'un mètre. Elle prit l'anorak posé sur Jamie, le roula étroitement autour, nouant les cordons de la capuche diagonalement par-dessus le nylon jusqu'à ce que l'ensemble ressemble à un parapluie improvisé. Elle rampa de nouveau jusqu'au fond de la grotte et glissa le bâton à travers le trou. Il résista, mais elle le fit passer de force puis desserra les cordons et les poussa à la suite. Le vent s'en empara aussitôt.

Elle plia les genoux et s'agrippa au bâton des deux mains, tenant bon tandis qu'il tremblait et tressautait. Au bout d'un moment, la douleur dans ses bras devint insoutenable et la força à fermer les yeux. Elle ne put donc voir que Jamie se forçait à garder les siens ouverts, s'assurant qu'elle était toujours là. Qu'elle ne l'avait pas abandonné.

9

*I*L *n'avait guère de forces, mais il courait. Derrière lui s'élevaient des cris confus, le grondement de 4 x 4 et de tracteurs, le bourdonnement sourd d'un hélicoptère. Pour la seconde fois ce jour-là, il courait vers les falaises. La première fois, il avait semé le dresseur. À présent, il allait le conduire à la grotte.*

Le vent chassait les restes de l'orage à coups de rafales rapides, efficaces. Il était presque arrivé au loch. Celui-ci s'étendait devant lui. De là, on continuait tout droit jusqu'à la mer, et si la fin venait après, eh bien peu importait. La vie, la mort – ni l'une ni l'autre ne se déroulait comme les gens l'imaginaient. Qui pouvait prédire comment le sort d'un être allait se mêler au destin d'un autre ? Et alors qu'il se battait pour continuer, une expression jaillit de nulle part dans son esprit : Tout événement est imprégné de la grâce de Dieu. C'était vrai, songea-t-il, c'était vrai...

Avoir vu l'enfant sauter ; avoir pu compter sur cette douce confiance une dernière fois. Au moment où il avait senti ce petit cœur battre contre le sien, tout avait pris sens pour lui : la faim, la nostalgie, le désir insupportable de redevenir celui qu'il avait été.

Enfin, les souvenirs commencèrent à émerger, chacun plus poignant que le précédent : la manière dont Jamie frottait ses pieds pour se réconforter ; dont ses yeux s'arrondissaient comme ceux d'une chouette quand il écoutait des histoires. Comme il aurait aimé que ces images lui viennent plus tôt, mais maintenant qu'il les avait, elles seraient siennes pour l'éternité.

Il était au bord du loch quand elle capta son regard – la tache bleu vif qui flottait dans l'après-tempête incolore. Il sut aussitôt ce que c'était. L'anorak d'Alba, gonflé par le vent. Le signal des enfants, leur SOS.

L'hélicoptère planait au-dessus de lui et il comprit avec consternation que l'épuisement avait eu raison de lui. Son corps avait échoué. Il n'avançait plus. Il sentit la piqûre d'une flèche, et le monde commença à ralentir. « Non, tenta-t-il de crier. Pas encore », mais seul un croassement sortit de sa bouche, un grognement animal et rauque. Il sut que son temps était compté.

À cet instant, il vit du coin de l'œil un tracteur solitaire se détacher de la masse des véhicules et se diriger en zigzaguant vers le drapeau. On ne pouvait se méprendre sur l'identité de l'homme maigre qui conduisait, cheveux flottant au vent de part et d'autre de son crâne, penché de côté pour voir au-delà de son pare-brise cassé. Il comprit alors que tout irait bien.

Quand la seconde flèche transperça la peau de l'ours, il fut surpris d'en trouver la piqûre si familière. Son cœur manqua un battement. Une brûlure aiguë de nostalgie dans sa poitrine, celle du retour au foyer, du pardon et de la paix. À mesure que la drogue faisait effet, la douleur disparut. Il n'y avait plus que le crépitement de la pluie dans sa tête et cette agréable sensation de chute.

— Au revoir, petit, murmura-t-il, se sachant entendu.

Sur le sol de la grotte, les yeux du garçon s'entrouvrirent, et la réponse lui revint, portée par le dernier fil du vent.

— Au revoir, mon papa, dit-il en souriant.

Centre hospitalier, Stornoway, île de Lewis

— Votre fils souffre d'un traumatisme crânien et d'une fracture du genou. Je lui ai fait une dizaine de points de suture, mais il n'y a pas lieu de s'inquiéter. Ce que j'essaie de comprendre, c'est ce que dit votre fille. Elle affirme qu'il a sauté. Elle veut sans doute dire qu'il est tombé… (Le médecin vérifia ses notes :)… de vingt mètres ?

Il arqua un sourcil, s'attendant qu'on le reprenne.

— Vous devez connaître la topographie des lieux, madame Fleming. Est-ce possible ?

Letty eut un geste d'impuissance, incapable de parler. Si Jamie avait atterri un soupçon plus à droite, si le fond de la Bouilloire n'avait pas été tapissé d'algues, si la marée avait été plus haute, l'eau plus profonde… Si Alba n'était pas partie à sa recherche, si Alick n'avait pas repéré son drapeau de fortune… Et si un hélicoptère n'avait pas été à portée de main. Pile au bon endroit ! À moins de cent mètres de l'ours sans connaissance, prisonnier d'un filet suspendu au-dessus de lui, avec la moitié des habitants de l'île à sa poursuite, munis de pelles et de bâtons, prêts à déterrer ses enfants. Elle agrippa le bras de Tom.

— Bien sûr, on voit des cas de ce genre de temps en temps, disait le médecin. Il y en a eu un pendant que j'étais en première année d'internat. Un bambin est tombé du douzième étage d'un immeuble de Sydney et s'est relevé pour ainsi dire sans une égratignure.

Alba lui avait dit que Jamie avait sauté. Avait-il pensé pouvoir rejoindre Nicky de cette manière, et si oui, s'il avait complètement perdu le contact avec la réalité, alors pourquoi ne s'en était-elle pas aperçue plus tôt, pourquoi n'y avait-elle pas prêté attention ? Mais à quoi avait-elle prêté attention ces derniers mois hormis à sa propre douleur ?

Plus tôt, quand on l'avait emmenée voir Alba dans un box délimité par des rideaux, elle avait à peine reconnu la mince jeune fille allongée sur l'étroit lit à roulettes. Alba semblait si pâle, si adulte, son petit visage pointu tourné vers le mur, cachant l'énorme compresse d'ouate scotchée sur sa joue. Puis elle s'était tournée, et en voyant l'expression de soulagement enfantin qui se lisait sur son visage, Letty s'était élancée vers elle et l'avait prise dans ses bras.

— Oh, Alba ! avait-elle dit en la berçant, Alba, Alba !

Une seconde, Alba était restée sans réaction, puis Letty avait senti des bras minces l'entourer lentement et se resserrer.

— Je veux te donner quelque chose, avait dit Letty quand elle se fut de nouveau adossée à l'oreiller.

Elle avait glissé un petit carré de papier plié dans la paume d'Alba. Sans lever les yeux, Alba l'avait retourné jusqu'à voir les mots *chèque-promesse* écrits de l'autre côté. Elle l'avait fixé, les larmes aux yeux.

— Ouvre-le, avait ordonné Letty.

— *Tout va s'arranger*, lut Alba dans un murmure. *Je te le promets.*

— Comment est-ce possible, médicalement parlant ? demandait Tom à voix basse. Que s'est-il passé, à votre avis ?

— Si l'enfant n'a pas peur, si le corps est complètement détendu, si quelqu'un veille sur lui, là-haut… je n'ai pas de réponse logique à vous offrir, dit le médecin. Quoi qu'il soit arrivé, un miracle est un miracle. Nous ne pouvons qu'être reconnaissants.

— Puis-je le voir à présent ? demanda Letty.

Elle desserra son étreinte sur le bras de Tom, sans avoir cependant la moindre intention de le lâcher tout à fait. Elle le tenait depuis que le téléphone avait sonné et Tom avait pris calmement la direction des opérations. Elle s'était cramponnée à lui dans l'avion de l'armée qu'il avait réquisitionné, et encore plus fort dans la salle d'attente de l'hôpital où elle était restée assise au bord de son siège, adressant des prières à Dieu, à Nicky et au diable lui-même. Elle était prête à renoncer à tout, à sacrifier son âme, pourvu que ses enfants soient sains et saufs, pourvu qu'elle puisse repartir de zéro.

— Il a encore une batterie de tests à passer, répondit le médecin, mais je viendrai vous trouver dès que j'aurai les résultats.

— Des tests pour quoi?

— Madame Fleming, votre enfant était en état d'hypothermie quand on l'a amené – les deux enfants l'étaient, et j'ai d'abord cru que c'était la cause –, le froid peut parfois provoquer ce genre de chose.

— Pardon, provoquer quel genre de chose?

— Quand je l'ai examiné, j'ai constaté des battements ventriculaires prématurés…

— Comment? coupa Tom.

— Des battements ventriculaires prématurés… Quand votre cœur manque un battement – je suis sûr que vous en avez tous les deux fait l'expérience –, eh bien, c'est dû à des battements ventriculaires prématurés, vous me suivez?

Tom acquiesça.

— Bref, dans le cas de Jamie, ce n'était pas suffisant pour causer une chute de tension dangereuse, mais… (Il haussa les épaules.) Écoutez, je vais être franc avec vous. Je me suis spécialisé en cardiologie, alors je suis sans doute un peu plus sensibilisé que les autres internes aux problèmes cardiaques. La tension artérielle de Jamie était assez basse pour déclencher quelques signaux d'alarme, donc je me suis dit: « Mieux vaudrait lui faire passer un ECG et une échocardiographie. »

— Une échocardiographie? demanda Letty faiblement.

— Une échographie du cœur, expliqua-t-il avec un sourire d'excuse. Cela nous en dira un peu plus long sur l'état de son cœur.

— Êtes-vous en train de dire qu'il a un problème cardiaque?

— Espérons que non, madame Fleming, mais si c'est le cas, nous nous en occuperons. En tout cas, je vais examiner votre fille et je reviendrai vous voir dès que j'en saurai davantage.

— JE suis prêt à t'offrir une plante verte.

— C'est-à-dire ?

Alba examina le médecin d'un œil méfiant.

— En argot médical, une plante verte est quelqu'un qui est dans un coma végétatif irréversible. Sinon, j'ai un colis piégé, un patient transféré d'un autre établissement dans une situation désespérée.

— D'accord, concéda Alba. Un point de suture pour chacun.

— C'est trop gentil.

Il lui inclina le menton et enfonça l'aiguille dans la joue.

— J'ai une série de mots marrants qui commencent par B, mais j'exige trois points en échange, sinon on va y passer la journée.

— Allez-y alors. Si vous y tenez.

Les fanfaronnades d'Alba l'aidaient à masquer sa peur. Elle tremblait de tous ses membres quand elle était arrivée à l'hôpital et, en dépit des couvertures et des thés sucrés, ses mains frémissaient toujours.

— Baffothérapie, bidalgie, bistourite, bobologie.

Alba gloussa malgré elle.

— Où avez-vous appris ça ?

— À la fac de médecine, à Sydney. Ne bouge pas.

— Vous venez d'Australie ?

— Tu n'as pas reconnu l'accent ?

— Qu'est-ce que vous faites ici, alors ?

— Mes arrière-grands-parents étaient originaires du nord de l'Écosse, alors j'ai eu envie de venir voir à quoi ça ressemblait.

— Ça m'a l'air mortel, votre histoire.

— À vrai dire, c'est plutôt romantique.

— Je me fiche des histoires romantiques, mais je suis preneuse d'argot médical.

— Un dernier pour quatre points de suture et le nœud, alors ?

Alba jeta un coup d'œil plein d'espoir vers le rideau, mais on avait finalement emmené sa mère voir Jamie, et elle en avait encore pour un moment. Elle prit une profonde inspiration et offrit sa joue. La sensation de l'aiguille qui transperçait sa chair lui donnait la nausée. Elle palpa le petit carré de papier dans la poche de sa chemise d'hôpital. Par-dessus tout, elle aurait voulu que sa mère reste avec elle et lui tienne la main, mais elle avait oublié comment demander.

— Tronchectomie réussie, déclara le médecin en faisant un nœud et en coupant le fil. J'espère que tu es fière de ta sœur, ajouta-t-il par-dessus son épaule. Vu qu'elle a sauvé la vie de votre petit frère et tout ça.

Georgie était assise sur une chaise dans un coin du box. Elle regarda sa sœur, chétive comme un singe de laboratoire dans sa chemise, la joue déformée par les points de suture en voie de chemin de fer. Alba était descendue le long d'une falaise et avait sauvé la vie de Jamie. Bien sûr, elle aurait dû être fière, mais l'idée que, d'une manière ou d'une autre, Alba était responsable d'au moins une partie de l'accident ne la quittait pas.

— Je ne lui ai pas sauvé la vie, dit Alba.

— Ah non, et qui donc, alors ? demanda le médecin en tripotant son bipeur.

Alba porta un doigt sur sa joue recousue. Le problème, c'est qu'elle ne pouvait effacer la vision de son esprit : les bords déchiquetés de la plaie de Jamie, son plongeon dans le brouillard, le bruit de l'hélicoptère – et puis cet animal, la bête en apparence si menue et si rabougrie roulée en boule dans le filet. « Papa va m'attraper », avait crié Jamie et, chaque fois qu'elle fermait les yeux, elle revoyait le tas d'algues qui bougeait, qui flottait au fond de la Bouilloire.

— Je ne sais pas, avoua-t-elle tout bas. Je ne sais vraiment pas.

Après le départ du médecin, les deux sœurs se jaugèrent tels des généraux las de se faire la guerre. Depuis la dernière fois qu'elles s'étaient vues, à peine vingt-quatre heures plus tôt, elles avaient découvert à elles deux le sexe et la spiritualité, autrement dit, une bonne partie de la complexité du monde. Mais tous les sujets tabous accumulés au fil des six mois écoulés les empêchaient de partager ces révélations. Elles continuèrent à se fixer dans un silence hostile jusqu'à ce qu'Alba lâche enfin :

— J'ai brûlé ton dossier de candidature à l'université.

— Tu as fait quoi ?s'écria Georgie, abasourdie.

— J'ai brûlé ton dossier. Et tes résultats d'examens de fin d'études.

Georgie la dévisagea, bouche bée.

— Espèce de petite salope ! Pourquoi ?

Alba remonta le drap sur son menton.

— Parce que tu es presque adulte. (Elle hésita.) Parce que tu vas quitter la maison et entamer une nouvelle vie. Parce que je suis coincée ici pour encore trois ans, pour une éternité.

Georgie se sentait étrangement détachée des péripéties sans fin causées par l'égoïsme de sa sœur.

— Tu ne comprends pas. Tu es sauvée, mais je suis condamnée. Oh, la pauvre Alba, singea-t-elle d'une voix aiguë, comment aurait-elle pu ne pas mal tourner, je veux dire, ces pauvres petits Fleming, ils ont eu une enfance terrible.

— Nous n'avons pas réellement eu une enfance terrible.

— Eh bien, la mort de papa est arrivée à un moment plus critique pour moi que pour toi. Je crois que mes années d'apprentissage ont été gâchées.

— N'importe quoi! Les années d'apprentissage se situent entre deux et six ans environ. En ce moment, tu es en pleine adolescence.

— Je sais, je sais. Je suis en pleine *puberté*!

Georgie soupira et ferma les yeux. Elle revit le bras d'Aliz posé contre le sien. Entendit le bruit de papier que faisaient les vagues sur le sable. Alba avait raison, sa propre horloge s'était remise en marche. Elle grandissait, allait de l'avant.

— Tu veux que je te dise quelque chose, Alba? Tu es beaucoup moins intéressante que tu ne le penses.

Elle se leva. Alba enfouit sa tête dans l'oreiller.

— S'il te plaît, ne me laisse pas, Georgie, chuchota-t-elle.

— Tu vas t'en remettre.

Georgie écarta le rideau.

— Je ne veux pas m'en remettre. Je veux mieux que ça, je veux…

La voix d'Alba se fêla, puis se brisa tout à fait.

— Je veux que papa revienne.

La minute que Georgie laissa passer sembla durer un an. Puis elle vint s'asseoir sur le bord du lit. Sa sœur existait encore dans l'avant, alors qu'elle était passée dans l'après. Et l'après était bien, il était mieux. Elle avait retrouvé son père de la manière qui lui importait le plus.

— Tu sais à quoi je pense parfois? demanda-t-elle doucement.

— À quoi?

Alba se moucha sur la manche de sa chemise d'hôpital.

— Qu'un jour, j'arriverai devant une porte et que, de l'autre côté de cette porte, il y aura une pièce et que, dans cette pièce, je trouverai toutes les choses précieuses que j'ai perdues: le beau collier que grand-père m'avait donné, mon vieil ours en peluche, le cardigan Biba avec les manches rayées, et puis… papa.

Une grosse larme coula sur la joue d'Alba.

— Écoute, je vais te proposer un marché. (Georgie replaça une mèche derrière l'oreille de sa sœur.) Si je repousse mon entrée à l'université et que je reste avec toi un peu plus longtemps, tu me diras ce que j'ai eu comme résultat à mes examens de fin d'études ?

TOUT ce que se rappela Letty plus tard fut le grand épuisement qu'elle avait ressenti. Le médecin était venu les chercher, Tom et elle, au service de pédiatrie, et ils s'étaient installés entre les murs crème et brillants du couloir du deuxième étage. L'air était chaud et empli d'un parfum déplaisant. Pas de fenêtres à ouvrir. Pas de vent pour traverser les salles. Elle avait entendu le hurlement d'une sirène au-dehors puis le glissement répété de portes qui s'ouvraient et se refermaient ; des voix qui criaient. Un autre drame commençait.

Un concierge passa devant eux, un trousseau de clés pendant à sa ceinture en cuir. Quelle heure était-il ? se demanda vaguement Letty. Depuis combien de temps étaient-ils là ? Dans les hôpitaux, le temps ne se mesurait pas en heures et en minutes mais en services et en rondes, en intervalles entre calmants et perfusions.

— Il n'y a pas d'antécédents de maladies cardiaques dans votre famille ? lui avait demandé le médecin.

Letty avait tenté de retrouver le rythme de ses réflexions, de structurer ses réponses, mais l'angoisse l'avait complètement vidée.

— Pas que je sache.

Elle n'aimait pas la manière dont il la regardait – cette inquiétude mêlée d'une certaine curiosité morbide qu'adoptent les médecins quand ils s'apprêtent à poser un diagnostic intéressant.

— Ni de votre côté ni du côté de votre mari ?

— Non, rien.

— Et les deux sœurs de Jamie, ont-elles des problèmes de santé ?

— Aucun.

— Et votre mari et vous ?

Tom se hâta d'intervenir.

— Le père de Jamie est mort dans un accident il y a quelques mois.

Le docteur en prit note.

— Je suis désolé. Les grands-parents de Jamie sont encore en vie ?

— Ils sont tous morts de vieillesse, enfin… à part la mère de mon mari, qui est morte en couches. En quoi cela est-il important, au juste ?

— Comme je vous l'ai dit plus tôt, je me suis demandé au départ si l'irrégularité du pouls de Jamie n'était pas due au froid ou à un excès d'adrénaline, mais les résultats de son électrocardiogramme montrent qu'il a en réalité un cœur légèrement dilaté.

— Qu'est-ce que ça veut dire exactement?

Letty chercha de nouveau la main de Tom.

— Je crois que votre fils souffre de cardiomyopathie.

Face au silence choqué et perplexe qu'avait provoqué son annonce, il tira un stylo de sa poche et se mit à dessiner sur ses notes.

— Voyons si je peux vous expliquer cela simplement. Le moteur du cœur est actionné par des ondes électriques. Le genre d'ondes, disons, que provoquerait un caillou jeté dans une mare étale. Ces ondes envoient un signal aux muscles du cœur qui, à leur tour, propulsent le sang dans le corps. Que survienne une interruption de ces ondes électriques, et l'on a un battement de cœur anormal: le cœur manque un battement.

— C'est ce qu'a Jamie? demanda Tom. Un battement de cœur anormal?

— Eh bien, oui et non. Pour la plupart des gens, ça arrive de temps en temps, et normalement, quand les ondes électriques sont interrompues, le cœur se remet en marche, voilà tout. Mais chez les sujets atteints de cardiomyopathie, le cœur n'a pas la capacité de se remettre en marche. Au contraire, il s'affole, et cela cause une baisse de tension artérielle potentiellement fatale.

— « Fatale »? répéta Letty, saisissant le mot au vol. Et on n'aurait pas su que Jamie avait le cœur malade? (Elle tenta de chasser la pointe d'hystérie dans sa voix.) On ne s'en serait pas aperçus plus tôt?

— La plupart des patients ne manifestent aucun symptôme. Il n'y a pas le moindre signe. La mort cardiaque subite peut survenir à tout moment. Trop d'exercice, trop de café, une promenade trop pénible, un choc nerveux. Le sujet peut avoir des palpitations ou se sentir au bord de l'évanouissement, mais c'est tout. Et je dois dire qu'étant donné l'énorme stress physique et psychologique qu'a subi votre fils, il est stupéfiant que…

— Oui, merci, docteur, coupa Tom en lui lançant un regard d'avertissement.

Le médecin remarqua le visage blafard de Letty.

— Oh, madame Fleming, ne vous inquiétez pas, je vous en prie.

Jamie n'est pas en danger. Et maintenant que nous savons ce dont il s'agit, nous pouvons le soigner.

Il remit le stylo dans sa poche et hésita.

— Écoutez, le miracle n'est pas que votre fils ait survécu à une chute de vingt mètres, mais qu'il soit tombé. Car s'il n'avait pas été transporté à l'hôpital, on n'aurait peut-être jamais découvert qu'il avait cette maladie.

Letty avait l'impression d'être une mauvaise copie carbone, une silhouette en carton-pâte. Elle s'appuya au mur.

— Merci.

— Oui, renchérit Tom. Merci beaucoup.

— Nous allons effectuer quelques tests complémentaires et puis je vous parlerai du traitement, déclara le médecin.

Il se tourna vers Letty, mais elle le regardait sans le voir. Il s'apprêtait à s'en aller. Les premières lueurs de l'aube filtraient entre les volets de la fenêtre.

— À propos, fit Tom en posant une main sur son bras, pourquoi vous intéressiez-vous tant aux antécédents familiaux ? Vous ne nous l'avez pas expliqué.

— Ah ! La cardiomyopathie est souvent une maladie héréditaire et dans ces cas-là, elle est presque toujours transmise de père en fi… (Il s'interrompit.) Oui, c'est vrai. Vous m'avez dit plus tôt que le père de Jamie avait eu un accident. Quel genre d'accident, au juste ?

C'était arrivé à cet instant précis. Dans l'espace d'apesanteur entre l'ignorance et la compréhension. Letty avait pris conscience qu'elle avait cessé de respirer, qu'en réalité elle n'avait pas vraiment respiré depuis six mois. Et sans crier gare, elle s'était effondrée.

LETTY dormait dans sa chambre à Ballanish. D'un sommeil sans rêves. Elle dormait comme s'il s'agissait là d'un nouveau hobby qu'elle venait de découvrir et dont elle ne pouvait se passer. Elle comprenait enfin pleinement ce que voulait dire l'expression « dormir comme un ange ». Cela signifiait qu'on était en paix.

Quand elle se réveilla, ses pensées retournèrent à l'endroit où elles allaient tous les matins depuis qu'elle était rentrée de l'hôpital. Au huitième étage de l'ambassade à Bonn, au bureau où Nicky s'était assis pour lui écrire – froissant son premier brouillon, rassemblant son courage. Elle le voyait se faufiler sur le toit, fumer une cigarette et regarder en souriant les câbles se tendre sur le gros chapiteau du cirque au-dessous. Puis peut-être un froncement de sourcils lorsque la douleur l'avait transpercé de l'épaule à la poitrine. Un instant de vertige au moment où son cœur défaillant avait manqué ce battement. Il était mort avant d'atteindre le sol, mort avant même de tomber, et cela, elle pouvait l'accepter. C'était une mort qu'elle pouvait supporter. Le cœur arythmique, asymptomatique de Nicky. L'autopsie n'aurait rien pu déceler.

— Je te l'avais dit, avait déclaré Jamie à l'hôpital. Je t'avais dit qu'il y avait un truc bizarre avec mon cœur.

Il ne se souvenait pas de ce qui s'était passé sur la falaise, mais Alba si. Alba se souvenait de tout.

« Si l'enfant n'a pas peur, avait dit le médecin, si le corps est complètement détendu. Si quelqu'un veille sur lui là-haut. »

« Il a sauté, avait affirmé Alba. Il a roulé sur lui-même et lâché prise. »

« Saute. »

Letty revit Nicky sous la fenêtre de sa chambre, les bras grands ouverts.

« Lâche prise et je t'attraperai. »

Jamie avait hérité du cœur de son père, et son père était revenu l'avertir. Tout au moins Jamie en était-il persuadé. Letty ne savait que croire, mais peut-être cela n'avait-il pas d'importance. Il n'était plus nécessaire que la vie soit logique, ni même compréhensible, mais seulement qu'elle ait du sens pour Jamie.

Et récemment, Letty avait commencé à comprendre que, pour Jamie, le sens était une chose complexe et merveilleuse. D'immenses colonnes de mots et d'expressions, des fragments de chansons et des bribes de poèmes avaient été collationnés dans son cerveau. On y trouvait des histoires à dormir debout et des histoires sans queue ni tête, les vibrations de la vérité et de la tromperie et le pincement de minuscules mensonges entre les deux ; il y avait les spores de la magie, des résidus de rêves, quelques échardes acérées de réalité puis les formes et motifs de désirs qui se confondaient tous, chevauchant des pans d'espoir et d'optimisme, se rejoignant dans un kaléidoscope de possibilités toujours renouvelé.

La vie ou la mort. Nul ne comprenait le mécanisme de l'une ou de l'autre. Tout ce qui comptait, c'était en quoi l'on croyait – ce à quoi l'on réussissait à s'accrocher. Letty croyait que la logique de Jamie possédait sa cohésion propre, qui avait recollé les morceaux de leur famille brisée. L'injustice de la tragédie et la terrible futilité des « si seulement » avaient fait d'elle une prisonnière du passé, mais maintenant toutes les connexions entremêlées du destin et du hasard qui avaient sauvé la vie de Jamie avaient rééquilibré la balance et l'avaient fait basculer dans le présent.

Tom était reparti pour Londres en emportant le rapport. Il devait être mis en de bonnes mains, avait-il dit. Remis à quelqu'un qui n'appartenait pas au ministère de la Défense. Quelqu'un d'assez puissant pour poser des questions au Parlement. Quelqu'un d'assez important pour obliger le ministère à réclamer un nouveau rapport. « C'est quelque chose que je peux faire pour Nicky, avait dit Tom avant de partir. Quelque chose que je peux faire pour toi. » Et il l'avait embrassée, brièvement, sur la joue.

Au rez-de-chaussée, elle entendait Georgie bouger dans la cuisine, mettre de l'eau à bouillir pour le porridge. Dans un peu plus de deux heures, ils iraient à l'église près du loch assister à la messe du souvenir. Elle avait ramené Nicky à la maison – à sa place, loin de Bonn.

Elle regarda Alba et Jamie, encore chauds de sommeil, étalés sur le lit d'Alba, leurs pieds nus se touchant sans qu'ils s'en rendent compte. Grandir leur prendrait encore des années.

Il y avait tant de choses en suspens.

La vie était une affaire en suspens, et il était temps de commencer à la vivre.

« Je suis profondément intéressée par les tréfonds de l'âme humaine. »

Bella Pollen

Bella Pollen a passé son enfance entre New York et l'Angleterre. Son envie d'écrire remonte à très loin, pourtant, après ses études, ce sont ses talents de couturière qui la font vivre. Elle commence par créer des vêtements pour des amies. Elle remporte un tel succès qu'elle a bientôt les moyens financiers de lancer sa propre marque, Arabella Pollen LDT, qui séduit alors des clients aussi prestigieux que la princesse Diana ! « Je ne m'attendais vraiment pas à cela, confie-t-elle. J'ai d'abord attiré l'attention des médias, puis il a fallu que j'apprenne le métier très vite pour maintenir le niveau des ventes boostées par les éloges de la presse. » Mais elle choisit finalement de vendre son entreprise pour se consacrer à l'écriture et devient romancière et journaliste (elle collabore à des quotidiens et revues comme *The Times*, *The Sunday Telegraph*, *American Vogue*). Elle a déjà publié quatre romans outre-Manche. Seul *L'Été de l'ours*, qui a remporté un vif succès en Angleterre, a paru en France. L'auteur raconte qu'elle s'est inspirée d'un fait réel : un grizzli apprivoisé nommé Hercule s'était échappé sur une île des Hébrides, un été où elle y séjournait avec sa famille. Le propriétaire de l'ours l'avait amené là afin d'y tourner un film publicitaire. Hercule disparut pendant près de quatre semaines avant d'être retrouvé presque mort de faim ; mais il ne s'était attaqué à aucun animal ni à aucun humain. « Nous avions passé la plus grande partie de nos vacances à le chercher. Dès ce moment-là, nous l'avions humanisé. Pourquoi s'était-il enfui ? Que se passait-il dans sa tête ? Si seulement il pouvait parler… J'ai gardé en moi cette idée, mais c'est seulement après avoir commencé la rédaction de *L'Été de l'ours* et m'être faufilée dans la tête de Jamie que j'ai décidé que l'ours, dans l'imagination enfiévrée de l'enfant, pourrait représenter son père disparu. »

L'HERMINE ÉTAIT POURPRE

Pierre Borromée

À Villecomte, paisible commune de l'est de la France, une jeune femme est assassinée avec une sauvagerie délirante. Elle était l'épouse d'un avocat très apprécié, et aussitôt soupçonné par un juge d'instruction plus empressé à châtier qu'à comprendre et à rendre la justice. Il ne faut pas non plus attendre grand-chose du procureur, qui ne songe qu'à se faire mousser. Mais le bâtonnier est d'une autre trempe. Avec l'aide d'un commissaire qui n'est pas né de la dernière pluie, il n'hésitera pas à braver les convenances provinciales et les petits arrangements entre amis pour faire éclater la vérité.

PROLOGUE

IL aimait ces départs avant l'aube, quand sa voiture s'enfonçait dans la nuit sur ces routes de campagne qu'il connaissait si bien, semblant appareiller pour une destination sans retour, comme un marin fuyant un foyer dont il serait las. Il croyait ainsi oublier ses tourments. Hélas! le répit ne durait que quelques heures, jusqu'au moment de rentrer au port...

Mais il roulait doucement, de peur de toucher un animal pris au piège de la lumière des phares. Ici même, deux ans plus tôt, au carrefour de la Sente, à la lisière d'un bois profond, il avait heurté un sanglier qui avait donné tête baissée dans son pare-chocs. Il s'était arrêté pour mesurer les dégâts. À la lueur d'une lampe rangée dans sa boîte à gants, il avait inspecté la calandre et le phare avant droit, défoncés. L'animal, mort, gisait dans un fossé, à vingt mètres de sa voiture. Sa face et son épaule avaient éclaté sous l'impact, comme un fruit trop mûr. Un sillon noir de sang s'écoulait sur quelques mètres, de la chaussée au fossé.

Il avait examiné le cadavre encore chaud pendant de longues minutes, l'avait touché pour mieux se rendre compte : l'animal sentait fort et, encore tièdes de la vie enfuie, ses soies étaient douces sous les doigts. Et quand il les avait retirées à regret, ses mains poissaient d'un sang gras et lourd.

Pour la première fois, il avait observé de près la mort d'un animal d'une autre taille que celle des carcasses de chats écrasés, d'oiseaux morts, ou même de grenouilles dépecées vives au cours de ses jeux d'enfant. Comment réagirait-il devant un cadavre humain, si l'occasion lui en était donnée?

En abordant ce carrefour isolé en pleine campagne, à cinq kilomètres du village le plus proche, il se disait chaque fois qu'il serait si simple de mourir comme cet animal. De mourir ou de tuer? Car il pressentait qu'à celui qui accepterait de mourir il serait donné de tuer, aussi simplement. La vie des autres ne vaut que le prix que l'on veut bien attribuer à la sienne. Chaque jour, depuis des mois, il se détachait un peu plus de tout sentiment. Jusqu'au jour où...

La petite route se jetait dans la nationale, comme une rivière dans un fleuve. À l'est, sur sa droite, l'horizon rosissait déjà, et le soleil de novembre dévoilerait bientôt les labours des champs nus.

L'autoroute n'était qu'à trois kilomètres, et, dans deux heures, il serait à Nancy, où il en aurait fini très vite peut-être de ce dossier peu épais qui reposait sur le siège du passager.

Soudain, sans savoir pourquoi, il crut devenir fou, comme accablé par un appel impérieux qui résonnait dans son crâne, le sommant de faire demi-tour et de retourner chez lui. « Rentre à la maison ! » Sa tête tournait, ses oreilles bourdonnaient, saturées de ces cris pourtant silencieux. « Tu es malade... Un malaise, sans doute... Attention à ne pas perdre le contrôle de la voiture... »

Les mains crispées sur le volant, il réussit à s'arrêter sur le bas-côté, trois cents mètres avant l'entrée de l'autoroute. La voix le harcelait toujours, bien que plus faible. « Repose-toi quelques minutes. Ce n'est qu'un malaise qui va passer... Mais tu ne peux prendre la route dans cet état. Repousse l'affaire d'un coup de fil et rentre chez toi ! Oui, mais le confrère ne consentira jamais à un report... Et si tu ne vas pas à Nancy, le dossier sera évoqué sans toi ! Que faire ? Rentrer ou continuer ? Décide-toi. Une fois sur l'autoroute, il sera trop tard... »

Il hésitait, mais devinait qu'un mauvais choix engagerait à jamais son destin.

I

LA femme de ménage découvrit la scène morbide, ce matin-là. Elle était payée trois heures par semaine pour nettoyer seulement le rez-de-chaussée de la maison. Madame s'était réservé l'étage, où elle n'avait pas la permission d'accéder. Quand elle eut recouvré ses esprits, elle expliqua aux enquêteurs qu'elle était montée dans la salle de bains du haut, pour y chercher du produit pour les vitres.

La salle de bains était conçue comme un sas dont la porte du fond s'ouvrait directement sur la chambre de Monsieur et Madame. Surprise, elle avait tout de suite remarqué que cette porte était entrouverte, alors que Madame prenait toujours soin de la fermer à clef.

Poussée par une curiosité innocente, elle s'était introduite dans le sanctuaire de la maison. Elle était aussitôt ressortie en hurlant. Madame gisait sur son lit, en chemise de nuit, la tête sur l'oreiller, les bras en croix. Son visage était effroyablement mutilé. « Elle n'avait plus de visage… », ne cessait-elle de répéter aux gendarmes qui avaient aussitôt été alertés par la voisine chez qui la femme de ménage s'était réfugiée.

Deux hommes de la brigade locale avaient confirmé les déclarations de la voisine. Ils s'étaient bien gardés de toucher au corps, dans l'attente des techniciens qui arrivèrent sur les lieux en fin de matinée.

Ceux-ci étaient accompagnés du procureur, qui avait pris la peine de se déplacer, en considération de l'horreur du crime et de l'identité probable de la victime. Il s'agissait sans doute de Juliette Robin, la femme de Me Robin, l'avocat. Personne ne l'avait vue le matin, dans le cabinet d'experts-comptables où elle travaillait.

Le magistrat l'avait croisée dans des soirées mondaines où se mêlaient parfois juges et avocats. Conscience professionnelle ou curiosité malsaine, il avait voulu se rendre compte par lui-même. Équipé de chaussons de papier, de la blouse et de la charlotte de rigueur, il était entré dans la chambre où les têtes chercheuses de la gendarmerie se livraient à leurs investigations. Il en était aussitôt ressorti, le cœur au bord des lèvres, horrifié par la vision du corps martyrisé d'une femme qui avait été belle et qu'il avait admirée.

Il ne se souvenait pas d'avoir vu de cadavre depuis ses premières années de substitut, lorsqu'il était appelé par des gendarmes confrontés à une mort suspecte. À cinquante-cinq ans, parvenu au faîte d'une carrière sans gloire, il rêvait de finir dans la peau d'un procureur général à la tête du parquet d'une cour d'appel de province. L'essentiel de son temps était consacré au calcul des statistiques criminelles que lui réclamait régulièrement une chancellerie avide de chiffres. Depuis longtemps, il ne requérait plus en audience.

Qui avait bien pu commettre cette horreur? Il attendit dans sa voiture que l'adjudant en charge des opérations veuille bien lui faire un rapport succinct des premières investigations. Le meurtrier s'était introduit dans la maison par une porte-fenêtre du salon, après en avoir fracturé un carreau pour atteindre la poignée. Aucun acte de vandalisme n'avait été relevé. L'enquête devrait donc être diligentée au titre de l'homicide. La victime avait sans doute été surprise dans son sommeil. Elle portait des traces d'ecchymoses sur les poignets et de strangulation. L'assassin lui avait également donné, de haut en bas, un coup de couteau létal dans l'abdomen. Manifestement, il s'était férocement acharné sur le visage avec un instrument contondant, peut-être un marteau, il avait frappé « plus de cent fois ». Le médecin légiste préciserait si elle avait été étranglée avant d'être éventrée, et si elle avait subi des sévices sexuels.

— Bref, un crime de dingue, monsieur le procureur, s'exclama le gendarme. Les cow-boys du département des sciences criminelles vont débarquer et nous piquer l'affaire. Souhaitez-vous les attendre?

Mais le procureur n'aspirait plus qu'à retrouver le confort rassurant de ses chères statistiques. Il se contenta de demander :

— A-t-on prévenu la famille de la victime? Me Robin, l'avocat?

— Je n'ai pas pu le joindre à son cabinet. Il plaidait à la cour de Nancy, ce matin. Mais sa secrétaire nous a assuré qu'il serait de retour pour déjeuner chez lui. Il est midi et demie. Il ne devrait plus tarder. Il vous faudra l'intercepter avant, monsieur le procureur, il n'est pas encore au courant.

D'effroi, le magistrat leva les yeux au ciel, à la perspective d'annoncer les événements tragiques à Robin. Non, il ne sentait pas la force de tenir le rôle de messager du malheur. Il préféra fuir avant l'arrivée de Robin, et abandonner la sale corvée à l'adjudant.

— Je dois me sauver, je déjeune avec le préfet. Je compte sur vous, mon adjudant. Prévenez-le avec tact. Laissez une voiture à l'entrée du village pour l'intercepter avant qu'il arrive. Qu'on lui épargne cet épouvantable spectacle…

Il salua l'adjudant et s'éloigna rapidement des lieux du drame.

— Encore faut-il qu'il revienne, monsieur le procureur, lâcha le gendarme entre ses dents.

Dans sa voiture, le procureur préparait déjà la déclaration qu'il livrerait tout à l'heure à la télévision régionale. « Mme Robin a été sauvagement assassinée à son domicile de Villecomte, dans la nuit du lundi au mardi, par un individu qui s'est introduit chez elle, en l'absence de Me Robin en déplacement. J'ai résolu aussitôt de demander l'ouverture d'une instruction. Je n'exclus pour l'heure aucune piste. » À la réflexion, « Nous n'excluons aucune piste » serait préférable. Autant mouiller davantage les enquêteurs pour l'opinion.

L E commissaire Baudry franchit à regret les portes du palais de justice. Il détestait cordialement ce monde de pisse-froid dont le jargon, les ors et l'hermine, même mitée, irritaient son âme simple.

Baudry venait du peuple, de la France d'en bas, et il ne faisait pas mystère de ses origines. L'homme avait été ouvrier métallurgiste à seize ans, il avait suivi les cours du soir et bûché son droit, avant de réussir le concours d'inspecteur.

À vrai dire et à un autre titre, Baudry était issu de la France d'en bas : celle « d'en bas à gauche sur la carte », avait-il l'habitude de préciser. Né à Castelnaudary, il en avait conservé l'accent rocailleux. En plus de son attachement singulier pour sa femme – petit pruneau noirâtre à l'humeur aussi sèche que la peau –, Baudry n'aimait que lui-même, et… le Sud-Ouest, où il rêvait de se retirer, sitôt la retraite sonnée.

Ses collaborateurs de la direction interrégionale de la police judiciaire (DIPJ) le surnommaient Croc-Blanc, ou le Kaiser, en raison de ses moustaches retroussées, mais ne le craignaient guère, en dépit de ses colères titanesques. Chez Baudry, l'orage ne durait pas, et la colère retombée, le patron redevenait indulgent, incapable de rancune.

Il fut introduit dans le cabinet du procureur par une secrétaire peu avenante. Dans la semi-obscurité du soir tombant, Meunier était assis derrière son bureau de ministre. L'air ennuyé, il conversait avec Tricard – ça ne s'invente pas ! –, le juge d'instruction en charge du dossier.

Tricard avait la tête camuse d'un faune barbu. Ses instructions se terminaient systématiquement par le renvoi aux assises ou en correctionnelle des malheureux mis en examen qui s'étaient fourvoyés entre ses griffes. Coupable ou pas, peu lui importait : il n'allait tout de même pas en plus se poser la question en son âme et conscience.

— Bonsoir, monsieur le commissaire. Asseyez-vous, je vous en prie. Je vous remercie d'avoir répondu à mon invitation.

Meunier entama le petit exposé qu'il avait peaufiné à l'avance.

— Comme vous le savez, à la suite du décès de Mme Robin, j'ai confié une information à M. le doyen Tricard. Lui seul est maintenant maître d'œuvre. Vous serez personnellement en charge des commissions rogatoires les plus importantes.

« À mon âge, je vais rejouer les enquêteurs », pensa Baudry.

— N'est-ce pas, vous comprenez ma décision, à la mesure de la qualité d'auxiliaire de justice de Me Robin, il n'est pas question de déléguer les actes d'enquête à un simple inspecteur de police. Cette sinistre affaire doit être élucidée dans les meilleurs délais. Nous le devons à la mémoire de cette pauvre femme, bien sûr… (Après un temps de silence, le magistrat reprit :) Mais surtout, monsieur le commissaire, vous mesurez l'émoi qui s'est emparé du landerneau judiciaire à l'annonce de ce crime. Les rumeurs les plus folles vont bon train, allant jusqu'à mettre en cause la probité du monde de la justice dans son ensemble…

« Nous y voilà, songea Baudry, il faut éviter le scandale ! »

— Je suis au courant, monsieur le procureur. Il se dit même qu'elle et son mari étaient amateurs de parties fines et qu'elle aurait trouvé la mort à cette occasion… (Malgré le haut-le-cœur du procureur, Baudry poursuivit :)… et que ces divertissements auraient rassemblé quelques notables locaux.

Deuxième haut-le-cœur du procureur.

— Vous savez, depuis le temps que je suis dans la police, je vous assure que c'est toujours le même roman qui passionne l'opinion, continua le commissaire. À chaque crime sexuel, on fantasme : les ballets roses, l'affaire Baudis, que sais-je encore ? Et la machine s'emballe.

Le procureur l'interrompit sèchement :

— De cela nous ne voulons à aucun prix. Nous devons faire très vite la lumière sur ce crime pour tordre le cou à tous ces ragots. Je veux des résultats, monsieur le commissaire.

Le policier se tourna vers le juge d'instruction, qui n'avait aucun compte à rendre au parquet, et lui demanda avec une naïveté feinte :

— L'enquête a dû avancer ? J'imagine que les gendarmes ont déjà trouvé quelques indices ?

Il savait que les techniciens avaient fait chou blanc...

— Rien, lâcha Tricard. L'assassin portait des gants quand il a fracturé la fenêtre. Il n'a pas laissé d'empreintes, pas de sperme non plus puisque la victime n'a pas été violée. Les quelques traces de pas dans l'escalier sont inexploitables. D'après les relevés téléphoniques du portable de la victime, et ceux du fixe de la maison, elle n'appelait que sa mère, tous les jours. Pas d'amant, apparemment. Pas d'opération suspecte sur les comptes bancaires du couple dans les six derniers mois.

— Et l'enquête de voisinage ?

— Elle est en cours. Pas de signalement à la gendarmerie du village ce mois-ci. On a bien relevé un cambriolage dans le coin, la même nuit, mais probablement sans rapport avec le crime.

— Les analyses ?

— J'attends le rapport complet du légiste, mais l'analyse toxicologique est positive. Elle avait beaucoup bu la veille, et avait encore 0,4 mg d'alcool dans le sang quand elle est morte.

— Et le fichier des délinquants sexuels ?

— Bernique !

— Un tueur en série ?

— Un intermittent, alors, commissaire, sourit le juge, car le dernier assassinat de ce genre dans la région remonte à près de sept ans. Vous vous souvenez du meurtre de la petite Dupuis, à Saint-Martin ?

Le procureur interrompit la conversation :

— Messieurs, je dois vous abandonner, je suis attendu par le préfet. Avec vous, l'enquête repart sur de bonnes bases. M. Tricard ne peut nous rendre qu'une instruction exemplaire d'efficacité. Monsieur le commissaire, je vous demande de la célérité et du doigté.

Il les raccompagna, pressé de rentrer chez lui pour mieux suivre les informations régionales de 19 h 30. Au lendemain du crime, la télévision n'avait toujours pas diffusé son intervention...

Tricard et Baudry poursuivirent leur conversation dans les couloirs d'un palais silencieux à cette heure tardive.

— Soit c'est un extérieur qui a fait le coup, et alors il est peut-être loin, avança Tricard. Soit c'est un proche, et alors là... crac ! (Il fit le geste d'une torsion du poignet, avant de poursuivre :) Je vais vous demander d'investiguer dans le premier cercle : les collègues, les relations du couple… Vous aurez la commission rogatoire dès demain matin. Inutile de les convoquer à la DIPJ, ça ferait des vagues… Il faudra aussi sonder le fichier des anciens RG (ce que Baudry avait déjà fait, bien sûr!). Mais, entre nous, commissaire, je ne crois guère à la partouze qui aurait mal tourné.

— Pourquoi donc?

— J'attends toujours le rapport du légiste, mais nous savons déjà qu'elle n'a pas été violée, ce qui exclut l'hypothèse d'un crime sexuel.

— Et Robin, le mari?

— Robin, je m'en occupe perso.

— Vous pensez sérieusement que ce pourrait être lui? Vous mettriez en examen cet avocat?

— Non, le proc n'est pas chaud. Ce serait prématuré. Je ne sais pas si c'est lui, mais il n'est certainement pas tout blanc. Rendez-moi compte au jour le jour. Bonne chance, commissaire.

Il disparut par une porte qui conduisait au parking souterrain.

— De la chance, j'en aurai besoin, murmura Baudry entre ses dents.

2

À L'ENTRÉE de l'immeuble, la plaque dorée annonçait ostensiblement SOCIÉTÉ CIVILE PROFESSIONNELLE MATHIEU & ROBIN, AVOCATS ASSOCIÉS. MARIE-CHRISTINE LUCE, AVOCAT COLLABORATEUR.

Trois secrétaires travaillaient, confinées dans de petites alvéoles de verre, comme des abeilles dans une ruche industrieuse. Elles frappaient à toute vitesse des actes en tout genre: assignations, conclusions, mémoires, sommations… ne s'interrompant dans leur tâche que pour décrocher, à tour de rôle, un téléphone à la sonnerie péremptoire. La fille la plus proche de l'entrée ôta son casque pour saluer Baudry. Il se présenta sans faire état de sa qualité de policier et lui annonça qu'il avait rendez-vous avec Me Mathieu.

À peine installé dans un des fauteuils de la salle d'attente, il vit venir à lui un personnage obséquieux, courbé en deux à la façon d'un mandarin chinois, qui l'entraîna aussitôt dans son sillage.

— Monsieur le commissaire, je vous en prie, suivez-moi.

Il s'effaça pour le laisser entrer dans la pièce qui lui servait de bureau, très vaste et luxueusement meublée. Le décor trahissait son parvenu à dix kilomètres: plus d'esbroufe que de goût! Les murs étaient tendus de damas rouge. Un énorme bureau noir, d'époque second Empire – un « bureau de ministre » surchargé d'ors et de bronzes –, trônait au milieu de la pièce, en face de deux fauteuils et d'une banquette bordeaux de même style. Seule note moderne dans cette partition désuète, un ordinateur portable était ouvert sur le bureau.

L'homme paraissait peu agréable. Petit et gras, il avait le cheveu huileux, soigneusement coiffé de côté. La pointe de son nez crochu semblait se refermer sur la bouche, plus mince qu'une fente de boîte aux lettres. Derrière de grosses lunettes à monture d'écaille, le regard et la paupière étaient également lourds, et son teint semblait marqué par des années d'insomnie. Mais sa voix, forgée dans les prétoires depuis trente ans, était profonde et sonore.

— Mon cher maître, je suis désolé de vous importuner, mais je dois vous entendre comme témoin, à la demande du juge d'instruction. Vous me permettrez de prendre des notes pour mieux rédiger votre déposition? Je reviendrai vous la faire signer.

— Naturellement, monsieur le commissaire, je n'ai rien à cacher. J'ai appris la nouvelle en sortant de l'audience correctionnelle, hier après-midi. Tout le palais bruissait déjà de l'horreur de ce crime... Mais qui, mon Dieu, peut l'avoir commis et pourquoi?

— C'est ce que nous nous efforcerons de découvrir.

— Je connaissais bien cette pauvre Juliette. Je dînais encore chez eux, à Villecomte, il n'y a pas deux mois. Quand j'y pense, finir ainsi... assassinée dans son lit. Enfin, je sais bien que tout a une fin sur notre terre. Mais il y a fin et fin...

« Sa compassion est aussi courte que sa vue », se dit Baudry. Sitôt l'éloge expédié, Mathieu revint à ce qui lui importait le plus: l'avenir de sa boutique et la solidité de ses comptes.

— Et que va devenir le cabinet? Je ne pourrai le faire tourner long-temps à moi seul. Et ce n'est pas cette pauvre Marie-Christine qui me sera d'un grand secours.

— Marie-Christine?

— Marie-Christine Luce, notre collaboratrice. Pour les petits dossiers, passe encore... mais je ne peux lui déléguer les grosses affaires, elle manque par trop de bouteille. J'espère que Pierre reviendra très rapidement m'épauler ici... Quand il se sera remis de son chagrin, bien sûr. Mais combien de temps cela prendra-t-il ? Cet homme est déjà si fragile, si faible !

— Pouvez-vous me parler de Juliette Robin, qui était une de vos amies proches, d'après ce que je crois comprendre ?

Il se récria :

— Oh ! une amie, c'est beaucoup dire ! Nous n'étions pas particulièrement liés. Je l'appréciais, oui, enfin…

— Si cela vous gêne, nous pouvons nous échapper du cadre formel de la déposition, proposa Baudry en reposant son stylo.

— Je vous remercie, monsieur le commissaire, je ne voudrais pas en effet que mes propos soient gravés dans le marbre d'une déposition qui tombera fatalement, un jour ou l'autre, sous les yeux d'un Pierre Robin susceptible de m'en tenir rigueur… Donc, tout ce que je vous dirai restera bien entre nous, n'est-ce pas ?

— Je vous le garantis, lui mentit Baudry.

— Eh bien, voyez-vous, je n'aimais pas plus que cela cette Juliette Robin qui a fait tant de mal à Pierre. Je connais Pierre depuis trente ans. Nous avons mené de front nos études de droit. J'ai prêté serment un an avant lui. Nous nous sommes associés il y a dix ans, quand nous avons repris la clientèle de Mᵉ Gesser, le patron de Pierre, pour moitié chacun.

« Je dois comprendre que Robin n'était pas assez riche pour racheter la clientèle et qu'il a dû faire appel à Mathieu », pensa Baudry.

— Dans les premiers temps de notre association, Pierre m'a beaucoup inquiété, je vous l'avoue. C'était un garçon profondément malheureux. En fait, il s'était entiché d'une jeune femme… dont il était fou amoureux, sans qu'elle partage sa passion. Elle poussa même le sadisme jusqu'à faire de lui son confident, lui racontant toutes ses frasques dont il souffrait cruellement. Ce manège fou a duré près de dix ans… Dix années perdues pour une traînée…

Il soupira avec mépris. Baudry se récita avec amusement la fiche de renseignements de Mathieu : « Célibataire sans enfant. Fréquente de jeunes homosexuels majeurs, rencontrés dans les bars gays à Paris. S'en cache vigoureusement. A entretenu une relation suivie mais clandestine avec un étudiant en histoire de l'art. »

— En fait, elle tenait Pierre comme on tient un fer au feu. Elle a fini par se marier avec un agent d'assurances, la trentaine venue. Même cette union n'a pas suffi à mettre un terme aux espoirs de

Pierre, à calmer ses ardeurs. En effet, ce mariage a mal tourné, l'assureur, qui n'acceptait pas les infidélités de sa femme, devenait violent. Elle est revenue à Pierre comme la fièvre au malade. C'est lui qui l'a « divorcée ». Et ce qui devait arriver arriva… Pierre l'a consolée et elle est tombée dans ses bras… Ou plutôt, elle s'est laissé faire par besoin d'un statut social et d'argent. Elle l'a rapidement cocufié. Leur relation est partie à vau-l'eau, comme le précédent mariage de cette femme… Même cause, mêmes effets. Je l'avais bien dit.

« Quelle considération a-t-il pour son associé ? » se demanda Baudry, un peu écœuré par le personnage. Il l'interrompit :

— Et cette femme, c'était donc Juliette Robin ?

— Pas du tout, c'était Laurence. La sœur de Juliette.

— Mon cher maître, quelque chose m'a échappé dans votre récit. Pierre Robin a épousé Juliette, il y a cinq ans.

L'avocat sourit, ravi d'avoir pris le policier en défaut.

— Je vous ai dit que cette femme et Pierre s'étaient mis en ménage, pas qu'ils avaient contracté mariage, monsieur le commissaire. Laurence s'est envolée un beau matin. Pierre a trouvé le nid vide, sans un mot d'explication. Elle était partie pour Nice rejoindre un chirurgien, je crois. Juliette est alors entrée en scène. Juliette, la petite sœur de Laurence, dix ans plus jeune et l'avers de l'autre. Moins jolie que sa sœur aînée, mais plus sérieuse. Pierre avait fait connaissance de la petite sœur, qui devait en pincer secrètement pour lui. Et quand Laurence s'est enfuie, j'imagine que Pierre a trouvé refuge auprès de Juliette. Ils ne se sont plus quittés. Il l'a épousée, il y a cinq ans, en toute discrétion.

— Et Laurence ?

— Elle n'était pas à leur mariage, évanouie dans la nature…

— Et ce mariage ?

— Les premiers temps, Pierre semblait apaisé, heureux même. Notre cabinet a réalisé une ou deux années exceptionnelles… Et puis, il s'est à nouveau refermé sur lui-même. Son humeur s'est assombrie.

— Le couple battait de l'aile ?

— En apparence, non. Ils se montraient unis quand ils sortaient en ville. Mais, je vous le répète, je connaissais à peine Juliette. En tout cas, ces derniers mois, le comportement de Pierre m'a inquiété. Il ne faisait plus rien. Enfermé dans son bureau, des heures durant, il refusait le téléphone, les rendez-vous, nous abandonnant ses audiences.

Il était toujours à pianoter sur Internet. Son chiffre d'affaires a chuté dangereusement.

Baudry pensa à demander à Tricard de faire saisir l'ordinateur de Robin. Mais toute perquisition chez un avocat doit se faire en présence du bâtonnier en exercice.

— Et la veille du meurtre, dans quel état se trouvait Robin ?

— Rien de notable. Voyons, je l'ai vu vers 17 heures. Il grognait un peu, car il venait d'apprendre qu'il aurait à se rendre à Nancy dès le lendemain matin, alors qu'il n'avait pas prévu de se déplacer. Il a demandé à Mᵉ Luce de se substituer à lui à l'audience civile, puisqu'il partait pour Nancy. Je ne l'ai plus revu depuis.

— Je vous remercie, mon cher maître. Je reviendrai vous faire signer votre déposition « expurgée », sitôt que mes services l'auront tapée. Maintenant, puis-je m'entretenir avec votre collaboratrice, Mᵉ Luce, s'il vous plaît ?

Le bureau de la jeune femme était trois fois moins vaste que celui de Mathieu, et ses revenus sans doute inférieurs à ceux de l'associé dans une proportion encore plus forte. Mᵉ Luce le reçut timidement. Cette jeune femme était d'apparence insignifiante, toute de gris vêtue, avec de grosses lunettes qui cachaient son regard. Elle ne lui apprit rien qu'il ne sût déjà.

Tout de même, cette personnalité apparemment falote manifestait une détermination étonnante. À la question anodine de savoir si elle entretenait de bons rapports avec son patron elle répondit :

— Mᵉ Robin est un homme d'exception. Il est l'un des rares qui allient le cœur à l'intelligence. Il m'a tout appris de ce métier. Il est comme un père pour moi, et je crois que je ferais beaucoup pour lui.

— Et Mᵉ Mathieu ?

— Mᵉ Mathieu est le gestionnaire du cabinet. Mais il n'en est pas l'âme. Si Pierre Robin devait le quitter, je le suivrais.

— Et Juliette Robin ?

— Celle-là, je ne la connaissais pas, je ne peux en parler. Mais il est clair qu'elle a fait souffrir son mari à en crever.

« Allons bon, se dit-il, une suspecte de plus : une petite souris grise amoureuse de son patron peut-elle assassiner sa belle rivale ? » Il en avait fini avec elle. Avisant un sac de plastique sur le bureau, il lui demanda, histoire de dire quelque chose :

— Vous déjeunez au cabinet ?

— C'est que je dois préparer un dossier pour l'audience de 14 heures. Je n'ai pas le temps de retourner chez moi.

— Excusez-moi alors, je vous abandonne.

Il soupira et se leva. Son ventre qui gargouillait lui donna l'heure. « Midi, l'heure d'aller croquer ! »

De sa voiture, il appela Tricard pour lui rendre compte des auditions qu'il venait de mener. Le juge, qui avait déjà entendu Pierre Robin en qualité de simple témoin, lui donna lecture du procès-verbal, qui corroborait les déclarations des deux autres avocats.

— Il s'est couché tôt, vers 22 heures, avec sa femme, car il allait à Nancy le lendemain matin plaider un dossier qui n'était pas prévu à son agenda. Tous deux étaient de bonne humeur et ont pas mal bu. Il s'est levé vers 6 heures sans déranger son épouse qui dormait encore, et il a quitté son domicile vers 6 h 30, ou 6 h 45. L'horodatage du ticket de péage montre qu'il a pris l'autoroute à 7 h 17, ce qui confirme son heure de départ. Il est sorti de l'autoroute à Nancy à 9 h 17, toujours d'après l'horodatage. Il a plaidé son dossier au tribunal, vers 9 h 30. Il a quitté les lieux à 10 h 30, pour prendre aussitôt le chemin du retour, et arriver à Villecomte à 13 heures.

— Donc, pas de trou dans son emploi du temps ?

— Apparemment non, mais j'attends l'audition de ses voisins. En revanche, il n'a rien à dire sur le taux d'alcoolémie de sa femme. De toute façon, le toubib devrait nous fixer sur l'heure de la mort.

— Monsieur le juge, il faudrait faire saisir l'ordinateur de Robin. Il passait des heures sur Internet…

— Ouais… mais vous savez comme moi que ce n'est pas facile. Pas de perquise chez un avocat sans un bâtonnier qui doit veiller au respect du secret professionnel. Ça va ronfler au barreau… Si je me mets à fouiller chez lui, c'est que j'ai des soupçons qui peuvent me conduire à le mettre en examen… J'en parle à Meunier, et on fait le point ce soir.

Il raccrocha. Au moment de démarrer, Baudry vit une silhouette fragile sortir précipitamment de l'immeuble de Mathieu & Robin. Il reconnut aisément la petite souris grise s'engouffrant dans une Austin, qui s'éloigna aussitôt. Il décrocha à nouveau son téléphone, composa le numéro du commissariat et demanda le lieutenant de permanence.

— Robert ? C'est Baudry. Tu vas me mettre deux bonshommes en filature, aux fesses de Marie-Christine Luce. Une planque devant son bureau. Mais discrétion absolue, hein ? Oui, à tout à l'heure !

Baudry poussa la porte du bistrot qui bruissait d'une belle animation à l'heure du déjeuner. La salle était bondée, mais Sylvie, la serveuse, lui trouva une place près du comptoir où officiait Mme George, la main sur la caisse. Simple mais roborative, la cuisine de son mari attirait toujours autant de fidèles. À deux pas du palais, des juges, des avocats, des commerçants venaient se restaurer et se détendre, avant de reprendre le turbin de l'après-midi.

Baudry slalomait entre les tables du bistrot quand il s'entendit gaiement héler sur sa droite :

— Commissaire !

Le bâtonnier Dornier déjeunait avec un homme plus jeune que lui. Déjà, l'avocat se levait et lui tendait la main.

— Cela faisait longtemps, commissaire. Vous connaissez mon collaborateur, Pierre Chazal ?

— Enchanté ! Ah ! monsieur le bâtonnier, je suis content de saluer le seul avocat fréquentable de la ville, à mes yeux de flic !

— Mais je vous retourne le compliment, commissaire ! Un flic qui fréquente « Chez George » ne peut pas être tout à fait mauvais ! Ça suffirait à faire de lui un être humain !

— Ne le répétez pas, au cas où la direction de la PJ me reprocherait d'avoir un cœur ! Ce serait désastreux pour ma mutation.

— Votre mutation… Depuis le temps que vous en parlez… Vous n'allez pas nous quitter, tout de même.

— Non, je le crains, ce n'est pas demain la veille que je retournerai dans mon Sud-Ouest.

— Commissaire, vous déjeunez avec nous ? Voici la blanquette qui arrive.

— Hélas ! non, je suis désolé. Ne le prenez pas mal, mais il vaut mieux qu'on ne nous voie pas ensemble par les temps qui courent. Ça pourrait jaser. Car vous savez qu'on m'a refilé l'affaire Robin…

— Je comprends, lui répondit Dornier. Sale histoire qui fait suffisamment parler. Au fait, vous viendrez aux obsèques, samedi ? On s'y retrouvera ? D'ici là, bon appétit, commissaire !

Il venait à peine de finir son moelleux au chocolat lorsque son portable sonna. C'était l'un de ses adjoints.

— Commissaire, on vient d'auditionner les voisins. Un truc ne colle pas avec les déclarations de Robin. Ils ont entendu les cris d'une dispute, la veille du crime, quand la porte de la maison s'est ouverte vers 23 heures. Robin est sorti, sa femme gueulait dans son dos, il la traitait d'ivrogne. Puis il a claqué la porte avant de partir en voiture. Ils n'en savent pas plus, mais il a dû revenir dans la nuit, puisqu'il a bien quitté son domicile au petit matin.

— Merde ! lâcha Baudry entre ses dents.

Assis sur le canapé, dans son salon, Baudry relut le rapport du Pr Surlot, le médecin légiste qui avait autopsié le corps de Juliette Robin. La télé débitait un jeu inepte qui captivait sa femme, assise à côté de lui. Comme à l'ordinaire, il ne comprenait rien à ce charabia médical. Seule la conclusion du rapport était limpide : la victime était morte étranglée, avant d'être mutilée *post mortem*. Sa conscience professionnelle de flic intègre lui intimait de comprendre le moindre des détails qui avaient conduit le légiste à cette conclusion sèche. Il résolut d'appeler Surlot. Ils se connaissaient bien, et à cette heure de la soirée, celui-ci devait être à son domicile.

Il se leva doucement du canapé pour ne pas déranger sa femme, dont il craignait toujours les réactions imprévisibles, et s'enfuit dans la chambre. Assis sur le lit, il composa le numéro de Surlot, qui décrocha lui-même.

— Monsieur le professeur, le commissaire Baudry à l'appareil. J'ai bien reçu votre rapport, mais si j'osais… je vous demanderais quelques éclaircissements pour instruire le béotien que je suis.

— Mais bien sûr, commissaire, je vous en prie. Je vous avoue que j'ai déjà commenté mon rapport au juge Tricard…

« Celui-ci a une longueur d'avance », se dit Baudry.

— Mais je puis éclairer votre lanterne à vous aussi. En fait, je suis catégorique quant aux conclusions, seul le *modus operandi* me laisse plus perplexe. Mme Robin est morte par strangulation. Le cou et le pharynx – qui a été cassé – portent les traces nettes de blessures faites par une main. Avec certitude, j'avance que cet étranglement l'a tuée. J'en veux pour preuve les traces d'ecchymoses sur sa gorge. Elles signifient que le sang a coagulé et qu'elle était donc vivante quand on lui a serré le cou. Et je peux également vous affirmer qu'elle ne dormait pas quand elle a été surprise par l'assassin, car elle s'est défendue, comme en témoignent les hématomes décelés sur ses poignets. Elle a tenté de se débattre, et l'assassin les lui a maintenus d'une main derrière la tête, tandis qu'il l'étranglait de l'autre. Je confirme qu'il s'est juché sur elle, à califourchon, pour l'empêcher de bouger. J'ai trouvé des traces de minces abrasions sur la peau du ventre et des cuisses, qui ont été faites par des genoux. La strangulation a été progressive, voire lente, vu la profondeur des blessures et leur nombre… Ce devait être un beau sadique! L'état du visage le confirme. Je n'ai jamais vu un tel acharnement. Rendez-vous compte: j'ai dénombré plus de cent impacts… Principalement localisés dans la zone des joues pour trente coups, dans celle de la bouche pour vingt-deux coups, dans celle du nez écrasé, j'ai compté pas moins d'une quinzaine de coups… Seuls quelques-uns ont été portés dans la région du crâne ou sur le frontal, mais ceux-ci relèvent plus de la maladresse que du dessein délibéré. Les coups ont vraisemblablement été portés avec un petit marteau, un de ces outils de sécurité destinés à briser les vitres des trains, en cas d'accident. Il a mis ce visage en bouillie à l'exception des yeux, miraculeusement intacts… Et il l'a frappée alors qu'elle était déjà morte. Cette violence me paraît relever de l'acte gratuit.

— Un sadique…

— Possible, oui. Ah! j'oubliais: la pommette gauche portait aussi la trace d'une ecchymose *ante mortem*. Pas celle d'un coup de marteau, mais celle d'un coup de poing ou plutôt d'une gifle.

— Antérieure à l'agression?

— Peut-être, mais je puis difficilement être précis. Pas plus d'une journée auparavant en tout cas.

— Et cette blessure au ventre?

— Eh bien, elle est tout aussi bizarre. Elle était morte et déjà défigurée quand il s'est attaqué à l'abdomen. La même arme a été utilisée, mais par son côté tranchant. Ce détail m'a conduit à conclure à l'utilisation du fameux marteau de la SNCF. Ces outils comportent une extrémité plate pour casser la vitre et une autre effilée pour en découper les morceaux.

Le médecin fit une pause de quelques secondes, s'amusant à tenir en haleine l'attention de Baudry.

— L'abdomen a été fendu verticalement de haut en bas, sur une dizaine de centimètres, en trois ou quatre incisions maladroites.

— On n'a donc pas affaire à un chirurgien, fit remarquer Baudry.

— Non, un professionnel aurait fendu l'abdomen d'un seul tenant, comme du papier… Je récapitule: il la surprend dans son sommeil, il l'étrangle, il lui massacre le visage et il l'éventre. Mais il ne va pas au bout de sa dissection. Vous avez noté qu'il n'a pas sauvagement lacéré l'abdomen, comme il l'a fait du visage. Au contraire, il s'est appliqué à l'ouvrir sans abîmer les organes internes, même s'il l'a fait maladroitement. Je suppose qu'il l'a découpée parce qu'il voulait l'éviscérer, en extraire les organes internes. Pour en faire quoi? Les emporter? Le cœur, le foie, les reins, l'utérus si symbolique... Mais il n'est pas allé jusqu'au bout.

— Remords ou dégoût?

— Je n'en sais rien, je n'ai aucune qualification en psychiatrie. Mais enfin, du remords, c'est peu probable, quand on voit avec quelle férocité il lui a charcuté le visage. N'oublions pas qu'il a continué son œuvre avec la face de la victime en lambeaux sous les yeux. Vous avez vu les photos, commissaire, une bouillie de sang, de chair et d'os.

— Une tentative avortée, alors?

— Peut-être, mais je ne peux l'écrire dans mon rapport parce que la question ne m'a pas été posée dans le réquisitoire du procureur. Mon sentiment personnel est toujours réservé pour la cour d'assises.

— Je vous comprends. Je ne voudrais pas abuser de votre temps, mais j'aurais encore deux questions à vous poser.

— Je vous en prie, commissaire, faites donc.

— Vous ne paraissez pas très sûr de l'heure de la mort...

— J'ai usé d'une fourchette approximative: entre minuit et 9 heures du matin, mais je ne peux guère faire mieux. J'ai examiné le corps vers midi sur place, avant de l'emmener au labo. La rigidité cadavérique l'avait déjà figé. Sachant que ce phénomène commence trois heures après le décès, elle ne peut être morte après 9 heures du matin. L'analyse de l'estomac a montré que la digestion était bien avancée et qu'elle avait donc mangé plusieurs heures auparavant. L'analyse toxicologique n'est pas d'un grand secours. Le taux résiduel d'alcool était de 0,4 mg. Sachant que le corps élimine 0,15 mg par heure, en supposant qu'elle ait arrêté de boire à minuit, elle avait alors 1,35 mg d'alcool dans le sang, ce qui n'est pas rien... Mais si elle avait bu un seul verre à 5 heures du matin, le résultat aurait été le même.

— Une dernière question. Une femme de corpulence légère aurait-elle eu la force de maintenir fermement Juliette Robin et de l'étrangler?

— Bien sûr, ce n'est pas une question de poids, mais de prise.

— Reste à savoir si une femme peut commettre un crime sexuel.

— Je ne sais pas ce que vous entendez par crime sexuel, commissaire. Si c'est le fait de rechercher une jouissance sexuelle en torturant ou en donnant la mort, c'en est peut-être un. Mais si c'est le fait de porter atteinte aux organes sexuels, alors ce n'en est pas un! D'ailleurs, elle était vierge: surprenant pour une femme mariée…

— Comment? Qu'avez-vous dit?

— Elle était vierge! Je l'ai écrit en page huit de mon rapport. Vous ne l'avez pas lu? Elle n'a jamais consommé son mariage.

Surlot se mit à rire, enchanté d'avoir pris le policier en défaut. Baudry bredouilla quelques formules de politesse et raccrocha. *Elle était vierge!* Décidément, l'affaire s'obscurcissait.

3

En franchissant la porte du cabinet du procureur, Baudry retrouva Meunier et Tricard dans la même attitude que la veille. Le proc, la mine chiffonnée, regardait au plafond. Tricard était affalé dans son fauteuil.

Baudry rendit compte de ses premières investigations en quelques phrases sobres qui n'apprirent rien à ses interlocuteurs, déjà parfaitement au courant des arcanes du dossier. Quand il eut fini, le policier se tut et attendit patiemment. Ce fut Tricard qui rompit le premier les chiens, de sa voix nasillarde:

— Robin nous a menti sur toute la ligne. En résumé, voici ce qu'il nous a caché dans ses premières dépositions. Marié depuis cinq ans, il n'a jamais couché avec sa femme, le légiste est formel. La femme de ménage a d'ailleurs confirmé qu'elle faisait le lit dans la chambre du rez-de-chaussée, parce que Monsieur y dormait souvent. Y compris la nuit du crime? Nuit du crime au cours de laquelle ils se sont disputés violemment, ce qui a conduit Robin à quitter le domicile vers 23 heures, après une altercation avec sa femme, ivre, qui l'insultait. En fin de soirée, elle était donc encore vivante. Il prend sa voiture et disparaît pendant quelques heures. Mais il revient, entre 23 heures et 6 heures du matin, puisque, à cette heure-là, les éboueurs qui tournaient dans le coin ont aperçu sa voiture garée devant le domicile. Il lève l'ancre pour Nancy entre 6 h 30 et 6 h 45 et franchit la barrière du péage à 7 h 17, pour rentrer à la maison vers 13 heures. Le corps est découvert vers 9 h 30. Conclusion : il a eu mille fois le temps de la tuer entre minuit et 6 heures du matin. Le mobile ? Si elle se refusait à lui depuis cinq ans, les relations devaient être… tendues. Le *modus operandi* ? Il rentre dans la nuit, elle lui tombe dessus, hystérique… Il perd son sang-froid et il l'étrangle… Et les mutilations constituent une mise en scène macabre pour nous faire croire au crime d'un fou sadique… Avec un bon avocat qui plaidera l'enfer de la vie conjugale, et le crime non prémédité sous le coup de la colère, il prendra moins de dix ans aux assises. Surtout s'il avoue.

Tricard avait fini. On pouvait lui faire confiance pour mener l'instruction jusqu'à son terme à charge contre le pauvre Robin.

— Je vais le mettre en examen, monsieur le procureur, les charges qui pèsent contre lui sont trop importantes pour qu'il puisse demeurer dans l'état de témoin.

— J'en prends acte, monsieur le juge. Je n'ai pas les moyens de m'y opposer, la juridiction d'instruction est parfaitement indépendante. Mais permettez-moi de vous dire que je trouve votre décision précipitée… et lourde de conséquences… qui pourraient être dommageables pour Robin, comme pour le corps judiciaire…

— Monsieur le procureur, vous m'avez confié l'instruction pour avancer, j'avance… et comme je l'entends !

— Nous allons donc en informer le bâtonnier, dans le cadre des bonnes relations que nous entretenons avec le barreau, qui pourrait ne pas comprendre votre décision…

La sonnerie de l'Interphone interrompit Meunier. Il décrocha et répondit :

— Faites entrer ! (Puis à l'adresse de ses interlocuteurs, il reprit :) Justement, voici le bâtonnier Dornier, que j'ai convié à notre entretien.

Dornier entra dans le bureau et salua les trois personnes qui s'y trouvaient.

— Prenez place, monsieur le bâtonnier.

Chacun attendait hypocritement que le procureur voulût bien ouvrir les hostilités.

— Monsieur le bâtonnier, M. Tricard ici présent, en charge d'instruire le meurtre de Juliette Robin, en est arrivé à la conviction que les nécessités de l'enquête exigent la mise en examen de Pierre Robin du chef d'assassinat au motif qu'il existe contre lui des charges suffisantes permettant de penser qu'il aurait pu participer à l'infraction…

— Comment? Que dites-vous?

— … réserve faite, bien sûr, de la présomption d'innocence qui bénéficiera à M. Robin.

— La présomption d'innocence n'est pas une réserve, monsieur le procureur, elle est un principe. Cet homme est frappé par un drame affreux et vous le mettez en examen… Comme s'il avait tué sa femme, c'est absurde, c'est inique…

Tricard vint à la rescousse de Meunier:

— Je ne vais pas trahir le secret de l'instruction, monsieur le bâtonnier, mais votre confrère nous a menés en bateau depuis le début de l'enquête… Tous les témoignages le confondent.

— Je ne peux pas le croire. Pas Robin, ce n'est pas possible!

— L'avocat de Robin pourra accéder au dossier pénal sitôt la mise en examen prononcée… Et il lui faudra bien se rendre à l'évidence.

— Quand, la mise en examen? demanda Dornier.

— La convocation part ce soir. Je la lui envoie à l'adresse du studio dans lequel il s'est réfugié depuis que sa maison est sous scellés. Il devrait la recevoir vendredi ou samedi, si la poste fait son travail.

— Samedi, c'est le jour de l'enterrement. Vous n'avez décidément aucune pitié… Et quand allez-vous l'entendre?

— À l'expiration du délai légal de prévenance, vendredi matin, à 9 heures, je lui signifie sa mise en examen, en présence de l'avocat qu'il se sera choisi… Vous savez bien que c'est son intérêt.

— Eh bien, monsieur le juge, en ma qualité de bâtonnier de l'ordre, j'ai l'honneur de vous annoncer que je me commets d'office pour assister Pierre Robin au cours de l'instruction. Vous me permettrez de m'étonner, messieurs, que votre justice, dès lors qu'elle se trouve impuissante à élucider un crime, en soit réduite à transformer les victimes en coupables!

« Et vlan! » se dit Baudry.

Dornier dégaina à nouveau:

— Dès mardi, je souhaite recevoir la copie du dossier pénal. Compte tenu des circonstances, il serait malvenu de me faire attendre…

— Bien sûr, maître, vous l'aurez, cela va de soi, lui répondit Tricard. Et vous pourrez consulter le dossier sur-le-champ. De plus, je me dois de vous prévenir que j'entends perquisitionner moi-même au cabinet de Pierre Robin demain matin, à 10 heures, et que je suis susceptible d'y saisir des dossiers. Vous voudrez bien m'accompagner, comme la loi l'exige. Bien évidemment, je vous demande une discrétion absolue d'ici là.

Dornier partit d'un rire forcé. Il était estomaqué par l'impudence de Tricard.

— Cela va sans dire, monsieur le juge… Pensez-vous sincèrement que je pourrais faire entrave à la justice en prévenant Robin?

Dornier plongea ses yeux dans le regard du procureur, puis dans celui du commissaire. Meunier regardait toujours fixement le plafond. Baudry, gêné par la tournure des événements, considérait fixement le bout de ses chaussures. Il aurait voulu être ailleurs, sous le soleil de Marseille, à se colleter avec une bonne vieille affaire de stups ou de proxénétisme…

– ALORS, l'expert, tu la fais parler, ta bouzine?

Baudry était d'une humeur de dogue. La perquisition s'était déroulée dans une ambiance exécrable. Dornier s'était « expressément réservé le droit de poursuivre l'annulation de la mesure et de la procédure subséquente ». Tricard avait eu le tort de lui demander de se taire et de le laisser travailler, ce qui lui avait valu une réaction indignée de l'avocat. Baudry avait attendu à la porte du bureau de Robin. Il ne savait pas très bien ce qu'il faisait là puisque seul le juge officiait. Mais Tricard l'avait convié sur place. Pas une seule fois, Dornier ne lui avait adressé la parole, comme s'il le rendait responsable du tour que prenait l'affaire. Baudry tenait à l'estime de Dornier, le seul avocat au monde dont l'opinion lui importait. Et celui-ci lui battait froid maintenant…

Sous l'invective du commissaire, le lieutenant Bertrand sursauta. Absorbé par l'écran de l'ordinateur, il n'avait pas entendu Baudry pénétrer dans le bureau. Bertrand officiait au service de l'informatique et des traces technologiques. Baudry l'aimait bien, car ce jeune flic était l'un des seuls auxquels il faisait encore peur. Tous les autres avaient percé à jour le bon cœur du chef depuis des lustres.

— Oui, commissaire, voilà, j'ai restauré tous les fichiers de l'ordi de Robin.

— Tu m'épates, Bertrand, tu es sorcier, comment as-tu fait?

— Commissaire, c'est à la portée d'un enfant de deux ans.

— Tu sais bien que je n'y connais rien.

Baudry était de la génération qui avait commencé à travailler sans ordinateur ni Internet. Il refusait de s'y mettre, se limitant au traitement de texte, maniant aussi mal la souris que le clavier.

— Les fichiers supprimés ne sont pas effacés, commissaire. Ils sont toujours sur le disque dur. Il faut deux minutes environ pour télécharger un programme gratuit de restauration, et moitié moins pour ramener tous les fichiers à la surface. Tenez…

Il ouvrit la boîte aux lettres électronique et fit défiler une kyrielle de messages sur l'écran. Ils étaient tous adressés à une certaine « Lau ».

— Deux cent huit messages, je les ai comptés. Il en avait des choses à écrire, le père Robin ! C'est sa maîtresse, cette Lau ? Laure plutôt ?

— Tu les as imprimés pour le juge ?

— Oui, les voilà.

Baudry prit un message au hasard et le lut rapidement.

Lau, ou bien puis-je t'appeler mon amour, comme avant ? Je n'en puis plus de cette absence et de ton silence qui n'en finit pas. Cette souffrance n'a qu'un mérite, celui de me faire prendre conscience de la force de mon amour. Ton mépris, ton indifférence, tes infidélités ne changeront rien à ce sentiment qui me dépasse. Je t'aime oublieuse, cruelle, sans foi ni loi, autant que je t'aimerais si tu étais une sainte…

— Bingo ! pensa Baudry à voix haute. J'en connais un à qui cette littérature fera plaisir.

Le reste des courriers était à l'avenant :

Je me suis dit que tu étais gênée vis-à-vis de Juliette. Que tu ne voudrais pas lui faire de peine, par une attitude ambiguë envers moi… Mais Juliette n'est rien. Quand tu es partie, nous avons uni nos deux solitudes en une erreur tragique. Que faut-il pour que tu me répondes ? Je peux divorcer. Elle me dégoûte, elle n'y peut rien, la pauvre, mais elle a le seul tort d'être là, le soir, et de te ressembler, si pâlement. De me faire penser à toi…

— Le couillon, marmonna Baudry entre ses dents. Comment peut-on se faire tant de mal pour une bonne femme ? Et les lettres de la donzelle ? Que lui répondait-elle ?

— Il n'y en a pas, commissaire.

— Mais alors, le comportement de cet homme relève de la psychiatrie pure et simple. Elles n'auraient pas été effacées, ces lettres ? Et tu n'aurais pas su les retrouver ?

— Je ne crois pas, commissaire. La main qui a effacé les messages est profane. Elle s'est contentée d'un simple « sup » alors qu'il aurait fallu faire un « delete » pour détruire les fichiers, sans espoir de restauration.

— Dis-moi, ton zinzin peut-il me donner le jour et l'heure où cette main d'amateur a pressé la touche « sup » ?

— Bien sûr, commissaire. Voyons, les fichiers ont été écrasés... le mardi à 12 h 5.

Précisément, le jour et l'heure auxquels Baudry était sorti du cabinet Mathieu & Robin, après avoir entendu Marie-Christine Luce ! Elle allait devoir s'expliquer maintenant ! Il sortit téléphoner aux hommes qui planquaient devant l'appartement de la jeune femme.

HARTMAN et Villiers s'étaient postés au petit matin sous les fenêtres de l'appartement de Marie-Christine Luce, dans une voiture banalisée. Ils avaient relayé l'équipe descendante, qui avait guetté en vain toute la nuit. La jeune femme n'avait pas bougé depuis la veille au soir.

Le brigadier Hartman regardait le ballet des bennes à ordures qui défilaient dans un fracas de verre brisé, un boucan à déchirer les oreilles assoupies des habitants de ce quartier tranquille. Villiers, lui, avait acheté *L'Équipe* et *Libé* au tabac du coin. Après avoir parcouru ce dernier pour se donner bonne contenance, voire bonne conscience, il se plongea dans l'autre pour commenter à son collègue les résultats des matchs de basket de la veille.

Enfin, vers 9 h 30, Marie-Christine Luce pointa le bout de son museau, monta dans sa voiture et démarra aussitôt.

— Pas très matinale, la petite, remarqua Hartman, qui embraya pour la suivre discrètement.

— Pas très gironde non plus, renchérit son binôme.

Dix minutes plus tard, à peine arrivée, elle ressortit précipitamment du cabinet qui l'employait, les bras chargés de dossiers, pour se rendre au palais, où elle resta bien deux heures, avant de retourner à son bureau, vers midi. Hartman et Villiers commençaient à trouver le temps long quand leur attente fut récompensée. Ils déjeunaient d'un sandwich et de chips dans la voiture de service lorsque la jeune femme descendit à nouveau dans la rue pour reprendre sa voiture, vers 13 heures. Ils la suivirent le cœur battant.

— Elle ne rentre pas chez elle.

— Attends, elle va peut-être déjeuner en ville.

— Je n'en ai pas l'impression. Tiens, elle achète à manger chez le traiteur chinois.

Elle en ressortit avec un sac volumineux dans les mains.

— Tu crois qu'elle va manger tout ça à elle seule?

— Attends, regarde où elle nous conduit… place des Cordeliers.

— Dis donc, c'est là…

— … que crèche Robin, depuis qu'il a quitté sa maison.

— Tu crois qu'elle va le rejoindre?

— Dans le mille. Regarde, voilà l'oiseau.

Pierre Robin descendait de sa voiture qu'il venait de garer derrière celle de la jeune femme. Ils se saluèrent tous deux et disparurent ensemble dans l'immeuble qui abritait le studio de l'avocat.

Une heure plus tard, elle ressortit seule et regagna sa voiture pour rentrer au cabinet. Hartman embusqua sa Peugeot à une place différente de celle qu'ils avaient occupée le matin pour ne pas attirer l'attention des riverains.

Ils mirent Baudry au courant quand celui-ci les contacta.

— Alors, elle a apporté à manger à Robin? Et ils ont pris leur dînette ensemble! Bien… Mais rien d'autre, vous êtes sûrs?

— En tout cas, commissaire, il ne lui a pas roulé de pelle quand ils se sont retrouvés tout à l'heure!

— Tu ne crois pas qu'ils vont s'afficher, non? Bon, vous continuez à planquer jusqu'à ce soir. Je veux savoir s'ils couchent ensemble. Bon courage.

Il raccrocha. Hartman soupira. Encore de longues heures à tirer avant de rentrer à la maison.

— Au fait, commissaire, il y avait une forte concentration de Gitans pas loin de Villecomte, le soir du crime. Ils sont partis le mardi après-midi, pour prendre l'autoroute du sud. Une dizaine de grosses voitures, traînant des caravanes. Je les ai remarquées en dépouillant les vidéos du péage. J'ai relevé les numéros d'immatriculation.

Baudry réagit lorsque l'enquêteur lui fit son rapport, au détour d'un couloir de la PJ. Une piste de plus qui avait été négligée par Tricard, focalisé qu'il était sur Pierre Robin !

— C'est bien. Retrouve-les-moi. Ils doivent être quelque part entre Lyon et les Saintes-Maries-de-la-Mer… Envoie un avis aux gendarmes. Qu'ils passent au crible leurs lieux de stationnement habituels, et pas seulement les endroits qui leur sont réservés. Tu sais qu'ils ont tendance à se poser partout ailleurs que sur les aires d'accueil. Et du doigté, ce sont des sujets sensibles. « Pas de vague », comme dirait le proc !

— Je m'en occupe, commissaire.

CETTE petite lui mettait le feu dans le sang. Non pas qu'elle fût jolie, à proprement parler. Mais elle avait d'autres atouts et elle était experte pour allumer les hommes.

Rébecca n'avait que quinze ans, mais elle en savait déjà, d'instinct, plus qu'aucune autre femme dans l'art de séduire. Johnny en avait dix-huit bien tassés. Sa mère, qui raffolait des yé-yé, avait affublé sa nombreuse progéniture de prénoms évocateurs : Johnny avait trois frères, Gene, Eddy et Dick. Il n'aimait pourtant pas le rock'n'roll, qui lui paraissait ringard.

Johnny et Rébecca étaient vaguement cousins. Enfants, ils jouaient dans la caravane de l'un ou de l'autre. Ils avaient grandi ensemble et ne s'étaient guère quittés depuis leurs premières années. Maintenant qu'elle en avait l'âge, il lui tardait de la prendre. Il lui volait caresses et baisers, mais elle s'était toujours refusée à aller plus loin. Et la mère de Rébecca veillait sur la vertu de ses filles !

Johnny savait que, pour arracher ses faveurs à Rébecca, il fallait l'éblouir de bijoux, de vêtements, de sacs à main, d'objets de valeur. Mais il n'avait pas le sou, et sa famille non plus qui survivait difficilement en autarcie. Johnny avait quitté l'école depuis l'âge de seize ans et ne faisait pas grand-chose de ses journées.

Par chance, il venait de gagner de l'argent, beaucoup d'argent, grâce à un coup fumant, mené en solitaire, l'autre nuit. Évidemment, il avait pris de gros risques et ses mains avaient tremblé. Mais il était tranquille, personne ne l'avait vu et ne le reconnaîtrait jamais. Il s'était fait prendre une fois, adolescent, et son passage devant un juge des enfants, pourtant compatissant, l'avait humilié pour la vie. Le magistrat lui avait parlé comme à un gamin irresponsable qu'il n'était pas. Johnny s'était alors juré de ne plus jamais se faire prendre. Il avait patiemment attendu la fin de la mesure d'assistance éducative en faisant le dos rond.

À présent, libre et heureux, il tenait la main un peu moite de sa dulcinée et s'apprêtait à lui faire la surprise… En Provence, même en novembre, l'air est encore doux, beaucoup plus doux qu'à Villecomte, qu'ils venaient de quitter quelques jours auparavant.

Il lui offrit le cadeau qu'il venait d'acquérir en dépensant une bonne partie du butin de l'autre nuit.

— Tiens, c'est pour toi, lui dit-il en lui tendant le paquet qu'il avait grossièrement emballé lui-même.

Elle ouvrit l'écrin de ses ongles roses et étrangla un cri. Une bague en or sertie d'un diamant de belle taille !

— Tu es fou !

— Alors, elle te plaît ?

— Elle est… elle est superbe ! Mais tu t'es ruiné. Elle doit coûter une fortune.

— Ce n'est rien, elle ne vaut pas tant que ça, tu sais… Enfin si, elle vaut cher, et je pourrai t'en acheter d'autres, si tu veux.

Elle enfila la bague à son annulaire. Elle lui allait parfaitement, car en passant sa commande, il avait montré au bijoutier un des anneaux qu'elle portait pour qu'il puisse en régler le diamètre à son doigt. Elle l'embrassa avec une fougue qui lui fit tourner la tête.

Le soir même, clandestinement, elle se donna à lui. Au petit matin, ils résolurent de s'enfuir ensemble, sans rien dire à personne, vers Marseille, où il connaissait du monde… Il avait assez d'argent pour tenir un mois ou deux. Ils se marieraient. Puis ils aviseraient et, au besoin, regagneraient la troupe.

4

— NON, commissaire, dit Valère. Elle est repassée chez Robin après avoir quitté le cabinet vers 20 heures. Mais elle n'y est restée qu'un quart d'heure, et elle est rentrée chez elle. Elle vit seule. Elle a éteint la lumière vers 23 heures. Puis elle est retournée travailler le lendemain vers 9 heures. Je ne pense pas qu'ils fricotent ensemble.

— Oui, tu as raison. Tu peux lever la surveillance, il n'en sortira rien. Tu peux disposer, merci.

Baudry était un homme d'intuition. Son expérience lui avait appris qu'il avait toujours intérêt à suivre ses idées. Il devait parler à la jeune femme, sans masque. Il décrocha son téléphone et demanda à la standardiste d'appeler Marie-Christine Luce à son bureau. Deux minutes plus tard, il avait la souris grise au bout du fil.

— Maître Luce, c'est le commissaire Baudry. Je souhaiterais vous voir pour vous poser quelques questions, en toute confidentialité.

— Vous voulez m'entendre comme témoin, monsieur le commissaire ? Mais j'ai déjà déposé…

— Non, mademoiselle… maître, pardon. Ma démarche est officieuse, mais elle relève bien de l'enquête.

— Alors, je ne comprends pas…

— Je souhaiterais vous voir maintenant, à l'endroit qu'il vous plaira. Je vous expliquerai… Mais je vous assure sincèrement qu'il y va de votre intérêt comme de celui de Pierre Robin.

— Bien. Venez à mon cabinet maintenant si vous le souhaitez.

Dix minutes plus tard, il s'asseyait dans le fauteuil inconfortable qui faisait face au bureau de la jeune femme. Elle était vêtue de noir. Elle n'était pas si insignifiante qu'il l'avait cru au premier abord. Sous les vêtements, le corps avait l'air long et souple, bien qu'un peu maigre sans doute. Le visage était d'une pâleur maladive, mais le regard noir lui parut beau et profond quand elle ôta un instant ses lunettes pour les essuyer.

— Je ne vais pas tourner autour du pot, mademoiselle… maître. Je trouve que vous jouez un jeu dangereux avec Pierre Robin… vous le rejoignez à son domicile deux fois par jour…

— Vous m'avez suivie ! Mais c'est un abus de droit… Comment avez-vous osé ?

Elle en faisait un peu trop. Elle jouait la surprise, il l'aurait juré.

— Pas de grands mots, maître. Nous sommes entre nous, et nous devons mettre bas les masques. Je suis sûr que le juge Tricard serait ravi d'apprendre que Pierre Robin entretient une liaison avec sa collaboratrice, qui vient le retrouver deux fois par jour chez lui.

— Une liaison, comme vous y allez… Vous avez beaucoup d'imagination. Pierre Robin n'est pas encore mis en examen à ce jour, que je sache. Rien ne lui interdit de retrouver sa collaboratrice pour évoquer les dossiers du cabinet.

— Oui, mais comment qualifieriez-vous le comportement de la

personne qui effacerait les fichiers de l'ordinateur de Pierre Robin? Altération ou destruction d'objets de nature à faciliter la recherche des preuves d'un crime? Tricard n'est pas encore au courant, mais il se fera un plaisir de vous mettre en examen.

— Que voulez-vous?

— Je veux vous aider et, pour cela, j'ai besoin de savoir la vérité.

— Très bien, commissaire. Ce n'est pas ce que vous supposez. Il n'y a jamais rien eu entre Pierre Robin et moi. En tout cas, rien de sa part à lui, sinon de l'estime professionnelle, je crois, et de l'affection.

— Vous m'en dites trop ou pas assez!

— Je ne vous ai peut-être pas assez dit ce qu'il représentait pour moi, lors de notre dernière conversation. Je lui dois tout. C'est le seul qui m'ait fait confiance lorsque j'ai débuté, il y a cinq ans. (Elle eut un petit sourire triste, toute morgue évanouie.) Je vais vous faire une confidence. Je suis atteinte d'une sclérose en plaques. Cette maladie se manifeste par des poussées récurrentes qui me laissent sur le flanc, au lit, pendant des jours. Gênant pour un avocat censé travailler soixante heures par semaine, n'est-ce pas? J'ai réussi de bonnes études, mais au sortir de la fac, personne ne voulait de moi. J'ai fait le tour des cabinets de la place. Je décrochais facilement un entretien d'embauche, mais dès que j'avouais ma maladie, et qu'ils en mesuraient les conséquences sur ma productivité, les portes se refermaient.

Elle revivait difficilement ces mauvais souvenirs. Elle se tut un instant et continua:

— Seul Pierre Robin m'a acceptée, en toute connaissance de cause. J'ai appris par la suite que M⁰ Mathieu, son associé, n'était pas favorable à mon embauche, que Pierre Robin lui avait imposée en le menaçant de quitter la société... Alors, vous comprenez que ma dette à son égard est immense et que tant que je serai en mesure de lui tendre la main, je le ferai.

— Lui tendre la main? releva Baudry.

— Je l'aide depuis la mort de Juliette Robin... Je le réconforte. Mais je lui apporte surtout une aide matérielle. Je le ravitaille, je m'occupe de son linge... Il est complètement désarmé... Mais n'allez rien imaginer de plus. Croyez-vous que j'aurais pu rivaliser avec la belle Juliette Robin? Vous m'avez regardée?

Elle eut un rire douloureux. Il la laissa reprendre ses explications:

— Il est complètement seul, savez-vous? Tout le monde lui a

tourné le dos, à commencer par son associé… Celui-ci néglige délibérément les dossiers personnels de Pierre Robin. S'il me laisse faire
tout le travail, il n'oublie pas d'encaisser les honoraires, il détourne
aussi la clientèle de son associé en le dénigrant… Pierre Robin n'a
plus que moi.

— Je comprends, mademoiselle. Excusez-moi de vous avoir
importunée. Mais je ne suis pas persuadé, moi, que Pierre Robin ait
tué sa femme. Et le meilleur moyen de l'aider, c'est de démasquer le
vrai coupable. Alors, si vous savez quelque chose, dites-le-moi…

— Je vous remercie, monsieur le commissaire. Et je vous promets
que, si j'en apprends un peu plus, vous en serez informé. Mais je ne
sais rien que je ne vous aie déjà dit.

Il la quitta mais ne put échapper à M⁰ Mathieu, qu'il croisa dans
le hall du cabinet. L'avocat raccompagnait un client qu'il abandonna
aussitôt à la vue du commissaire.

— Monsieur le commissaire, quelle surprise ! Mais venez dans
mon bureau. Si je puis vous aider…

Mathieu se pressait contre lui, complaisant et obséquieux. Baudry
en éprouva une sensation de dégoût. Il bredouilla une excuse entre
ses dents, puis s'enfuit sans attendre la réponse de Mathieu.

Il venait de se faire une alliée de Marie-Christine Luce. Mais que
savait-elle au juste, et en quoi pouvait-elle lui être utile ?

Une odeur fade d'encens froid flottait dans l'air. L'orgue jouait en
sourdine une musique lente et hésitante, dont l'organiste semblait
retenir les notes entre ses doigts fatigués. Baudry pénétra dans la nef
sombre de la cathédrale en baissant la tête. Il n'aimait pas les églises.
Par principe, car il avait hérité de son père un anticléricalisme
convaincu. Mais aujourd'hui, il avait mis un mouchoir sur ses principes, car il ne voulait pas rater l'enterrement de Juliette Robin.

Il était en retard. Les fidèles étaient déjà en place, et le prêtre avait
commencé sa bénédiction. À l'invite de leur bâtonnier, les avocats –
une vingtaine – étaient venus en robe pour honorer la disparition de
la femme de l'un des leurs, bousculant une tradition qui en réservait
la coutume aux seuls membres du barreau.

Robin était assis sur une chaise, désespérément seul, au premier
rang. Il n'avait pas de famille. Celle de Juliette Robin était assise au
deuxième rang, comme si elle avait voulu marquer sa défiance à

l'égard de Pierre. Baudry observa longuement les parents de Juliette. La mère avait dû être belle. Mais l'âge avait accusé les défauts encore dissimulés par la jeunesse de sa fille. Elle était grande et distinguée, avec un port de tête de vieille Castillane desséchée par le temps, sous un chignon sévère. Le père était un vieux beau dont le chagrin avait ruiné en un jour tous les efforts de maintien. Laurence, elle, brillait par son absence. On n'avait toujours pas réussi à la joindre, elle voyageait en Afrique.

Baudry assit son quintal aussi discrètement que possible, mais le grincement de sa chaise sur la pierre fit se retourner quelques têtes qu'il salua avec gêne, d'un hochement de menton. Il reconnut Dornier, Chazal, Mathieu, Luce. Les avocats faisaient bloc autour de leur bâtonnier. La petite souris n'avait pas osé s'asseoir à côté de son patron. Sur la gauche du transept, en retrait de l'assemblée, le procureur Meunier et le premier président de la cour d'appel, en service commandé, représentaient la magistrature, avec deux ou trois juges de second rang, pour faire tapisserie. Tricard n'était pas là. Il n'aimait pas mélanger les genres et ne s'était jamais dérangé pour personne. Les magistrats aussi faisaient corps et, hasard ou réflexe corporatif, ne se mêlaient pas aux avocats.

Le curé expédia la liturgie de la Parole. Baudry reconnut les propos convenus, toujours les mêmes en ces circonstances, comme si l'imagination faisait défaut aux prêtres. Mais après tout, peut-être n'avaient-ils pas le choix des lectures ? Quel était cet évangile déjà ?

« Non, je ne suis pas mort, je suis derrière la porte… »

Il n'avait rien dit à sa femme de peur qu'elle ne voulût l'accompagner. Elle lui reprochait constamment de ne jamais la mêler à sa vie publique et de la tenir cloîtrée chez elle. Mais elle était encore pire en société qu'à la maison. Elle le morigénait sans réserve et sans aucune pudeur, étalant leurs différends les plus intimes, et il en prenait honte. Ce qui restait supportable à la maison ne l'était plus sous le regard d'autrui.

Deux personnes seulement se succédèrent au pupitre pour évoquer la vie de la défunte. Le père chevrota quelques phrases mouillées de larmes, pour évoquer celle qui resterait toujours « sa petite fille chérie ». Il semblait souffrir terriblement. La mère restait plus digne sous son masque. Dornier se leva à son tour pour un bref discours dont Baudry ne put se défendre d'admirer l'habileté :

— Nous aurons toujours à cœur de prêter main-forte à notre confrère, à notre frère, en ces jours de souffrance qu'il traverse. Mais nous aiderons également la Justice, dans sa marche lente. Nous ne désarmerons pas tant que la lumière ne sera pas faite. Et, fidèles à notre serment, nous nous interposerons toujours entre elle et l'innocent qu'elle s'aveugle parfois à poursuivre…

Enfin, la messe achevée, Baudry se retrouva malgré lui pris dans la queue qui s'écoulait en direction du cercueil installé dans l'abside. L'orgue reprit sa litanie, plus désabusé encore que l'assistance. L'avocat qui précédait Baudry lui tendit négligemment le goupillon – moite de toutes les mains qui l'avaient serré –, comme il lui aurait passé le sel. Le commissaire aspergea consciencieusement le chêne clair du cercueil et signa le registre des condoléances, sans y ajouter un mot. Là-bas, toujours assis sur sa chaise, Robin se tordait les mains et pleurait silencieusement, écrasé par le remords ou le chagrin, personne ne pouvait savoir. Dornier rejoignit son confrère et se pencha vers lui, en lui passant le bras autour de l'épaule. À leur tour, d'autres robes noires vinrent entourer Robin. Marie-Christine Luce observait de sa place, discrète.

Baudry s'apprêtait à filer à l'anglaise quand il fut rejoint par Dornier, à quelques pas de la porte de l'église.

— Monsieur le commissaire, merci d'être venu !

— Je vous en prie, monsieur le bâtonnier. Je présente toutes mes condoléances à votre ordre.

— L'ordre… il flanche. Quel dommage que nous n'ayons pas été plus nombreux ! J'ai convoqué tout le monde, mais beaucoup s'en fichent. Un samedi, bien sûr, les gens ont autre chose à faire. Et pourtant, j'ai bien renoncé à ma sortie à vélo, moi !

— Pensez-vous vraiment que la justice s'égare ? demanda Baudry.

— Quand elle poursuit Robin, oui. Et vous le savez comme moi, commissaire.

Baudry ne sut quoi répondre à cette invitation à débattre. À quelques mètres d'eux, Mathieu se lamentait auprès d'un petit groupe :

— Quelle honte, cette messe bâclée ! On aurait dit que le curé avait peur de rater un rendez-vous galant. Vous avez vu comme il a emballé l'affaire ?

Il cherchait des yeux le procureur, qui sortait de l'église en compagnie du premier président. Il fondit sur eux et leur répéta sa diatribe.

Un vrai succès de parole… Baudry en profita pour filer à l'anglaise en s'excusant auprès de Dornier :

— Je suis désolé, je ne viendrai pas au cimetière. Vous me comprenez, n'est-ce pas ?

Il s'éloigna rapidement et marcha à grandes enjambées dans les rues, heureux de se dégourdir après une heure d'immobilité forcée. Pour autant, il n'était pas pressé de retrouver sa femme pour un long week-end tête à tête. Il n'était pas encore midi, il choisit de faire un crochet par la DIPJ.

Après avoir salué le planton de permanence, il s'enfonça dans les couloirs de l'immeuble pour gagner son bureau. Sur le sous-main de sa table de travail, il trouva une enveloppe de kraft qui portait la Marianne d'une brigade de gendarmerie et la suscription suivante : « À Monsieur le commissaire principal Baudry ». Il lut rapidement les feuilles du procès-verbal qui s'y trouvaient : « Nous, adjudant Pautot, nous sommes transporté en compagnie du maréchal des logis chef Fleuriot, sur l'aire d'accueil des gens du voyage numéro 2568 du département de la Drôme. Avons contrôlé l'identité des occupants, lesquels nous ont indiqué que l'ensemble avait fait halte sur l'aire de Villecomte dans la nuit du 21 au 22 novembre. Sur question, une femme, Winterstein Léa, nous a déclaré qu'une mineure et un jeune majeur du clan avaient fugué la veille pour une destination inconnue. Il s'agit de Rébecca Muller et de Johnny Winterstein, quinze et dix-huit ans. Les familles n'ont pas signalé la disparition aux autorités. Les deux jeunes étaient présents à Villecomte dans cette nuit du lundi au mardi de novembre. Nous avons lancé un avis de recherche et transmis le signalement des deux jeunes gens à toutes les brigades de gendarmerie et commissariats de la région Rhône-Alpes… »

Baudry réfléchit dans le silence de son bureau. Quel rapport cette fugue pouvait-elle avoir avec le crime ? Un cambriolage qui avait mal tourné ? Hypothèse à exclure : le meurtre avait été commis de sang-froid, et le meurtrier n'avait rien emporté.

Il remit ses réflexions à plus tard et s'en retourna chez lui, retrouver sa femme à l'humeur aussi indigeste que sa cuisine.

Le maillot de Moreau s'éloignait irrésistiblement sous ses yeux. Dornier essaya bien de forcer l'allure, mais il était à bout. Pour avancer, il jetait tout le poids de son corps sur ses pédales. Oubliant toute souffrance, il se mit en danseuse et essaya une ultime fois de revenir sur Moreau. Ce dernier accéléra la cadence et se détacha facilement au moment où Dornier se portait à sa hauteur. Sans espoir de retour, celui qui venait de brûler ses dernières forces jeta l'éponge.

Depuis bientôt deux ans qu'il roulait avec Moreau et Quirin, le samedi ou le dimanche, chaque fois que leur trajet empruntait ces routes maudites, Moreau, bien meilleur grimpeur que lui, lui infligeait une véritable correction. Le scénario ne changeait jamais. Les deux hommes abordaient groupés les premières pentes du col, chacun prenant à tour de rôle le relais, tandis que Quirin – le gros Quirin! – se laissait décrocher sans lutter. Dornier faisait encore belle figure. Passé le premier kilomètre, la pente se durcissait, et il commençait à peiner, se rangeant dans le sillage d'un Moreau qui ne semblait même pas forcer. Dornier s'illusionnait encore. Mais il ne croyait plus qu'à demi à son mensonge, et la vérité l'attendait en embuscade dès cette maudite épingle à cheveux. Elle s'imposait à lui quand Moreau, d'un coup, le décrochait sans effort apparent.

Il arriva au sommet, le souffle court, les jambes lourdes. Moreau l'attendait négligemment.

— Sacré petit échauffement, hein?

Narquois ou sincère, le constat d'une supériorité évidente qui n'avait pas besoin qu'on en rajoute? Moreau n'était pas homme à livrer ses sentiments. Fiscaliste brillant arrivé depuis une poignée d'années au barreau, à force de travail, il avait rapidement conquis une clientèle importante, trimant sans relâche, du matin au soir, du lundi au samedi. Le vélo était la seule distraction qu'on lui connaissait. Dornier et lui pédalaient ensemble, une fois par semaine, mais ne se fréquentaient pas hors de ce cadre.

— Oui, oui, belle petite balade. Tranquille. Tu as bien monté.

Dornier se vengerait tout à l'heure sur la nationale quand, sur le chemin du retour, il entraînerait le trio à un train d'enfer. Il emballerait la machine, jusqu'à la souffrance, et ne laisserait personne venir à sa hauteur pour le relayer.

En montagne, Moreau restait le roi. Dornier se consola en regardant Quirin en finir enfin. L'homme était à la peine, il zigzaguait, la langue tirée, penché sur sa machine qui se dandinait.

— Allez, courage. Tu es au bout de tes peines!

— Vacherie de saloperie de col! Toujours aussi dur…

Quirin descendit de son vélo et mangea consciencieusement une barre de céréales pour se refaire.

— On y va? leur demanda Dornier, pressé de redorer sa réputation de sportif.

Ils enfourchèrent leurs vélos et repartirent. Sur le chemin du retour, en tête du trio, Dornier obliqua soudain à gauche, au carrefour de la nationale et de la route de Villecomte. Il n'aurait su expliquer son geste, comme s'il avait obéi à une injonction irraisonnée.

Quirin protesta, car il était fatigué et n'avait pas envie de faire des kilomètres supplémentaires.

— Mais où vas-tu?

Moreau ne dit rien, trop occupé à coller au sillage de Dornier, plus rapide sur le plat.

Ainsi passèrent-ils tous les trois devant la maison de Robin, celle que le village appelait déjà la « maison du crime ». Les scellés avaient été posés sur la porte et sur les fenêtres. Dornier ralentit devant l'habitation. Quirin, qui ne connaissait pas les lieux, ne comprit pas et, croyant à une défaillance de Dornier, en profita pour placer un démarrage et distancer les deux autres. Au contraire, Moreau se contenta de se porter à la hauteur de Dornier et lui dit:

— C'est horrible, quand on y pense.

— Tiens, tu savais que c'était la maison de Robin?

— J'ai mangé chez eux, l'été dernier. Elle, je ne l'avais pas revue depuis.

Mais Dornier chercha vainement à saisir son regard, masqué par ses lunettes fumées.

5

PIERRE Robin entra dans le cabinet du juge Tricard avec la démarche traînante du condamné conduit à l'échafaud. Visiblement, il était au supplice. La mine défaite, l'œil atone, l'haleine forte, il semblait porter sur ses épaules une croix aussi lourde qu'invisible, qui lui faisait courber le dos. « Portrait d'un homme à la dérive », se dit Dornier, qui pénétra à sa suite dans la pièce dont il ferma la porte.

Les deux hommes s'assirent en face du juge dont l'œil torve trahissait la jubilation intense. Tricard ne leur épargna aucune des formes légales, soucieux de ne leur faire grâce d'aucune humiliation.

— Vos nom et prénoms ? Votre date de naissance ? Votre profession ? Avez-vous déjà été condamné ?

Robin répondit mécaniquement, avec la voix d'un autre homme, comme s'il se détachait de son sort et assistait en spectateur à sa propre mise à mort. Le juge poursuivit :

— Eh bien, je vous fais donc connaître les faits pour lesquels j'ai été saisi par réquisitoire introductif du parquet. À savoir des faits d'homicide volontaire, avec tortures et actes de barbarie, perpétrés sur la personne de Juliette Robin, à Villecomte, la nuit du 20 au 21 novembre. Je vous informe que j'envisage de vous mettre en examen pour les faits dont je viens de vous donner connaissance, et je vous avise que vous avez le droit d'être assisté d'un avocat de votre choix, ou d'un avocat commis d'office…

— Comme vous le voyez, j'assisterai Pierre Robin, monsieur le juge, répliqua Dornier, pour couper court à ces inutiles préliminaires.

Mais c'était peine perdue, car Tricard ne leur ferait cadeau d'aucun des méandres de la procédure.

— Je vous avise que vous avez le choix de vous taire, ou de faire des déclarations, ou d'être interrogé, mais que vous ne pouvez l'être immédiatement qu'avec votre accord donné en présence de votre avocat, et que…

— Entrons dans le vif du sujet, je vous en prie, monsieur le juge. Mon client accepte de répondre à vos questions.

— Bien, allons-y, poursuivit Tricard, un peu déçu. Monsieur Robin, dites-nous ce que vous avez fait la nuit du crime.

— Ce soir-là, je me suis disputé avec ma femme. Assez violemment. Excédé, j'ai quitté la maison vers 23 heures…

— Vous avez déclaré dans votre première déposition que vous aviez dormi chez vous, avec votre femme, cette nuit-là, sans faire mention d'une dispute quelconque. Vous avez menti ?

— Oui. J'ai jugé qu'il était inutile de rapporter des faits qui relevaient de notre intimité et me paraissaient étrangers à l'enquête.

— Quel était le motif de votre dispute ?

— Je me suis disputé avec elle parce qu'elle était ivre…

— Connaissez-vous la raison pour laquelle elle buvait ?

— Pourquoi le cacher ? Notre union n'était pas une réussite, et je pense qu'elle n'était pas heureuse. Moi non plus, d'ailleurs. Elle se réfugiait dans l'alcool et buvait le soir, jamais pendant la journée. Je rentrais tard chez moi, et je la trouvais saoule, un ou deux jours par semaine. Elle buvait de grandes quantités, et très vite. Vodka, gin… Et sitôt ivre, elle devenait hystérique, violente même.

— Ce soir-là, en êtes-vous venu aux mains ?

— Non… Enfin, pas vraiment. Elle a foncé sur moi… Je l'ai maîtrisée en lui prenant les poignets. J'ai essayé de la raisonner, mais elle n'entendait rien. Elle était vraiment dans un sale état. Je n'ai pas osé appeler le Samu par peur du scandale.

— Au cours de cette… prise de bec, l'avez-vous frappée ?

— Oui, mais involontairement. Je lui ai donné une claque comme elle s'acharnait sur moi. Je l'ai regretté aussitôt, parce que c'était la première fois que je portais la main sur elle. J'ai préféré m'enfuir. Elle m'a poursuivi de ses invectives.

— Où êtes-vous allé ?

— J'ai pris ma voiture. J'ai roulé, dans la nuit, au hasard. Je ne suis allé nulle part. Je voulais juste lui laisser le temps de se calmer, de s'endormir.

— À quelle heure avez-vous regagné votre domicile, et que s'est-il passé ensuite ?

— Je suis rentré vers 1 heure du matin, environ. Juliette dormait à l'étage. Je me suis couché dans la chambre du bas, je devais partir tôt le lendemain.

— Vous ne vous êtes pas couché auprès de votre femme ?

— Non. Elle dormait, je vous l'ai dit. Et puis, si c'est ce que vous voulez savoir, nous faisions chambre à part. J'ai mal dormi. Je suis parti de la maison vers 6 h 30, pour aller plaider à Nancy. Je ne l'ai plus revue vivante…

Il étouffa un sanglot et se prit le visage dans les mains. Tricard le laissa reprendre ses esprits et poursuivit sans hâte :

— Vous avez donc vu votre femme pour la dernière fois, la nuit du crime, vers 23 heures… Et quand vous avez quitté la maison, au petit matin, vous avez fermé la porte à clef ?

— Oui, comme chaque matin.

— En êtes-vous sûr ?

— Oui, chaque matin, chaque soir, je vérifie que les trois portes d'accès à la maison sont bien fermées : celle de l'entrée principale, celle de la cuisine et la porte de derrière. Je suis maniaque. Parfois, le matin, je redescends de ma voiture pour m'assurer que la porte que j'ai pourtant déjà vérifiée est bien fermée… Mais il faut dire que la maison a été cambriolée, il y a deux ans…

— Avez-vous remarqué quelque chose d'anormal quand vous êtes parti le matin ? Une voiture ou quelqu'un ?

— Non, rien ni personne.

Tricard passa insensiblement du coq à l'âne.

— Vous avez déclaré, il y a un instant, que vous ne faisiez plus chambre commune avec votre femme. Depuis quand ?

— Quelque temps après notre mariage… Je ne sais plus depuis quand exactement. Notre couple s'est rapidement défait.

— Monsieur Robin, l'autopsie a montré que votre femme était vierge. Le rapport médico-légal est formel. L'hymen était encore présent. Juliette Robin n'avait jamais eu de relations sexuelles. Alors, monsieur Robin, votre mariage a-t-il jamais été consommé ? Mentez-vous encore une fois ?

Robin se taisait, anéanti sur sa chaise. La greffière avait suspendu sa frappe et regardait le mis en examen se décomposer.

— Monsieur le juge, intervint Dornier, vous voyez bien que mon client n'est pas en état de répondre à une question aussi intime.

— Bien, madame la greffière, inscrivez que le mis en examen refuse de répondre à la question. Monsieur Robin, trompiez-vous votre femme ?

— Non, quelle question !

— Monsieur Robin, vous ne disconvenez pas avoir autrefois entretenu une liaison avec Laurence Mauvezin, la sœur de Juliette Robin. Avez-vous continué à la voir après votre mariage ?

— Non, non. Laurence a coupé les ponts. Elle a même rompu avec sa famille. Je ne l'ai pas revue depuis des années.

— Avez-vous entretenu avec elle une correspondance après votre mariage ?

— Non, enfin, je lui ai écrit, mais ce n'étaient pas des lettres…

— Qu'est-ce que c'était alors ? Monsieur Robin, nous avons trouvé plus de deux cents courriels adressés à Laurence Mauvezin dans votre ordinateur portable. Et tous ont été écrits durant les deux dernières années… soit après votre mariage.

— Non, je le répète, ce n'étaient pas des lettres… C'était, comment vous l'expliquer? Un journal intime. Des lettres, oui, mais destinées à moi-même et non pas à Laurence.

— Mais enfin, ces courriels, vous les avez envoyés! Ces correspondances, elle les a bien lues!

— Non, monsieur le juge. Laurence ne pouvait recevoir mes messages. Elle m'avait inscrit au rang des « expéditeurs bloqués » dans sa messagerie… Je le savais, car je recevais les rapports d'erreur du serveur… Vous pourrez vérifier.

— Peut-être… Mais votre femme, Juliette Robin, était-elle au courant de ces écrits?

— Non, elle ne savait pas.

— En êtes-vous sûr? Elle aurait pu ouvrir votre ordinateur portable et tomber sur les messages qui y étaient stockés?

— Non, il ne quittait pas mon bureau.

— Étiez-vous encore amoureux de Laurence Mauvezin?

— Elle m'a fait beaucoup de mal… Je l'ai aimée, oui. Mais je ne crois pas que je l'aimais encore.

— Monsieur Robin, je vais vous donner lecture d'une de vos lettres. Elle date de trois mois:

Pour toi, je jetterais au fossé tout ce qui m'est cher. Considération, métier, argent. Mes amis, ma famille. Juliette. Je crois même que je tuerais facilement. Sans plaisir, mais sans remords, comme j'écarterais tout obstacle qui m'empêcherait de revenir à toi. Veux-tu éprouver la force de ce sentiment?

— Mais ce n'étaient que des mots… De simples mots… Une thérapie… Une catharsis.

— Pourquoi avez-vous effacé cette correspondance de l'ordinateur, après le crime, si elle ne vous accusait pas?

— Mais je n'ai rien effacé… Je…

— Si, l'ordinateur a été vidé après le meurtre!

— Ce n'est pas moi, je vous l'assure…

— Si ce n'est pas vous, qui est-ce alors?

Robin se taisait, mais son regard démentait son silence. Il s'enfonçait, mais comment trahir celle qui l'avait spontanément aidé?

Dornier intervint:

— Si vous savez quelque chose, je vous en conjure, dites-le.

Mais Robin resta silencieux.

— Je change de sujet, monsieur Robin. Quand les gendarmes vous ont appris la mort de votre femme, mardi, à votre retour de Nancy, vous vous êtes effondré. Et vous vous êtes exclamé, distinctement… Attendez, je relis vos déclarations… « Je suis seul responsable de sa mort… Je n'aurais jamais dû partir à Nancy. Je le savais, et j'ai continué… » Avez-vous tué votre femme, monsieur Robin?

— C'était une réflexion à voix haute. Je n'aurais pas dû la quitter le matin après ce qui s'était passé… Au moment de franchir le péage, j'ai eu un étourdissement, quelqu'un m'appelait au secours dans ma tête. J'ai hésité, puis j'ai continué, mais c'était elle qui m'appelait. Et j'ai poursuivi ma route… Mais je ne l'ai pas tuée. Je ne l'aimais pas, certes, mais je ne la haïssais pas au point de la tuer.

Le juge avait fini son interrogatoire.

— Je n'entends pas demander votre placement en détention provisoire. Un contrôle judiciaire suffira. Les réquisitions du parquet vont d'ailleurs dans le même sens.

Dornier étouffa un profond soupir de soulagement. Ils se levèrent tous deux et gagnèrent le bureau du juge des libertés et de la détention, qui leur notifia le contrôle: Robin ne pouvait quitter le département, entrer en contact avec un membre de son cabinet ou un membre du barreau, et devait pointer deux fois par semaine à la gendarmerie.

Dornier le raccompagna vers la sortie. Ils n'avaient jamais été amis. Pour lui, Robin n'était qu'un confrère parmi d'autres, et il le connaissait mal. Mais aujourd'hui, Robin était un pauvre type en plein désarroi, livré à une justice souvent aveugle. Dornier avait la certitude que Robin était innocent du crime qu'on voulait lui imputer, mais qu'il s'engluait dans des mensonges inutiles qui en faisaient un coupable idéal. Et Tricard ne le raterait pas.

— Merci, Dornier, lui dit simplement Robin en tournant les talons.

– ALORS, patron, comment s'est passé l'interrogatoire de première comparution? Robin s'en est-il sorti?

Dornier venait de rentrer à son cabinet où Chazal l'attendait.

— Non, il s'est enfoncé sous terre. Et l'autre l'a étripé, sans même qu'il se défende! Il est au plus mal, le pauvre vieux. Mais il a tout de même évité la détention provisoire.

— Bien joué, patron!

— Tu parles. Je n'y suis pour rien. Tricard ne l'a même pas demandée. Je n'ai pas eu besoin de plaider.

— Bizarre, de la part du père Tricard. Pas le genre à succomber à un accès de mansuétude.

— Tu as raison. Peut-être espère-t-il l'amener à se découvrir en le laissant en liberté ? Il va lui mettre tous les flics du coin aux fesses.

— S'il ne se défend pas, il faudra se battre pour deux, patron.

— Oui, bien sûr, mais s'il pouvait nous faciliter le travail un tant soit peu… Tricard fait une dangereuse fixation sur lui. Heureusement, j'ai l'impression que Baudry est plutôt de notre côté.

— Et vous, patron ? Vous le croyez innocent ?

— Oui, ce n'est pas lui. Tiens, voici les procès-verbaux de l'interrogatoire de ce matin. Tu travailleras avec moi sur l'affaire.

— J'en suis ravi, patron. Si ce n'est pas lui, qui est-ce, selon vous ?

— Si je le savais… Un tueur en série qui passait par là ? Mais on devrait alors trouver des précédents. Il est vrai que ce meurtre n'est pas sans rappeler l'affaire de Saint-Martin. Cela remonte à sept ou huit ans au moins. Une gamine de quinze ans, déficiente mentale, a disparu un soir en sortant de l'école. On a retrouvé son corps nu à l'orée d'un bois, le lendemain : elle avait été éventrée à coups de serpe, et ses organes génitaux mutilés. Mais l'autopsie a démontré aussi qu'elle n'avait pas été violée. Comme la scène se situait près d'un asile d'aliénés, tout le monde a soupçonné un des pensionnaires d'être l'auteur de ce crime de cinglé. Mais le crime n'a jamais été élucidé. J'étais dans le dossier, je représentais l'une des parties civiles. Je vais l'exhumer des archives, on ne sait jamais…

— C'est peut-être un des patients de Saint-Martin ? L'asile doit bien abriter au moins un criminel jugé irresponsable de son meurtre ?

— Bof… Ils ne sortent pas de l'hosto sans l'exeat d'une commission composée de psychiatres, d'un juge, de matons qui auraient plutôt tendance à ouvrir le parapluie que la porte de la cage.

— Alors, patron, un malade frappé par ce crime il y a dix ans, au point de le reproduire, à sa sortie – récente – de l'hôpital ?

— Un peu facile. De toute façon, je fais confiance à Baudry pour vérifier les sorties de Saint-Martin. Mais je ne crois pas que ce crime soit l'œuvre d'un fou. L'assassin portait des gants, il n'a laissé aucune trace, aucun indice. C'est un crime commis de sang-froid…

— S'il a médité son crime pendant dix ans, il a eu le temps de le préparer. Et puis vous savez, même à l'asile, on ne doit pas les priver de télé et des « Experts » !

DORNIER se remit au travail, mais fut rapidement dérangé par un appel de sa secrétaire qui lui signala que Me Luce était dans la salle d'attente et voulait lui parler. Il se leva aussitôt pour aller la chercher. Elle était vêtue d'un imperméable clair qui semblait trop vaste pour sa fragile silhouette. Dornier avait pour elle une sympathie affectueuse.

— Marie-Christine, quel bon vent vous amène ?

— Bonjour, monsieur le bâtonnier. Je suis désolée, je viens sans prévenir. Mais je ne vous prendrai que cinq minutes.

Elle tenait à la main un dossier qui ne portait aucun nom.

Il la fit entrer dans son bureau. Le décor en était sobre, presque monacal. Au cinquième étage, les baies vitrées s'ouvraient sur la ville dont on apercevait les nombreux clochers qui émergeaient au loin sur l'horizon des toits. À l'arrière-plan, c'était la campagne, et Ville-comte. Au milieu de la pièce, une planche immense, laquée de noir, servait de table de travail à Dornier. Pour l'heure, elle était encombrée de dossiers de couleurs différentes, soigneusement empilés. Dans un coin de la pièce, d'autres piles s'étalaient sur une table de verre fumé. Au mur, Dornier avait accroché quelques reproductions de tableaux modernes : Delaunay, Munch… en compagnie de masques africains.

Marie-Christine Luce s'assit et lui précisa l'objet de sa visite.

— Monsieur le bâtonnier, je souhaite consulter le dossier pénal de Pierre Robin.

— Mais, Marie-Christine…, vous savez que l'instruction est secrète. Seul l'avocat du mis en examen est autorisé à y accéder et à en demander la copie au greffe.

— Monsieur le bâtonnier, Me Robin m'a choisie comme défenseur. Je veux dire, corrigea-t-elle aussitôt face à la surprise qui se peignait sur le visage de Dornier, je veux dire qu'il m'a désignée pour l'assister *à vos côtés*.

— Il aurait pu me prévenir. C'est tout de même délicat de se faire assister par sa collaboratrice quand on est mis en examen…

— La déontologie ne l'interdit pas expressément.

— Enfin… vous avez écrit au juge pour lui faire connaître votre intervention ?

— Oui, tenez, voici un double de mon courrier.

Elle sortit une lettre du dossier qu'elle avait posé sur ses genoux, mais il interrompit son geste.

— Je vous crois, voyons… Et vous n'avez pas demandé la copie du dossier pénal au greffe?

— Si, naturellement, mais la préposée aux copies m'a prévenue que je n'aurais rien avant huit jours. Quant à le consulter au greffe, au milieu des marteaux-piqueurs…

Les locaux du tribunal correctionnel étaient en réfection depuis plusieurs semaines.

— Alors, je me tourne vers vous, monsieur le bâtonnier.

— Évidemment. Mais vous avez raison, rien ne s'oppose à ce que vous puissiez consulter ici le dossier en toute tranquillité.

Il appela la secrétaire.

— Céline, pouvez-vous me faire passer le dossier Robin?

— Il est chez Me Chazal. Je vous l'apporte.

— Non, inutile, dit-il avant de s'adresser à Me Luce: Vous n'avez qu'à vous mettre dans son bureau pour l'étudier. Il est en audience.

Marie-Christine Luce s'absorba dans cette lecture pendant deux heures. Tête plongée dans les procès-verbaux, elle jetait de temps à autre quelques notes sur une feuille de papier, en prenant soin de transcrire en rouge le numéro de la cote du passage qui l'intéressait.

Quand Chazal rentra d'audience, elle avait fini sa lecture et s'apprêtait à s'en aller. Mais elle savait à présent…

— Salut, Marie-Christine. Je suis laminé. Je sors d'une audience épouvantable. Un divorce. La cliente est la reine des empoisonneuses, et j'en arrive à comprendre son mari qui l'a plaquée…

— Je te plains. C'est une matière que je n'aime pas.

— Il faut bien vivre. Alors tu vas nous épauler, m'a dit le patron? J'en suis ravi. Qu'en penses-tu? lui demanda-t-il en désignant de la main le dossier qu'elle avait fini de reclasser.

— Je pense que la police et le juge n'ont pas fait leur travail. Les procès-verbaux contiennent quelques détails qui disculpent Robin.

— Quoi donc? J'ai lu deux fois le dossier, et je n'ai rien remarqué.

— Si tu le veux bien, nous en reparlerons plus tard, avec Dornier.

Elle rassembla ses notes, enfila son manteau et ses gants et s'en alla après avoir fait un clin d'œil à son collègue.

Chazal se replongea dans le dossier. La nuit obscurcissait déjà les fenêtres de son bureau et son esprit fatigué. Il ne vit rien du tout.

Johnny devina le flic à l'allure de l'homme en blouson de cuir qui gravissait l'escalier. L'homme commit l'erreur d'hésiter une seconde, la main sur la rampe, quand il vit Johnny sortir de sa chambre d'hôtel. Ce jeune ressemblait à la photo de celui qu'il recherchait. Johnny mit à profit cette seconde pour rentrer dans la chambre dont il verrouilla la porte, en réveillant brutalement Rébecca.

— Les flics! Je me tire… Rentre chez toi. Et ne leur dis rien!

Aussitôt, il poussa la table contre la porte pour la bloquer. Rébecca se redressa sans comprendre.

— Quels flics? Mais où vas-tu? Peux-tu au moins m'expliquer?

Le policier s'efforçait d'ouvrir la porte avec un passe en hurlant:

— Police! Ouvrez cette porte. Ne faites pas l'idiot, je suis armé.

Johnny prit le paquet de fric qu'il avait planqué dans le tiroir de la table de nuit. Il ouvrit la fenêtre de la chambre et décida d'emprunter l'escalier de secours en tôle, qui descendait le long de la façade arrière de l'hôtel. Il sauta à pieds joints sur un palier et dévala les marches quatre à quatre.

Les flics venaient probablement lui demander des comptes sur ce qui s'était passé l'autre nuit à Villecomte. Mais comment avaient-ils su que c'était lui? Il n'avait pas laissé de traces. Il laissait sans remords Rébecca derrière lui. Ils ne lui feraient rien parce qu'elle était mineure et qu'elle n'était au courant de rien.

Que faire maintenant? Il irait se planquer dans les quartiers nord de Marseille, le temps que les flics se lassent de le rechercher. Puis il s'enfuirait à l'étranger avec Rébecca. Mais jamais plus il ne se laisserait pincer. Il se l'était juré.

Au bas de l'escalier, après avoir dévalé les sept étages, son élan fut stoppé net par un coup de poing appliqué sur son plexus. Il s'effondra en suffoquant. Le flic s'assit sur lui et le menotta par-derrière.

— Tu nous prends pour des cons? Tu crois qu'on n'avait pas pensé à l'escalier de secours?

Il s'était fait avoir alors qu'il se croyait le plus malin! Ils savaient tout, et son histoire finirait mal…

À LA même heure, le brigadier Stéphane Lopez s'entraînait au tir dans le stand de la police nationale. À travers le casque qui lui couvrait les oreilles, les détonations de son Sig Sauer 9 mm lui parvenaient assourdies, tandis qu'il faisait feu sur chacune des cinq cibles de carton qui s'alignaient, vingt-cinq mètres devant lui. Deux séries de trente coups à tirer en quelques dizaines de secondes sur chaque cible disparaissant et resurgissant à tour de rôle. Très en forme, il venait de réussir un nouveau score remarquable.

Lopez était parmi les meilleurs tireurs au pistolet de toutes les forces de police de la région. L'année précédente, il s'était classé troisième au concours national de tir de vitesse à vingt-cinq mètres, juste derrière des policiers de Paris et de Lyon. Encouragé par sa hiérarchie, Lopez espérait faire encore mieux lors de la prochaine compétition interpolices, et il mettait les bouchées doubles à l'entraînement.

Il rechargea son pistolet et guetta le signal sonore qui marquait le début d'une nouvelle série. Concentré, l'arme à bout de bras, il attendait que la cible surgisse. Il lui semblait alors qu'une force s'emparait de son arme, malgré lui, pour en aligner impeccablement le guidon et le cran de mire sur le noir de la cible, tandis que son doigt n'avait plus qu'à presser la détente. Lopez, en temps normal, ne ratait jamais sa cible…

6

BAUDRY était retenu à son bureau, occupé à compulser les statistiques de la délinquance que Meunier compilerait ensuite dans son rapport annuel. Le procureur serait mécontent, une fois encore, car les agressions à main armée avaient augmenté de dix-huit pour cent, et les incendies criminels de près de trente pour cent. Ces chiffres « blancs » ne tenaient compte que de la délinquance signalée par les victimes. Les chiffres « noirs » de la réalité étaient bien plus importants. Les homicides avaient doublé depuis la mort de Juliette Robin, qui avait pesé sur des statistiques faibles en matière criminelle. Baudry se tordait l'esprit pour mettre en forme les commentaires que le procureur ne manquerait pas de lui demander, illustrés de courbes et de pourcentages en couleurs. Il soupira d'aise quand la sonnerie de l'Interphone vint l'arracher à sa corvée.

— Monsieur le commissaire, une femme veut vous voir. Laurence Mauvezin. Elle vient de se présenter spontanément sous ce nom.

— J'arrive. Ne la laissez surtout pas repartir.

Depuis une semaine que le juge d'instruction lui avait donné commission rogatoire pour l'interroger, il désespérait de mettre la main sur cette fille de l'air. Elle avait soi-disant disparu au cœur du Kenya, pour un trek avec son mari. Et la voici qui resurgissait ici ! Il alla la chercher à l'accueil, impatient de voir sa tête. Il eut un choc quand il la découvrit. Elle faisait les cent pas dans le hall, vêtue d'un manteau de cuir luisant. De loin, elle avait toujours belle allure. Sa silhouette était la même que celle de Juliette. Cette belle grande femme de quarante-cinq ans portait bien son âge, voire un peu plus. D'une élégance un peu vulgaire, elle était vêtue d'une jupe courte sur des bottes de cuir à talons hauts. Par orgueil ou coquetterie, elle n'avait pas choisi de teindre ses cheveux gris, qui étaient coiffés en un carré court. En entendant les pas du policier, elle s'était retournée, montrant un visage ravagé que de larges lunettes fumées ne suffisaient pas à masquer.

Laurence était littéralement défigurée. Une large cicatrice violine lui boursouflait la joue, jusqu'à la tempe. La pommette était enfoncée, déformée comme sous les coups d'un marteau. Et elle avait un trou dans la mâchoire, qui avait sans doute été reconstituée. Sous les verres teintés, il lui sembla que l'œil avait été atteint lui aussi.

Il s'était figé à deux mètres d'elle. Mais elle alla au-devant de lui, habituée à dépasser la gêne qu'elle provoquait chez ses interlocuteurs.

— Commissaire Baudry ?

La voix était voilée comme celle d'une grande fumeuse.

— Je vous en prie, madame, venez…

Elle ôta son pardessus de cuir, garda ses lunettes et s'assit sur un siège qu'il tira devant son bureau. Elle croisa assez haut des jambes encore belles.

— Je peux fumer ?

— Naturellement, répondit Baudry qui avait horreur de l'odeur du tabac, mais n'osait pas refuser.

En guise de cendrier improvisé, il lui tendit une coupelle à trombones. Elle la posa sur l'accoudoir de son fauteuil, alluma une cigarette et attendit qu'il prenne la parole. Il bredouilla avec gêne :

— Madame, je vous remercie d'avoir bien voulu répondre à notre convocation. Vous savez que le juge Tricard, en charge de l'information ouverte après le décès de votre sœur, souhaite que je recueille votre témoignage…

— Oui. Je suis désolée de ne pas m'être manifestée plus tôt. J'étais bloquée en Afrique avec mon mari. Il a fallu trois jours pour que la nouvelle me parvienne. Et j'ai attendu trois autres jours à Nairobi avant qu'un avion puisse m'embarquer.

La parole était facile, assurée même. Et elle le regardait droit dans les yeux, sans chercher à cacher la part honteuse de son visage.

— Il est vrai que je ne la voyais plus guère. Mais ce n'est pas une raison. Je suis horrifiée par ce qui s'est passé. On m'a dit que le juge avait mis Pierre Robin en examen…

— C'est exact, madame, des charges pèsent sur lui, mais ce n'est là qu'une des hypothèses de l'enquête en cours. En réalité, nous ne savons pas grand-chose encore…

— Franchement, cela m'étonnerait beaucoup que ce soit lui.

— Pourquoi cela ? Parlez-moi de Pierre Robin. Quand l'avez-vous rencontré ? Permettez que je prenne votre déposition en note. Je l'enverrai ensuite au juge, qui la versera aux débats.

— Bien sûr. Je n'ai rien à cacher.

Baudry appela l'un de ses hommes par l'Interphone pour qu'il vienne taper la déposition de Laurence sur un ordinateur portable. Villiers entra dans la pièce et baissa aussitôt les yeux en découvrant le visage de la femme. Il se réfugia dans un coin du bureau, l'ordinateur sur les genoux.

— Je l'ai connu à la fac, il y a vingt-cinq ans. Nous appartenions à la même bande de copains. Il était amoureux de moi. Mais… je ne le lui rendais guère. Il n'était pas laid. Mais comment vous dire ? C'était un garçon terne, besogneux, un peu boy-scout… Nos chemins se sont séparés à la fin de nos études. À la fin des siennes, plus exactement, car je n'ai jamais achevé les miennes ! Je me suis beaucoup amusée… Puis je me suis mariée, passé la trentaine. Ce n'est pas ce que j'ai fait de mieux ! Mais vous connaissez certainement l'histoire, qui a fini par un divorce conflictuel.

Il fit un signe d'approbation.

— J'avais besoin d'un avocat. Pierre Robin avait une excellente réputation. Je suis allée le trouver. Il ne s'était pas marié. Je crains d'avoir été malgré moi la cause de ce célibat. On ne peut imaginer à quel point il semblait encore amoureux, dix ans après. Je ne l'avais pas revu beaucoup, pourtant, depuis la fac. Je lui ai donc confié mon divorce. Il a fait preuve d'un zèle extraordinaire. Il m'a bien défendue. C'est le seul point sur lequel il ne m'a jamais déçue. Et puis…

Elle alluma une nouvelle cigarette, en tira quelques bouffées, mais ne reprit pas la parole tout de suite. Elle le regardait de son œil valide. Baudry, lui, s'efforçait de la regarder en face, bravement. « Que lui était-il arrivé ? Un accident de la route ? Un coup de revolver ? Un suicide raté ? Cela devait être récent, car avec ces stigmates, elle n'aurait jamais pu harponner tant d'hommes dans sa jeunesse. »

Elle revint à ses confidences :

— Il était amoureux, pressant, très gentil… Trop gentil. J'étais déboussolée, habitée par le doute, dépressive… Et je lui ai cédé. À dire vrai, plus par pitié que par envie. Mais je ne l'ai jamais aimé. Et le malentendu entre nous fut énorme, car il était raide dingue de moi, et il voulait faire sa vie avec moi… alors que moi, je n'en voulais pas. Jaloux comme un tigre, il voulait m'enfermer, m'interdire toute fréquentation, même me faire des enfants… Je suis désolée, commissaire, mais sincèrement, je déteste les enfants. Bref, au bout de quelques semaines, ayant réalisé mon erreur, je me suis sauvée à toutes jambes… Et c'est là que l'enfer a commencé !

— L'enfer ?

— Il n'avait pas admis que je le quitte. Ce gentil garçon est devenu féroce, violent même. Il m'aurait battue… Il m'a harcelée sans relâche. Coups de téléphone en pleine nuit, scènes en public, courriers incessants… J'ai changé de région et j'ai changé de vie, pour lui échapper. Je suis partie dans le Midi, puis en Italie, où il a perdu ma trace. Mais il continuait à m'abreuver de courriels que j'effaçais sans les lire. J'ai fini par le rétrograder au rang des expéditeurs indésirables. Et il a dû se lasser, puisqu'il a fini par se marier avec ma sœur Juliette. Je ne les ai jamais fréquentés tous les deux. Je ne l'ai plus revu, lui, depuis cinq ans. Quant à ma sœur, j'ai dû la croiser deux ou trois fois, quand j'allais voir mes parents. Je suis en froid avec eux. Et je n'étais déjà pas très liée avec Juliette, l'écart d'âge était trop important…

Elle se ravisa, comme si elle avait dit une incongruité, et lâcha un sanglot.

— Tout de même… C'était ma petite sœur, et j'ai été bouleversée par cette mort affreuse.

— Madame, quelle est votre situation actuelle ?

— J'ai quitté la région il y a cinq ans. J'ai déménagé à deux ou trois reprises, au gré de mes amours. Aujourd'hui, j'habite Milan, où je suis mariée à un médecin italien. Oui, je me suis remariée… Avant ça, dit-elle en désignant le côté mutilé de son visage.

— Puis-je vous demander comment… enfin… ce qui vous est arrivé ?

— Un accident de la route, commissaire. Vos collègues italiens ne vous ont rien dit ? J'imagine qu'ils possèdent un dossier sur moi, quelque part…

— Non, je suis désolé, je ne savais pas.

— Une collision frontale au petit matin. Un chauffard ivre qui a franchi une ligne blanche pour déboîter en haut d'une côte… Son camion a percuté ma voiture… Ma belle-sœur est morte sur le coup. Mon visage a explosé sur le tableau de bord qui a reculé sous le choc. L'airbag n'a pas fonctionné. Le chauffard n'a pas eu une égratignure. (Elle s'interrompit pour allumer une nouvelle cigarette.) Je m'excuse, ce n'est pas un souvenir facile à évoquer. Je ne me souviens pas de l'accident lui-même. Je me suis réveillée dans un hôpital. Je n'avais plus de mâchoire, plus de maxillaire. Le pariétal, l'orbite étaient défoncés. Et le calvaire n'a fait que commencer. Huit opérations. Des greffes de peau. Des rejets. Une septicémie… J'ai été reconstruite, le résultat est très imparfait, mais je ne pouvais espérer mieux. La chirurgie plastique a ses limites. J'ai appris à vivre avec ma gueule cassée, même si c'est encore très douloureux. Des névralgies épouvantables ! Mais le pire, vous vous en doutez, c'est le regard des autres. Pour une femme qui était jolie, croyez-moi, cette situation est une crucifixion. Heureusement, dans mon malheur, mon mari est resté… Il faut dire qu'il est handicapé lui aussi, cloué sur une chaise roulante.

Le front de Baudry devait être transparent, car elle y lisait ses pensées à livre ouvert. Elle sourit.

— Je sais ce que vous pensez, commissaire. Une jolie femme met le grappin sur un homme plein de fric. Un débris qu'elle espérait dépouiller en abusant de sa faiblesse. Et la voilà qui se retrouve débris à son tour. Deux débris qui se consolent et que leur solitude contraint à s'aimer par solidarité.

Il bredouilla vaguement quelque chose, gêné qu'elle ait deviné ses pensées aussi facilement. Puis il se hâta d'aborder un nouveau sujet :

— Pierre Robin était-il au courant de… votre état ?

— Je ne crois pas. Mon père et ma mère n'ont su qu'après coup. Mais depuis l'accident, il y a un an et demi, je me suis refusée à les revoir. Et je leur ai interdit d'en parler à ma sœur, Juliette, qui n'aura donc pu mettre Pierre au courant.

« Il faudra que je vérifie auprès des parents. Tricard se fera un plaisir d'interroger la duègne. »

— J'ai encore une question. Pensez-vous que Pierre Robin ait pu assassiner votre sœur ?

— Sincèrement, je dirais que Pierre peut être violent. Il m'a fait peur parfois, notamment au moment de notre séparation, quand il me suivait… En fait, ce n'est pas lui qui me faisait peur, c'est plutôt la violence de ses sentiments qui m'effrayait… Rien ne devait entraver sa passion. Et c'est là qu'il aurait pu être dangereux. Je veux dire que personne n'aurait pu se mettre entre lui et moi… Il aurait pu casser la figure à mon nouveau compagnon, j'en suis sûre. C'est la raison pour laquelle j'ai changé d'air. Mais moi, non, il ne m'aurait jamais frappée de sang-froid.

— Pierre Robin aurait-il pu tuer sa femme, si elle avait représenté un obstacle dans son désir fou de vous reconquérir ?

— Me reconquérir ? Vous pensez qu'il m'aimait encore… qu'il m'aime encore ? Ce serait incroyable tout de même…

— Mais ce n'est pas impossible. Je ne peux vous en dire plus. Il a continué à vous écrire des lettres. La dernière a moins de trois mois.

— C'est fou…, il ne s'est donc pas arrêté, pendant tout ce temps…

Il ne savait pas si elle était flattée ou bien attristée par une telle persévérance. Il répéta sa question.

— Quel obstacle ? lui répondit-elle. S'il était marié, il n'avait qu'à divorcer, non ? Ce sont des choses qui se font très bien de nos jours…

— Bien sûr. Mais disons que Juliette aurait pu représenter un obstacle… moral.

— Je ne vous suis pas.

— Eh bien, le fait de briser la vie de votre sœur, en la quittant, l'aurait rendu odieux à vos yeux, et lui aurait ôté toutes chances de succès auprès de vous…

— C'est bien compliqué, commissaire. Quand on aime, on ne s'embarrasse pas de tels calculs. Sur un signe de moi, il aurait tout plaqué pour me rejoindre, en se moquant du reste.

Bien sûr, elle avait raison. Mais Baudry ne voulait pas en rabattre, car c'était le seul mobile qui pouvait apparemment expliquer le crime de Robin, dans l'hypothèse où il était l'assassin.

— Juliette abandonnée, tout espoir lui était défendu. Juliette morte, il lui était permis de rêver…

— Mais enfin, qui vous dit que ma sœur l'aimait et qu'elle aurait souffert de leur rupture? Il me semble au contraire que leur couple battait de l'aile, et qu'elle avait consulté un des confrères de Pierre Robin pour envisager un divorce, il y a quelques mois. Je crois que c'était un certain Dornier qui avait été saisi…

Baudry en resta abasourdi. Décidément, depuis le début de l'enquête, il avait l'impression de remonter au grand jour une vérité tapie au fond d'eaux troubles. Dornier aurait pu le lui dire tout de même.

— Je vérifierai auprès de l'intéressé. Avez-vous quelque chose d'autre à déclarer?

— Oh! peut-être, mais je ne sais pas s'il y a un rapport… C'était un mois avant mon accident environ. J'ai été agressée chez moi par un cambrioleur.

— Je note vos propos, mais je ne suis pas persuadé que ces faits aient un rapport avec le crime.

Il conclut l'entretien en lui demandant de relire soigneusement sa déposition. Elle n'en lut pas une ligne et se leva pour s'en aller.

— Vous demeurez chez vos parents?

— Oui, pour deux jours. Si vous n'y voyez pas d'inconvénient, je rentrerai très vite en Italie. Je me recueillerai sur la tombe de ma sœur, mais je n'ai plus rien à faire ici.

CHAZAL était assis dans le bureau de Dornier, et tous deux discutaient de l'enquête en relisant les déclarations des protagonistes.

La semaine avait été longue et difficile pour Dornier. Son travail lui pesait, pris au quotidien entre les mille soucis de l'ordre et ses dossiers qui s'entassaient sur la table de verre, parce qu'il n'avait plus le temps de les traiter. Inquiet pour Robin, qui s'abîmait dans la dépression, il lui avait rendu visite, le matin même, dans le studio où celui-ci avait trouvé refuge. Robin ne lui était d'aucune aide dans la préparation de sa défense, et c'est à peine s'il consentait à répondre à ses questions. Il se laissait couler, las de vivre sans doute. Tricard ne tarderait pas à le faire encager, certes à titre provisoire, dans l'attente d'un procès qui serait long à venir. Il ne l'avait laissé dehors que pour mieux guetter la faute de la proie, qui finirait par se trahir un jour ou l'autre. Comment supporterait-il la maison d'arrêt? Même au quartier des VIP, il sombrerait dans le désespoir…

Il relut rapidement l'audition de Laurence, dont Chazal était allé chercher la copie au greffe.

— C'est clair, Laurence avait bien coupé les ponts. Elle ne recevait pas ses messages et n'a jamais cherché à le revoir, bien au contraire. Je mets de côté sa blessure… C'est le premier enseignement à en tirer. Robin n'avait donc aucun motif de tuer Juliette pour se remettre avec Laurence. Tricard fait fausse route. C'est le deuxième enseignement. Enfin, Robin s'est peut-être monté la tête tout seul, en imaginant qu'il pourrait récupérer Laurence.

— Ce qui prouve qu'il ne l'a plus, sa tête, coupa Chazal, excédé par la lenteur de Dornier.

— Le juge a ordonné une expertise psychiatrique…

— Comme dans tout dossier criminel.

— Mais s'il est vraiment malade, rien n'exclut qu'il ait imaginé que Juliette constituait un obstacle et qu'il fallait la supprimer… Bref, on n'est pas plus avancés, le serpent se mord la queue.

Perplexe, Dornier se tourna vers la fenêtre. Puis il revint à Chazal, qui guettait son patron pour se lancer :

— Je suis convaincu que cette déposition innocente définitivement Robin. Il n'est pas fou, il n'est que dépressif. Il n'avait aucun motif de tuer sa femme, même s'il ne l'aimait pas. De toute façon, fou ou pas, Laurence a bien résumé son état d'esprit : s'il avait voulu la rejoindre, il aurait tout jeté aux orties sans état d'âme, son métier, sa femme, sa maison. Et s'il ne l'a pas fait, c'est qu'il ne le voulait pas, ou ne le voulait plus. Il faut chercher une autre piste.

Chazal était pugnace comme un vrai chien de chasse. Quand Dornier lui fourrait un dossier entre les mains, le jeune homme ne le lâchait pas tant qu'il n'avait pas trouvé l'argument ou la faille qui lui permettraient de confondre l'adversaire.

— Continue, j'ai l'impression que tu as mijoté une théorie. Vas-y, de toute façon, mon rendez-vous est en retard.

— Je suis frappé par cette mutilation du visage. J'ai fait le rapprochement avec Clémence Dupuis, la petite suppliciée de Saint-Martin dont vous m'avez parlé l'autre jour. J'ai potassé le dossier que j'ai exhumé des archives. C'est incroyable comme les ressemblances entre les deux crimes vont bien au-delà de ce qu'il y paraît au premier abord.

— Oui, elles ont été toutes deux éventrées. Et alors ?

— Ce n'est pas seulement cela, patron. Les règles du théâtre classique sont respectées. Unité d'action : vous venez de le dire, elles ont été éventrées toutes les deux ; même absence de mobile apparent, elles n'ont pas été violées. Unité de lieu : il y a moins de quinze kilomètres entre Villecomte et Saint-Martin ; elles ont été tuées à leur domicile, ou à quelques dizaines de mètres de chez elle pour la petite Clémence. Unité de temps : l'agression s'est déroulée au petit matin. Surtout s'impose la même volonté d'effacer les traits du visage. Elles ont été chacune défigurées à coups de couteau pour l'une, et à coups de marteau pour l'autre. Alors, je me suis fait la réflexion...

— ... Que c'était peut-être le même homme qui avait frappé les deux femmes ? termina Dornier. Oh là, comme tu y vas. Tu t'enflammes ! Crois-tu vraiment aux tueurs en série ? Pas ici, pas chez nous... Il ne s'y passe jamais rien d'extraordinaire.

— Ah non ? Relisez vos archives, patron. Le taux de criminalité de la région est supérieur à la moyenne nationale. Alors même que le département est à dominante rurale. Quoi qu'il en soit, pour Clémence et Juliette, l'évidence crève les yeux. C'est la même signature !

— La même signature ?

— J'y viens, si vous me permettez quelques explications, patron. Je me suis documenté sur la question. Pour résumer, les tueurs obéissent à une logique. Soit ils se déplacent, ils repèrent une proie au hasard de leur errance ; ils changent ensuite de ville ou de région, sitôt le crime perpétré. Soit ils sont sédentaires et opèrent sur un périmètre restreint, en ville ou à la campagne.

— Bon, j'accepte de te suivre sur ce terrain. Supposons que nous ayons affaire à un tueur en série. Tiens, donnons-lui un nom, pour la commodité de l'exposé. Au hasard...

Il jeta un œil sur le dossier posé devant lui. Sa secrétaire y avait inscrit : *Herbert contre sa femme.* Un divorce.

— « Herbert », par exemple. Un divorce sanglant...

Chazal tapa aussitôt le prénom sur son téléphone et lança le moteur de recherche. C'était une manie chez lui. À la moindre interrogation, il tapotait sur son clavier pour interroger la machine avec la plus grande dévotion, comme un prêtre eût consulté un oracle.

— Gagné, patron. Nous avons un Herbert, au chapitre des tueurs en série. Et c'est du lourd...

— Passe-moi les détails. Va pour Herbert, donc, tueur en série local. Mais je ne suis pas complètement d'accord avec toi pour

Clémence et Juliette. Le *modus operandi* n'est pas le même. La première a eu le crâne défoncé, et la seconde a été étranglée.

— Peu importe la façon de s'y prendre. Elle varie selon les circonstances. Mais c'est la signature qui est le plus important, car elle, elle ne varie pas. La signature, c'est le rituel de l'assassin, en quelque sorte. Le geste apparemment gratuit mais symbolique dans lequel il puise sa jouissance.

— Donc, ici, la signature serait la mutilation du visage ?

— Oui, il les défigure. Il ne supporte pas leurs traits. Ces tueurs ne sont pas des psychotiques ou des cinglés qui obéissent à des voix. Plutôt des psychopathes. Le psychopathe est un individu en apparence normal qui tue, torture ou mutile, parce que cela le fait jouir. Il peut avoir une famille, une façade sociale, qui le rendent insoupçonnable. Mais c'est souvent un raté, un frustré qui s'arroge secrètement le droit de vie ou de mort, et qui est dépourvu de toute compassion pour sa victime. Notre Herbert, ce qu'il aime, c'est martyriser des visages. Ou plutôt, les *anéantir*. Son geste va au-delà de la simple mutilation. Il les efface, il les écrase, au sens physique comme au sens figuré.

— De quoi se venge-t-il, ton écraseur ?

— La cause peut être enfouie dans son enfance, ou son adolescence. C'est peut-être une gueule cassée, un type défiguré qui impose aux femmes ce qu'il a subi. Ou un type très laid qui se venge des femmes qui le dédaignent. Juliette était très typée. Une beauté froide, dominatrice. Une bourgeoise arrogante peut symboliser l'archétype de la femme qu'il déteste, parce qu'elle est intouchable pour lui.

— Objection, votre honneur. Clémence Dupuis appartenait plutôt à la catégorie des petits oiseaux maigres.

— Oui, je dirais même qu'elle était tout le contraire de Juliette. Une petite Cosette attardée. Mais justement, peut-être était-ce son galop d'essai ? Le passage à l'acte était plus facile sur cette petite créature que sur une femme hors d'atteinte comme Juliette.

— Ce n'est pas idiot, mais justement, voici la pierre d'achoppement. L'affaire de Saint-Martin remonte à sept ans… Supposons que ton Herbert ait bien assassiné la petite Clémence Dupuis, puis Juliette Robin, sept ans plus tard. Qu'a-t-il fait pendant ces sept années ? Pourquoi a-t-il attendu si longtemps avant de récidiver ?

— D'après les articles que j'ai consultés, la récidive peut prendre plusieurs années. Mais je vous accorde que ce délai de sept années paraît anormalement long. Maintenant, qui nous dit qu'il n'a pas frappé entre ces deux meurtres, et qu'un troisième ou quatrième crime n'est pas resté impuni?

— Baudry a recherché en vain la trace d'autres mutilations ou effacements de ce genre…

— Et si l'on cherchait du côté des disparues? Vous savez bien que nous ne sommes pas épargnés par le phénomène des disparitions de femmes.

— Mais si certaines de ces femmes ont croisé le chemin d'Herbert, pourquoi n'a-t-on pas retrouvé leurs corps, comme ceux de Clémence et de Juliette? Pourquoi les aurait-il cachés?

— Peut-être n'a-t-il pas eu le temps de les dissimuler, dans ces deux affaires? Est-ce qu'il brouille les pistes? Je n'en sais rien, patron.

— Tu aurais dû être profileur ou policier, tu sais! À propos, la petite Luce s'est-elle expliquée sur ce qu'elle t'a dit l'autre jour? Cette pièce qui innocenterait Robin?

— Non, elle n'a rien voulu me dire. Vous devriez la convoquer pour la cuisiner.

— À quel titre? Je n'y ai aucun droit. Et *quid novi* du côté du juge?

— J'ai appris que le petit Gitan alpagué l'autre jour sera présenté à Tricard demain matin. Il paraît qu'il se trouvait à Villecomte la nuit du crime. Mais c'est une fausse piste, à mon sens.

— Bon, je vais prendre mon rendez-vous, qui doit commencer à s'impatienter. On verra bien. Pour l'instant, c'est plus Robin que notre Herbert qui m'inquiète…

7

— **M**INCE, j'ai cassé ma chaîne.

Moreau avait crié, alors qu'il était en queue du petit peloton. Dornier et Quirin avaient aussitôt freiné, en se retournant vers leur compagnon dont les pieds tournaient comiquement dans le vide. En perte de vitesse, il s'arrêta sur le bord de la route. Ils firent demi-tour et vinrent se ranger à côté de lui. Moreau se pencha sur sa machine.

— Cassée? demanda Quirin.

— Net, répondit-il. Et je n'ai pas pris mon dérive-chaîne. Et vous?

La réponse fut négative, bien sûr. Ce genre d'incident n'arrivait jamais.

Moreau sortit un téléphone de la poche arrière de son blouson.

— Je vais appeler un taxi. Finissez sans moi.

Un taxi ! Toute personne normale aurait appelé sa femme, son fils ou un ami. Mais Moreau n'avait visiblement personne sur qui compter. Dornier se dit que c'était cela, la solitude. Personne ne venait vous chercher quand vous étiez en panne sur le bas-côté d'une départementale perdue. Mais il n'était guère mieux loti. Qui aurait-il appelé, lui ? Chazal ou sa maîtresse du moment ? Le brave Quirin insista :

— Tu es sûr ? Attends, je peux appeler ma femme, si tu veux.

— Ne la dérange pas pour ça. Allez-y, je vous dis. Au moins, profitez-en !

Au fond d'eux-mêmes, ni Quirin ni Dornier n'avaient envie de tenir compagnie à Moreau sur le bord de la route. Il avait raison, à quoi cela servirait-il ? Autant rouler pendant que le temps le permettait encore.

— Tu as raison, trancha Dornier. Nous repartons dans une minute, le temps de nous assurer que tu aies pu joindre un taxi.

Ils reprirent leurs vélos après un dernier encouragement à Moreau, qui répondit à peine à leur salut.

À son habitude, Dornier s'était levé tôt ce samedi matin. Les étoiles qui s'estompaient peu à peu lui avaient promis un ciel dégagé. Rendu au point de rendez-vous habituel, l'Auberge du rond-point, il avait proposé un nouvel itinéraire aux deux autres qui étaient arrivés peu après lui.

— Si nous faisions une infidélité à Sainte-Croix ? Je vous propose un parcours plat, vers Saint-Martin. Un contre-la-montre par équipe, histoire de faire un peu de vitesse.

Le parcours était inédit. Mais ils avaient acquiescé tous les deux. Troublé par les propos de Chazal, Dornier voulait mettre cette balade à profit pour jeter un œil sur les murs de l'hôpital de Saint-Martin.

L'incident mécanique avait eu lieu trois kilomètres avant Saint-Martin. Après avoir perdu Moreau, Dornier eut l'idée d'éloigner Quirin, pour rester seul sous les murs de l'asile qui se profilaient déjà.

— Ne m'attends pas, je vais au petit coin dans les bois.

— Décidément, je vais finir seul ! Qu'avez-vous tous à me lâcher, ce matin ? Je t'attends…

— Ne t'inquiète pas, file! Je vais vite te rejoindre. Tiens, je te parie que je te rattrape avant le rond-point.

— Tenu! répondit Quirin, qui se mit à pédaler comme un forcené.

Dornier gagna le bois qui faisait face à la grille nord de l'asile et s'enfonça sous les arbres. Après quelques mètres, il posa son vélo contre un hêtre. Il était ainsi invisible depuis la route.

L'hôpital était un joli château du XVIIIe siècle dont la longue façade en pierre ocre était encadrée par deux tours en poivrières. Au début du siècle dernier, un certain Dr Blanche y avait fondé un asile d'aliénés qui avait perduré. Aujourd'hui, le château lui-même n'abritait plus que le personnel. Les malades étaient hébergés dans des bâtiments modernes à l'aspect carcéral, construits dans l'enceinte du parc. Dornier n'avait jamais eu l'occasion de mettre les pieds dans cet enclos.

Les termes des procès-verbaux de constatations qu'il avait relus la veille étaient frais dans sa mémoire : « Sur le territoire de la commune de Saint-Martin, en face de la grille nord du château, vingt mètres à gauche de l'entrée de la ligne 25 du bois des Apôtres, sous le pont de pierre qui enjambe le ru qui longe ledit bois. »

Il compta vingt pas, puis trente mais ne vit pas le pont tout de suite. C'était une simple passerelle de deux mètres de large tout au plus, haute de quelques dizaines de centimètres, dont les pierres étaient cachées sous des jonchées de feuilles mortes qui tapissaient le sol et le fossé boueux.

C'était ici exactement que la victime avait été découverte, sept ans plus tôt. Que disait le procès-verbal?

« Le corps dénudé et mutilé de Clémence Dupuis, adolescente de quinze ans, reposait, face contre terre, dans le fossé, ses jambes recroquevillées, en partie dissimulé sous le pont par son agresseur. »

Il se pencha prudemment sur le fossé en veillant à ne pas tomber dans la boue. Il ferma les yeux pour se remettre en mémoire les photos de la morte. Il n'aimait pas ces visions crues et tournait rapidement les pages d'un rapport quand son regard croisait ce genre d'horreurs. Par son caractère et par sa vocation professionnelle, Dornier éprouvait de l'empathie pour toutes les victimes. La jeune Clémence s'était-elle débattue sous les griffes du sadique, en tentant désespérément de sauver sa jeune vie? Son existence avait été aussi brève que tragique.

Juliette Robin avait été assassinée sept ans jour pour jour après

Clémence Dupuis. Cette coïncidence troublante avait échappé à Chazal.

Au loin, au débouché d'un virage qui s'enfonçait sous des arbres sombres, il reconnut le blouson bleu de Moreau, qui avait sans doute pu réparer sa machine et qui avait repris la route. Sans qu'il sache pourquoi, il se dissimula dans un taillis, en lisière de la route, pour le voir passer à quelques mètres de lui. Le masque impassible cachait tout de l'effort qu'il faisait pour rejoindre ses compagnons. Il ne détourna pas la tête quand il longea le château. Il ne pouvait voir Dornier, qu'il croyait loin devant lui.

Celui-ci lui laissa quelques secondes d'avance et, reprenant son vélo, se mit en chasse. Il les rattrapa tous deux moins d'un kilomètre avant l'Auberge du rond-point, comme il s'en était assigné l'objectif.

LE juge Tricard fulminait sur le pas de la porte de son bureau. Que faisait donc l'escorte? Elle devait lui amener Johnny Winterstein à 10 heures précises. Sa montre marquait plus de 10 h 30, et il ne voyait toujours rien venir dans les couloirs du palais. Enfin, le téléphone sonna. La greffière lui annonça que le fourgon venait d'arriver dans les sous-sols du bâtiment.

À la réflexion, l'idée d'entendre le jeune Gitan ne l'enchantait guère. C'était une complication inutile maintenant qu'il avait son coupable. Néanmoins, les policiers qui avaient interrogé le jeune homme lors de sa garde à vue étaient formels. C'était lui l'auteur du cambriolage commis chez un voisin des Robin, à Villecomte, la nuit du crime. Mais Tricard avait tiqué en apprenant qu'il s'était curieusement troublé quand on l'avait questionné sur le crime.

L'inspecteur avait-il fait preuve de zèle? Le lieutenant Renard, fidèle à une tactique éprouvée, avait interrogé Johnny au matin. Le gamin n'avait pas pu dormir dans la cellule tellement elle puait le vomi et l'urine. Par réflexe, dès le début de sa garde à vue, il avait demandé à voir un avocat, comme la loi lui en donnait le droit. Une jeune femme, de permanence, était arrivée au bout d'un temps infini. Elle ne s'était même pas assise. Elle lui avait dit quelques paroles banales d'un air dégoûté, puis était repartie en plaisantant avec les policiers. « À quoi sert-elle? » s'était demandé Johnny, furieux.

— Tu étais à Villecomte l'autre nuit. C'est toi, hein? Pourquoi te cachais-tu à l'hôtel avec ta petite amie? Pourquoi as-tu pris la fuite? Et ce fric, d'où le tiens-tu?

L'homme, un gros rougeaud, lui avait collé sous le nez la liasse de billets. Pourvu que Rébecca ait eu le réflexe de cacher sa bague !

Johnny avait froid et sommeil. Qu'on le laisse tranquille ! Il n'avait rien dit, tout d'abord. Mais il était si fatigué que sa détermination avait fondu comme neige au soleil, quand le policier avait changé de registre. « Après tout, je ne risque pas grand-chose », s'était-il dit. Un an, deux ans fermes au grand maximum.

Que lui avait dit ce flic qu'il n'entendait plus ?

— Avoue, et le juge se montrera bon prince. De toute façon, ta copine t'a balancé. Elle nous a dit que c'était toi.

C'était faux. Rébecca ne savait rien, elle ne pouvait rien dire, et elle n'aurait même rien dit, dans tous les cas. Non, s'il parlait, c'était uniquement parce qu'il n'en pouvait plus de sommeil. Il aviserait ensuite, ses nerfs étaient à bout.

— Oui, je le reconnais, c'est moi.

— Tu vois, tu es raisonnable. C'est bien. Allez, viens, on va coucher tout cela sur le papier.

Le policier s'était mis à tapoter sur un vieux clavier d'ordinateur.

— Donc tu étais sur l'aire d'accueil, avec ta famille dans la nuit du 20 au 21 novembre. Tu t'es rendu à pied à Villecomte ?

— Oui, c'est à vingt minutes.

— Tu t'es introduit dans la maison.

— Oui, j'ai cassé un carreau, et je suis entré par une fenêtre du rez-de-chaussée.

— Tu connaissais les propriétaires ?

— Non, j'ai choisi cette maison parce qu'elle était isolée. Elle était déserte. Il n'y avait pas de voiture dans la cour.

— Quelle heure était-il ?

— 4 heures peut-être, ou 5 heures, je ne sais plus trop.

— Qu'as-tu fait une fois dans la maison ?

— J'ai pris ce que j'ai trouvé… Un sac à main avec des cartes bleues et de l'argent liquide. Des téléphones portables.

— C'est tout ?

— Non, j'ai aussi pris des bijoux dans la salle de bains.

— Mais la femme qui dormait à l'étage… Que lui as-tu fait ?

— Je ne comprends rien. Il n'y avait pas de femme, la maison était déserte, je vous l'ai déjà dit.

— Tu te fous de moi, tu as reconnu.

— Je ne comprends pas ce que vous voulez. J'ai cambriolé la maison, je n'ai tué personne. C'est pas mon truc.

— Tu es sûr que tu ne l'as pas tuée ? Tu l'as surprise au lit, tu l'as étranglée comme ça.

Sa main mimait une prise imaginaire et se refermait sur le vide.

— Allez, avoue, on en finira tout de suite, je te le promets.

— Mais ça ne va pas, j'ai rien fait, je vous le jure, vous êtes cinglé. J'ai juste piqué des affaires dans une baraque vide.

— Tu l'as tuée, je te dis. Et puis après, avec ton couteau, tu lui as lacéré le visage… Où l'as-tu planqué, ce couteau ?

— Non, j'ai rien fait, j'ai jamais eu de couteau.

— Tu l'as reconnu, tu ne peux plus revenir sur ta déclaration… C'est trop tard maintenant !

La panique s'était emparée de Johnny. Ils devaient confondre deux maisons, celle dans laquelle il s'était introduit, et une autre qui avait été le théâtre d'un crime. Mais il était incapable de chasser le malentendu en décrivant la demeure qu'il avait cambriolée. Et la fin de l'interrogatoire avait tourné à la confusion. Johnny avait gardé la bouche fermée. Son silence passait pour un aveu implicite. Il avait bien sûr refusé de signer le procès-verbal de ses réponses. Le flic s'était alors lassé et l'avait abandonné dans sa cellule de garde à vue, en lui lâchant que l'affaire regardait désormais le juge d'instruction qui le placerait en détention.

Il n'avait toujours pas réussi à dormir. Plus tard dans la soirée, des policiers étaient venus le chercher pour le transférer auprès du juge d'instruction en charge de l'affaire Robin. Ils l'avaient menotté et installé à l'arrière du fourgon bleu, qui s'était engouffré sur l'autoroute pour remonter la vallée du Rhône.

Les yeux fixés sur la nuque du chauffeur, Johnny se sentait perdu. Il se savait innocent du meurtre de cette femme, mais il était conscient qu'il aurait le plus grand mal à le prouver. C'était impossible ! Mieux valait s'enfuir avant d'être jeté dans une prison défendue par une enfilade de portes infranchissables.

Le fourgon pénétra dans les sous-sols du palais de justice, où il fut accueilli par le brigadier Lopez et deux agents qui étaient d'audience ce jour-là. Johnny suait à grosses gouttes dans ses habits qui puaient. Sa panique n'avait fait que grandir quand il était descendu du fourgon. Les nouveaux policiers avaient l'air encore plus obtus que ceux qui l'avaient accompagné jusque-là. Seul Lopez avait un visage ouvert et sympathique.

Johnny fut emmené jusqu'à l'ascenseur qui desservait l'étage de l'instruction où se trouvait le cabinet du juge Tricard. La cage n'était pas vaste et les trois flics se serraient contre lui. Il étouffait. À présent la tête lui tournait, tandis qu'une petite voix insidieuse lui soufflait : « Sauve-toi, sauve-toi. Fous le camp avant qu'il ne soit trop tard. » Mais comment faire avec des menottes aux poignets ?

L'ascenseur s'immobilisa d'un seul coup en faisant sursauter ses passagers. « Trop tard, c'est trop tard. » Impatient, Tricard attendait son monde au bout du couloir. Il salua sèchement l'escorte, et les trois hommes entrèrent avec Johnny dans la pièce. Le juge désigna quatre chaises d'un geste du bras. Le jeune prévenu était placé au milieu, à côté de l'avocat de permanence qui venait d'arriver. Deux autres hommes les entouraient. Le brigadier attendait debout près de la porte.

— Vous pouvez le détacher, ordonna Tricard.

Le policier obtempéra et s'assit pesamment sur sa chaise.

Les poignets libres, Johnny bondit sur la porte du bureau que Lopez était en train de refermer. D'un coup de coude, il frappa au visage le policier, qui s'effondra. Avant même que les deux autres agents se lèvent de leur siège, il courait dans les couloirs du bâtiment. Les locaux étaient en pleins travaux. Des ouvriers en salopette blanche, la perceuse à la main, le regardèrent médusés, sans faire un geste.

Lopez avait affreusement mal au nez, mais il surmonta sa douleur et se lança à la poursuite de Johnny qui détalait devant lui, au bout de ce couloir interminable. Il lui lança les sommations d'usage :

— Arrête-toi, arrête-toi ou je tire !

Mais Johnny accéléra de plus belle et Lopez sut qu'il ne le rattraperait jamais. Le fuyard atteignait déjà la double porte du couloir, restée malencontreusement ouverte. Ensuite, il dévalerait les escaliers, le hall du palais, et gagnerait la sortie vers le salut.

Lopez réitéra ses sommations et sortit son revolver.

— Arrête-toi, ou je fais feu. Pour la dernière fois !

Lopez le tenait maintenant au bout de son arme. Il aurait pu l'abattre aisément, mais il n'était pas en situation de légitime défense. On ne tire pas dans le dos d'un homme désarmé. L'usage de l'arme doit répondre à une *nécessité absolue*, on le lui avait assez souvent répété. Et il avait estimé que ce n'était pas le cas.

Johnny prit peur, à la voix du policier. S'il continuait vers la porte, il se dit qu'il prendrait une balle dans le dos. Il changea ses plans en une fraction de seconde. Il lui fallait sortir du champ de tir. Justement, sur sa droite, un des hommes du chantier avait laissé une fenêtre ouverte à hauteur d'homme. D'un seul bond, Johnny s'élança sur l'appui de l'ouverture. Le sol était au moins à vingt mètres sous ses pieds. Mais, en face de lui, à trois mètres à peine, le toit de l'immeuble voisin semblait lui faire signe. Trois mètres, pour lui c'était facile, même sans élan. Il prit sa respiration et sauta dans les airs. Le toit de zinc résonna sous le choc de ses baskets. Il se mit à courir sur le toit plat, vers une terrasse, vers la liberté. Il courait en recroquevillant les orteils, pour ne pas perdre ses chaussures dont on avait ôté les lacets. Arrivé sur la rive qui surplombait la terrasse salvatrice, il ralentit l'allure avant d'atteindre le béton qui débordait d'un mètre à peine sur le toit.

Mais au lieu de retomber sur la terrasse, Lopez le vit hésiter et faire un curieux pas de danse, avant de chuter sur le dos. L'enquête supposa qu'il avait glissé sur le zinc humide. Il tomba bien en avant du garde-corps de la terrasse, qu'il heurta du crâne.

Il s'écrasa vingt mètres plus bas sur le trottoir, dans un bruit violent que Lopez compara à un claquement de fusil.

— Merde, murmura Lopez entre ses dents. Pauvre gosse...

DANS son bureau, le procureur s'arrachait les rares cheveux qui lui restaient. Les choses étaient décidément mal parties. Un crime perpétré dans le sérail du personnel judiciaire, tout d'abord, puis un suspect qui trouvait la mort dans l'enceinte même du palais. Son avancement allait avoir du plomb dans l'aile.

Devançant l'appel de la chancellerie qui ne tarderait pas, il décida d'user de la disposition du Code de procédure pénale qui l'autorisait à faire une déclaration à la presse. Il demanda à sa greffière de convoquer les médias locaux. Il n'en dit rien au procureur général, son supérieur hiérarchique, avec lequel il ne s'entendait pas.

Il descendit dans le hall du palais pour affronter quelques objectifs de caméras et d'appareils photos. Fidèle à son habitude, Meunier avait pesé les moindres mots d'une déclaration en apparence spontanée :

« Alors qu'il était conduit par la police au palais de justice, pour y être entendu par M. le juge d'instruction Tricard, Johnny Winterstein, jusqu'alors gardé à vue, a trouvé accidentellement la mort au cours d'une tentative d'évasion. Bousculant violemment les policiers qui l'escortaient dans le bureau du magistrat instructeur, il a échappé un instant à leur vigilance et s'est enfui. Par une fenêtre, il a gagné les toits d'un immeuble voisin, d'où il a glissé avant de faire une chute de près de vingt mètres. Il est décédé sur le coup. Les policiers qui le poursuivaient n'ont pas fait usage de leur arme. L'enquête établira les responsabilités éventuelles de chacun. »

Meunier aurait dû s'en tenir à cette unique déclaration et ne point céder à la tentation de répondre aux questions pièges que les journalistes s'ingénièrent à lui poser.

Un journaliste de la chaîne locale ouvrit le feu :

— Monsieur le procureur, est-ce là une bavure de la police ?

— Il n'y a eu aucune bavure. Le policier n'a pas fait feu. Il s'est contenté de sommations.

— Mais il a quand même sorti son arme… ce qui a pu effrayer le jeune homme, et peut-être causer sa mort ?

— Mais puisque je vous dis qu'il avait fait les sommations !

— Le policier était-il pour autant en état de légitime défense ?

— Non, bien sûr. La légitime défense permet seulement de résister à une attaque, la riposte restant proportionnée à l'agression…

— Alors, pourquoi le policier a-t-il sorti son arme, s'il n'était pas en état de légitime défense ?

— Mais vous mélangez tout, voyons. Il s'agissait d'une interpellation, d'un tir d'interpellation… Enfin, non, je veux dire, puisqu'il n'a pas tiré…

— Est-il normal qu'un suspect menotté puisse échapper ainsi à ses gardiens, dans l'enceinte du tribunal ?

— Non, bien sûr. Mais…

— Alors c'est bien une bavure. Appelez-la comme vous voudrez, mais il s'agit bien d'un dysfonctionnement judiciaire.

— Non, les missions d'escorte relèvent des tâches de la police nationale ou de l'administration pénitentiaire… pas du tribunal.

— Alors, la faute vient de la police ?

— Peut-être… Enfin, je veux dire, je ne sais pas, attendons les résultats de l'enquête administrative. Pas de conclusion hâtive…

— Monsieur le procureur, le gardé à vue se serait enfui par une fenêtre. Le palais n'est donc pas sécurisé ? Tout le monde peut y pénétrer ou en sortir ? Comme dans un moulin ?

— Les travaux ne sont pas encore obligatoires. La chancellerie a donné deux ans aux tribunaux pour procéder aux modifications. Ici, on a commencé depuis peu. De toute façon, la justice est publique, chacun peut assister à une audience.

— Nous pensions que l'instruction était secrète?

— L'instruction, oui, c'est vrai…

— Mais les trois quarts des tribunaux de France sont déjà sécurisés. Ce retard n'a-t-il pas coûté la vie à la victime?

— Victime… La seule victime, à ce jour, s'appelle Juliette Robin.

— Justement, Johnny Winterstein était-il le principal suspect du meurtre de Juliette Robin?

— Au même titre que Pierre Robin, oui. (« Zut, la présomption d'innocence. ») Enfin, disons que des charges existaient…

— Il était donc sur le point d'être mis en examen par le juge d'instruction?

— Vraisemblablement, oui.

— Que va-t-il se passer maintenant?

— Si Johnny Winterstein était bien l'assassin, l'action publique s'éteindra, et il sera mis un terme à l'enquête.

— Et Pierre Robin?

— Pierre Robin bénéficiera alors d'un non-lieu. Ce serait évidemment la solution la plus souhaitable pour tous.

— Qu'est-ce qui serait souhaitable? Que Johnny Winterstein soit le coupable?

Il se rendit compte de sa bévue et tenta de se rattraper:

— Non, je veux dire… Vous m'avez bien compris. Ne déformez pas mes propos. Je vous en prie…

— Vous pensez que Winterstein est coupable, ou bien est-ce la justice qui le *souhaite* pour innocenter Pierre Robin?

— Je veux dire qu'il serait souhaitable que Pierre Robin bénéfice d'un non-lieu… si Johnny Winterstein est bien l'assassin de Juliette Robin. Comme c'est probable, enfin, possible…

— Et la présomption d'innocence?

— Sous réserve, bien sûr, de la présomption d'innocence.

Il avait complètement perdu pied. Dans un sursaut de courage, il tourna les talons et les planta là, en les saluant d'un:

— Ce sera tout, mesdames et messieurs, je vous remercie.

En retournant à son bureau, Meunier se maudit de sa prestation catastrophique. Il demanda à sa secrétaire d'appeler le directeur de la télévision régionale, avec lequel il avait dîné chez le préfet quelques semaines auparavant. Hélas! le directeur ne serait pas à son bureau avant 15 heures. Il tenterait de le joindre dans l'après-midi, pour lui demander de faire couper au montage les propos malheureux. De toute façon, comme il était midi, l'interview ne pourrait pas être techniquement retransmise au journal régional de 13 heures. Il espérait aussi que les journalistes, s'ils avaient un fond de conscience professionnelle, se seraient censurés d'eux-mêmes.

En réalité, ses propos furent bien diffusés au journal de 13 heures. Ravis de l'aubaine, les journalistes avaient mis les bouchées doubles pour monter le reportage en un temps record. Ils ne tronquèrent rien de l'interview, qui fut donnée in extenso.

Lorsque les télés nationales et les internautes s'emparèrent de l'interview dans les heures qui suivirent, ils en tirèrent la pépite et diffusèrent la phrase malheureuse, sans s'encombrer du contexte.

« Si Johnny Winterstein était bien l'assassin, l'action publique s'éteindra, et il sera mis un terme à l'enquête.

— Et Pierre Robin?

— Pierre Robin bénéficiera alors d'un non-lieu. Ce serait évidemment la solution la plus souhaitable pour tous. »

Baudry et Dornier eurent tous deux la même réaction, sans s'être consultés, quand ils allumèrent la télévision chez eux.

— Quel con! s'écrièrent-ils simultanément.

En quarante-huit heures, la vidéo fut visionnée plus de six cent mille fois sur Internet. Les chiffres retombèrent vite, mais la citation figura en bonne place au bêtisier de fin d'année.

Les ambitions de Meunier étaient fortement compromises.

8

L A communauté des gens du voyage accueillit la nouvelle avec une stupeur mêlée d'indignation. Un gamin de dix-huit ans avait été assassiné, alors qu'il était innocent. Son assassinat ne faisait pour eux aucun doute, puisque le policier menaçait de le descendre, et qu'il avait sauté du toit pour lui échapper. Peut-être même avait-il été poussé dans le vide par son poursuivant?

Sur l'aire d'accueil où leurs caravanes stationnaient, les hommes se réunirent et prirent la décision d'accompagner la famille de Johnny qui remontait le jour même vers le nord, afin de récupérer la dépouille mortuaire de leur fils et de demander des comptes à cette justice qui assassinait les Gitans.

La déclaration malheureuse de Meunier, complaisamment relayée sur les ondes par des journalistes inconscients, acheva de bouter le feu aux poudres et aux têtes.

Dans une manifestation de solidarité d'apparence spontanée – mais dont l'enquête révéla plus tard qu'elle fut orchestrée par quelques meneurs –, des clans alliés rejoignirent celui de Johnny dans sa marche vers la vérité. Le cortège enfla rapidement. Finalement, une centaine de caravanes convergèrent vers le lieu où Johnny était mort.

La cohorte arriva dans la soirée devant le palais de justice, créant un embouteillage monstre qui paralysa les rues de la ville. Arrivé au but, l'un des caciques du clan des Gitans descendit solennellement de son fourgon et mena lentement une délégation vers le palais, à l'intérieur duquel il disparut. Sitôt franchies les portes du temple, le chef s'adressa poliment à l'hôtesse d'accueil et demanda à parler au procureur. La jeune fille se risqua à appeler le secrétariat du parquet pour lui transmettre la requête. Mais elle essuya une fin de non-recevoir, au motif que le procureur n'était pas dans les murs. Il était bien là, mais ne voulait pas descendre.

Comme le cacique s'énervait en tapant du poing sur le pupitre en bois de l'accueil, les trois vigiles qui gardaient l'entrée du palais lui demandèrent de se calmer. Mais le leader se refusa à déguerpir tant que le procureur ne serait pas descendu. Ils le ceinturèrent avec peine, car l'homme était de forte corpulence, et ils l'expulsèrent du palais, *manu militari*, tandis qu'il se débattait.

Dehors, aucun bruit ne sourdait encore des rangs des centaines d'hommes qui faisaient cercle autour des portes du palais. Ils attendaient sans bouger qu'on voulût bien leur rendre justice.

On ne leur rendit rien, sinon leur représentant, qui réapparut fermement empoigné par des vigiles téméraires ou inconscients. Devant la foule hostile, ils l'abandonnèrent juste avant de battre en retraite. Dans une chute accidentelle ou volontaire – l'enquête ne sut trancher –, le cacique s'effondra de tout son long. Une femme hurla :

— Ils ont tué José ! Ils l'ont tué, comme ils ont tué Johnny !

Cette étincelle déclencha l'explosion. Des hommes bondirent au secours du vieux, qui tardait à se relever. Leur cacique n'avait rien du tout, mais l'assaut était lancé.

L'avant-garde de la troupe vint se cogner contre les grilles du palais que les vigiles affolés avaient rabattues en hâte. Les hommes tapèrent du poing sur les portes en criant : « Ouvrez ! Justice, nous voulons la justice. Vengeons Johnny ! »

Les premières barres de fer sortirent des coffres des Mercedes garées à proximité. Des projectiles commencèrent à fuser dans les airs, toute une mitraille de boulons et de billes d'acier jetés vers les fenêtres des étages, dont le verre se brisait sous les impacts. Les grilles de l'entrée résistaient toujours, et la foule, lassée, se chercha un autre objectif.

— Les voitures, brûlons les voitures !

Les véhicules du personnel du palais stationnaient à l'extérieur des murs, surtout ceux des greffières, car les magistrats avaient droit au confort du parking souterrain. Très vite, les premières voitures furent renversées comme de malheureuses tortues. Les barres de fer achevaient l'œuvre de destruction. La même voix retentit de nouveau :

— Foutez-y le feu !

Les premiers cocktails Molotov furent lancés. Avaient-ils été préparés à l'avance ou bien improvisés sur-le-champ ? L'enquête ne trancha pas non plus.

Les voitures n'explosaient pas mais se consumaient, et le feu se propageait aux autres véhicules. Dans les flammes qui dansaient dans le soir, la façade du palais s'éclaira, mais tous les bureaux s'étaient éteints en un réflexe de défense passive.

Ravie du spectacle, la foule se tourna alors vers d'autres amusements. Les grilles des platanes qui bordaient le boulevard du Palais furent arrachées et précipitées dans les vitrines des commerces alentour, aussitôt mis à sac. Un des meneurs cria sans être entendu :

— Ne pillez pas, ne pillez pas, on n'est pas là pour ça !

Mais la tentation était trop grande. Les gens s'engouffrèrent dans les boutiques dont les occupants, surpris, n'eurent pas le temps de descendre les rideaux de fer. Ils en ressortirent les bras chargés de téléphones portables ou d'écrans plats.

Le rugissement des tronçonneuses éclata au milieu du tintamarre et des cris des casseurs. Méthodiquement, des hommes abattirent les platanes centenaires qui tombèrent à grand fracas en travers du boulevard, interdisant le passage aux véhicules de secours. Quelques manifestants se dirigèrent vers les premières voitures prises au piège. Les portières furent ouvertes, les occupants expulsés, et plusieurs 4 x 4 flambèrent à leur tour sur le boulevard.

Même si l'ordre public ne dépendait pas de lui, Baudry, courageux, se porta sur les lieux et monta dans un car qui stationnait à distance respectable de l'émeute. La radio grésillait. Successivement, les observateurs placés en quelques coins stratégiques décrivirent en termes angoissés le cortège désordonné qui menaçait de gagner l'hôtel de ville.

— On ne peut rien faire, la situation est incontrôlable.

— Cela regarde les CRS ! Demandez qu'on mobilise d'urgence une compagnie avant que la ville flambe.

La compagnie CRS 238, composée d'une centaine d'hommes, arriva sur les lieux moins d'une heure après le début de l'émeute.

Fraîchement émoulu de l'école de police, le gardien de la paix Khalid Benameur, vingt ans, n'oublierait pas son baptême du feu. Le bras gauche passé dans la poignée de son bouclier, la main droite serrée sur le Tonfa, il attendait de pied ferme les ordres de ses chefs, mais son cœur battait fort. Benameur avait quatre grenades lacrymogènes passées dans les boucles de son uniforme.

Benameur eut la sensation de se trouver au milieu d'un gigantesque son et lumière, dans lequel tous ses sens étaient à la fête. Les mille bruits de l'affrontement composaient une jungle musicale dans laquelle il s'enfonçait sans appréhension. Il distinguait la détonation brève des lanceurs de l'explosion sèche des grenades. Devant lui, les claquements lointains des pétards et le ronflement du feu omniprésent, comme une basse obstinée, soutenaient l'ensemble. Plus diffus, la clameur de la foule, les cris et les hurlements surgissaient de chaque rue dont les lueurs d'explosion trouaient l'obscurité.

Il s'appliquait soigneusement à suivre son brigadier qui progressait à vive allure. Les manifestants se débandèrent rapidement, répugnant à un affrontement direct dans lequel ils auraient eu le dessous. Ils s'enfuirent vers la souricière du boulevard qui se referma sur eux. Près d'une trentaine d'entre eux fut interpellée. Jetés à terre, menottés, pleurant, vomissant le gaz, ils furent conduits à l'arrière des camions, tandis que le butin s'amoncelait entre deux fourgons : haches, barres de fer, tronçonneuses et même trois fusils à pompe...

Mais aucun homme n'avait essuyé de tir. On ne déplora aucun blessé sérieux.

Khalid Benameur observait les gardés à vue qui restaient silencieux, humiliés d'avoir été pris. Le brigadier-chef lui lança :

— Quand je pense que ces couillons de juges et d'avocats vont nous les faire sortir dès demain matin. On se demande à quoi on sert ? Et pourquoi on protège leur palais, hein ?

Le palais avait somme toute été épargné, à la grande déception de l'association des Amis des vieilles pierres. Ce cénacle regroupait les protecteurs du quartier classé, dans lequel le bâtiment avait poussé comme une verrue dix ans auparavant. Les boutiques des commerçants, dont certains étaient membres émérites de l'association, avaient plus souffert. Mais leurs propriétaires seraient indemnisés par l'État.

Les dégâts étaient surtout d'ordre moral et politique. Pour la première fois peut-être dans l'histoire de la France contemporaine, un palais de justice, symbole de la République et de ses attributs régaliens, avait été attaqué… Les plus hautes autorités réagirent aussitôt. Ministre de l'Intérieur et garde des sceaux – rivaux qui se détestaient cordialement – se rendirent fraternellement sur les lieux encore fumants, pour crier leur indignation devant toutes les télés.

Meunier s'était rendu à la gare pour accueillir les ministres à leur descente du train. Le maire s'y trouvait déjà, battant la semelle sur le quai. Un membre du cabinet du préfet s'approcha du procureur et, gêné, lui fit comprendre que sa présence n'était pas particulièrement souhaitée en haut lieu : « Monsieur le ministre n'aura pas le temps de vous rencontrer ce matin. »

Écœuré, Meunier rentra au palais et se barricada dans son bureau. Il était désormais *persona non grata* sous les ors de la République. L'interview donnée par le garde des sceaux sur le quai de la gare acheva de lui dessiller les yeux et le précipita dans le désespoir :

— La République ne tolérera aucun trouble à l'ordre public. Ces scènes d'émeute sont inacceptables en France… Des déclarations irresponsables ont pu attiser l'incendie. À l'heure des bilans, chacun rendra compte de ses actes et de ses paroles…

Rendre compte ! Peut-être le conseil supérieur de la magistrature serait-il saisi d'une plainte à son encontre ? Meunier en aurait pleuré. Il était finalement la victime principale de cette émeute, et il resterait à vie le malheureux procureur dont le palais avait été investi par des coupables *souhaitables*.

Et le meurtre de Juliette Robin dans tout cela? Il n'avait toujours pas été élucidé.

Pour chasser ses inquiétudes, il se replongea dans la compilation de ses statistiques.

9

DORNIER vint travailler de bonne heure au bureau ce samedi. Cette journée ne suffirait pas à lui faire rattraper le retard de son travail, mais il n'avait rien à faire chez lui. Au petit matin, sous la pluie battante, il avait remisé son vélo au garage, la mort dans l'âme et le mollet contrarié.

Divorcé, sans enfants, il lui arrivait de s'ennuyer à la maison, le week-end, quand il n'avait programmé ni sortie ni invitation. Alors, il venait rattraper le temps perdu au bureau. Il choisissait un dossier en se demandant ce qu'il faisait là. Puis, emporté par son métier, il travaillait sans voir passer les heures et ressortait de son cabinet au soir, enfin content de rentrer chez lui.

Chazal venait parfois travailler le samedi, mais seulement quand il était sûr de trouver Dornier au bureau. Or ce matin-là, la pluie était si violente qu'il était sûr de ne pas faire chou blanc. Dornier l'accueillit rituellement :

— Tu es là? Tu n'as rien de mieux à faire un samedi?

— Le devoir m'appelle, patron…

Les deux hommes commentèrent les événements de la veille :

— Je suis passé devant le palais. Le quartier est encore quadrillé.

— As-tu entendu le garde des sceaux à la télé? Les jours de Meunier sont comptés, dirait-on…

— Personne ne le regrettera.

Un coup de sonnette l'interrompit. À l'Interphone, Dornier reconnut une voix familière.

— Monsieur le bâtonnier, c'est Baudry. Je passais dans le coin. J'ai vu votre voiture sur le parking. Je peux monter?

— Bien sûr, commissaire, je suis avec Chazal. Voulez-vous que je vous prépare un café?

« Baudry a besoin soit de parler, soit de fuir sa femme », se dit Dornier. Ce matin-là, l'homme en avait trop sur le cœur pour pouvoir se taire.

— Quelle histoire, hein, quelle histoire ! J'en ai vu pas mal dans ma carrière, mais celle-là… À Marseille encore, je veux bien… Mais ici, chez vous, où il ne se passe jamais rien !

— Beaucoup de dégâts, commissaire ?

— Mes collègues estiment que la casse a été limitée du point de vue matériel. Une quinzaine de voitures brûlées. Quatre boutiques pillées. Un feu rouge à terre. Les assurances paieront… Le palais a tenu le choc. Quelques vitres cassées, des portes à changer. Ils n'ont pas eu le temps d'y pénétrer…

— Les vraies victimes, ce sont les arbres du boulevard, avança Dornier, mi-sérieux, mi-ironique.

— Et vous oubliez le jeune Gitan, renchérit Chazal. Il ne s'en remettra pas non plus… Quelle bavure !

Baudry réagit immédiatement.

— Je vous arrête tout de suite. Il n'y a eu aucune bavure. La presse a monté l'affaire en épingle, mais le policier n'a commis aucune faute, j'en suis persuadé. L'enquête interne le démontre. Il n'a même pas fait usage de son arme, car il a estimé que les circonstances ne le justifiaient pas. Où est la faute ?

— Oui, mais il a fait des sommations qui ont pu effrayer le fuyard. Le gamin a légitimement cru qu'on allait lui tirer dessus, et il s'est affolé en conséquence. Peut-être ne fallait-il pas le menacer avec une arme… surtout si votre policier n'avait pas l'intention de s'en servir !

— Et que fallait-il faire alors ? Le laisser s'évader peut-être ? À quoi sert la police dans ce cas ? Mais enfin, vous marchez sur la tête. La faute, c'est de s'enfuir quand on est entre les mains de la justice. S'il n'avait pas pris la poudre d'escampette, il ne serait pas mort en glissant d'un toit…

— C'est trop facile. Si votre agent a été incapable de le rattraper – ce qui est une carence de sa part –, il n'avait pas à l'effrayer et…

Dornier intervint pour calmer les deux hommes :

— Allons, allons, Chazal, calme-toi. J'aurais plutôt tendance à me ranger à votre avis, commissaire. Le policier n'a fait que son travail, je ne vois pas qu'il soit fautif. Si cette fenêtre n'avait pas été ouverte…

— Pardon, mais cette fenêtre, c'est un dysfonctionnement qui incombe à l'administration judiciaire et non à la police, l'interrompit Baudry, tout aussi excité que le jeune homme.

Comme Chazal allait répliquer, Dornier se hâta de changer de sujet de conversation.

— Johnny Winterstein mort, l'enquête ne s'arrêtera pas pour autant, puisque ce n'était pas lui l'assassin de Juliette Robin. Si j'ai bien compris, il n'a fait que cambrioler une maison voisine, cette nuit-là, et n'a rien vu du crime perpétré à côté…

— C'est ce qu'il a effectivement déclaré dans son interrogatoire. Du coup, on n'en saura jamais plus. L'enquête se poursuit donc, elle va même s'accélérer. J'ai vu Tricard ce matin. Il s'apprête à demander la mise en détention de votre confrère.

— Il aurait pu me prévenir, le chameau… Je vais encore être convoqué in extremis, gronda Dornier entre ses dents.

— Je ne doute pas de votre talent pour le sortir de là, monsieur le bâtonnier.

— Mais enfin, ce n'est pas lui. Pour rattraper une bourde, on commet une erreur judiciaire. On tombe de Charybde en Scylla. Vous le savez, vous, commissaire, que Robin n'est pas l'assassin…

— Peut-être. Mais qui, alors ?

Ils se turent tous les trois, avouant leur ignorance. Baudry détourna le regard, et ses yeux s'arrêtèrent sur un dossier cartonné qui traînait sur la table de verre du bureau de Dornier. Le policier lut machinalement le nom écrit sur la tranche.

— Tiens, vous avez ressorti le dossier de la petite Dupuis ?

— C'est Chazal, répondit Dornier. Il a trouvé des similitudes troublantes entre les deux crimes. C'est assez étonnant, d'ailleurs.

En quelques mots, il lui exposa la théorie de son collaborateur. Baudry écouta avec un air narquois. Puis, se tournant vers Chazal, il reprit avec un rien de condescendance dans le ton :

— J'ai moi aussi revu le dossier. Je sais bien qu'il y a des similitudes entre les deux crimes, la même signature, comme vous dites. Mais de là à voir la même main derrière ces deux meurtres que tout sépare, il y a un fossé que je ne franchis pas.

Chazal ne put se contenir plus longtemps.

— Mais enfin, si vous rapprochez les indices des deux dossiers, il doit bien être possible de profiler Herbert…

— Herbert ?

— Nous avons baptisé ainsi le tueur, à supposer qu'il existe, expliqua Dornier. C'est plus commode pour le désigner.

— Herbert..., oui c'est intéressant, répondit Baudry comme il aurait pu tout aussi bien dire : C'est complètement idiot. Mais il vous manque quelques tomes du dossier...

— Ils sont chez moi, répondit Chazal avec gêne. Je relis tous les procès-verbaux de l'enquête. Donnez-moi quelques jours encore et je trouverai...

— Ou vous ne trouverez rien du tout. Ne perdez pas votre temps à jouer les jeunes détectives de la Bibliothèque verte...

Chazal rougit violemment. Avant que celui-ci ouvrît la bouche, Dornier mit un terme à l'échange, qui risquait de tourner à l'affrontement, en leur servant un café.

— Je vous propose d'enterrer la hache de guerre. Tenez, commissaire, un sucre ou deux ?

Le policier et le jeune avocat se calmèrent. Chazal se mura dans un silence boudeur et planta les deux hommes pour retourner travailler dans son bureau. Dornier pensait à l'incarcération prochaine de Robin et songeait aux moyens de l'en tirer. Mais son esprit battait la campagne. Baudry supportait seul les frais de la conversation, et ce n'était pas pour le gêner.

— Et Laurence Mauvezin ? me direz-vous. Elle est repartie pour l'Italie. Nous n'avons aucune charge contre elle. Une femme assez curieuse, mais très franche, je vous assure...

Dornier écoutait à peine. Il se rappela les propos de Marie-Christine Luce, que Chazal lui avait rapportés l'autre jour. Après tout, si elle savait quelque chose, il faudrait bien qu'elle parle. Il irait la voir dès aujourd'hui. Il résolut de taire sa démarche à Baudry, qui continuait à parler tout seul. Il avait hâte qu'il s'en aille à présent.

Le policier se leva enfin pour, dit-il, aller rejoindre sa femme. Mais il lui fallut bien quinze minutes pour s'exécuter. Dornier le raccompagna jusqu'à l'ascenseur dont il pressa le bouton d'appel. Baudry ne se décidait pas à y pénétrer, il avait toujours quelque chose à dire. Décidément, sa femme devait être épouvantable pour qu'il montre si peu d'empressement à la retrouver.

Il lui tardait de rencontrer Marie-Christine. D'un appel rapide, il vérifia qu'elle était chez elle. Elle accepta de le recevoir, mais lui donna rendez-vous dans un café au bas de son immeuble.

Il salua Chazal, qui se trouvait toujours dans son bureau, la tête penchée sur un dossier.

— J'y vais. Tu n'oublies pas de fermer quand tu pars ?

— Bien sûr, patron, d'ailleurs, je vais aller déjeuner.

— Oh ! mais tu es toujours dans le dossier de Clémence...

— Oui. Je vais rabattre son caquet à ce flic. Quel imbécile !

— Allons, allons, ce n'est pas un mauvais bougre, tu verras. Tu n'aurais pas dû le provoquer, tu sais...

— Peut-être, mais il sera forcé d'admettre que j'avais raison, pour Herbert !

— Ne me dis pas que tu as trouvé quelque chose ?

— Je crois bien que si. Mais c'est extrêmement ténu. Les traces dans l'escalier de la maison des Robin... Je n'ose pas en parler, de peur de dire une énormité. Donnez-moi quelque temps pour vérifier...

— Comme tu voudras... Mais pas d'imprudence, n'est-ce pas ? À lundi.

DORNIER s'assit à la table du café et commanda un demi. L'Univers était un établissement miteux qui survivait grâce à la vente du tabac et à son activité de PMU, drainant quelques habitués qui venaient sacrifier indifféremment à la cigarette et au tiercé.

Marie-Christine était en retard, « comme toutes les femmes », soupira Dornier qui commençait à avoir faim. Il hésita, puis se commanda un jambon-beurre. Il l'avait à peine entamé qu'elle ouvrait la porte du café en en faisant tinter la cloche.

Il avala précipitamment sa bouchée et se leva pour l'accueillir. Elle était vêtue d'un jean, d'un imperméable noir et d'un petit chapeau de pluie, qui rapetissait encore son visage et son museau pointu. Elle garda sur elle son imperméable mouillé, signe qu'elle ne voulait pas s'attarder, et commanda un Perrier citron. Il mit les pieds dans le plat sans tergiverser :

— Marie-Christine, cela suffit maintenant. Il y a eu deux morts. Si vous savez quelque chose, il faut le dire à présent.

— Qu'est-ce que je saurais ?

— Ne me racontez pas d'histoires. Chazal m'a tout rapporté. L'autre soir, vous lui avez dit avoir trouvé la preuve de l'innocence de Robin dans le dossier. Je n'y ai rien vu, quant à moi. Mais je n'ai peut-être pas votre intuition. Si vous savez quelque chose, il serait criminel de continuer à vous taire… Qu'attendez-vous, bon sang, pour aider ceux qui, comme moi, tiennent à faire éclater la vérité ?

Elle lui opposait sa petite mine butée. Elle savait, cela crevait les yeux. Il avait envie de la prendre par l'imperméable et de la secouer. Il se résolut à abattre son unique atout.

— Tricard est sur le point de convoquer Robin pour le faire coffrer. Il veut boucler son dossier avant la fin du mois. La chancellerie a exigé que la justice fasse un exemple pour rattraper sa bourde…

« Je mens à peine », se dit-il.

— … Et une fois en détention, il sera trop tard pour celui que vous croyez défendre. Dans son état, vous savez bien qu'il n'y survivra guère. Vous croyez le protéger en vous taisant ?

Il se dit fugacement que Robin avait passé avec elle la nuit du crime et qu'elle n'osait pas l'avouer. Mais elle avait deviné sa pensée. Il se méprenait comme Baudry s'était mépris avant lui.

— Vous avez peut-être raison. Je comptais le dire au juge plus tard, de toute façon. Seulement à la fin de l'instruction, pour mettre par terre son dossier. Mais il est inutile d'atermoyer davantage.

Quinze minutes plus tard, il ressortait de L'Univers en se disant que cette avocate aurait fait un juge d'instruction remarquable. Elle venait de sauver la mise à Robin, il en était convaincu, et Tricard lui-même serait forcé d'en convenir. Il n'y avait plus qu'à identifier Herbert, mais la tâche serait malaisée.

– Monsieur Robin, j'envisage de demander votre placement en détention provisoire, dans la nécessité de préserver l'ordre public.

Le mis en examen était entouré de ses deux avocats. Luce, à sa gauche, et Dornier, à sa droite, faisaient face au bureau du juge. Comme à son habitude, Pierre Robin ne disait rien.

Dornier et la jeune femme s'étaient concertés avant d'entrer dans le bureau du magistrat. Il avait été décidé que ce serait elle qui parlerait : après tout, c'était son idée à elle. Sur un signe de Dornier, elle se lança :

— Monsieur le juge, avant de commencer l'interrogatoire, je voudrais vous faire part d'une réflexion que je souhaiterais voir figurer au dossier. Je conviens que la démarche est inhabituelle…

— Écoutez, ce n'est pas le moment, répliqua Tricard. Vous me ferez part de vos réflexions dans un mémoire écrit que vous voudrez bien m'adresser après le réquisitoire du parquet. Commençons l'interrogatoire, si vous voulez bien.

Dornier renchérit pour emporter le morceau :

— Monsieur le juge, j'ai la conviction que le fruit des réflexions de Me Luce fait obstacle à toute mise en détention de M. Robin.

— Bon, allez-y, je vous donne cinq minutes.

— Voici, monsieur le juge. Je souhaite revenir sur les circonstances de l'effraction. L'assassin de Juliette Robin s'est introduit dans la maison en brisant un carreau de la porte-fenêtre, ce qui lui a permis de manœuvrer la poignée intérieure en passant la main dans l'ouverture qu'il s'était ainsi ménagée. La vitre brisée, des morceaux se sont répandus à terre. Ils ont d'ailleurs été ramassés par les enquêteurs, et mis sous scellés...

— Je vous arrête tout de suite, maître, car ces morceaux sont vierges de toute empreinte, l'interrompit Tricard.

— Peu importe. C'est donc l'assassin qui a brisé cette vitre, n'est-ce pas ?

— Je vais vous demander d'aller au fait, maître, s'énerva Tricard.

— J'y viens, monsieur le juge. Si je puis vous démontrer que la vitre a été brisée après 7 h 17 – moment précis du passage de Pierre Robin au péage –, force sera d'en conclure qu'il ne peut être l'assassin.

Tricard faisait ostensiblement mine de consulter sa montre pour marquer son impatience.

— Or la vitre a bien été brisée après l'arrivée de la femme de ménage, à 8 h 30. Si vous relisez la déposition de Mme Fernandez, vous constaterez qu'elle ne dit mot d'un carreau cassé... alors même qu'elle explique avoir passé l'aspirateur dans le salon. Le nez sur le sol, des bouts de verre n'auraient pas échappé à son regard. Et on les aurait retrouvés dans le sac de l'aspirateur.

Tricard plongeait du bec dans le dossier pour aller y piocher la déclaration de Mme Fernandez. Il la relut compulsivement. Pas un mot sur la présence de morceaux de verre.

Elle lui donna le temps de relire la déposition, et enchaîna :

— Je reprends. Lorsque Mme Fernandez monte à l'étage, vers 9 h 30, pour y chercher un produit d'entretien, la vitre n'est pas brisée. Elle découvre le cadavre dans la chambre et s'enfuit précipitamment de la maison pour se réfugier chez la voisine. Elle n'y retournera plus, trop terrorisée pour y remettre les pieds. La voisine ne bougera pas non plus… C'est dire que personne ne franchira le seuil de la maison jusqu'à l'arrivée des gendarmes sur les lieux, vers 10 heures, lesquels constateront que la vitre est brisée. La conclusion s'impose : l'assassin a cassé le carreau entre 9 h 30 et 10 heures, alors même que Pierre Robin se trouvait à Nancy, comme en font foi les relevés de péage. Pierre Robin ne peut donc être l'assassin.

— Mais comment conciliez-vous le fait que l'assassin ait cassé le carreau pour s'introduire dans les lieux vers 10 heures environ, et la quasi-certitude que Juliette Robin était morte dès 9 h 30, quand Mme Fernandez a découvert son cadavre dans la chambre ?

— Si Juliette Robin était déjà morte quand l'homme s'est introduit dans les lieux, vous me rétorquerez qu'elle aurait pu être tuée par son mari à 6 heures du matin et que c'est un cambrioleur qui se serait introduit dans une maison qu'il croyait vide, vers 10 heures, en brisant un carreau… Mais l'hypothèse est peu vraisemblable, car on ne voit pas un cambrioleur agir en plein jour, alors que la voiture de Mme Fernandez était garée devant le portail, et que la porte d'entrée était entrouverte, signes évidents que la maison n'était pas vide… Car Mme Fernandez n'a pas refermé derrière elle la porte d'entrée. J'exclus donc l'hypothèse du cambrioleur tardif, et j'affirme que c'est bien l'assassin qui a brisé la vitre, alors qu'il avait déjà tué Mme Robin. Mais alors, pourquoi est-il revenu sur les lieux pour briser cette vitre, en s'exposant dangereusement au risque d'être découvert ?

Elle fit une pause. Tricard écoutait, subjugué.

— La seule réponse logique à cette question, c'est que l'assassin n'a pas eu à revenir… puisqu'il n'a jamais quitté les lieux ! Il s'est trouvé coincé par la présence de la femme de ménage qui l'empêchait de descendre ! Pendant qu'elle passait son aspirateur, il rongeait son frein à l'étage, dans la chambre de la morte.

— Oui, ça se tient, murmura Tricard.

— Voici donc comment se sont passées les choses, sans vouloir être présomptueuse. Pierre Robin quitte la maison vers 6 h 30. Il en ferme soigneusement la porte à clef, comme à son habitude. L'assassin arrive entre 6 h 30 et 8 heures, et il ouvre nécessairement la porte avec une autre clef, car il n'y a pas eu effraction. (Elle se tourna vers Robin pour l'interroger brièvement :) Je crois que comme beaucoup de personnes, vous avez caché un trousseau de secours dans votre jardin, n'est-ce pas ?

— Oui, il y a une clef pendue à un clou, dans le chéneau. Il faut tirer une bûche du tas de bois pour s'en servir comme d'un marche-pied, et accéder à la clef…

— L'assassin trouve la clef dans le chéneau. Peut-être savait-il d'avance où chercher ? Il s'introduit dans la maison silencieuse et referme la porte à double tour derrière lui en emportant la clef. Il monte à l'étage dans la chambre où Juliette dort. Son sommeil est lourd, parce qu'elle a trop bu la veille au soir. Il se penche sur elle, elle se réveille maussade, car elle imagine que c'est son mari qui vient la déranger. Mais ce n'est pas lui, c'est un visage inconnu, elle hurle… Il est sur elle. Il la maintient du poids de son corps. Il la torture de longues minutes, elle ne meurt pas tout de suite.

Emportée par son éloquence, elle décrivait la scène avec une com-plaisance qui devait faire souffrir Pierre Robin. Dornier la rappela à l'ordre, d'un bref toussotement. Elle poursuivit sans emphase :

— L'assassin s'attarde sur les lieux du crime, pour je ne sais quelle raison. Mais voici qu'arrive la femme de ménage. Le bruit de la clef tournant dans la serrure a dû le faire sursauter, car il ne s'y attendait pas. Il est pris au piège, car il ne peut s'enfuir par la fenêtre de la chambre, qui est à plus de quatre mètres du sol. Il ne peut descendre par l'escalier, car elle le surprendrait. Alors, il attend pendant près d'une heure qu'elle veuille bien s'en aller. Mais soudain, l'aspirateur s'arrête et elle monte l'escalier. Elle entre dans la salle de bains, qui ouvre sur la chambre du crime. Il a dû se cacher derrière la porte, qui était entrouverte selon Mme Fernandez… Elle s'arrête, interdite, sur le seuil de la pièce. L'horreur du spectacle provoque la fuite de cette femme, qui se réfugie chez la voisine. L'assassin doit souffler, il est sauvé. Il n'a plus qu'à redescendre et à remettre la clef dans sa cachette. Mais avant de partir, il se livre à une petite mise en scène : il casse un carreau de l'extérieur, pour faire croire à une effraction. Puis il regagne son véhicule qu'il a garé dans un coin discret, assez loin de là. Il n'est certainement pas venu à pied…, la ville est à près de dix kilomètres.

— Mais pourquoi simule-t-il une effraction ? interrogea Tricard.

— Il ne veut pas que l'on sache qu'il est entré avec la clef de secours, puisque seul un familier du couple pouvait en connaître la cachette. Il veut détourner les soupçons sur un tiers…

— Mais pourquoi pas sur Pierre Robin, alors ?

— Il savait que Pierre Robin ne ferait pas un coupable idéal, car il n'avait aucune raison de tuer sa femme. Il fallait à l'assassin un coupable plus solide. Un coupable imaginaire, donc introuvable. Un étranger. Mais la justice s'est fourvoyée sur la fausse piste de Pierre Robin, à raison d'indices qui n'en étaient pas vraiment. La dispute entre les époux la veille, les lettres de Pierre Robin à Laurence… autant de circonstances ignorées du véritable assassin. Tout le monde s'y serait trompé, il est vrai. Mais il ne fallait pas prendre ces courriels à la lettre. Pierre Robin aimait encore Laurence, ou croyait l'aimer, et n'aimait plus Juliette dont la raison vacillait dans l'alcool. Il hésitait à la quitter, craignant de la rendre plus malheureuse encore. Elle avait pourtant consulté Me Dornier sur la possibilité d'un divorce, il y a quelques mois, mais n'avait jamais donné suite. Pierre Robin se débattait dans ses contradictions. Il en était moralement miné. Abandonner sa femme malade, ou faire semblant de rester avec elle par compassion… Vous pourrez interroger le Dr Caen, le psychiatre qui suit Pierre Robin depuis deux ans : il lui avait conseillé de coucher par écrit ses dilemmes pour y voir plus clair.

Tricard était convaincu par les explications de la jeune femme, mais il ne pouvait perdre la face. Il grommela dans sa barbe :

— Ouais, c'est pas complètement idiot tout ça. On va vérifier tout de suite, je vais appeler Baudry. (Il décrocha son téléphone, avant de se raviser.) Je suspends l'interrogatoire quelques minutes. Je vous demande de rester à proximité. Nous reprendrons dès que possible.

Pierre Robin et ses deux défenseurs sortirent du bureau pour gagner la salle d'attente de l'instruction.

— Que va-t-il encore nous inventer ? demanda Dornier à la jeune femme. Il n'a pas besoin de suspendre pour interroger la femme de ménage… Le temps qu'il la trouve, cela peut durer des heures, et il peut remettre à demain. Cela cache autre chose, mais quoi ?

Elle ne répondait pas. Elle pressait le bras de Pierre Robin gagné par l'émotion, qui semblait se retenir de pleurer.

Pourtant, de son bureau, Tricard appelait Baudry et le mettait brièvement au courant :

— Je vous remercie de faire interroger Mme Fernandez dans les meilleurs délais, commissaire.

Baudry traduisit le « dans les meilleurs délais » en un « sur-le-champ ».

— J'y vais tout de suite, monsieur le juge. Elle habite Villecomte.

Tricard se tourna vers sa greffière, une vieille fille à l'âme de martyr qu'il terrorisait depuis près de dix ans.

— Monique, allez me chercher de quoi manger à la cafétéria. Avec une bière et un café. Je vais déjeuner ici sur le pouce. Non, ne prévenez pas Dornier ni les deux autres. Qu'ils restent dans la salle d'attente. On va les faire mariner un peu.

Sitôt qu'elle fut sortie, il décrocha son téléphone. Peut-être serait-il encore joignable à cette heure ? Oui, il était là…

La conversation ne dura que quelques secondes, et le magistrat raccrocha sur ces mots.

— Très bien, à tout de suite, maître.

Il sourit en se frottant les mains puis la barbe, signe d'une jubilation intense. L'avocate l'avait médusé, c'est vrai, mais elle n'avait pas poussé son raisonnement assez loin. Lui irait jusqu'au bout, et leur montrerait… Le cercle se resserrait sur le véritable coupable qui n'était pas loin, il en était persuadé.

La greffière revint avec un sachet de papier encore chaud et un café fumant à la main. Tricard déjeuna goulûment, assis à son bureau, sans couverts. Il finit sa bière et avala son café avec un certain contentement, même si celui-ci était infect comme à l'ordinaire. Il rit doucement et chantonna quelques mesures d'une valse de Strauss. La greffière n'en revenait pas, son juge était d'une bonne humeur inhabituelle. Il se recomposa un visage impénétrable et demanda à Monique de faire rentrer Dornier, Luce et Robin.

Dornier avait l'air excédé par cette attente et par la faim qui le tenaillait, mais en bon diplomate, il se contenait. Le visage de la jeune femme était impassible. Robin avait l'air d'avoir pleuré.

— Je suis navré de vous avoir fait attendre, mais j'ai voulu faire vérifier la déposition de Mme Fernandez. Le commissaire devrait me rappeler d'un instant à l'autre. Je ne doute guère que vous ayez raison, maître, dit-il en se tournant vers Luce. Et pour tout vous dire, face à ces nouvelles circonstances, je ne pense pas qu'il soit opportun d'envoyer M. Robin en détention…

Sitôt lâchée cette concession qui ne lui avait rien coûté, Tricard attaqua pour reprendre l'avantage :

— Cela étant dit, si les explications de Me Luce mettent hors de cause M. Robin, elles confondent aussi le coupable. Nous savons maintenant que c'est un proche du couple Robin. Mais nous devons aller plus loin et tenter de l'identifier. Le cercle se referme sur trois coupables potentiels, dont l'un est mathématiquement le vrai coupable. Et je vous propose de refermer ensemble ce cercle…

Ils le regardèrent, interloqués, quand la sonnerie du téléphone les fit sursauter. Tricard décrocha aussitôt.

— Oui, commissaire, vous avez entendu Mme Fernandez, et elle vous confirme que le carreau n'était pas cassé quand elle est arrivée dans la maison. Parfait, je m'en doutais un peu, mais je voulais en être sûr. Quoi d'autre ? Ah, c'est intéressant ! Ce n'était pas son jour de travail habituel… Elle venait seulement le lundi et le jeudi… Mais ce jour-là, un mardi, elle était venue exceptionnellement travailler pour rattraper une absence. Très bien, je vous remercie, commissaire.

Il raccrocha et reprit la parole. Ses procédés les mettaient mal à l'aise, et il s'amusait de leur trouble.

— Je disais que le cercle se refermait sur trois suspects que je vous propose d'entendre.

On frappa à la porte.

— Ah, voici les personnes qui nous manquaient. Entrez !

La porte s'ouvrit sur Me Mathieu et une secrétaire du cabinet Mathieu & Robin. Mathieu se confondit en courbettes.

— Monsieur le juge, je suis venu aussitôt que vous m'avez appelé, avec ma secrétaire. Mais permettez-moi de vous dire que je ne comprends guère… Oh ! mais vous êtes là, vous aussi ! remarqua-t-il en découvrant Dornier, Luce et Robin.

— Asseyez-vous, maître, et vous aussi, madame. Je vais vous demander de répondre à quelques questions brèves, si vous le voulez bien. Nous savons maintenant que le coupable était un proche qui connaissait les habitudes du couple Robin. Or Pierre Robin n'est pas un matinal. Il quitte habituellement la maison vers 8 h 15, en même temps que sa femme, pour arriver au bureau vers 8 h 30. C'est bien cela, monsieur Robin ? Madame, le confirmez-vous ? dit-il en se tournant vers la secrétaire, qui répondit :

— Oui, monsieur le juge. J'arrive à 8 heures le matin, et j'ouvre le cabinet. Me Robin n'arrive jamais avant 8 h 30.

— Et les deux autres avocats ?

— Eh bien, Me Mathieu arrive après 9 heures. Mais il reste travailler tard le soir, bien sûr. Il travaille énormément. Et Me Luce arrive la dernière, vers 9 h 30.

— Et quand ils se rendent à l'audience ? demanda Tricard.

— Quand ils ont audience à 9 h 30, ils partent directement de chez eux, sans passer au cabinet. Sauf Me Robin. Si c'est l'audience de 11 heures, ils arrivent au cabinet aux heures habituelles...

— Bien, madame, je vous remercie, et je vais vous demander de sortir quelques minutes, le temps pour nous d'évoquer un dossier couvert par le secret de l'instruction. Je reviens à mes moutons, dit-il quand elle fut sortie. L'assassin connaissait nécessairement les habitudes immuables de Pierre Robin et savait donc que Mme Robin n'était jamais seule le matin, puisqu'elle partait travailler en même temps que son mari. Il n'avait donc aucune raison de s'introduire à leur domicile vers 7 heures du matin... Sauf s'il savait que Pierre Robin devait partir à l'aube pour Nancy, ce jour-là, pour y plaider un dossier... Or, initialement, Pierre Robin ne devait pas se rendre à Nancy, puisque l'audience devait être renvoyée pour compléter le dossier. C'est au dernier moment, la veille au soir, qu'il a appris que le dossier se plaiderait tout de même ! N'est-ce pas, monsieur Robin ?

Comme Robin approuvait d'un hochement de tête, le juge demanda à la greffière de faire rentrer la secrétaire, à laquelle il demanda :

— Que s'est-il donc passé le lundi soir ? Comment Pierre Robin a-t-il appris qu'il devait se rendre à Nancy ?

— J'ai reçu un coup de téléphone du confrère de Nancy. Il était gêné, il n'a même pas voulu parler à Me Robin. Il m'a juste dit que sa cliente avait changé d'avis et qu'il plaiderait le dossier le lendemain. Je suis allé le dire à Me Robin, qui se trouvait dans le bureau de Me Mathieu. Il était furieux de devoir aller à Nancy, car il avait d'autres audiences le lendemain matin. Il a appelé Me Luce sur le téléphone intérieur pour lui expliquer la situation et lui demander de le remplacer ici... Il devait être 17 h 30. Je m'en souviens bien, car c'est l'heure à laquelle je quitte mon travail. Après avoir informé Me Robin, j'ai branché le répondeur téléphonique et je suis rentrée chez moi.

— Personne n'a pu alors appeler le cabinet ?

— Si personne n'a enlevé le répondeur, non... Il n'y a que Me Luce qui sache faire la manipulation d'ailleurs...

— Il n'y a pas de ligne directe qui permette de court-circuiter le répondeur du standard ?

— Si, mais seul Me Mathieu a un numéro direct.

— Y a-t-il eu des rendez-vous, ce soir-là ?

— Non, aucun.

Elle montra le carnet de rendez-vous qu'elle avait apporté à la demande de Tricard.

— Donc, Me Mathieu et Me Luce étaient les seuls à savoir qu'exceptionnellement Pierre Robin quitterait son domicile à l'aurore le lendemain, pour se rendre à Nancy. Je vous remercie, madame, vous pouvez disposer après avoir lu et signé votre déposition.

Tricard reprit :

— Monique, arrêtez de taper et laissez-nous.

La greffière s'en alla à la suite de la secrétaire.

— Je vous propose de continuer notre échange hors procédure, si vous en êtes d'accord. Je sais bien que ce n'est pas courant, mais la vérité peut en sortir… Nous sortons du cadre de l'instruction, et rien de ce que nous dirons ne sera consigné par écrit. Pas d'objections ?

Le caractère de Mathieu ne le poussait guère à la contestation ouverte. Quant à Dornier, il fit taire son âme de grognard et renonça à élever la moindre protestation contre cette irrégularité flagrante, car il sentait la vérité toute proche… La jeune femme s'en remit à lui, d'un regard, et il parla pour les autres.

— Monsieur le juge, rien ne vous empêche d'évoquer le dossier avec les défenseurs de Pierre Robin… Continuez, je vous en prie.

— Bien, puisque nous en sommes d'accord. Donc le coupable est soit Me Luce, soit Me Mathieu !

— Je proteste, glapit Mathieu qui retrouvait ses réflexes de vieux plaideur sitôt qu'il était personnellement mis en cause.

Dornier le calma d'une pression de la main sur le bras.

— Attends ! Laissons monsieur le juge nous exposer le fruit de sa réflexion. Nous sommes « off the record ». En admettant que l'assassin soit l'un ou l'autre, il doit être possible de vérifier l'emploi du temps de chacun le matin du crime…

— Tous deux se sont rendus à l'audience à 9 h 30, sans passer par leur bureau, ce qui leur aurait laissé le temps de se rendre à Villecomte à l'aube. Et comme ils vivent seuls, personne ne peut porter témoignage de leurs occupations ce matin-là.

Ni Luce ni Mathieu ne démentirent.

— D'accord, ils auraient pu se rendre à Villecomte, reprit Dornier, mais qu'aurait pu leur rapporter un tel crime ?

— Vous savez, répondit Tricard, des mobiles, on en trouve toujours. Pour Me Mathieu, cela pourrait être l'esprit de lucre. Savez-vous que si l'un des associés ne peut plus exercer, les statuts de la société civile professionnelle Mathieu & Robin donnent pouvoir à l'autre associé de gérer l'ensemble et de percevoir la totalité des revenus tant que dure l'empêchement du premier ? Et cet empêchement peut traîner vingt ans… soit la durée de la peine qui serait infligée par une cour d'assises à Pierre Robin.

— Mais enfin, c'est ridicule ! hurla Mathieu. Je m'en vais, je ne supporterai pas d'en entendre davantage.

— Non, monsieur le juge, objecta Dornier. Si Me Mathieu avait voulu faire porter les soupçons sur son associé, il n'aurait pas monté cette mise en scène destinée à faire croire au meurtre d'un tueur de hasard !

— C'est vrai, monsieur le bâtonnier, reconnut Tricard. Alors tournons-nous vers Me Luce. En tuant Juliette Robin, elle aurait éliminé sa rivale ! Le mobile se tient. Je vous le répète, si ce n'est pas Me Mathieu, c'est forcément Me Luce, puisqu'elle était la seule autre personne à savoir que le champ serait libre au matin…

— Mon Dieu ! murmura la jeune femme dans un souffle, avant de défaillir sur sa chaise.

Dornier se leva aussitôt pour lui porter secours.

— Marie-Christine… que vous arrive-t-il ?

Il la secoua violemment, mais elle ne réagissait pas. Il lui souleva la paupière, où il ne vit que le blanc de son œil. Elle semblait morte.

— Appelez un médecin, bon sang ! intima-t-il à Tricard.

Il l'allongea par terre et la couvrit de sa veste. Tricard rompit enfin le trouble qui les avait saisis pour décrocher son téléphone et demander à la standardiste d'appeler les urgences. Dornier semblait furieux.

— Votre mise en scène était stupide, monsieur le juge. Et je m'en veux d'avoir accepté de me prêter à ce petit jeu. Vous savez que Me Luce est gravement handicapée et très fragile !

Tricard n'en menait pas large. Mais déjà, la jeune femme revenait à elle et s'excusait de la peur qu'elle leur avait causée.

— Ce n'est rien, murmura-t-elle. Rien qu'un malaise vagal. J'y suis sujette. Non, je n'ai pas besoin de médecin, je dois juste rentrer chez moi pour m'allonger.

Tricard reprit le combiné pour décommander le médecin. Il avait l'air déçu que sa petite mise en scène ait été interrompue avant le dénouement qu'il escomptait. Il les salua entre ses dents, sans les raccompagner, quand ils prirent congé. Mathieu fit mine de reconduire la jeune femme, mais Dornier le congédia.

— Laisse, Marie-Christine habite sur mon chemin.

Tout en la soutenant, il l'emmena vers sa voiture, dans les soussols du palais.

La voiture démarra doucement. Comme elle ne disait rien, Dornier attendit quelques minutes avant de parler. Il était torturé par la curiosité, mais il ne voulait pas la braquer par des questions pressantes. Arrivé devant son immeuble, il n'y tint plus :

— Marie-Christine, il faut tout me dire.

— Je n'ai pas tué Juliette Robin, se contenta-t-elle de répondre.

— Je m'en doute bien. Mais alors, qui est-ce ? Mathieu ?

— Je ne crois pas. Enfin, je ne sais pas…

— Marie-Christine, vous connaissez le coupable. C'est la raison de votre évanouissement. Je vous en supplie, parlez. Confiez-moi ce que vous savez… si vous ne voulez pas le dire à Tricard. Parlez, bon sang ! Demain, il sera peut-être trop tard !

Il avait eu tort de lui parler sur ce ton. Il s'en rendit compte, car déjà, elle sortait de la voiture.

— Bonsoir, monsieur le bâtonnier. Et merci encore…

Le claquement de la portière étouffa la fin de sa phrase.

10

— Monsieur le bâtonnier ? Je suis désolé de vous déranger à 8 heures, mais je sais que vous êtes matinal.

La voix de Baudry sonnait curieusement terne dans le combiné, comme si l'émotion lui avait fait perdre son accent du Sud-Ouest. Dornier se demanda ce qui se passait.

— Je vous en prie, commissaire. Mais vous avez l'air tout retourné…

— Il y a de quoi. J'ai une mauvaise nouvelle. La police municipale vient de retrouver le corps d'une jeune femme, dissimulé dans un buisson du square de la République. À deux pas du palais. Étranglée… Les vêtements déchirés. Et je suis au regret de vous annoncer que la victime est l'une de vos consœurs…

Mais Dornier avait deviné le nom de la morte dès les premières paroles de Baudry. Il surprit le commissaire par son intuition :

— Marie-Christine Luce ?

— Comment avez-vous su ? Vous avez été prévenu ?

— Je vous expliquerai dans un instant. J'arrive.

Il enfila son pardessus et sortit en courant du cabinet. Il roula comme un automate jusqu'au palais. Abattu par le chagrin et par la peur, il avait le cœur qui battait la chamade. Ses mains serraient le volant pour ne pas trembler. Il se maudissait de ne pas avoir insisté la veille, quand il l'avait raccompagnée chez elle. « Si j'avais pu la retenir, elle ne serait pas morte. Je n'ai pas insisté, par crainte stupide de paraître importun. Elle en est morte ! » Il aurait voulu remonter le temps pour changer le cours des choses. Il l'aurait alors ramenée chez lui, en lieu sûr, et ne l'aurait pas laissée ressortir.

Un petit attroupement s'était formé dans le square. Près d'une statue grisâtre, Dornier reconnut la haute silhouette de Baudry coiffé d'un feutre sombre. Deux policiers l'assistaient avec un brassard distinctif au bras. Trois pompiers attendaient près d'un brancard pour enlever le corps, sitôt que le médecin et les techniciens auraient achevé leurs constatations. L'un d'eux filmait la dépouille avec une caméra. Un flic fumait une cigarette, tandis que la radio à sa ceinture grésillait des phrases sans suite auxquelles il ne répondait pas. Sans ôter la cigarette de sa bouche, l'homme prit la radio et gueula :

— Ici, Zebra trois. Terminé. Ouf ! OK pour la levée du corps. Direction la morgue. On va enfin pouvoir aller casser la croûte...

Dornier eut envie de lui intimer de se taire et de faire preuve d'un peu de décence. Mais déjà Baudry l'accueillait avec des façons de croque-mort et lui présentait ses condoléances.

— Je suis désolé de vous imposer cette épreuve. Voulez-vous reconnaître le corps ? Nous n'avons retrouvé ni ses habits ni ses papiers, mais je n'ai aucun doute, hélas ! C'est elle, mais il faut que ce soit un proche qui l'identifie formellement...

Dornier vacillait sur ses jambes. Jusque-là, il se croyait plus courageux. À près de cinquante ans, il avait assumé toutes les épreuves de l'existence, sans jamais se dérober. Même quand il avait frôlé la mort à plusieurs reprises, il ne s'en était pas ému plus que ça. Mais à cet instant, la carapace qu'il s'était forgée était en train de se désagréger dans ce square glacé, face à ce petit cadavre.

Sur un signe du commissaire, un policier découvrit le visage de la morte, dissimulé sous une couverture marron. La vision ne dura qu'une seconde. Dornier hocha la tête et détourna le regard.

Il n'osait pas parler, de peur que des sanglots n'étranglent ses mots. Il ne pouvait décemment éclater en pleurs devant ces hommes. Il se reprit peu à peu, tandis que Baudry le conduisait à l'écart en lui tenant le bras.

— On va aller se réconforter chez l'ami George.

À deux pas du lieu du crime, le restaurant n'était pas encore ouvert à cette heure. Mais, curieuse, Mme George était à sa porte, attirée par le spectacle des policiers.

— S'il vous plaît, mettez-nous deux verres de blanc.

Dornier but son verre d'un trait et s'assit sur un tabouret. L'alcool lui réchauffa immédiatement les sangs. Il se sentit mieux et eut honte de cet instant de faiblesse. Baudry commanda d'autorité deux autres ballons de blanc et deux tartines de rillettes pour accompagner le vin. Dornier se laissa faire. Flic à toute heure du jour et de la nuit, Baudry en profita pour lui tirer les vers du nez.

— Tout à l'heure, au téléphone, comment avez-vous deviné que c'était elle?

— Hier après-midi, chez le juge…

Il lui raconta la scène qui s'était déroulée chez Tricard.

— Elle semblait bouleversée. J'ai essayé de la faire parler, mais je me suis heurté à un mur. Elle savait quelque chose, elle est morte de l'avoir su et peut-être de ne pas m'en avoir parlé.

— Elle ne dira plus rien désormais. Tricard aurait pu me prévenir…

— Mais il s'est trompé. Ce n'est pas forcément Mathieu ou Luce qui a tué Juliette Robin.

— Que voulez-vous dire? Qui peut être alors le coupable? demanda Baudry.

— Il suffit que l'un des deux ait appris fortuitement à l'assassin que Pierre Robin ne serait pas chez lui le lendemain matin… sans imaginer un instant qu'Herbert profiterait de son absence pour aller tuer son épouse Juliette. Vous savez, hier, quand Tricard nous a fait son petit numéro, elle a dû se souvenir qu'elle en avait parlé à quelqu'un, la veille du crime…

— Donc elle aurait deviné l'identité de l'assassin, chez Tricard, mais n'en aurait rien dit…

— Oui. J'imagine qu'elle a eu à cœur de vérifier avant de balancer son nom. Elle est allée trouver Herbert pour lui faire part de ses soupçons, et il l'a tuée pour qu'elle ne le dénonce pas. Elle s'est jetée dans la gueule du loup…

— Vous avez certainement raison. Je vais essayer de recomposer son emploi du temps d'hier soir. À qui a-t-elle pu parler ? Et peut-être a-t-elle laissé un indice chez elle ? Je vous abandonne à votre chagrin, je me mets en chasse. La note, c'est pour moi, madame George.

DORNIER gagna le palais en quelques enjambées pressées. Sitôt arrivé dans le bureau de l'ordre, il s'enferma. La pièce était fonctionnelle, mais laide. Elle changeait d'occupant tous les deux ans, au gré des élections au bâtonnat. Il n'était pas d'usage d'en modifier l'ordonnancement immuable.

Il allait se livrer aux corvées fastidieuses qui incombent au bâtonnier lorsqu'un avocat meurt : prévenir le barreau d'une lettre circulaire, appeler la famille et convenir avec elle d'une date d'obsèques. Puis nommer un administrateur qui s'occuperait de la clientèle de la jeune femme. Dans une armoire-forte posée dans un coin de la pièce, il consulta des dizaines de dossiers roses. Sur chacun était inscrit le nom d'un avocat. Il extirpa le dossier de Marie-Christine Luce. Hormis quelques pièces administratives, il ne contenait rien. Elle n'avait pas fait parler d'elle au cours de ses cinq années de barreau. Demain, plus personne ne se souviendrait d'elle. Sauf un couple de vieux parents qui porteraient leur croix jusqu'à la fin de leurs jours. Un accès de haine chassa son écœurement. Quel était le salaud qui s'arrogeait le droit de semer ainsi la mort ?

DE son côté, Baudry tournait en rond dans les locaux de la police. Il houspillait ses collaborateurs pour tromper son impatience.

— Alors, ce fax, il arrive, oui ou merde ?

L'analyse du portable de la victime n'avait rien donné. Elle n'avait passé aucun coup de fil la veille de sa mort, pas plus que la veille de la mort de Juliette Robin. Après avoir été raccompagnée par Dornier, elle avait dû ressortir de chez elle à pied pour retrouver l'assassin. Sa voiture était restée garée au parking du palais.

Baudry avait rapidement visité l'appartement de la jeune femme, avant de l'abandonner aux techniciens. Mais ils ne découvriraient rien, il en était sûr. La solution se trouvait plutôt dans son bureau. Il avait demandé à Tricard de lui délivrer une commission rogatoire et de l'y accompagner, puisque la perquisition devait être légalement effectuée par un magistrat. Mais le juge était débordé et ne pouvait se déplacer. Il avait alors promis de faxer le précieux sésame entre midi et 14 heures, afin que le policier puisse faire le nécessaire sans lui, tout en lui faisant observer que l'opération ne serait pas pour autant régulière. Mais il était convenu qu'il valait mieux ne pas remettre la perquisition au lendemain, surtout si Dornier, qui devait superviser l'opération, n'en faisait pas un fromage.

Enfin, le fax se mit à crépiter, et la commission s'imprima devant ses yeux impatients.

Baudry s'en empara avant même que la machine ait fini de cracher son papier et bondit sur le téléphone pour appeler Dornier.

— Monsieur le bâtonnier, vous pouvez m'accompagner au cabinet de Me Luce? Vous savez bien que je n'ai pas le droit de perquisitionner hors de votre présence. Je puis passer vous chercher à votre bureau, je me contenterai de klaxonner sous vos fenêtres…

— Je vous attends.

Dès qu'ils furent ensemble dans la voiture, Baudry confia à Dornier l'échec de ses investigations du matin.

— Pas d'appel téléphonique, pas d'opération sur son compte bancaire. Aucun témoin ne l'a aperçue… Vous savez tout ce que je sais. Ce n'est pas l'usage, mais je vous propose de faire équipe. Au point où nous en sommes!

— Personne n'est plus désireux que moi de percer à jour ce salopard. D'accord pour jouer franc-jeu avec vous, commissaire!

Très prudent au volant, Baudry avançait lentement. Le lieutenant Bertrand, assis sur le siège arrière, ne disait mot. Dornier éprouva tout de suite la solidité de l'alliance qu'ils venaient de nouer:

— Avez-vous contrôlé l'alibi de Mathieu?

— Il a regardé la télé! Invérifiable. S'il était l'assassin de Juliette, il signait sa culpabilité en tuant la petite, non?

Dornier ne répondit pas. Il n'était plus sûr de rien.

Les locaux de la SCP Mathieu & Robin étaient déserts, hormis une secrétaire. Mathieu, souffrant, était resté chez lui, et Robin n'avait toujours pas la force ni l'envie de reprendre le travail. Le commissaire donna ses directives:

— On ne trouvera rien pour hier soir… Elle n'est pas repassée au cabinet en sortant de chez Tricard. Mais ce serait bien le diable si on ne découvrait pas ce qu'elle a pu faire le lundi 21 novembre.

Bertrand alluma l'ordinateur de la jeune femme. Dornier éplucha l'agenda posé sur un fauteuil. Baudry s'assit derrière le bureau et explora le contenu des tiroirs où tout était rangé au cordeau.

Hélas! ils durent rapidement déchanter. L'agenda était vierge à la page du lundi 21 novembre. La boîte mail était vide, leur confirma Bertrand. Et dans le meuble qui lui servait de bureau, pas la moindre trace d'un rendez-vous, d'une lettre qui aurait pu les mettre sur la trace d'Herbert. Seul un Post-it collé sur un sous-main faisait mention d'un numéro de téléphone portable. C'était celui de Dornier… Il en fut tout retourné. Ce signe laissait supposer qu'elle avait sans doute envisagé de l'appeler pour se confier.

— Rien, bon sang! grogna le commissaire.

— On ne va quand même pas fouiller tous ses dossiers? demanda plaintivement Bertrand.

— Il y en aurait pour des heures. Et à quoi bon? Ils ne nous apprendraient rien, avança un Dornier désabusé.

Il lui semblait qu'elle était encore dans la pièce. Il la voyait assise à son bureau, devant une photographie qui la montrait en robe et en gants blancs, entourée de gens âgés – ses parents probablement – le jour de sa prestation de serment.

Obéissant à une impulsion soudaine, Dornier s'empara de la photographie qu'il glissa dans sa poche.

L'espoir en berne, le trio s'avança dans le couloir qui menait à la sortie. La secrétaire les attendait, assise à son poste qui faisait face à l'entrée. Elle avait posé sur sa tête un casque qui lui permettait d'écouter les cassettes dictées par ses patrons. Consciencieusement, elle en dactylographiait le contenu. Comme Baudry s'arrêtait devant elle, elle leur dit:

— C'est une cassette de Me Luce. Écoutez…

Elle débrancha le casque, et la voix de la disparue retentit dans la pièce, déformée par l'appareil, spectrale. L'impression fut pénible, et ils se regardèrent avec gêne.

— Épargnez-nous cela, s'il vous plaît, supplia Dornier qui s'approcha machinalement de la femme.

Son œil fut alors attiré par un cahier d'écolier posé sur le bureau de la secrétaire, et qui portait les initiales G.M. sur une couverture rouge plastifiée. G.M. comme Guillaume Mathieu.

— Bon sang, le cahier de frais, bien sûr…

Baudry ne paraissait pas comprendre, et Bertrand faisait une tête lunaire.

— Chaque avocat tient un cahier de frais dans lequel il agrafe les justificatifs de ses dépenses quotidiennes, pour se les faire rembourser. C'est le cahier de Guillaume Mathieu. Mais elle doit en avoir un également… Où est-il? demanda-t-il à la secrétaire.

— S'il n'est pas dans son bureau, il doit se trouver chez la comptable. C'est la petite pièce qui se trouve à droite du bureau de Me Mathieu.

Baudry et Dornier s'y précipitèrent. La pièce était en désordre: des classeurs étaient posés à même le sol. Dornier trouva tout de suite le cahier à spirale rouge marqué des initiales M.C.L.

Il l'ouvrit à la page du mois de novembre. À côté de factures d'essence ou de repas, Marie-Christine avait agrafé sur la page gauche des tickets de parking.

Il arracha la liasse de tickets bleus et les éplucha de ses doigts tremblants. 18 novembre… 19 novembre… lundi 21 novembre.

— Regardez, commissaire!

Le ticket bleu portait la mention suivante: « Parking République. 21 novembre. Entrée 18 h 25. Sortie 19 h 5. »

— C'est le parking du palais! Elle s'y est rendue le fameux lundi soir, pour y déposer son courrier…

— Son courrier? l'interrogea Baudry.

— Chaque avocat dispose d'une case au palais, dans laquelle on glisse les correspondances et les actes de procédure qui lui sont destinés. Elle est allée au courrier le lundi soir, au palais, et c'est là qu'elle a rencontré Herbert, à qui elle a appris que Robin devait se rendre à Nancy le lendemain matin, à l'aube…

— Mais alors…, commença Baudry.

— Oui, c'est donc un confrère, ou un juge… Vous avez deviné, commissaire. Je n'arrive pas à y croire!

— Bien joué, mon cher maître. Il ne devrait pas être trop difficile de pincer Herbert à présent. Je sais que vous travaillez tard, vous les avocats, mais il ne doit plus y avoir grand monde dans les prétoires, après 19 heures…

— Non, personne, sauf les quelques confrères habitués de l'audience correctionnelle qui se termine souvent à la nuit. Enfin, elle ne se tient qu'un lundi sur deux. Et le bâtonnier qui repasse à l'ordre, sa journée achevée.

Dornier s'arrêta, pris d'un soupçon qui le glaça. N'était-ce pas ce lundi soir qu'il avait donné rendez-vous à l'un de ses confrères, pour arrêter le budget de l'ordre? Et ce confrère, c'était… Non, il se trompait sans doute. Il lui fallait vérifier sans plus attendre sur l'agenda de l'ordre. Il regarda sa montre qui marquait 19 heures. Il avait encore le temps de faire un saut au palais.

— Vous ne m'écoutez plus, monsieur le bâtonnier?

Baudry lui parlait, mais il n'avait pas entendu.

— Je disais que, dès demain, j'éplucherai le rôle des audiences de l'après-midi du lundi 21 novembre. Je vais demander à Tricard de me les procurer. Nous n'aurons plus qu'à interroger ceux qui étaient là le soir… Mais vous me semblez ailleurs, monsieur le bâtonnier?

Dornier bredouilla:

— Oui, oui, bien sûr. Excusez-moi, c'est sans doute le contrecoup, mais je suis épuisé…

— Je comprends. Je vous redépose à votre bureau. Mais promettez-moi que vous ne jouerez pas cavalier seul! Herbert est dangereux, il n'hésite pas à tuer ceux qui le soupçonnent…

SITÔT que la voiture de Baudry se fut éloignée, Dornier bondit dans la sienne et fila au palais. Son passe magnétique lui permettait d'y pénétrer à toute heure sans avoir à réveiller le gardien. Il monta rapidement la volée de marches qui conduisait aux locaux de l'ordre. L'agenda du bâtonnier était posé dans le bureau de la secrétaire. Il l'ouvrit à la page du lundi 21 novembre. Il ne cherchait qu'une confirmation, ou plutôt espérait secrètement un démenti. Il eut beau lire et relire les deux lignes écrites par la main de sa secrétaire, il était impossible de s'y méprendre.

« 19 heures. Rendez-vous avec Me Moreau à l'ordre. Budget. »

Jacques Moreau! L'avocat fiscaliste, le solitaire auquel on ne connaissait que deux passions: son métier et le vélo.

C'était bien lui, Herbert, et tout s'expliquait. En vérité, comme il n'y avait pas eu d'audience correctionnelle ce lundi-là, aucun autre avocat n'avait eu de raison de se trouver au palais, dont les portes étaient fermées. Seuls le bâtonnier et les membres du conseil de l'ordre – dont Moreau faisait partie – disposaient d'une carte magnétique qui leur permettait d'y accéder. Ce lundi soir, Moreau, toujours ponctuel, l'avait retrouvé à son bureau de l'ordre à 19 heures précises, muni du budget prévisionnel. L'entretien n'avait guère duré plus d'une demi-heure, et Moreau s'était sauvé vers 19 h 30, ou 19 h 45. Il avait expliqué à Dornier qu'il avait encore un rendez-vous à son cabinet, qu'il ne s'arrêtait jamais. Tous deux avaient quitté le palais désert avant 20 heures.

C'était sans doute en arrivant un peu avant 19 heures que Moreau avait rencontré Marie-Christine Luce, qui rentrait chez elle après avoir levé sa case. Ils avaient sans doute échangé quelques mots anodins près des cases. Il aurait pu écrire leur échange sans beaucoup se tromper.

« Je vous laisse, je rentre chez moi, il faut encore que j'étudie mes dossiers de référé pour demain matin.

— Dites-moi, cela ne vous ressemble pas de les préparer la veille pour le lendemain !

— Oui, mais il n'était pas prévu que je prenne l'audience. Mᵉ Robin m'a demandé de le remplacer au pied levé. Un dossier qui devait être renvoyé, et qui se plaide à Nancy demain matin… »

Moreau en avait profité pour commettre son crime en toute impunité. Et quand elle était allée le trouver le soir fatal pour le sommer de s'expliquer, il s'était débarrassé d'elle en l'étranglant…

Mais pourquoi avait-il torturé et tué Juliette Robin ? Qu'avait dit Chazal ? C'était un crime de psychopathe. Et le psychopathe est un individu en apparence normal, qui tue, torture ou mutile, parce que cela le fait jouir. Moreau était donc ce psychopathe qui avait écrasé les traits de sa victime. Peut-être était-il aussi l'assassin de la petite Clémence ?

Soudain, par une fulgurance de son esprit surexcité, il lui revint en mémoire un détail qui acheva de le convaincre. Chazal lui en avait parlé l'autre soir. L'assassin était monté dans l'escalier de la maison en marchant sur la pointe des pieds. Seul le tiers avant de son pied s'était imprimé dans la fine pellicule de poussière qui couvrait les marches. Et il était redescendu sur les talons, l'empreinte ne montrant que le tiers arrière du pied. Le rapport de l'enquête scientifique avait mis en lumière ce détail saugrenu, mais personne n'avait su en expliquer les raisons. Seul un cycliste comme Dornier pouvait comprendre.

Herbert portait des chaussures de vélo… Ces chaussures si singulières sont pourvues, au milieu de la semelle, d'une cale permettant de les fixer aux pédales. Herbert avait eu le culot de se rendre sur les lieux du crime à vélo ! Et c'est la raison pour laquelle les enquêteurs n'avaient jamais trouvé trace de sa voiture aux alentours.

Ainsi, Herbert était un cycliste, comme Moreau. Herbert était aussi familier de la maison Robin, comme Moreau. Herbert avait également rencontré Luce au palais le lundi soir, comme Moreau. Herbert ne pouvait qu'être Moreau.

Et maintenant, que faire ? Dornier quitta les locaux de l'ordre et reprit sa voiture. Sans qu'il en soit très conscient, il emprunta la direction de son bureau. Sans doute n'avait-il pas très envie de rentrer chez lui et de retrouver la tristesse qui l'attendait.

CHAZAL était encore là, qui préparait les dossiers du lendemain. Dornier fut heureux de le retrouver, il avait envie de parler. Le jeune homme l'accueillit avec la plaisanterie d'usage, mais Dornier ne sourit pas. Il s'assit face à Chazal, sur une chaise réservée aux clients, et se passa les mains sur le visage pour tenter d'en chasser la fatigue.

— J'ai passé une journée atroce. Il a fallu que je reconnaisse le corps de cette pauvre fille. Et que je prête main-forte à Baudry quand il a perquisitionné dans son bureau…

— Je sais bien, patron. Tout le palais est bouleversé par la mort de Marie-Christine.

— Tu sais, je crois que tu as raison et qu'Herbert est bien un tueur en série. Deux morts ! Peut-être trois…

— Je n'en ai jamais douté. (Le jeune homme se fit grave.) Marie-Christine était une copine. Nous avions prêté serment ensemble, il y a cinq ans. Je ne m'en remets pas. Pas elle !

— C'est affreux. Je la connaissais à peine, mais je crois que j'ai autant de chagrin que toi, mon pauvre ami.

Dornier crut voir une larme fugace dans les yeux du jeune homme. Pour le consoler, il le serra contre lui, quelques secondes durant. Chazal s'abandonna avant de se reprendre bien vite. C'était un orgueilleux. Comme il aimait ce jeune homme fougueux qui lui ressemblait tant qu'il aurait pu être son fils ! Le visage tendu, Chazal murmura :

— J'espère que Baudry le pincera vite, à présent. Ce n'est qu'une question de jours ou d'heures. Mais pourquoi l'avoir choisie, elle ?

Dornier lui raconta la scène qui s'était déroulée chez le juge Tricard la veille. Chazal semblait abattu.

— Alors c'est peut-être l'un d'entre nous. Mathieu ?

— Je ne sais pas. Baudry vérifiera demain matin. Dis donc, tu avais deviné qu'Herbert portait des chaussures de vélo. Tu te souviens de ta phrase de l'autre jour sur les traces dans l'escalier ?

— Oui, patron. Ça devrait limiter le nombre des suspects. Vous pensez à quelqu'un d'autre ?

— Non, je n'en sais rien, mentit-il. C'est égoïste, mais je voudrais juste dormir et pouvoir oublier tous ces morts…

— Vous êtes épuisé.

— Toi aussi. Tu devrais rentrer te coucher. Je vais faire de même.

— Je suis votre conseil, patron. Vous venez ?

— Pas tout de suite. Je boucle une assignation et je lève le camp. Ne m'attends pas. File et n'abuse pas de la télé !

II

ESTÉ seul, Dornier tenta de rassembler ses pensées. Sa conscience le torturait. Ne valait-il pas mieux ne plus s'en mêler et laisser la justice et la police tâtonner tout leur saoul ? Après tout, ce n'était pas son rôle de jouer les enquêteurs. Il était si las qu'il faillit succomber à la tentation de la facilité.

Dans la poche droite de sa veste, il sentit la présence d'un objet qu'il avait oublié. Le cadre photo qu'il avait pris dans le cabinet de la jeune femme… Avec émotion, il le posa sur son bureau. Il lui sembla que Marie-Christine Luce le fixait… Ce regard réveilla ses instincts de lutte et il se ressaisit d'un coup. Non, il n'avait pas le droit de la laisser tomber. Mais fallait-il pour autant prévenir Baudry pour qu'il arrête Moreau dès le lendemain matin ? Si, par extraordinaire, celui-ci n'était pas coupable, il ne se remettrait jamais d'avoir été soupçonné à tort. Non, avant de le livrer, il lui fallait en avoir le cœur net.

Le cabinet de Moreau était distant de quelques pâtés de maisons. Peut-être son confrère s'y trouvait-il encore malgré l'heure avancée ? Mais il se devait d'être plus prudent que la jeune femme qui l'avait devancé. Il prit le soin de griffonner sur un papier qu'il laissa en évidence sur son bureau : « 21 heures. Je vais trouver Mᵉ Moreau à son bureau. Je le soupçonne d'être l'assassin. S'il m'arrive malheur, qu'on lui en demande compte. »

Comme il n'avait pas d'autre arme, il se munit du couteau Laguiole à manche de corne qui lui servait à décacheter les enveloppes. Malgré la proximité, il choisit de prendre sa voiture, afin de rentrer directement chez lui sitôt sa visite achevée. Il fut d'abord déçu en se garant devant l'immeuble de Moreau : la fenêtre de son bureau, au premier étage, était éteinte.

Il descendit tout de même de voiture et son pas fit crisser le gravillon rose du trottoir. Il connaissait le code de l'immeuble pour avoir vu Moreau le composer, un jour qu'il l'avait accompagné : 2042K. La porte du hall d'entrée se débloqua dans un grésillement électrique. Il pénétra dans l'immeuble et monta au premier étage. Qu'espérait-il, puisqu'il ne pourrait de toute façon entrer dans le cabinet s'il était fermé à clef ?

La porte du cabinet ne comportait pas de serrure, mais était équipée d'un Digicode qui en commandait l'entrée. Il n'en connaissait pas la combinaison. À quoi bon ? Il fut sur le point de faire demi-tour, et se ravisa. Il partageait avec son confrère un nombre symbolique, convoité, comme un passe… 1038. C'était la cote du col de Sainte-Croix. Après une seconde de réflexion, il y rajouta la lettre *S*, la première initiale de Sainte-Croix.

Un déclic retentit discrètement, et la porte s'ouvrit. Il n'en revenait pas. Il avança avec précaution dans le couloir dont la moquette absorbait le bruit de ses pas. Il n'alluma pas. Il tâtonna, les bras en avant, pour donner le temps à ses yeux de s'accoutumer à l'obscurité.

Où était donc le bureau de Moreau ? Au fond, il ouvrit deux portes avant de trouver la pièce. On ne pouvait s'y tromper, c'était la plus vaste du cabinet. Dans l'obscurité, l'écran de l'ordinateur se découpait sur le bureau. Il contourna le meuble et s'assit dans le fauteuil à roulettes. Il pressa l'interrupteur de l'ordinateur qui clignotait dans le noir. La machine démarra lentement et la lueur de l'écran se répandit dans la pièce. Il se mit au clavier. Se pouvait-il que cet ordinateur livre enfin la vérité ? Dans un instant, il saurait… Mais s'il n'y avait rien ?

C'est alors que la lumière de la pièce jaillit et l'éblouit. Quelqu'un était là devant lui, mais sa rétine ne parvenait pas encore à distinguer le visage qui lui faisait face. Il n'apercevait qu'un objet fixé sur lui, dans la main de l'inconnu. Un pistolet !

— Bonsoir, patron.

Il reconnut la voix, avant que sa pupille n'accommode et que sa vision ne redevienne claire.

— C'est toi ? Que fais-tu ici, tu m'as surpris… Mais ce pistolet ?

— Une précaution élémentaire. Ne bougez pas ou je serai forcé de m'en servir. Je vous assure que je n'hésiterai pas une seconde.

Dornier ne comprenait rien. Il biaisa :

— Tu m'as suivi ?

— Oui. Vous aviez l'air tellement troublé tout à l'heure, en revenant au bureau. J'ai compris que vous avanciez à pas de géant… sur la fausse piste qui menait à Moreau. Je vous ai attendu dans ma voiture planquée derrière l'immeuble. Je vous ai suivi à bonne distance. Je craignais que vous ne retrouviez Baudry. Mais vous avez préféré jouer perso. Heureusement pour moi, et malheureusement pour vous.

— Mais comment es-tu entré sans le code ?

— Voyons, patron… Vous êtes toujours aussi ignare en matière de technologie. Une fois le code composé, la porte reste déverrouillée, jusqu'à ce qu'on réarme le système, en le réinitialisant ! Vous avez tout laissé ouvert derrière vous !

— Pourquoi m'as-tu suivi ? Et pourquoi me menaces-tu ? Tu es mêlé à tout cela ?

Chazal, son fidèle collaborateur, était bien devant lui… ganté et vêtu de noir, curieusement affublé de surchaussures de toile et d'un bonnet. Le jeune homme suivit le regard incrédule de son aîné qui le détaillait de la tête aux pieds.

— Pas très seyant, n'est-ce pas ? Mais ce petit costume évite de laisser des cheveux et de l'ADN sur la moquette, patron. Eh oui, c'est ma tenue de travail, à usage unique. C'est dans ce déguisement que j'ai tué Juliette Robin et Marie-Christine Luce.

Les yeux de Dornier se dessillèrent enfin.

— Tu les as tuées, toi ? Mais pourquoi ?

— J'y étais obligé. Et je vous assure que j'ai fait cela sans plaisir aucun. Je n'ai pas le goût du meurtre, mais il le fallait bien.

— Et cette mutilation alors ?

— Cette mise en scène m'a coûté plus que vous ne le pensez. Mais il s'agissait d'accréditer la fausse piste d'un psychopathe, d'un tueur en série pour détourner les soupçons…

— Pas toi, Chazal, ce n'est pas possible ! Je rêve ?

— Si, patron. J'ai assassiné Juliette Robin le mardi 22 novembre vers 8 heures du matin, et Marie-Christine Luce hier soir à 23 heures.

— Mais pourquoi? répéta Dornier.

— L'heure des explications a sonné, patron, il est minuit. Je vous dois bien ça. Et pour ce que vous en ferez…

Ces mots firent tressaillir Dornier. Chazal était un tueur, et il allait le faire disparaître lui aussi dans un instant, sitôt achevée sa confession. Dornier devait donc gagner du temps. Le faire parler et feindre le désarroi pour ne pas le mettre sur ses gardes.

— Ce n'est qu'une histoire de gros sous, patron. Figurez-vous que j'ai eu de gros besoins d'argent, il y a deux ans. Je sortais avec la fille Martin. Vous vous souvenez d'elle, vous la trouviez superbe? Une gosse de riche élevée dans le luxe. Il lui fallait le 4 x 4, les week-ends à Saint-Moritz, le shopping à Paris… Un train de vie que je ne pouvais soutenir, avec mes seuls revenus d'avocaillon. Alors, j'ai pris l'argent où il se trouvait… J'ai commencé à ponctionner les fonds encaissés pour le compte des clients. Oui, l'argent que nous leur faisons gagner devant les tribunaux, et qui doit transiter par notre caisse avant de leur être remis. Je ne leur restituais que la moitié des fonds que m'adressait la partie qui avait été condamnée à indemniser nos clients. Pour l'autre moitié de la somme, je rédigeais de faux ordres de virement à destination d'un compte que j'avais ouvert sous une fausse identité. J'expliquais que le reste de l'argent n'avait pas encore été versé par l'adversaire. Et sitôt que je recevais une nouvelle somme d'argent pour un autre client, j'en prélevais une partie pour désintéresser le premier que j'avais volé, en lui versant son solde. Et une partie pour financer mes dépenses.

— De la cavalerie pure et simple, dit Dornier avec un accablement feint. Tu es tombé dans l'escroquerie de bas étage!

— Que voulez-vous, j'étais amoureux et j'avais honte de mes faibles moyens. Bien sûr, le trou grossissait à chaque opération, puisque je me servais chaque fois au passage. J'ai fini par rompre avec Hélène Martin, mais j'ai continué à ponctionner les comptes des clients. Et j'ai commencé à très mal dormir, car j'avais peur d'être découvert. Un jour, je me suis cru perdu. L'ordre avait tiré mon nom au sort parmi d'autres, pour effectuer un contrôle de comptabilité.

— Les contrôles aléatoires… C'est moi qui les ai institués.

— Vous n'auriez pas dû. Je ne savais que faire. Il m'était impossible de m'y soustraire sans attirer l'attention. Et si j'étais contrôlé, je serais pincé, car toute personne normalement intelligente éventerait la fraude en y mettant le nez. Vous vous souvenez que Pierre Robin avait été désigné pour les contrôles. Il s'y mettait le week-end, chez lui, car il n'avait pas le temps de s'y consacrer la semaine, au bureau. En tremblant, j'ai déposé mes liasses comptables à son domicile, un vendredi soir. Il m'avait indiqué où il cachait la clef de sa porte, pour le cas où il aurait été absent.

— Ce qui t'a permis de revenir un matin à l'aube…

— Attendez, patron, vous allez trop vite. Vous me croirez si vous voulez, mais ce soir-là, j'ai raflé tout l'argent liquide que j'ai pu et je me suis disposé à fuir. Pour y refaire ma vie, je voulais gagner l'Argentine, un pays qui n'extrade pas les Français. Mais je ne suis pas parti tout de suite, espérant je ne sais quoi. Or l'incroyable s'est produit. Une semaine après lui avoir remis mes comptes, j'ai reçu un petit billet de Robin qui me donnait quitus. Selon la formule consacrée, il avait trouvé mes comptes « sincères et véritables ». J'étais abasourdi, je ne comprenais pas. Peut-être n'avait-il pas pris le temps de les examiner ? Quoi qu'il en soit, j'étais sauvé. J'ai sauté de joie. J'avais un an devant moi, peut-être plus, pour rétablir ma situation avant un éventuel prochain contrôle. L'insouciance m'a repris et, bien sûr, j'ai continué mes ponctions comme si de rien n'était… Mais j'ai très vite déchanté, quand j'ai reçu un appel de Juliette Robin, qui me donnait rendez-vous dans un café discret de la ville. Elle était très mystérieuse au téléphone. Je ne sais pas si vous savez qu'elle était expert-comptable de formation. Eh bien, figurez-vous que Pierre Robin, débordé, lui sous-traitait les contrôles de comptabilité dont l'ordre le chargeait ! Elle s'en tirait à merveille, c'était un jeu d'enfant pour elle. Et lui n'avait plus qu'à signer le rapport qu'elle lui remettait.

Dornier avait compris, et il aurait pu se passer d'écouter la suite. Mais comme tout bon avocat, Chazal se faisait un devoir d'infliger *in extenso* sa plaidoirie à son auditoire. Dornier commença imperceptiblement à bouger la main droite.

— Juliette Robin m'a expliqué qu'elle avait percé à jour mes détournements. Elle n'en avait dit mot à son mari qui m'avait donné quitus, sur l'assurance de sa femme. Elle m'avait rendu un vrai service, mais en échange, il me faudrait payer ma dette. Je vous assure que si le contrôle avait été mené par Pierre Robin, il aurait tout découvert. Et aucun de ces meurtres ne serait survenu. Je serais en Argentine à l'heure actuelle. Cela aurait été une simple histoire de détournement de fonds, une de plus…

— Je veux bien te croire…

Il aurait dit n'importe quoi pour dissimuler le mouvement de son bras droit. Il fallait qu'il s'empare de son couteau avant que la mort fonde sur lui.

— Juliette Robin m'a confié qu'elle était profondément malheureuse, car son mari ne l'aimait pas. Elle aurait besoin de moi à l'occasion, mais n'en a pas dit davantage. J'ai promis de l'aider. Dans tous les cas, j'étais coincé entre ses griffes. Un peu plus tard, elle m'a dévoilé son jeu. Elle voulait que je la débarrasse, au sens le plus cru, de son mari. Rien que cela! Je lui expliquais qu'elle n'avait qu'à divorcer et que je l'y aiderais. Mais elle avait réfléchi à la question. Elle ne pouvait demander le divorce, car si elle le faisait, elle endosserait tous les torts et serait déchue de tout droit à indemnisation. En revanche, veuve, elle aurait continué à jouir de la fortune de son mari qui lui avait fait legs de tous ses biens, au jour de leur mariage.

D'un geste qu'il s'efforça de rendre le plus naturel possible, Dornier glissa enfin la main droite dans la poche de sa veste. Ses doigts se refermèrent sur le manche de corne de son Laguiole. Le salut! Se jeter sur lui? Cinq mètres les séparaient. Deux ou trois secondes pour les franchir. Et ce large bureau qu'il lui faudrait contourner, soit deux secondes de plus, au bas mot. Cinq secondes en tout, et dix fois le temps pour Chazal de lui vider son chargeur dans la poitrine. Il fallait qu'il l'amène à se rapprocher, à s'asseoir familièrement sur l'un des sièges qui lui faisaient face! Il s'efforça de prendre un ton amical:

— Tu ne veux pas t'asseoir? Tu me donnes le tournis!

Aussitôt, il regretta amèrement d'avoir prononcé cette phrase. Elle était désastreuse. La réponse de Chazal lui cingla les oreilles:

— Non, pas de tour de cochon. Et restez où vous êtes! Je continue. Elle voulait que je tue son mari. Elle avait imaginé une mise en scène qui aurait fait croire à un accident de chasse. Je me dérobais, mais elle se faisait de plus en plus pressante. J'étais à la merci de cette folle qui menaçait de révéler mes tripatouillages. Je ne vivais plus. J'ai conçu peu à peu l'idée de m'en débarrasser… C'était logique. Comment faire autrement? Et je crois sincèrement que son existence était parfaitement inutile et que personne ne l'a regrettée.

Le détachement de Chazal prouvait une totale absence de sensibilité, il était donc inutile de tenter de l'émouvoir. Mais Dornier ne rêvait pas, Chazal se rapprochait peu à peu du bureau ! Pris par le flot de ses paroles, il avançait…

— Mais comment faire ? Le hasard m'en a fourni l'occasion, un soir que je traînais au palais, où j'ai rencontré Marie-Christine Luce aux cases.

— Comment pouvais-tu entrer au palais à cette heure-là ?

— Vous aviez perdu votre passe l'an dernier. Je l'avais trouvé près de votre voiture, et je l'ai gardé…

« Encore un pas. Oui, rapproche-toi ! »

— La petite Luce renaudait un peu car son patron venait de lui repasser *in extremis* l'audience des référés du mardi, parce qu'il partait pour Nancy à l'aube… Je me suis décidé en une seconde. Je me suis procuré cette tenue, et j'ai filé à Villecomte dans la nuit, à vélo.

— Tu fais du vélo, maintenant ?

« Rapproche-toi. Voilà. Viens ! »

— Je m'y étais mis en secret. J'avais envie de me mesurer à vous, et de vous battre sur votre propre terrain. Vous ne vous en rendez pas compte, patron, mais vous êtes d'une supériorité écrasante.

« Allons, un Œdipe mal placé. » Il en aurait souri, n'étaient les circonstances. « Mais rapproche-toi encore, voilà, comme cela. »

— La suite, vous la connaissez. Je l'ai étranglée dans son lit. Je vous passe les détails.

Dornier se retint de crier. « Tu l'as torturée de longues minutes, salaud ! » Mais il ne fallait pas le braquer.

— Je l'ai un peu cuisinée. J'ai oublié de vous dire que Robin ne m'avait pas rendu ma compta, quand il m'avait donné quitus. Elle l'avait gardée par précaution. Et ces documents m'auraient immanquablement accusé du crime, il fallait que je les retrouve. Mais elle a tourné de l'œil avant de m'avouer où elle les avait cachés. J'ai cherché de longues minutes, et j'ai fini par les dénicher sous une pile de linge, au fond d'une penderie. Mais la femme de ménage est arrivée à ce moment précis, me prenant au piège. Quand elle a monté l'escalier, je me suis caché dans la chambre, et j'étais prêt à la tuer elle aussi. Heureusement, elle a pris la fuite. J'ai remis la clef dans sa cachette, brisé une vitre et j'ai repris mon vélo planqué à proximité dans les bois. Mais j'ai commis deux erreurs…

Incroyable, il tirait une chaise en face du bureau et s'y asseyait, en croisant les jambes. « Je lui saute dessus dès qu'il abaisse son arme. »

— La vitre brisée… et les chaussures de vélo qui ont laissé des demi-traces dans l'escalier. J'ai tenté de vous lancer sur la fausse piste d'Herbert, qui a tourné court quand Luce a découvert ma première erreur. Mais la seconde erreur m'a servi, tout compte fait. Mes traces dans l'escalier démontraient que l'assassin était un cycliste. Mais alors, Moreau, cycliste patenté, devenait un coupable idéal ! Un type seul, bizarre, mal aimé. Et je savais qu'il avait eu rendez-vous à l'ordre avec vous la veille, car je l'avais aperçu sans qu'il me voie. J'attendais que les soupçons se portent enfin sur lui ! Mais rien n'arrivait. J'ai donc surligné à votre intention le passage du procès-verbal des constatations, qui faisait mention de ces demi-traces dans l'escalier, et je l'ai glissé en tête du dossier pour qu'il ne vous échappe pas… Je me suis même laissé aller devant vous à une allusion à ces traces, l'autre soir.

Dornier se raidit. Chazal posa le pistolet sur sa cuisse, pour détendre son bras engourdi. « Il lui faudra bien deux secondes pour relever l'arme, me viser et faire feu. Le temps de plonger sur lui par-dessus le bureau. »

— J'arrive au bout de mon histoire, patron. Et vous aussi, vous êtes rendu au bout de votre propre histoire… Quand Tricard a commencé à démêler l'écheveau de la vérité, Luce a compris que j'étais Herbert… Elle est venue me trouver chez moi, le soir même. Elle en pinçait pour moi, et au fond d'elle-même, elle ne voulait pas croire que j'étais l'assassin. Je lui ai proposé de marcher un peu, en lui disant que j'avais un lourd secret à lui confier. Et je l'ai étranglée dans le square. J'ai pris un risque terrible, mais je devais agir en urgence… Ce meurtre m'a encore plus coûté que le premier. Je vous assure qu'elle n'a pas souffert longtemps.

« Vas-y, se dit Dornier en palpant ses quadriceps exercés, c'est le moment ! » Il hésita une seconde de trop. Déjà, Chazal reprenait son arme. Dornier s'efforça de le faire parler :

— Et maintenant, que comptes-tu faire, Chazal ?

— Je vais vous tuer, patron. Je le regrette bien, croyez-le, mais je ne vois pas d'autre solution pour m'en sortir.

— Mais tu vas attirer sur toi les soupçons !

— Non, au contraire. Quand j'en aurai fini avec vous, j'attendrai Moreau, qui sera là à 5 heures, fidèle à ses habitudes. Je le tuerai aussi, avec la même arme, à bout portant, dans le crâne. Comme si c'était un suicide. Et je taperai sa confession sur son ordinateur :

— « Je suis l'assassin de Juliette Robin et de Marie-Christine Luce. Cette nuit, j'ai tué Dornier, qui m'avait deviné. Je préfère mettre fin à mes jours. Signé Moreau. » L'affaire sera classée. Et je serai nommé administrateur de votre cabinet. Je pourrai combler le trou de mes dettes. Et je vous regretterai sincèrement, patron…

Il baissa la tête et se perdit dans ses pensées. « Maintenant ou jamais », se dit Dornier. Les muscles bandés, il jaillit de son siège qu'il jeta à la renverse d'un revers du bras. Dans la même seconde, il se ramassa sur lui-même et il plongea sur Chazal en hurlant, les bras en avant, pour l'écraser de son poids. Ses poings s'enfoncèrent dans les côtes de Chazal, qui se dressa pour tenter de le repousser. Dornier pesa sur lui. Chazal retomba dans son fauteuil, et le pistolet atterrit sur le sol, sans un bruit.

Dornier lui saisit un bras, et de sa main libre qui serrait le couteau, il tenta de lui porter des coups à l'abdomen. Mais Chazal était vigoureux et s'arc-boutait. Il s'efforçait de se relever, pour se dégager et reprendre l'avantage sur son adversaire.

Le couteau échappa des mains de Dornier. Maintenant à armes égales, ils s'empoignèrent. Ahanant, ils luttèrent tous deux, *mano a mano*, chacun essayant de renverser l'autre pour lui bondir sur le ventre. Dornier sentait le souffle de son adversaire sur son visage. Leurs têtes se touchaient presque. Il voyait l'expression grimaçante du jeune homme, dont les traits étaient déformés par l'effort.

Si Chazal ne parvenait pas à se redresser, Dornier l'emporterait vite, il en avait la certitude. Il avait foi en ses quadriceps puissants – entretenus par des milliers d'heures de vélo – pour faire plier un Herbert qui reculait et faiblissait peu à peu.

Les jambes prises sous le bureau, Chazal pliait sous l'étreinte de Dornier, qui se relevait en pesant de tout son poids sur lui. Herbert perdait peu à peu pied. Bientôt son adversaire pourrait l'assommer, avant de s'emparer de l'arme qui gisait à un mètre de là.

C'est alors que le bureau de Moreau bascula vers l'avant, entraînant Dornier dans sa chute. Sans rien comprendre, il se retrouva à terre, le nez dans la moquette.

Déjà Chazal, qui s'était reculé à temps, reprenait l'arme et la braquait sur son crâne, à bout portant, en lâchant :

— Vous avez failli m'avoir. Mais l'élève a triomphé du maître ! Adieu !

« Je suis mort, se dit Dornier. Quel gâchis de finir ainsi ! J'avais encore tant de choses à faire. »

Un coup de feu retentit dans la pièce et son tympan droit agressé se mit à siffler. Il lui fallut plusieurs secondes pour réaliser qu'il était toujours vivant et que son cerveau fonctionnait encore.

Il se redressa et vit Chazal à terre, qui se tordait de douleur. Puis il distingua la grande carcasse de Baudry qui venait à lui, son bon visage travaillé par l'angoisse.

— Monsieur le bâtonnier, je ne vous ai pas blessé au moins ?

Baudry l'aida à se relever. Dornier se frotta les membres. Il n'avait rien. Il désigna Chazal qui râlait par terre.

— Et lui ?

— C'est seulement une balle en caoutchouc. Une arme que j'ai toujours dans ma boîte à gants. Je lui ai cassé l'épaule ou l'omoplate, mais il s'en remettra !

— Mais par quel miracle, commissaire ?

— Le hasard, le dieu des flics ! Ou l'instinct, mon vieux ! Hier soir, j'ai voulu vous parler après vous avoir quitté. J'étais sûr que vous connaissiez Herbert et que vous le protégiez. Je suis retourné à votre cabinet, mais vous en étiez déjà parti… En rentrant chez moi, j'ai aperçu votre 4 x 4 devant l'immeuble de votre confrère Moreau. De la lumière filtrait à travers les rideaux à l'étage. Intrigué, je suis monté l'arme au poing… J'ai surpris la fin de votre conversation, et je suis intervenu au bon moment !

— La cavalerie se fait désirer, mais elle arrive toujours à point nommé !

Ils éclatèrent tous les deux d'un rire complice.

ÉPILOGUE

BAUDRY et Dornier étaient attablés chez George. Pour le remercier de lui avoir sauvé la vie, Dornier avait voulu inviter le commissaire dans le restaurant le plus étoilé de la ville. Mais Baudry n'avait rien voulu savoir. Ce serait George, ou rien du tout. Il ne fallait pas déroger au rituel !

Alors Dornier avait exigé de composer le menu. Mme George, dont le mari s'était surpassé pour le coup, annonça fièrement au policier :

— Deux douzaines d'huîtres de Marennes-Oléron accompagnées d'un champagne d'Épernay millésimé. C'est le bâtonnier qui l'a choisi. Puis ris de veau et pommes de terre rissolées aux petits oignons, arrosés d'un gevrey chambertin « Les Cazetiers », un premier cru. Plateau de fromages forts : époisses, munster, vieux-lille…

Baudry raffolait des « puants » ! Dornier avait pensé à lui !

— Et en dessert, des œufs à la neige. Pour quatre personnes au moins !

— Mon dessert préféré, soupira d'aise le policier.

Baudry était aux anges. Après avoir englouti les huîtres, il avait déboutonné sa ceinture, desserré sa cravate et se préparait à monter à l'assaut des ris de veau, une pure merveille qui fondait dans la bouche. Il dit à Dornier :

— Vous savez, monsieur le bâtonnier, lorsque j'aurai quitté votre triste région… Ah ! oui, j'ai oublié de vous dire que je serai muté à la rentrée… Eh bien, lorsque je ne serai plus là, ce qui me manquera le plus, après votre compagnie naturellement, c'est bien sûr l'hôtel de police et cette équipe remarquable qui m'entoure. Mais le plus *souhaitable*, ce sont nos gueuletons chez George ! Ce chef est un génie méconnu ! Je reviendrai rien que pour lui et pour avoir le plaisir de déjeuner avec vous ! À George !

Et ils trinquèrent tous les deux à la solidarité entre les flics et la basoche.

*« Pour écrire ce roman,
je me suis inspiré de mon
quotidien. »*

Pierre Borromée

Avocat en province, l'auteur de *L'hermine était pourpre*, lauréat du prix du Quai des Orfèvres 2012, a choisi d'écrire ce premier roman sous le pseudonyme de Pierre Borromée. Le prix du Quai des Orfèvres, fondé en 1946, a pour particularité d'être décerné à un manuscrit anonyme par un jury présidé par le directeur de la PJ et constitué d'une vingtaine de membres tous en lien avec le monde judiciaire : policiers, magistrats, journalistes spécialisés. Chaque année, une célébrité parraine le prix ; il s'agissait, pour cette 65e édition, de l'acteur et chanteur Patrick Bruel, qui succédait, entre autres, à Jean-Paul Belmondo, Alain Delon et Jean Reno. La cérémonie s'est tenue au fameux 36 quai des Orfèvres. L'auteur confie : « J'ai eu ainsi l'occasion de visiter le mythique "36", dit "la maison", siège de la PJ parisienne, laquelle m'a reçu très chaleureusement. C'est un souvenir inoubliable, pour un auteur de polars ». Avec ce prix, les jurés récompensent, outre la qualité littéraire du roman, « l'exactitude matérielle des détails et le degré de réalisme avec lequel est décrit le fonctionnement de la police et de la justice ». Pierre Borromée a donc obtenu cette distinction non seulement pour l'ingéniosité de son intrigue, mais aussi pour sa connaissance de première main des arcanes de la justice – presque tous les personnages de ce polar très ancré dans la réalité appartiennent au barreau, à la magistrature ou à la police. L'avocat souhaite-t-il poursuivre une carrière littéraire ? « L'expérience m'a beaucoup plu, j'espère pouvoir écrire d'autres romans », avoue-t-il. Quel écrivain admire-t-il particulièrement ? Georges Simenon, cela ne nous surprend guère.

Crédits photographiques :

Couverture :
hg : Réa/François Perri ;
hd : Shutterstock ; Illustration Rick Lecoat@Shark Attack ;
bg : Illustration Simon Mendez ;
bd : Réa/Hamilton.
4e de couverture :
hg : Agence Opale/Philippe Matsas ; hd : Jane Hilton ; bg : The
Times/NI Syndication ; bd : Fayard Photo : Jean-Marc Gourdon.
Pages :
5 : Akg-Images Lesende, 1912 Karl Schmidt-Rottluff 1884-1976
Kunstmuseum d.landes S.-A, Halle © Adagp, Paris 2013.
7 g : Réa/François Perri ; 7 cg : Shutterstock ; Illustration
Rick Lecoat@Shark Attack ; 7 cd : Illustration Simon Mendez ;
7 d : Réa/Hamilton.
8/9 et 10 : Réa/François Perri ; 147 : Agence Opale/Philippe
Matsas ; 148/149 et 150 : Shutterstock ; Illustration Rick Lecoat@
Shark Attack ; 319 : The Times/NI Syndication ; 320/321 et 322 :
Illustration Simon Mendez ; 323/483 : Illustration Benjamin Cox ;
483 : Jane Hilton ; 484/485 et 486 : Réa/Hamilton ; 591 : Fayard
Photo : Jean-Marc Gourdon.

IMPRESSION ET RELIURE : GGP Media GmbH, Pößneck, Allemagne.